Useful book of fish

からだにおいしい 魚の便利帳

藤原昌高 著

高橋書店

はじめに

戦後、日本人は体格の向上をめざし、急速に食の欧米化を進めていきました。そして1970年の大阪万博を契機に諸外国の食文化が日本中に広まり、国民に肉の旨みが知れ渡るとともに脂志向が浸透したことで、脂質摂取量が一気に増加したのです。

こうして日本人の平均身長は戦前より10cm以上高くなり、余剰カロリーを脂肪として蓄えて、より欧米人に近い体格になりました。しかし内臓はその変化に対応しきれず、糖尿病などの生活習慣病を患う人が急増しています。

そんななか、低カロリーの野菜に期待が寄せられているのはもちろんですが、日本人が長いあいだ摂ってきた魚に注目が集まっています。魚は優秀なたんぱく源でありながら、悪玉コレステロールなどはむしろ減らしてくれるという頼もしい存在。しかも魚の脂は肉の脂と違い必須栄養素なども含み、過剰な中性脂肪を抑えたり脳細胞を活発にしたりする、うれしい効能もあります。このようなメリットがあるにもかかわらず「魚離れ」が進み、さわったことすらない人が増えてしまったのは、誠に残念です。

四方を海に囲まれた日本では、太古から多くの魚が食べられてきました。もちろん食べ方にも知恵をしぼり、他の国では類をみないほどの多様性を誇ります。ですから魚は、日本人の嗜好や体に合った食材ともいえます。

本書では幅広い視点からこの魚をとらえ、基礎知識から奥深い魅力までをご紹介します。

熊
梅
坂一

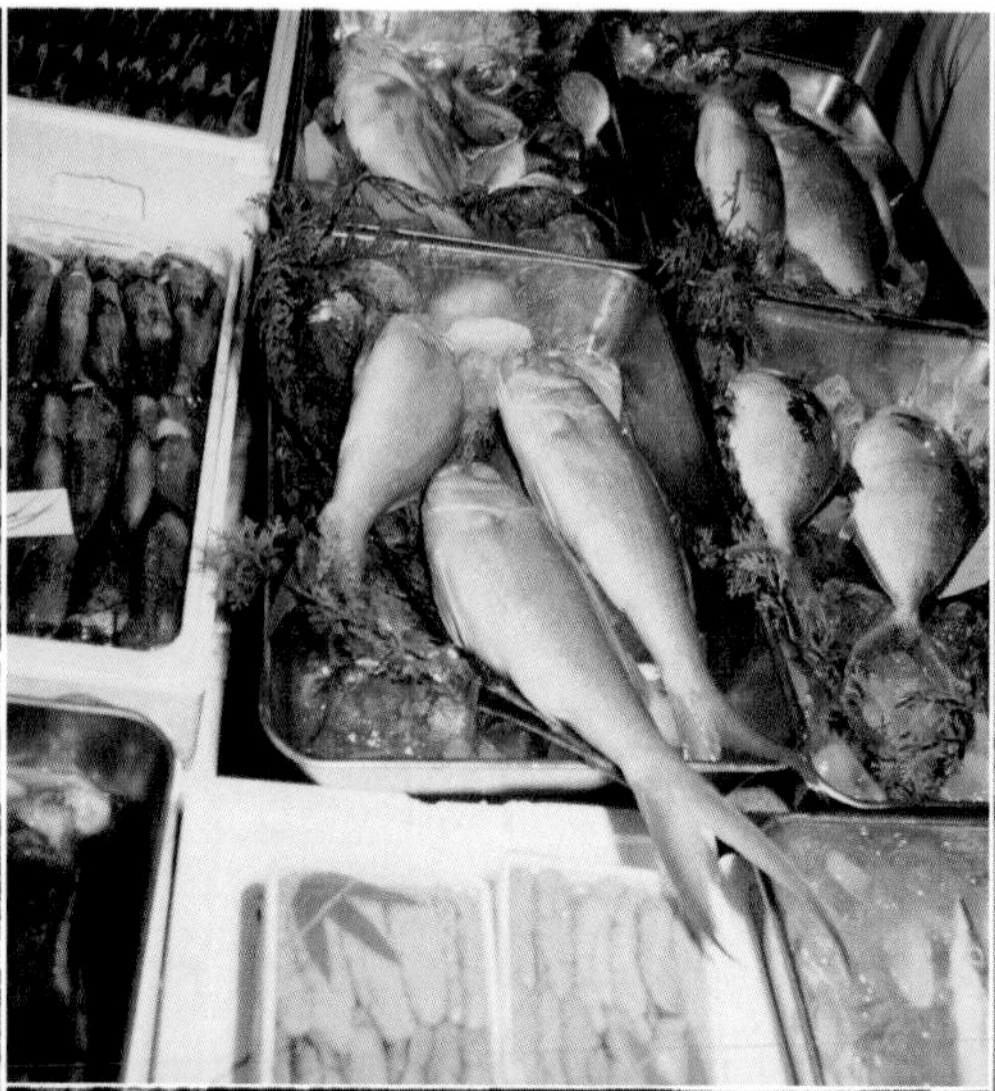

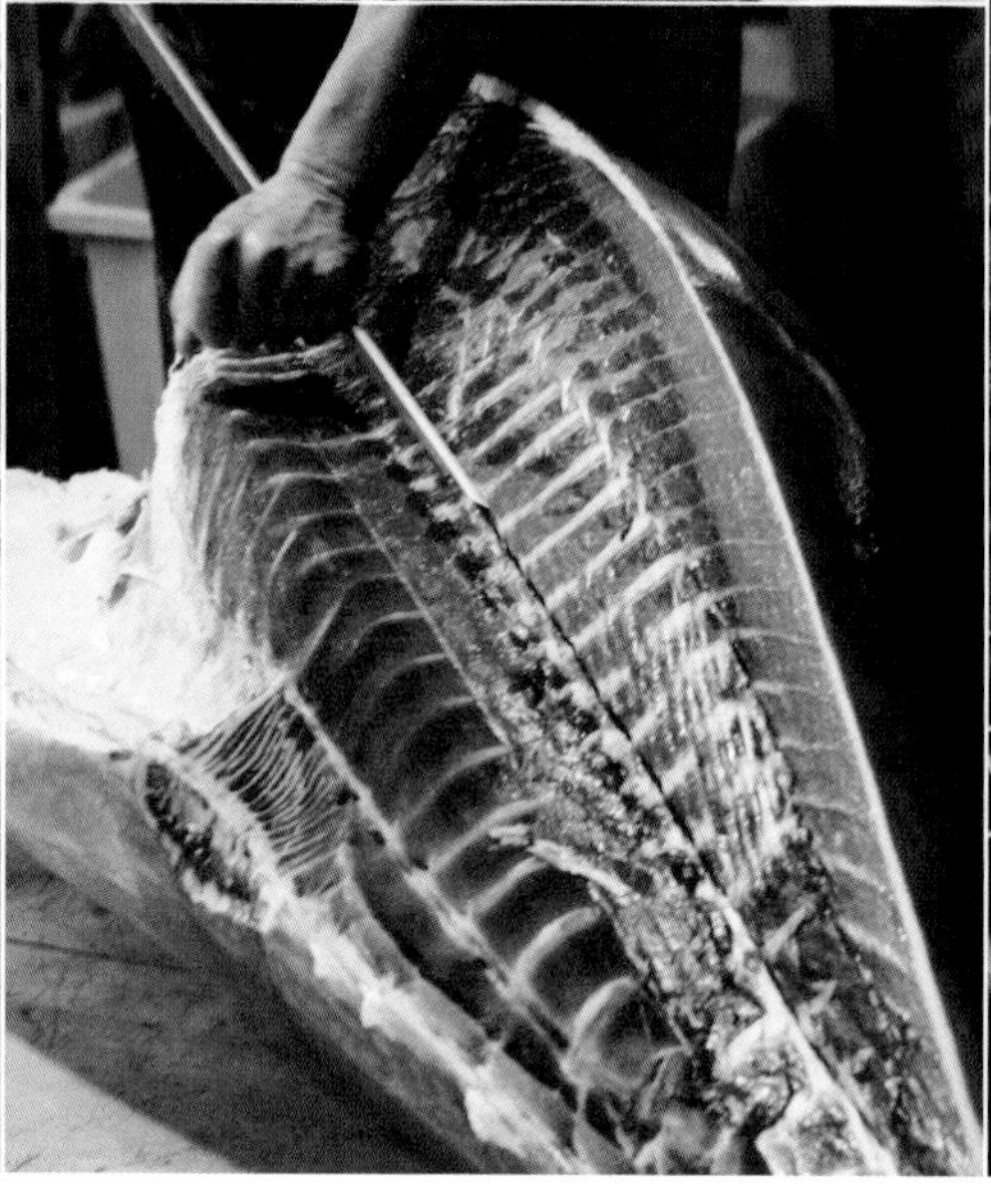

はじめに…2
この本の使い方・参考文献…6
魚をもっと楽しむために…8
おいしい魚を選ぶために…10
手間をかけない基礎知識…12
魚料理をおいしく食べる…14
保存してもっとおいしく…16

魚

Column「焼く」…18
あいなめ…19
あじ…20
あなご…24
あまだい…25
あゆ…26
あんこう…27
いさき・いとより…28
いぼだい…29
いわし…30
うなぎ…36
えい…37
Column「全国の名物料理マップ」…38
かさご…40
かじか…42
かじき…43
かつお…44
かます…47
かれい…48
かわはぎ…52
かんぱち…53
きす…54
きんき…55
きんめだい…56
ぐち…58
こい…59
こち・めごち…60
Column「揚げる」…61
Column「魚と野菜の相性」…62
さけ…64
さば…70
さめ…74
さより…75
さわら…76
Column「焼き魚をきれいに食べよう」…77
さんま…78
ししゃも…82
したびらめ…83
しまあじ…84
しらうお・しろうお…86
すずき…87
Column「おろし方の基本」…88
たい…90
たちうお…95
たら…96
とびうお…98
なまず…99
にしん…100
のどぐろ…101
Column「養殖魚と天然魚」…102
Column「煮る」…104
はぜ…105
はた…106
はたはた…108
はも…109
ひいらぎ…110
ひらめ…111
ふぐ…112
ぶり…114

べら…１１６
ほっけ…１１７
ぼら…１１８
Column「切る」…１１９
Column「鮮度・熟成」…１２０
まぐろ…１２２
むつ…１２８
めじな…１２９
めばる…１３０
めひかり…１３１
わかさぎ…１３２
Column「干す」…１３３
Column「魚の脂」…１３４

蝦・蟹・烏賊・蛸

Column「エビとカニの進化の過程」…１３６
くるまえび…１３８
しばえび…１４２
さくらえび…１４３
かわえび・おにえび…１４４
あまえび…１４５
ぼたんえび…１４６
いせえび…１４８
アメリカザリガニ…１４９
たらばがに…１５０
ずわいがに…１５２
けがに…１５３
がざみ…１５４
川と淡水のカニ…１５５
しゃこ…１５６
Column「ゆでる　蒸す」…１５７
こういか…１５８
やりいか…１５９
するめいか…１６０
たこ…１６４
Column「日本の旬、早わかり」
春～夏…１６７
秋～冬…１６８

貝・海藻

あわび…１７０
さざえ…１７２
えぞぼら…１７４
あかがい…１７５
ムール貝…１７６
とりがい…１７７
かき…１７８
ほたてがい…１８０
しじみ…１８２
あさり…１８４
はまぐり…１８６
あおやぎ…１８８
ほっきがい…１８９
うに…１９０
Column「缶詰味比べ」…１９１
こんぶ…１９２
わかめ…１９４
ひじき…１９５
緑藻・褐藻…１９６
紅藻…１９７
のり…１９８
Column「市場」…２００
名称のさくいん…２０２

この本の使い方

おいしいカレンダー

大まかな地域ごとに、獲れる時期、おいしい時期をグラフで示しています。

解説

漁獲状況や食べ方の歴史、現状、値動き、栄養成分や効能など、その魚介類の特徴を説明しています。

1 2 3 4 5 6 7 8 9 10 11 12

道・東北
東・東海
中国・四国
九州・沖縄

さけ
鮭
Chum salmon

世界でいちばん サケが好き

魚全体の消費量が落ち込むなか非常によく食べられ、なんと世界の漁獲量の3分の1を日本で消費しています。国内漁獲量が年間20万t以上もあるのに、同じくらいの量のサケ類を輸入。その多くが養殖魚で、さまざまな種が存在します。

ちなみに、国内で秋の産卵回遊群にまじって獲れる未成熟のサケは「鮭児《けいじ》」と呼ばれる超高級魚です。

時期、場所で味が変わる

かのサケの仲間たちと違って、旬は春から夏。若い「時知らず」は脂がのってやわらかく、頭が小さい。秋に産卵のために川をめざすものは「秋味」といい、やや脂が少ない。

青森 3
1 北海道
2 岩手
4 福島

標準和名
サケ
科　サケ科
生息域
千葉県利根川以北と日本海、山口県以北の河川に遡上する。またアジア側では朝鮮半島東部からシベリアのレナ川、東部太平洋ではアメリカのカリフォルニア州からカナダのマッケンジー川まで遡上。北太平洋、北極海に回遊していく。

切り身は皮が銀色で、切り口につやがあり身が鮮やかなオレンジ色のもの

国産 天然

語源
アイヌ語の「サクイペ」「シャケンペ」からくる。身が裂けやすいので「さけ」となったなどの説がある。「鮭」とは中国で鱖魚（けつぎょ／スズキ目の淡水魚）をさす言葉で、魚偏に「生」と書くのが正しいとされる。
地方名
東京では「シャケ」。新潟県村上は魚の中の魚だとして「イオ（魚）」という。

成熟すると皮が赤や褐色になり味が落ちる。身を食べるならオスを

サケの腹身を焼く
サケハラス

サケの腹身には脂があり旨みも濃厚で、そのおいしさは有名。脂が多いため、フッ素加工のフライパンなら油を引かなくてもきれいに焼ける。

料理

ちゃんちゃん焼き

ホットプレートで焼きながら食べるのが本格的だが、フライパンなどで少量つくっても、日常的なおかずやお弁当などに使える。

材料（2人分）
サケ（切り身）…2枚
バター…50g
好みの野菜（キャベツ、玉ねぎ、にんじんなど）…適量
A
みそ…大さじ1
砂糖…少々
酒、みりん…各大さじ1
水…大さじ2

作り方
1. 好みの野菜を5㎜幅程度にきざんでおく。
2. フライパンにバターを溶かしてサケを焼き、1をのせる。
3. Aを合わせ、味をみて加減し、2にかける。火が通ったら、できあがり。

身の生食は避けたい。寿司になるのはいくら

64

名称

一般呼称で、主流と考えられる名称を掲載しています。日本で正式名称とされる「標準和名」は、「基礎データ」をご覧ください。

基礎データ

その魚介類の標準和名、科、生息域、呼び名の語源、地方名など、基本となるデータをまとめています。語源や地方名など諸説あるものは、より有力・主流と考えられるものから取り上げています。

メイン写真

「名称」に掲げた魚介類のなかで、もっとも多く流通している種、または話題性のある種の写真を大きく扱っています。その種のよいものを選ぶポイントも併記しています。

レシピ

その魚介類のよさをもっとも引き出す、簡単でおすすめのレシピを紹介しています。付記した材料や分量、作り方をもとに、素材の魅力をお楽しみください。

寿司図鑑

その魚介類を使った寿司の写真と、味の特徴や魅力を記しています。生食できないものや一般に生食しないものは省いています。

『魚貝類とアレルギー』（塩見一雄　成山堂書店）
『干もの塩もの』（石黒正吉　毎日新聞社）
『さかなの干物』（竹井誠　石崎書店）

栄養学

『栄養学総論』（飯塚美和子、寺田和子、奥野和子、市川芳江、保屋野美智子　南山堂）
『おさかな栄養学』（鈴木たね子、大野智子共著　成山堂書店）
『五訂増補　食品成分表 2009』（女子栄養大学出版部）

統計

『水産統計』（農林水産省）

辞典

『さかな異名抄』（内田恵太郎　朝日文庫）
『高知の魚名集』（岡林正十郎　リーブル出版）
『新釈魚名考』（榮川省造　青銅企画出版）
『日本産魚名大辞典』（日本魚類学会編　三省堂）
『日本貝類方言集　民俗・分布・由来』（川名興編　未来社）
『新釣百科』（佐藤垢石、松崎明治　大泉書店）
『水産加工品総覧』（三輪勝利監修　光琳）
『商用魚介名ハンドブック』（日本水産物貿易協会編　成山堂書店）
『語源海』（杉本つとむ　東京書籍）
『改訂　調理用語辞典』（全国調理師養成施設協会　調理栄養教育公社）

料理書

『日本の食生活全集』（農山漁村文化協会）

スタッフ

クリエイティブディレクション／石倉ヒロユキ
編集・執筆協力／みかんクシロ
デザイン／日野洋平、小池佳代、伊藤 愛（regia）
写真／ぼうずコンニャク、本田犬友、石倉ヒロユキ
DTP協力／天龍社

協力

市場寿司　たか
築地市場（東京都中央卸売市場）
築地樋長
築地ヤマセ村清
築地斉藤水産
築地近長
東京八王子　魚茂
島根県水産課
国立国会図書館

本書の内容はデータベース「市場魚貝類図鑑」に準拠し、画像の大半は同データベースのものを使用しています。

産地・旬情報

その魚介類の旬や値段、市場での扱われ方について紹介しています。おもな産地は地図にまとめました。□の数字は漁獲高（生産高）の順位を示します。

おいしいコツ

おいしさをアップさせる下処理の方法から、冷凍・冷蔵、解凍の方法、上手な調理の仕方まで、ちょっとしたコツやお得な情報をまとめています。

トピックス

おいしい食べ方や知っておきたい豆知識、あっと驚く雑学まで、その魚介類の魅力や注意点などを幅広く取り上げています。

仲間

同じ名称で流通する魚介類の、別の種や仲間の種について紹介しています。一般に流通する際の名称を掲載しているため、標準和名と一致しないものもあります。

おいしいコツ

冷凍・解凍

サッと水洗いして水気をふき、塩分のないものは塩を振って締める。酒を少々振ると消臭にも。水分をよくふき、ラップにくるんで冷凍する。解凍せずに調理してOK。

焼きほぐして冷凍

焼いて骨などを取り、ほぐしてから冷凍すると、そのままチャーハンや卵焼きに入れられるなど調理しやすい。

塩抜きの方法

真水だと旨み成分が流出するので、食塩水に2〜3時間浸ける。ただし、塩ザケの食塩濃度より薄くする。目安は1.5%（水1カップに小さじ半分の塩）の濃度。

切り身いろいろ

ギンザケ　サケ　ベニザケ

キングサーモン　サーモントラウト

キングサーモンは目立って鮮やかなオレンジ色、ベニザケはその名のとおり濃い紅色、サケもきれいなオレンジ色の身。ギンザケはオレンジ色の身に黒い斑点のある皮が特徴。サーモントラウトはピンクがかったオレンジ色である。サケの身をサーモンピンクに色づけるアスタキサンチンは、にんじんなどの緑黄色野菜が多く含むベータカロチンと同じカロチノイド系色素のひとつ。タイやキンメダイなどにも含まれるが、サケほど多く含む魚はない。活性酸素を除去し、動脈硬化を防ぐ効果が期待できる。

国産ものは近年不人気？

「塩ザケ」は、新巻鮭で有名な国産の標準和名「サケ」でつくられているとはかぎらない。これは脂の少なさが敬遠されているため。現在は輸入もののベニザケやチリなどから輸入された養殖ギンザケ、サーモントラウトが塩ザケの主流に。せっかく獲れた国産のサケは中国などに輸出されている。

サケ科

樺太鱒《カラフトマス》

天然

卵巣はマス子

サケ同様、卵巣も塩漬けやしょうゆ漬けになる。安いわりにとてもおいしい。

塩マス、缶詰とほとんどが加工品に

サケの仲間のなかでもたくさん獲れ安価なカラフトマスは、おもに塩マスや缶詰になります。やや脂が少なく赤みが弱いため、残念ながら人気は下降ぎみですが、日本の缶詰素材の元祖で、明治時代から外貨獲得の大きな役割を担ってきました。

缶詰はさっぱりしていて使いやすい

65

参考文献

図鑑

『日本産魚類検索　全種の同定　第二版』（中坊徹次編　東海大学出版会）
『原色日本魚類図鑑』（蒲原稔治　保育社）
『原色魚類大図鑑』（阿部宗明　北隆館）
『相模湾産深海性蟹類』（池田等編著　葉山しおさい博物館）
『原色日本大型甲殻類図鑑Ⅰ・Ⅱ』（三宅貞祥　保育社）
『新北のさかなたち』（水島敏博、鳥澤雅ほか監修　北海道新聞社）
『北日本の魚と海藻』（尼岡邦夫、仲谷一宏ほか　北日本海洋センター）
『日本近海産フグ類の鑑別と毒性』（厚生省生活衛生局乳肉衛生課編　中央法規出版）
『日本の海水魚』（岡村収、尼岡邦夫編・監修　山と渓谷社）
『日本の淡水魚』（川那部浩哉、水野信彦編・監修　山と渓谷社）
『日本のエビ・世界のエビ』（東京水産大学第９回公開講座編集委員会編　成山堂書店）
『日本近海産貝類図鑑』（奥谷喬司編著　東海大学出版会）
『自然観察シリーズ　日本の貝』（奥谷喬司　小学館）
『学研生物図鑑 貝』（波部忠重、奥谷喬司　学習研究社）
『北の貝の仲間たち』（樋口滋雄）
『世界海産貝類コレクション大図鑑』（菱田嘉一　電気書院）
『日本の貝』（奥谷喬司　小学館）
『島根のさかな』（島根県水産試験場　山陰中央新報社）
『東南アジア　市場図鑑（魚貝篇）』（河野博編　弘文堂）

動物学

『基礎水産動物学』（岩井保、林勇夫　恒星社厚生閣）
『新版　水産動物学』（谷田専治　恒星社厚生閣）
『甲殻類学』（朝倉彰編著　東海大学出版会）
『魚』（田中茂穂　創元社）
『魚類学　下』（落合明、田中克　恒星社厚生閣）
『水産脊椎動物Ⅱ魚類』（岩井保　恒星社厚生閣）
『魚の分類の図鑑』（上野輝彌・坂本一男　東海大学出版会）
『日本産エビ類の分類と生態　I. 根鰓亜目』（林健一　生物研究社）

海藻

『海藻』（宮下章　法政大学出版局）
『海藻のはなし』（新崎盛敏、新崎輝子　東海大学出版会）
『海藻の食文化』（今田節子　成山堂書店）

水産

『魚の卵のはなし』（平井明夫　成山堂書店）
『サケ・マスのすべて　食材魚貝大百科』（井田齊、河野博、茂木正人編　平凡社）

魚をもっと楽しむために

一、いい魚をかしこく選ぶ

多くの人にとって、もっとも身近に魚を買える場所はスーパーの魚売り場かもしれません。そこで扱われている魚介類はどんどん多彩になり、売り方も丸のまま、パック、冷凍、加工品など、さまざまです。そんななかで「いい魚」とはどんなものなのかのポイントを示し、ふだんの買い物に簡単に取り入れられるような、魚のかしこい選び方をご紹介します。

二、手間を省く方法を知る

魚というと「おろせない」「さわるのもいや」など、苦手意識が先に立つ人も多いとか。そうだとしても魚は充分楽しめます。さわれない人は切り身や干物から始めればＯＫ。おろせなくても、下処理はスーパーなどの魚売り場でもしてくれます。手につくにおいは酢や重曹《じゅうそう》で洗ってから石けんを使えば驚くほど落ちますし、生ゴミのにおいだって熱湯をかけるだけで消えます。

ともあれ、栄養豊富で体においしい魚に触れずじまいというのは非常にもったいないことです。

三、ラクしておいしく料理する

臭みや骨が気になる、やや値段が高いなど、魚には手にしづらいイメージがあるかもしれません。でも、ちょっとした知識さえ身につければ、野菜や肉以上に楽しめること間違いなし。栄養豊富な血合いが食べにくいなら揚げれば非常においしくいただけますし、クセのあるものには香辛料やハーブを使うのも手。本書では、それぞれの魚に合った下ごしらえや調理のコツを多数紹介しています。

四、鮮度保持と保存法

魚を買うのをためらう理由のひとつに、鮮度や保存法の問題があるようです。気になさる方にはまず、塩ひと振りで生のままよりはるかに高い鮮度を保ち、味もよくなることを知ってほしいと思います。また冷凍してもほとんど劣化しないイカや、逆に旨みが増すシジミのような食材もあります。魚介類って案外保存に強いのです。

五、もっと知る

四方を海に囲まれた日本では、古来多くの魚が獲れ、主菜とされてきました。ですから魚は日本人の体質に合った食材ともいえます。栄養価の面でも優秀な魚を、日々の食事に活用しない手はありません。まずは魚を、もう少しだけ知ることから始めてみませんか。

一 おいしい魚を選ぶために

表示、ドリップ、切り口を見るだけで買い物上手に

もっとも手に取りやすい魚は、今ならパック詰めのものでしょう。これを大きく分類すると、

①「生」「鮮魚」（生の魚を丸のままや刺身、切り身にしたもの）

②「冷凍」「解凍」（丸のままや切り身で冷凍されたもの、それを解凍したもの）

③「塩蔵《えんぞう》」（塩味のついたもの）

となります。パックものなら、この表示を見ましょう。表示は目立つところにあるものもあれば、裏に小さく記したものもあり、表示そのものがないものも。いずれにせよ、しっかり表記している店のほうが扱っている魚の質がいいのは確かです。表側になければ裏側を見ましょう。

まず、鮮度管理をきちんと施した①のものがいちばん美味です。②は、解凍のやり方しだいで味わいが大きく変わります。ただし冷凍技術の進歩により、鮮度

の落ちた生より冷凍もののほうがおいしいこともあります。③は旨みが凝縮され、日もちします。

①や②の切り身の場合、鮮度が落ちるとドリップ（水分）がトレイにたまり、切り口のエッジ（角）が丸くなってきます。こういうものは避けましょう。

①の丸のままの魚は、切り身よりも鮮度の判断が困難。身が硬くて液体が出ておらず、えらの赤いものは基本的に新鮮ですが、さわって身の張りを確かめるのは気が引けるかもしれません。そんなときは「刺身で食べられますか」などと聞いてみましょう。また、よく「目の白いものはダメ」といいますが、マアジなどこの法則が使えない魚も。氷水に塩を入れると水温は0℃近くまで下がり、保冷力が高まります。この鮮度保持のための塩分が目を白くするのです。

このほかにも「加熱用」と「刺身用」の表示があります。魚は刺身用のほうが鮮度がよく加熱用のほうが悪い、と明快ですが、カキの場合は鮮度には関係なく、「加熱用」は滅菌処理をしていないだけです。「生食用」は、無菌の海水の中で滅菌処理をしますが、細菌とともに旨みやエキスも失います。だから鍋ものやフライには「加熱用」を選ぶほうが得策なのです。

売られ方も多彩となった今、よりおいしい魚を選ぶためのポイントを知り、かしこく選びましょう。

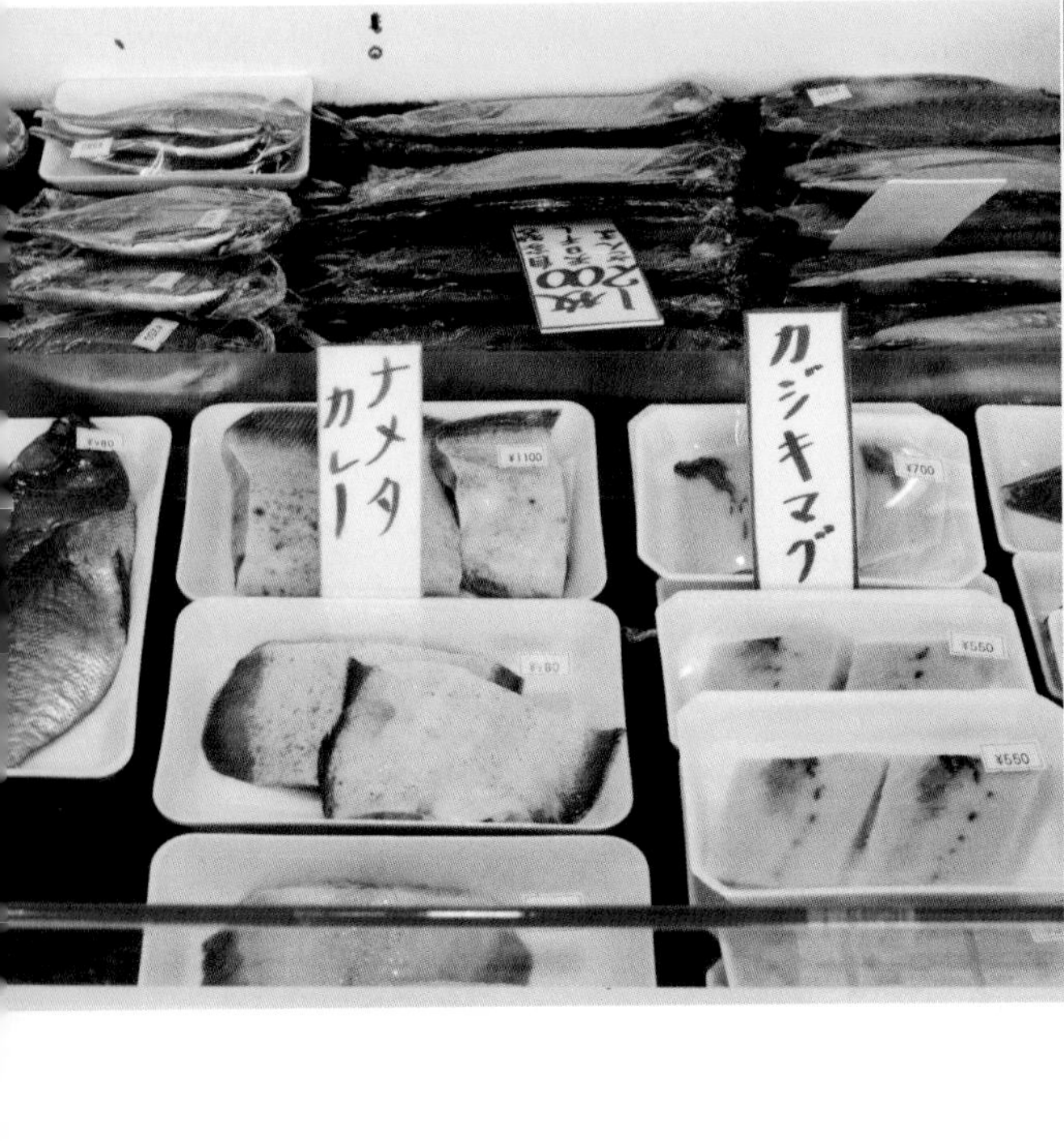

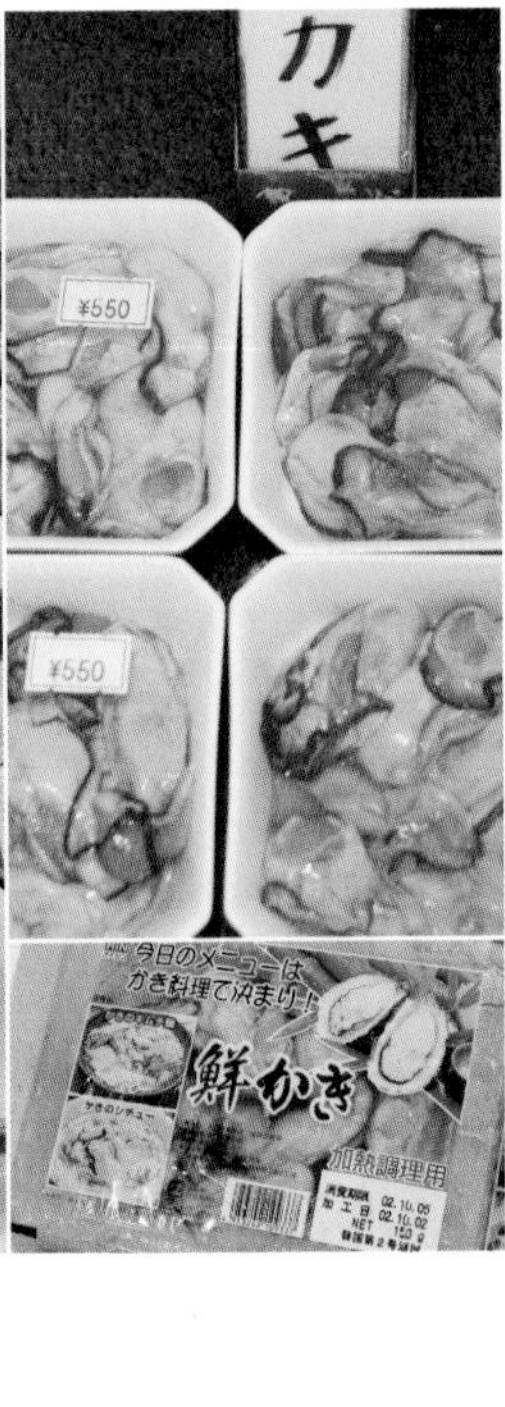

二　手間をかけない基礎知識

魚って意外にカンタンなんです

体にいいのはわかっていても、魚の調理に抵抗があるなら、切り身や一夜干しでも魅力は充分味わえます。おろせなくてもさわれなくても、栄養価が高く不飽和脂肪酸や悪玉コレステロールは少ない、というような魚のいい部分はおいしく取り入れたいものです。

もちろん鮮度の点では、調理の直前におろしたほうが好ましい場合がほとんどです。自分でできなくても、三枚おろしや内臓を取り出すなどの下処理ならたいていのスーパーや魚屋さんでやってくれるので、頼んでしまえばラクです。サッと下処理してもらってから持ち帰れば、キッチンは汚れず鮮度の高い魚を味わえ、しかもゴミも出ません。自分で選んでおろすのは、いろいろな魚を充分楽しんでからでもいいのです。

また、知りたいことがあったら「これ、塩焼きにできますか?」などと、どんどん質問しましょう。最近は魚に慣れていない人が増えているため、かなり初歩的なこ

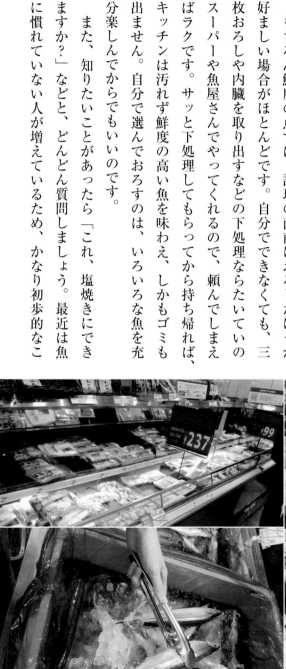

とを質問しても大丈夫。驚かれることは、まずありません。

いちばんいいのは、なじみの魚屋さんをつくることです。刺身の盛り合わせなどは、売れ残ったものを翌日盛り直して売っている店も多いのが現実。いい魚を手に入れるには、やはり信用できる店で買うのが理想的です。スーパーなら、前述したように「生」「解凍」などしっかり表示している店がいいでしょう。

魚屋さんとなじみになれば、かしこい買い方や味わい方、本当にいいものを教われる知恵袋になってくれるのも、大きな魅力です。

魚屋さんのつぶやき

スーパーでは量販が前提なので、すべての店とはいわないものの、魚のよし悪しまでを見ずに仕入れせざるを得ないケースも多くあります。それに比べ個人経営の魚屋は、よし悪しを自分の目で見極めて仕入れています。その意味でも、品質には自信あり。

こわがらないで

「今の主婦の方々にとっては、魚屋ってなんとなく敷居が高くて近寄りがたいイメージなんでしょうね。でも、初歩的なこともどんどん聞いてくれてかまわないし、もっと気軽に立ち寄ってほしいですね」。いい魚を手に入れるなら、魚屋さんを味方につけたほうが近道かも。

なじみの魚屋さんがあるとおろしてくれるだけでなく、おいしい食べ方も教えてくれる

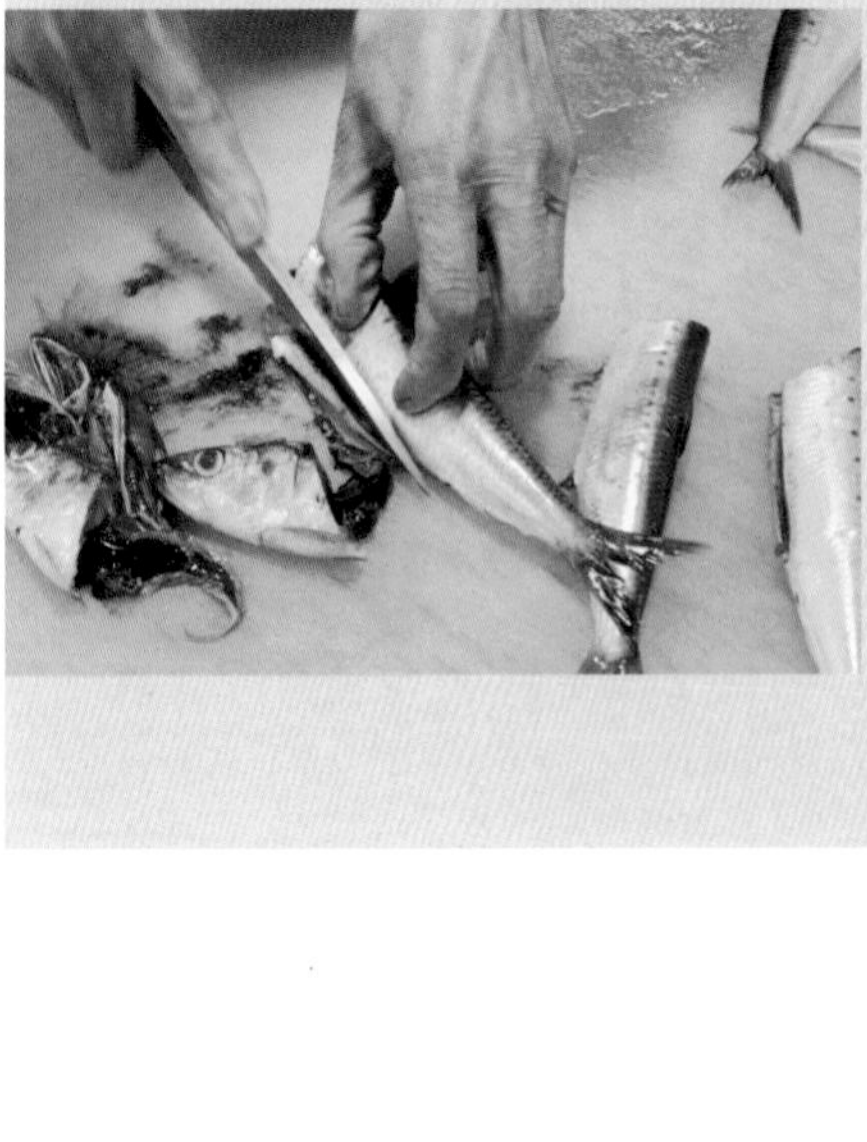

三 魚料理をおいしく食べる

調理法も調味料も大胆にアレンジできる

魚料理にまつわるマイナスイメージの代表的なものに「生臭みが取れない」「骨が気になる」などがあると思います。では魚好きの人たちは、どんなふうに食べているのでしょう。

まず、工夫しているのは調理法。クセのないものは塩焼き、クセの強いものや血合いの気になるものは揚げてしまうなど、結構大胆に変えています。血合いはにおいが気になるものの、鉄分が豊富で女性はぜひ摂りたいもの。揚げれば臭みはまったく気にならなくなるので、おすすめです。

「揚げる」という調理法は小骨の気になる魚にも使えます。あらゆる魚において、小ぶりのものは揚げ物が得策と覚えておきましょう。余すところなく食べられ、カルシ

刺身

しょうゆで食べるほか、漬け丼、揚げ物、しゃぶしゃぶなど、楽しみ方はかなり多様。ほかにもフレンチドレッシングを使えばカルパッチョに。トッピングをにんにくやゆずこしょうにするなど、アレンジしても楽しい。

ウム摂取にも効果的です。

また、調味料やハーブも強力な助っ人です。グルタミン酸という旨み成分を含んだしょうゆやみそは、魚のもつイノシン酸と合わせることで5倍以上の旨みを感じさせてくれます。砂糖の甘みは魚のクセを抑え、臭みを消す料理酒とバターは魚料理の必需品。

ハーブでは、こしょうはもちろん、オレガノ、バジル、ちょっと趣向を変えるならコリアンダーなどもおすすめです。とくにタイムは、生臭みを消すのに絶大な効果があります。いろいろな香りのハーブがまざったミックスハーブのようなものを常備しておくのもいいかもしれません。

みそ汁にするのも、じつは簡単でおいしくて、かしこい食べ方。サッと湯通しすれば臭みも取れ、だしを取らなくてもおいしくできます。しかも、みそ汁にすると、栄養たっぷりだけど堅くて捨てがちな部位まで食べられるため、ゴミも減らせてお得です。

魚通のおすすめは、刺身のしゃぶしゃぶ。日本人の生食信仰から、いまや多くの魚が刺身にされていますが、刺身にできる魚イコール高級というわけではありません。熱を通すことで旨みが増す魚も多いため、刺身を買って最初は生、その後しゃぶしゃぶと、食べ方を変えて楽しむのもいいかもしれません。

ハーブ類

タイムがあれば臭みはほぼ気にならなくなる。コリアンダーは、ひと振りで一気にアジアンテイストにアレンジできて楽しい。黒こしょう、バジル、オレガノなどのほか、セージ、ディル、フェンネルなども好相性。

四 保存してもっとおいしく

じつは意外に保存が利く

生の魚でも、塩さえ振っておけば冷蔵庫で3～4日は軽くもちます。塩を振って20分以上おき、出た水分をふくだけでOK。このほうが塩が脂となじんで味もよくなり、身が締まるため骨離れもよくなるのです。

魚は「冷凍するならよく加工してから」が原則。つまり、生のままより下処理後、下処理だけより調味後のほうがよいのです。これは、手を加えてから冷凍するほうがアミノ酸の変化が少ないため。塩、こしょうを振るだけでも劣化を長時間防げます。また「急速冷凍、ゆっくり解凍」も大切なポイントです。身の組織の破壊を食い止められ、劣化が防げます。

そして解凍ものを買うなら、冷凍ものを自宅で解凍したほうが得策。なぜなら解凍後は急激に鮮度が落ちるため、時間がたつほど臭みが増すからです。

このように、ちょっとしたコツさえ押さえれば、魚の保存は簡単なんですよ。

冷凍で旨みが増すものも！

なんとシジミは冷凍したほうが旨みが増す。ダイエット、美肌、肝臓増強効果のあるオルニチンもアップ。アカイカも冷凍したほうが旨みが増すといわれている。家庭での解凍は、6～7分水をかけておけばOK。

魚

食卓に必須の日常的な魚から
あこがれの高級魚まで、
基本を知っておきたい魚を
多数集めました。

焼く

青魚を焼くと魅力が増幅

もっとも一般的な魚の調理法が、この「焼く」です。一般にマアジやタイなど磯臭さがなく、ほどよい脂のある青魚や白身魚が向いています。とくに青魚は、独特の芳香成分が塩焼きの味わいを深め、旨みのないものも油や香辛料で補えば美味になるのです。

　また色合いも大切。マグロやカツオのように身にミオグロビンという色素たんぱく質をもつ魚は、そのまま焼くと褐色になり見た目が悪くなるため、しょうゆなどに漬け込んで照り焼きにするのがおすすめです。

干物を焼くコツ

あらかじめ焼き網を温めておくと、網に身がくっつかず、きれいに焼ける。はじめに強火であぶって表面を固めると、外はサクサク、中はジューシーに。

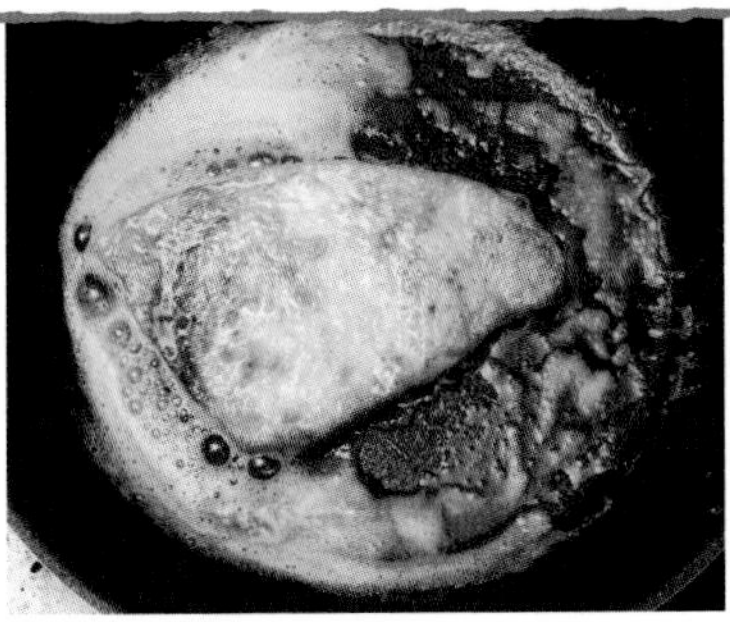

ムニエルのコツ

コツは、小麦粉を振ったらしばらくおいてしっかりなじませること。すぐに焼くと粉が落ちてパサパサになりやすい。フッ素加工のフライパンがおすすめ。

焼き魚のコツ

ポイントは焼きすぎないこと。あと一歩というところで火を止め、余熱で仕上げるとふっくら焼きあがる。盛りつけるときに表側になるほうから焼く。

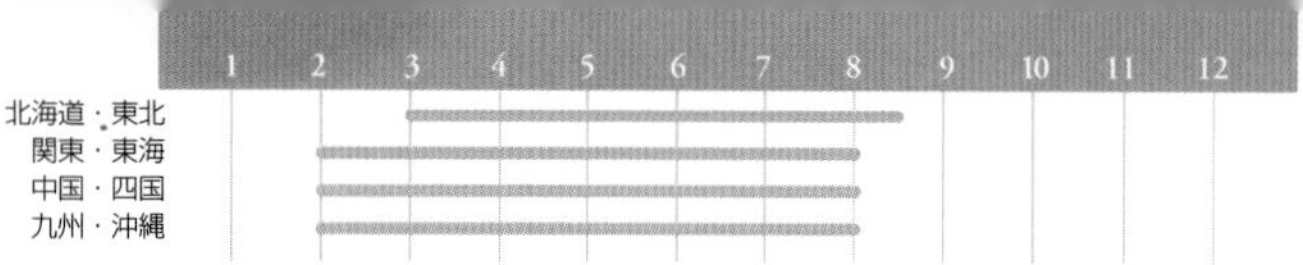

あいなめ

Green ling

鮎並

「殿様の魚」を家庭でも手軽に

あまり知られていませんが、じつは東京湾にもたくさんいる地もの魚です。鮮度が命なので、家庭で食べるなら煮物や木の芽焼きなどがおすすめ。旬をはずしてもつねにおいしいため、いつでも楽しめます。

江戸時代には殿様が食べる魚として珍重されていました。今は、決して安くはないものの手の届く値になってきているので、ぜひご家庭でもチャレンジを。

旬をはずしてもおいしい

秋冬が産卵期のため、養分をため込む夏がもっとも美味で、この時期は高値に。ただし、アイナメは旬をはずしてもつねにおいしい。関東での「わたり」（産卵期のオスで、婚姻色が出たもの）も悪くない。

目が澄んでえらが鮮紅色のもの
生きているもの。もしくは活け締めのさわって硬いもの

標準和名
アイナメ
（鮎魚女、愛魚女、相嘗）
科　アイナメ科
生息域
日本各地。朝鮮半島南部、黄海。浅い岩礁域。
語源
「鮎」の字はアユのように縄張りをもつ、またはアユに似てなめらかなためで「鮎並」の転訛（てんか／本来の発音がなまって変わること）。形がアユに似ているため「鮎魚女」。「愛魚女」の〈愛〉は「愛でること」。〈め〉は魚名語尾（古く魚名につくことの多かった語尾）で「賞味すべき美味な魚」の意など諸説ある。
地方名
山口、広島であまりにおいしく翌年用の籾種まで食べてしまうことから「モミダネウシナイ」。始終いるので「シジュウ」「シンジョ」。岩場の根に多いので「ネウオ」。ほかにアブラウオなど。

料理

木の芽焼き

しょうゆとの相性がいいので、しょうゆダレを塗りながら焼くのがベスト。

材料（2人分）
アイナメ…1尾
A［しょうゆ…1/2カップ
みりん…1/2カップ
酒…1/4カップ
砂糖（好みで）…少々］
木の芽（飾り用）…適量
粉ざんしょう…少々

作り方
1. アイナメは水洗いし、三枚におろす。
2. 皮を下にし、身に細かく切り込みを入れる。
3. 皮から焼く。7割がた火が通ったらAをまぜたものをつけて焼く。これを3回くり返す。器に盛り木の芽を飾って、さんしょうを振る。

甘酢あんかけ

唐揚げにして、かつおだしに酢、みりん、砂糖で調味したあんをかける。あんにはにんじん、長ねぎ、ピーマンなどの野菜も加えると美味。

仲間

兎鮎並《ウサギアイナメ》　アイナメ科

国産は鮮魚で扱われ、冷凍輸入もされている。クセのない白身で油との相性がよいため、おすすめはフライやムニエル。煮つけ、唐揚げなどにも向いている。

透明感のある白身ながら旨みがある。夏なら活けのものを薄造りに

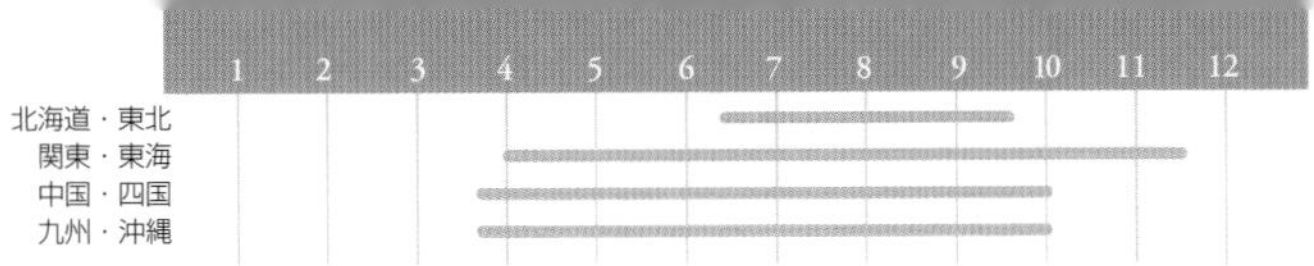

北海道・東北

あじ 鰺

Horse-mackerel

標準和名
マアジ（真鰺）
科 アジ科
生息域
北海道南部から東シナ海までの、水深２m足らずの港から水深150mの場所まで。
語源
静岡県沼津市の干物加工業者のあいだでは「鰺」の文字は「参」が旧暦の３月（太陽暦の５月ごろ）にあたり、このころが旬だからといわれている。味のよさから「味」が「アジ」となった。「アジ」の魚名は古くからあり、〈あ〉は愛称語、〈じ（ぢ）〉は魚名語尾で、〈アジ（アヂ）〉とは美味なる魚の意味だと思われる。
地方名
市場で単に「アジ」といえばマアジのこと。ときに「本アジ」ともいう。またムロアジなどと比べると左右に平たいので「平アジ」とも。小さいものを「ジンタ」「豆アジ」、大きいものを「大アジ」ともいう。マアジは大きいものがおいしいとはかぎらない。むしろ「大味」の意味だとも。

伊豆の郷土料理が全国区に

塩焼きや干物がメインでしたが、１９６５年ごろ、伊豆半島周辺の郷土料理「たたき」に新宿の料亭の板前さんが感動して店で出したところ一気に広まり、アジが生食できることに日本中が気づきました。以来、大衆魚だったマアジが平均的に高値に。

たたきの起源は、漁師さんが船上で内臓を手で取ってみそなどとまぜた素朴な料理「沖なます」です。

脂がのるのは春から夏

一年を通して大量に漁獲される重要な水産物で、漁獲許容量（TAC）が定められている。網で獲ったものは安いが釣ったものは高値。通年おいしいが、脂がのり、いちばん安定しているのは春から夏。

切り身の場合、脂のあるものは透明ななかにも白く濁って見える

黄鰺《キアジ》

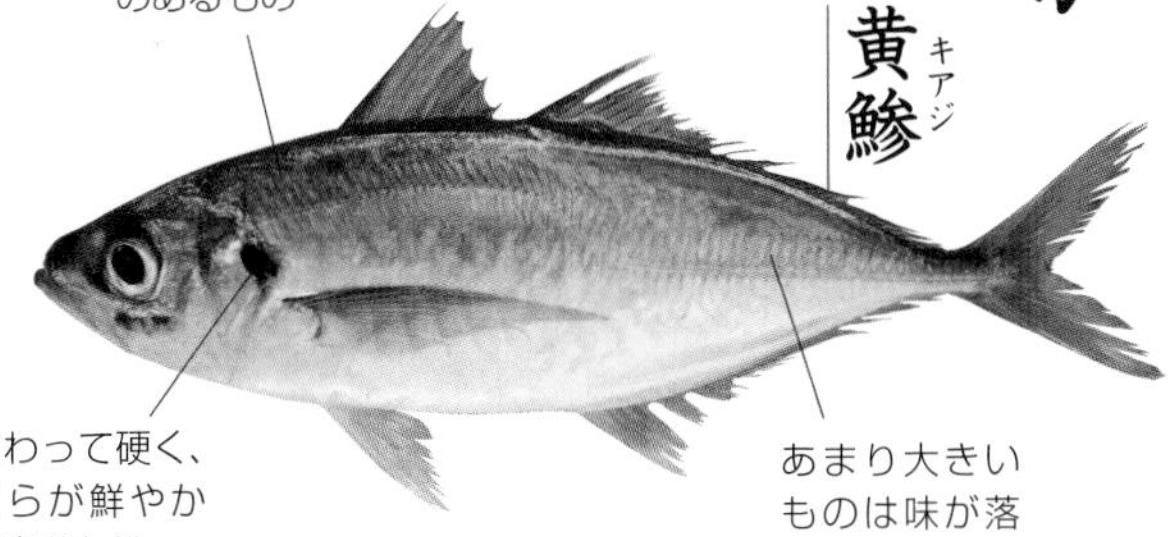
黄色みと丸みのあるもの
さわって硬く、えらが鮮やかな赤のもの
あまり大きいものは味が落ちる

黒鰺《クロアジ》

全体に黒っぽく、細長い。やや頭が大きい
その名のとおり、えらのあたりが黒い

「たたき」の生まれた伊豆半島

マアジには、浅瀬にいてあまり移動しない「黄アジ型」と、やや深い場所で回遊する「黒アジ型」がいます。

黄アジ型はいわゆる「根つきのアジ」で、「根つき」とはアジやサバのような回遊魚が一か所に居ついたものをいいます。小ぶりですが脂がのって旨みも強いのが特徴で、各地でブランド化が進んでいます。とくに有名なのが淡路島のアジです。

一方、黒アジ型は黄アジ型より漁獲量が多いものの、脂がなくて身質が粗く、旨みに欠けます。

味の違いは、すむ場所によってエサが違うため。当然、黄アジのほうが高値です。

適度な硬さ、トロッと甘い脂と背の青い魚特有の旨みが絶品

おいしい干物を食べるには

選び方

開いた状態で全体が丸く、腹の部分や背骨のまわりが白っぽいもの（写真左上）は、脂が多く美味。全体が黒っぽく身から骨が浮いているもの（同右上）は買わないほうがよい。

焼き方

最初にグリル内を加熱しておき、身から焼く。強火で表面をあぶって旨みをとじこめよう。最後に返して30秒ほど焼くと、皮がパリッと仕上がる。

新井白石いわく「味がいいからアジ」

新井白石は語源辞典『東雅』に「アジは味なり、その美なるものをいう」と記している。

EPAやDHAのほか旨み成分も豊富

高たんぱく、低脂肪、低カロリー。動脈硬化を予防するEPAや、脳細胞の活性化に効果的なDHAが豊富。またアラニン、グリシン、グルタミン酸、イノシン酸などの旨み成分も多く含まれている。

仲間

丸鯵《マルアジ》 アジ科

よく「マアジ」として食べられている。マアジより安く、冬が旬。たたき、干物、フライなどにすると、マアジ同様においしい。

西真鯵《ニシマアジ》 アジ科

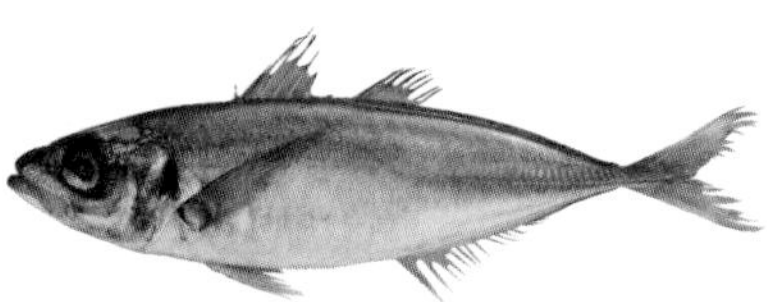

安値のアジの開きは、多くが本種。オランダ、ノルウェー、アイルランドなどから数万ｔも輸入されている。スーパーの干物の主流。

おいしいコツ

塩を振れば軽く2〜3日はもつ

内臓を抜き塩を振って、20分以上おく。表面の水分をふき取って袋などに入れておくと、冷蔵庫で2〜3日はもつ。

冷凍するなら

塩を振り1尾ずつラップに包んで保存袋に入れて冷凍庫に。3週間ほど保存できる。

解凍は

冷蔵庫の野菜室など10℃以下のところで半日くらいかけてゆっくり解凍するとおいしい。出た水分はふき取ろう。

豆アジを買おう

5㎝から8㎝ほどの小さなマアジはとても安いうえ、丸ごと食べられるので栄養的にも優れもの。南蛮漬けにしても。

はじめてでもできる三枚おろし

一

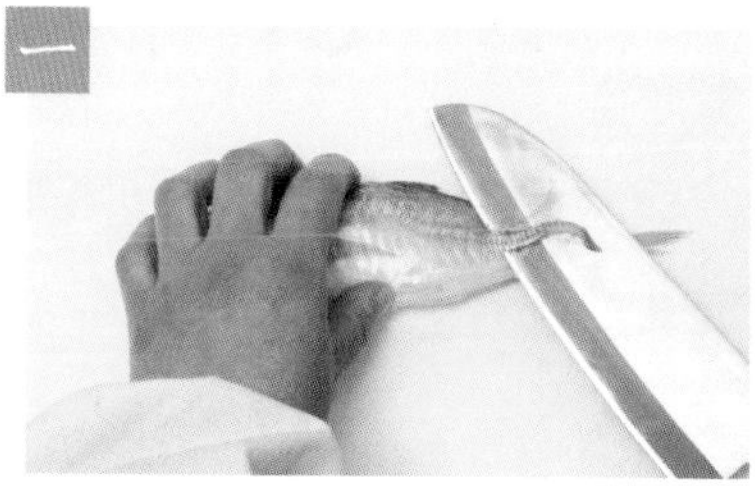

ぜいごとうろこを取る

水洗いし、硬いうろこ（「ぜいご」という）をお腹の上あたりまで切り取る。包丁を立て、尾から頭に向けて全体のうろこも取る。

二

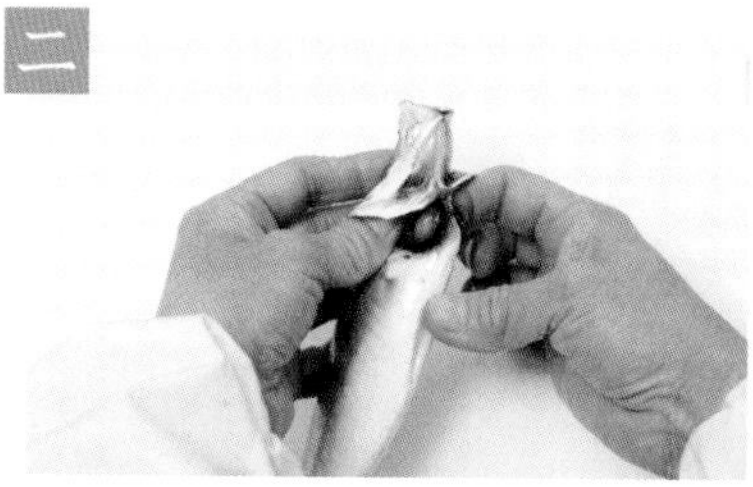

えらを出す

えらぶたから指を入れ、左右のえらをつまんでゆっくり引き抜く。マアジのえらはやわらかいので、引っ張れば内臓の一部とともに簡単に取れる。

三

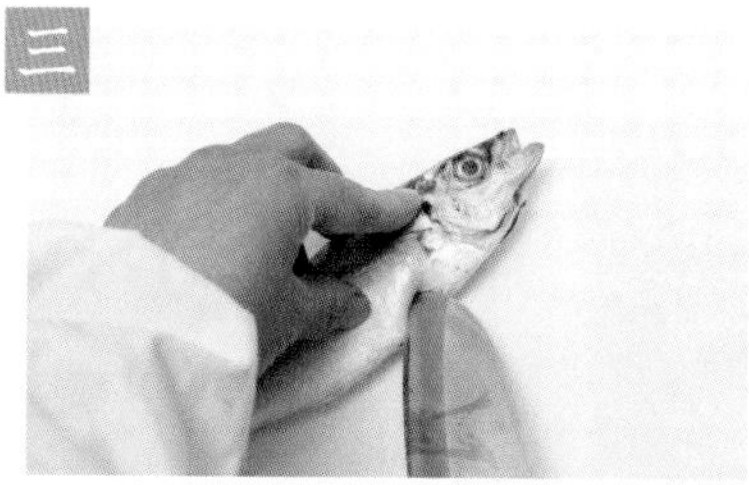

腹に包丁を入れる

お腹の部分に切り込みを入れ、内臓を出して水で洗う。このとき血合い（黒い部分）をかき出し、しっかり洗い流すと臭みが残らない。

四

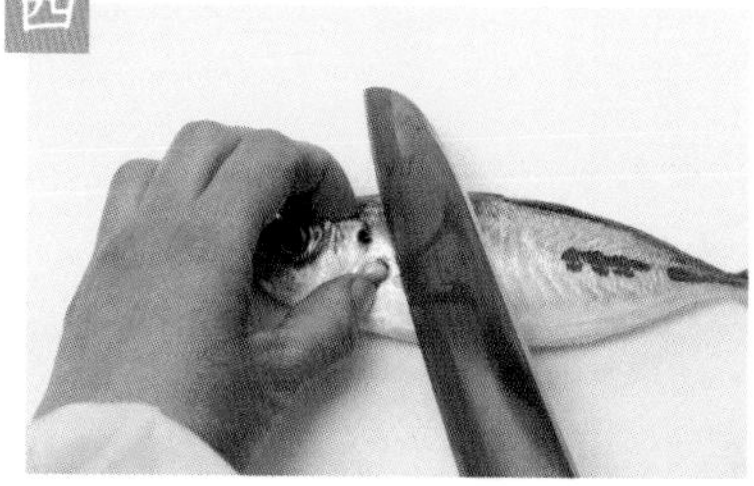

頭を落とす

胸ビレのつけ根あたりに包丁を当て、頭を落とす。

五

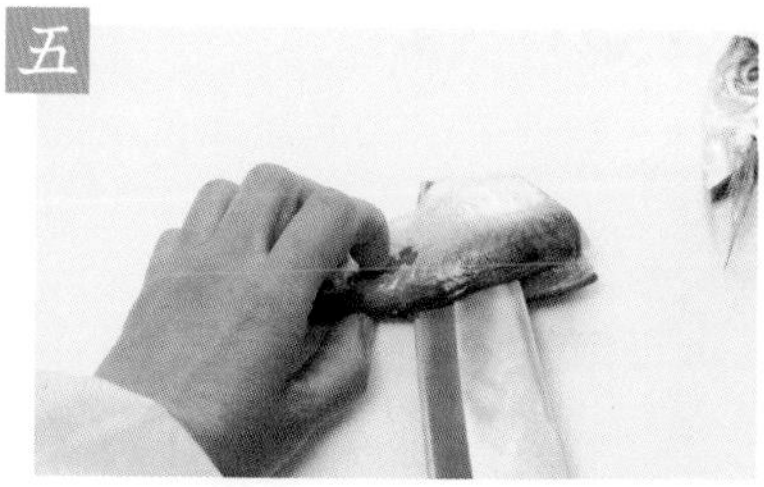

二枚におろす

お腹のほうから中骨にそって尾まで包丁を入れる。同様に背側からも包丁を入れ、上身を切り離して二枚にする。

六

三枚におろす

中骨のついたほうは、再度背側とお腹側から包丁を入れ、同様に切り離す。

七

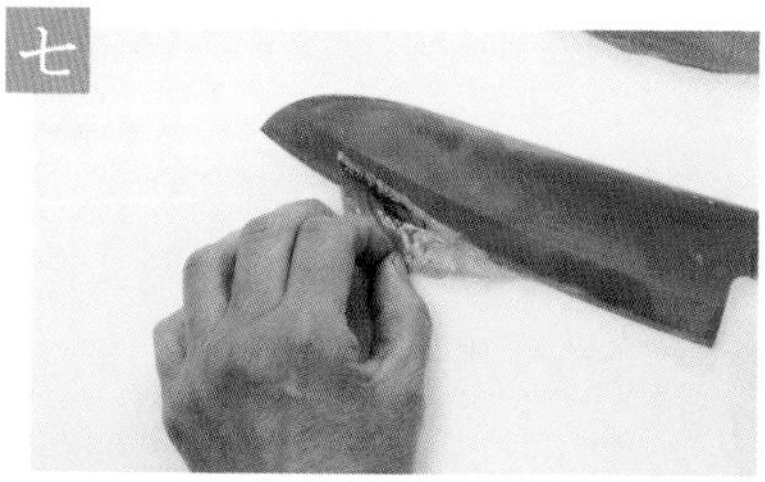

腹骨をすき取る

身の端にある腹骨を切り取る。刺身の場合は、指で表面をなでて血合い骨を探りながら、骨抜きで１本１本抜いていく。

血合い骨を抜く

八

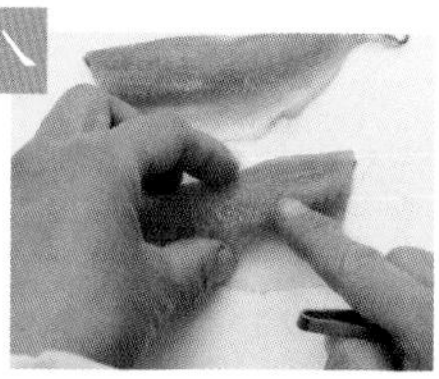

身のまんなかあたりに指をすべらせ骨を見つけて抜く。

九

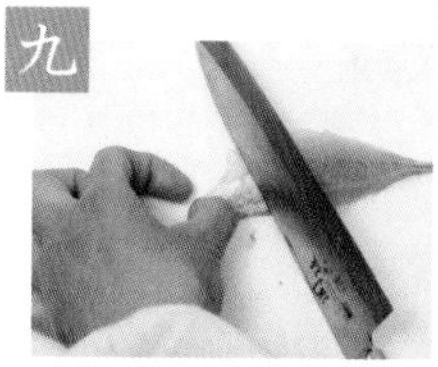

皮を引く

皮を少しめくり、皮を下側にして指で押さえ、包丁の背で皮をこそげるようにしてはがす。

おいしいコツ

おいしい塩焼きのコツ

下処理で塩を振る際、表面だけでなく、えらの中や内臓を除いたお腹の中にもていねいに塩をすりこんでおく。

酢締めとは

酢で締めれば4～5日もつ。三枚におろして骨を取り、皮も引いて多めに塩を振り、20分おく。水とその3倍量の酢、砂糖少々にこんぶを入れ15分漬け、取り出して表面の水分をふく。そのまま寿司ネタにしても。

家庭でできる本格焼き魚

ポイントは「強火の遠火」。魚焼き器の両脇にレンガを置き、腹から背のほうに向かって串を打った魚をセット。盛りつける面の裏側から焼く。

あじの冷や汁

宮崎県の郷土料理。使うものは、地域によって焼いて干した焼きあじだったり鮮魚だったりする。夏バテに効く一品。

材料（2人分）

マアジ（干物）…2枚
白いりごま…大さじ2（好みで増やしても）
みそ…20g（好みで加減する）
香味野菜（青ねぎ、青じそ、みょうが、きゅうりなど）…適量

作り方

1. マアジの干物は焼いて骨を除き、すり鉢でする。ここに白いりごま、みそを加えて、さらにする。
2. 冷やした水（分量外）を少しずつ加える。味をみながらちょうどよい加減になったら、きざんだ香味野菜を入れる。

真鯵のなめろう

千葉県の郷土料理で、各地に同じ料理が別名で存在する。千葉県外房では酢をかけるが、これもおいしい。なめろうを焼くと「さんが焼き」に。

材料（2人分）

マアジ…1尾
青じそ…2枚
万能ねぎ…適量
みょうが…1個
みそ…小さじ2（好みで加減する）
その他の薬味野菜（あるものでOK）…適宜

作り方

1. マアジは三枚におろす。腹骨は取るが、血合い骨はそのままにして、皮を引く。
2. 野菜はきざみマアジも細かく切って、まな板の上でみそと合わせる。
3. 2をできるだけよく切れる包丁で、切るようにたたく。決してミンチ状にしないこと。

さまざまなブランドあじ

大分県佐賀関の「関あじ」、宮崎県延岡市の「灘あじ（北浦）」などは水揚げしたものを一定期間いけすに移し、腹に残っているエサを消化させてから活け締めにしたもの。島根県浜田市の「どんちっちあじ」は、脂を計測する機械で脂質16％を超えたものだけを選りすぐったブランド魚。

くさやって？

伊豆名物の「くさや」の原料はムロアジやクサヤムロというアジ。保存のため魚を塩漬けしてできた塩汁をくり返し使って発酵させた「くさや汁」に漬け、天日で干したのがくさや。においは強烈だが特有の旨みがあり、酒のつまみには最高。

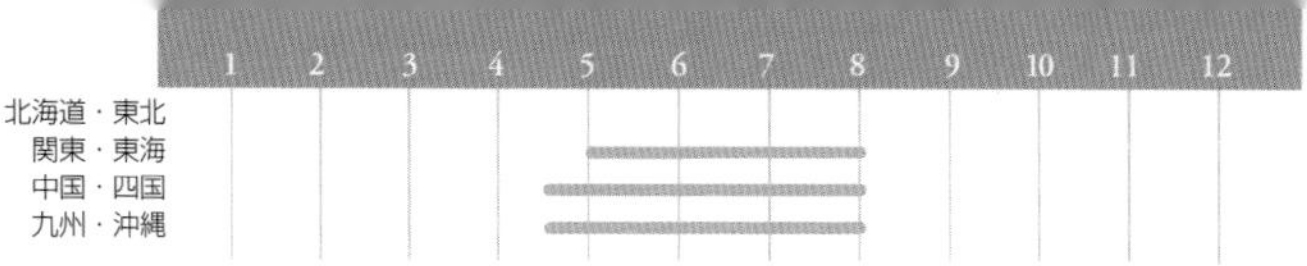

あなご 穴子

Conger-eel

天ぷら、寿司の定番

江戸前の天ぷら、寿司には欠かせないアナゴ。関東では煮穴子が主流ですが、関西では焼き穴子が一般的です。

一般に「あなご」とされるのはマアナゴで、これにゴテンアナゴ、ギンアナゴを加えた3種が流通しています。近年は科の異なるイラコアナゴも加わりました。

ウナギ同様脂肪分が多く、ビタミンAやミネラル、EPA、DHAが豊富です。

標準和名
マアナゴ
（真穴子、真穴魚）
科　アナゴ科
生息域
北海道以南の各地。東シナ海、朝鮮半島。能登半島以北の日本海には少ない。
語源
夜行性で昼間は海底の穴にひそんでいるため、またよく穴にこもっているため「あなごもり」に由来するなど。
地方名
ときに「ホンアナゴ（本穴子）」。また体に白い点が規則的に並んでいるので、関東では「ハカリメ（秤目）」などとも。気が強く、船などに上げるとかみつくように向かってくることから「ハム（食む）」。愛知県三河地方では、マアナゴを「メジロ（目白）」、近縁種のギンアナゴを「アナゴ」という。また、ウナギ目の魚は幼生期には透明で柳の葉のような形をしているが、これも食用になり、高知県で「ノレソレ」、関西では「ベラタ」などという。

国産が減り輸入が主流に

旬は夏。国産と輸入ものがあり、いずれも高値安定。国内ではあまり獲れないため、中国や朝鮮半島などからの輸入が多く、ときに開いたものなどが大量に入荷してくる。

大きさで用途が違う

天ぷらにはやや小ぶりのものが好まれ、35cm以下の「めそ」を最上とする職人も多い。大きいものは干物に。やや乾き加減にして香ばしく焼き上げる。味わい濃厚にして、非常に美味。

茶褐色で腹側はやや薄い色。体側に点線のように見える白い規則的な斑紋がある

アナゴ「のれそれ」

食感を楽しむアナゴの稚魚のこと。この乱獲で国産ものの漁獲量が減ったともいわれている。

関東では煮る、関西では焼く

煮穴子には、短時間でしょうゆの色合いをつけずに白く仕上げた沢煮と、とろけるほどやわらかく煮たものとがある。焼き穴子は関西から瀬戸内海にかけてよく見られるもので、「穴子飯」はこれをご飯にのせたもの。

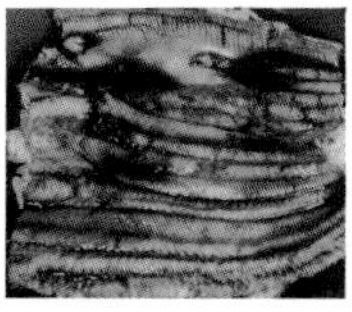

煮穴子

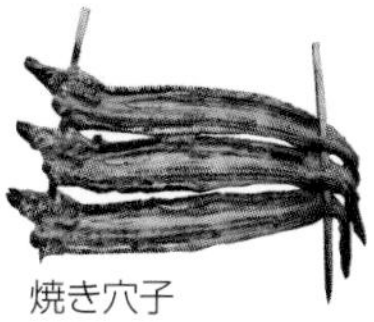

焼き穴子

仲間

伊良子穴子《イラコアナゴ》 ホラアナゴ科

スーパーや回転寿司の安い「アナゴの蒲焼き」はたいてい本種。マアナゴには劣るが、お手ごろ価格でおすすめ。

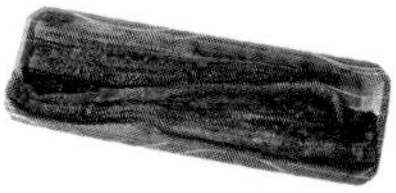

パックの蒲焼き

大阪の焼き穴子。香ばしくあとから濃厚な旨みが

江戸前煮穴子。口に入れると溶けるよう

あまだい
甘鯛 Tilefish

標準和名
アカアマダイ
（赤甘鯛、赤尼鯛）
科　アマダイ科
生息域
本州中部以南。東シナ海、南シナ海。
語源
「アカアマダイ」は赤い甘鯛の意。「アマダイ」は、味わいに甘みと旨みがあることから。横から見るとほおかぶりをした尼僧に似ているから「赤尼鯛」とも。
地方名
京都では「グジ」といい、京料理に欠かせない。若狭で獲れ京都に運ばれたので、「若狭グジ」の名がある。静岡県では「オキツダイ」。ほかには水っぽいのでクズ。ビタ（室町時代中期から江戸時代にかけて私鋳された、粗悪な貨幣）など、「捨てる魚」という意味合いの呼び名が目立つ。

近年人気の京料理の華

タイの仲間ではないものの、マダイよりはるかに高値です。かつては関東では安い魚でしたが、近年は関西料理の普及により料理店などで引っ張りだこの人気です。

寒い時期に若狭（福井県）で水揚げされ、浜でひと塩して京都に運んだものは「若狭グジ」と呼ばれます。これに酒を塗りながら遠火の強火でじっくり焼く「若狭焼き」は最高の食べ方です。

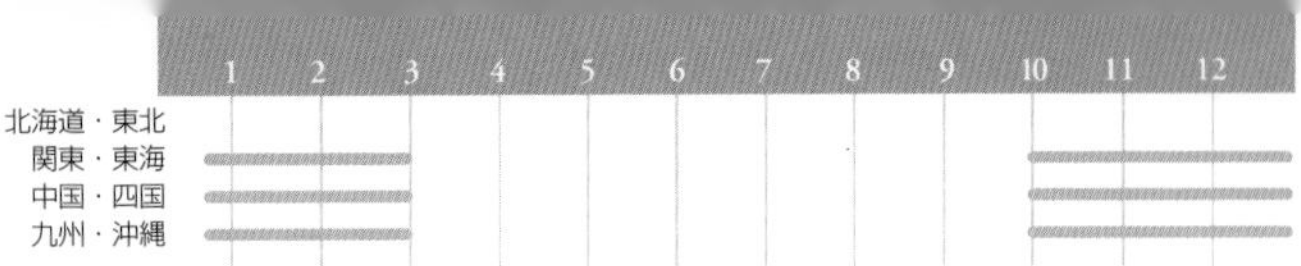

寒い時期が旬

旬は秋から冬。産卵を終えた春から夏のものはあまりおいしくない。鮮魚の値段もうなぎ登りで、市場でキロあたり１万円以上はあたり前の超高級魚。産地は日本海側に密集する。

ひと塩の甘鯛

水分が多いので適度に抜く必要がある。うろこは引かずに背中から開いて軽く塩を振り、再び身を閉じる。これを一昼夜寝かせたものを「ひと塩の甘鯛」といい、非常に美味。身がやわらかいため濃い塩水に漬けることも。こぶ締めなどにするときにはうろこを包丁ですき引く。

料理

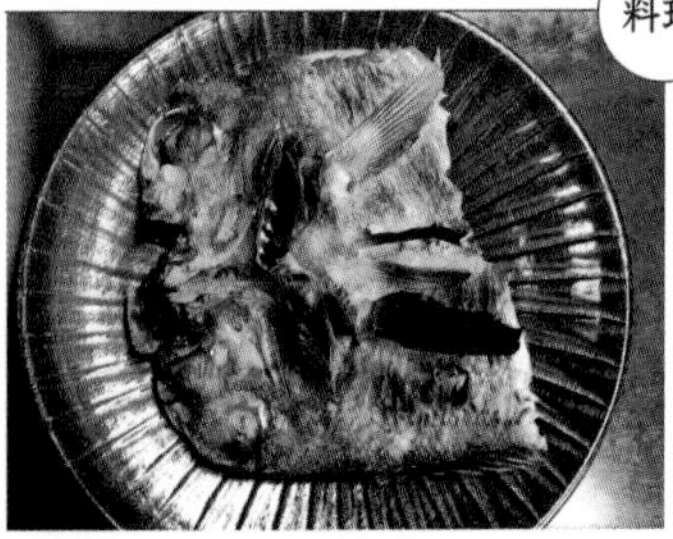

甘鯛の若狭焼き

ひと塩して適度に水分を抜き、皮に酒を塗りながら焼くと生臭みが消える。

材料（２～４人分）
アマダイ…１尾
塩…適量
酒…適量

作り方
1. アマダイは、うろこは取らず背開きにする。
2. 塩焼き同様に振り塩をし、開いた身を戻して、一昼夜寝かせる。
3. 金串を打ち、酒を塗りながら遠火で焼く。うろこ側は焦げてしまっていい。

仲間

白甘鯛《シロアマダイ》 アマダイ科

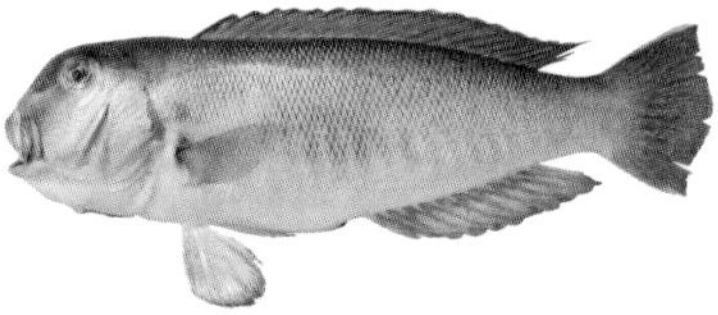

かつてはもっとも高価な魚だったが、近年中国からの輸入で安くなり、スーパーなどにも干物として並んでいる。皮に独特の風味があり、身に甘みがある。ぜひ一度お試しを。

水分が多くやわらかい。鮮度のよいものだけが刺身になる

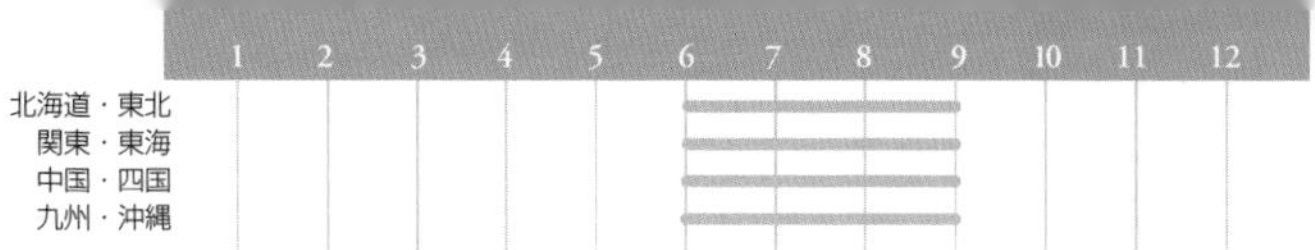

あゆ 鮎

Ayu

標準和名
アユ（香魚、年魚）
科 アユ科
生息域
北海道西部以南から南九州までの河川、湖沼、ダム湖など。
語源
「アユ」の原語は〈あひ〉で、〈あ〉は愛称語、「ひ（い）」は魚名語尾。「愛らしく味佳き魚」の意味。「鮎」という漢字は中国ではナマズのこと。日本で魚へんに「占」をあてたのは、『日本書紀』に神功皇后がアユを釣って戦の勝利を占ったとの記述が見られ、これに由来する。また「年魚」と書くのは、春に海から川に上りはじめ、秋には産卵して死んでしまうため。
地方名
「アイ」と呼ぶ地域が多い。アユの状態により、海に下ったばかりのものを「シラスアユ」、産卵後のメスを色合いから「サビアユ（錆鮎）」「フルセ（古背）」、1年の寿命なのに年を越したものを「とまりあゆ（止鮎）」という。

古くから日本を代表した魚

昔は、なれ寿司などに加工して朝廷に献上され、日本で長く親しまれてきた魚です。

幼魚は雑食性ですが、成魚は川苔《かわごけ》だけを食べるベジタリアン。川苔による特徴的なきゅうりの香りがします。

最近は、養殖ものが比較的安価でスーパーなどでも手に入るようになりました。香りはあまり楽しめないものの脂ののりは充分なので、広く活用したいものです。

塩焼きは夏の風物詩

旬は夏で、塩焼きは夏の訪れを知らせてくれるもの。川によって味わいが違い、地方ごとにアユ自慢がある。琵琶湖のアユは成長しても大きくならず、これをさんしょうなどと煮たものは滋賀県の特産物。

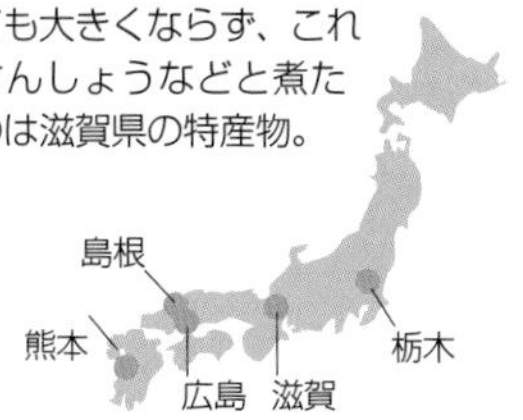

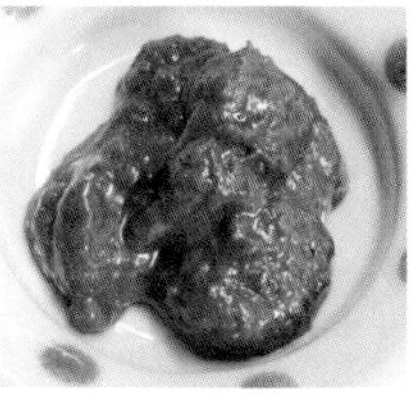

うるか

アユの内臓の塩辛を「渋うるか」、卵巣の塩辛を「子うるか」という。独特の香りと強い旨み、渋みがあり、酒の肴にもってこい。

頭の小さいもの。体色のきれいなもの
えらが鮮紅色のもの

料理

仲間

胡瓜魚《キュウリウオ》 キュウリウオ科

アユとはまったく別種だが、同様にきゅうりの香りと個性的な旨みがある。

あゆのムニエル

脂の強い魚だが、バターを使う。これが意外に上品で香り豊かな一品。

材料（2人分）

アユ…2尾
小麦粉…適量
バター…50ｇ前後
サラダ油…大さじ1
レモン汁…適宜
塩・こしょう…適量
レモン（飾り用）…1/8個

作り方

1. アユは内臓を取らず水で簡単に洗い、塩、こしょうを振っておく。小麦粉をまぶしてなじませる。
2. フライパンに油と半量のバターを入れて熱し、1を入れる。
3. 中火でカリッと焼きあげたら取り出し、フライパンに残りのバターを入れ、レモン汁、塩、こしょうで調味してソースをつくる。
4. 皿に3を流してアユをのせ、レモンをくし形に切って添える。

活けものを寿司ネタに。アユの香りを楽しめる

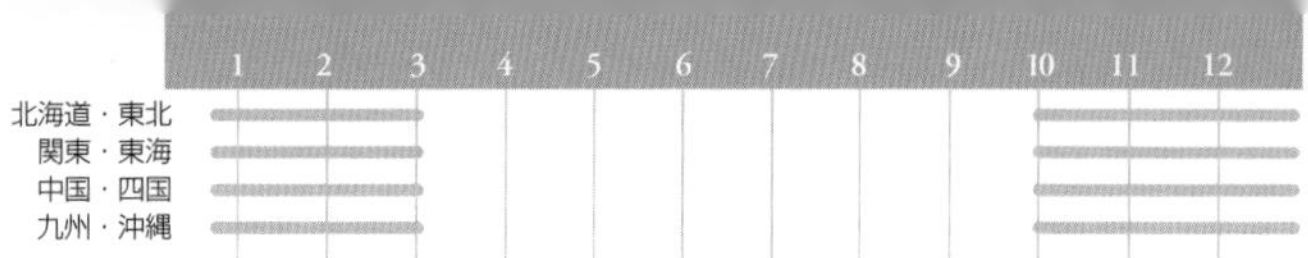

あんこう

Angler,Goosefish

鮟鱇

標準和名
キアンコウ
科　アンコウ科
生息域
北海道以南、東シナ海。アンコウ類ではキアンコウは北日本に多い。
語源
英名の Angler fish には「釣りをする魚」の意味がある。アンコウは背びれの一部がさおのようにのびており、先端に小魚を思わせる皮弁がついている。これをあたかも小魚が泳いでいるかのように動かし、近づいてくる魚を飲み込む。この習性から名づけられたもの。
地方名
単に「アンコウ」というとキアンコウをさす。標準和名のアンコウは、キアンコウに比べ味がいまひとつで安いため「クツアンコウ」と呼ばれている。

下ごしらえは簡単。自宅でも試したい

オスは小さく、メスは1・5m前後と巨大。おいしいのは断然メスです。

もともと関東だけの冬の味覚だったものが全国区になったため、当然つねに需要過多。

これを補うのが中国からの輸入ものです。国産より安く、家庭で食べるには充分すぎるほど美味。高級なイメージがあるかもしれませんが、安くなってきているので、家庭でもぜひお試しを。

旬は鍋の恋しい時期

おいしいのは秋から冬の鍋シーズン。春に産卵すると極端にまずくなる。市場への入荷は秋口から増えるもののピークは年明けで、「年末にこれだけの量があったら」と魚屋さんに嘆かれている。

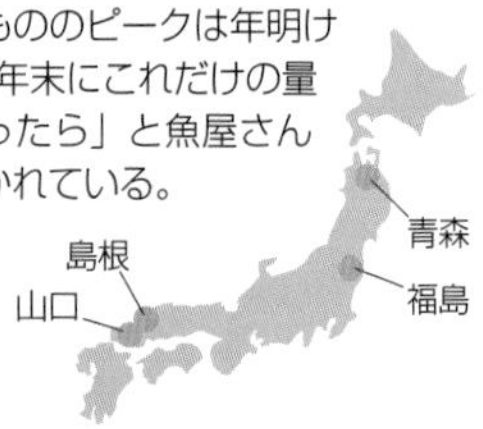

フォアグラより上？

旬の良質な国産ものの肝は極上の味わい。フォアグラより上と評する人も。

できれば大型で、さわって硬く感じるもの

仲間

鮟鱇《アンコウ》　アンコウ科

キアンコウ（写真右）より味は落ちるが、安価で流通。

流行の刺身よりも内臓や皮のほうが味も価値も上

料理

東京風あんこう鍋

東京ではしょうゆ仕立て、常磐では肝を溶かし込んだみそ仕立ての鍋と、カラーがある。そのまま鍋などにしてしまうと臭みがあるので、ぜひ湯通しを。下ごしらえは、ほぼそれだけでOK。

材料（2人分）

アンコウ（切り身）…300 g
（鍋用に内臓、肝なども入ったもの）
水…1ℓ
A［かつお節…20 g／こんぶ…10㎝角／酒…1/4カップ］
B［（好みで増やしても）しょうゆ…1/4カップ］
野菜（白菜、せり、大根など）…適量
豆腐…1/2丁

作り方

1. Aで一番だし（P46参照）を取る。
2. 野菜と豆腐は、食べやすい大きさに切る。
3. アンコウはボウルに入れて熱湯（分量外）を注ぎ、一度冷水に取って汚れなどをきれいに取り除く。ザルに上げ、よく水をきる。
4. 鍋に1を満たし、Bで味つけする。
5. 4に3を入れ、2を加えて、煮ながらいただく。

身は淡泊だが、肝と合わせた「とも和え」の軍艦巻きは絶品

いさき 伊佐幾

Striped pigfish

夏到来を感じさせる魚

夏になると脂がのってくるため、古くから夏の塩焼き魚の定番でした。ところが近年では、流通の発達により、むしろ刺身に人気が出てきています。

産卵期は晩春から夏。産卵期が旬と重なる代表的な魚で、この時期のものは脂がのり、身に張りがあります。また産卵後、エサをさかんに食べ、寒さに備えて脂を蓄えるため、冬も非常に美味。

ただ、イサキは味の落ちる期間が短く、夏にこだわらずとも比較的いつでもおいしい魚といえます。

イサキの仲間は、刺身、塩焼き、ポワレなど、料理法を選ばずおいしいコロダイのほか、ムニエルにして絶品なコショウダイなど、美味ぞろいです。

標準和名　イサキ
（伊佐木、鶏魚）
科　イサキ科
生息域
太平洋側では千葉県が北限、南シナ海まで。

幼魚は縞模様がくっきりして、小さくてもおいしい

旨みは皮にあり

かすかな磯臭さがあり、それが独特の味わいを醸し出しておいしい。皮が硬いぶん、焼くと皮の旨みが非常に強く出る。やはり塩焼きがおすすめ。

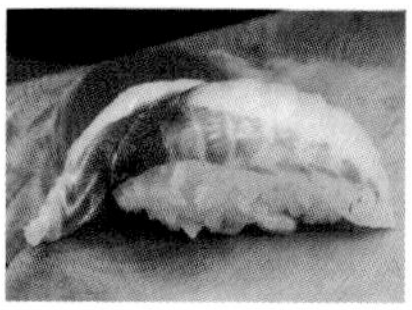

夏の代表的な寿司ネタ。脂がのり見た目もきれい

いとより 糸撚

Golden threadfin-bream

フレンチでいうフォアグラ的存在

高級料亭でしか見ませんが、フレンチでフォアグラを知っていたほうがいいように、知識として押さえておきたい魚のひとつです。

上品ながら深みのある味わいで、蒸し物のほか焼き物、潮汁などで出されます。

皮に独特の甘みと香りがあるため、刺身なら皮に熱を通す皮霜造りがおすすめ。身に熱を通せば白身が美しく、やわらかいのに適度に繊維質で骨離れもよい、パーフェクトな魚です。

産卵期は5～6月ごろで、旬はその前の春から初夏にかけてです。このころによく出回り、味もよくなります。ただし旬をはずしても、年間を通じていつでもおいしいのがうれしい点。市場では高値安定です。

標準和名
イトヨリダイ（糸撚鯛）
科　イトヨリダイ科
生息域
本州中部以南から東シナ海まで。

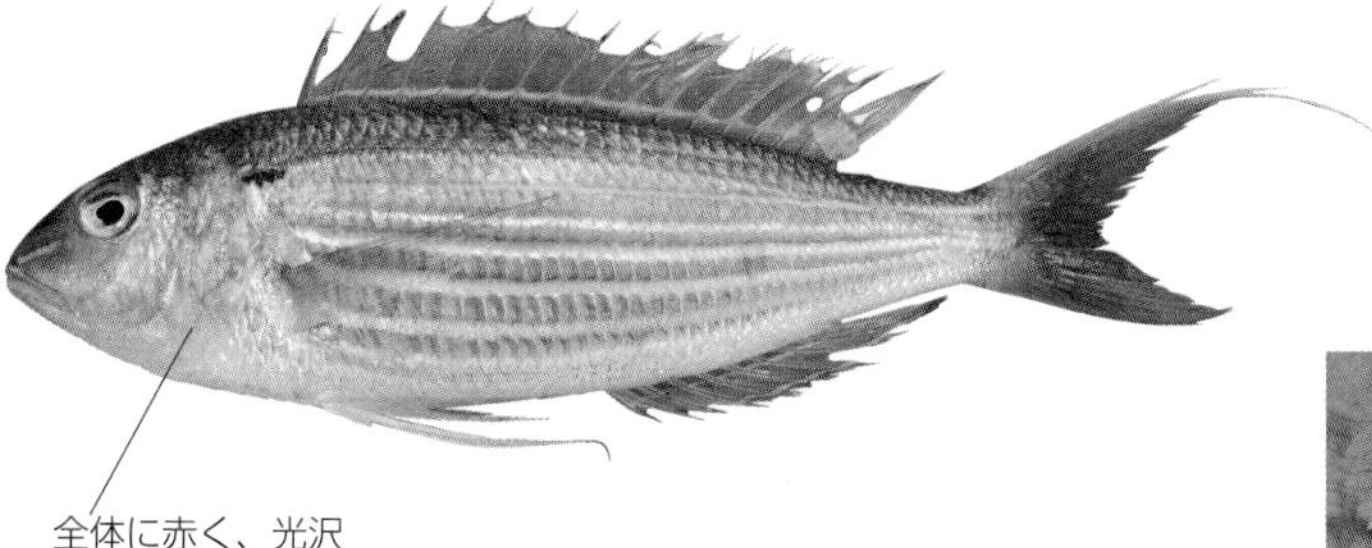
全体に赤く、光沢があって美しい

蒸し物がいちばん

非常に上品かつ芳醇なため、蒸し物に向く。こんぶにのせて蒸し、ポン酢などでいただいてもおいしい。

皮目の個性的な旨みが寿司飯に絶妙にフィット

いぼだい 疣鯛

Pacific rudderfish

世界中からくる干物の定番

イボダイの干物を置いていないスーパーはほぼないというくらい、干物の材料として非常に重要な魚です。

国産の味は別格。おいしい理由は、国内で獲れるものは小ぶりながら身がしっとりしているからです。

残念ながら今ではニュージーランド、エクアドル、アルゼンチンなどから冷凍輸入し、干物加工したものが大半を占めます。

標準和名 イボダイ
科 イボダイ科
生息域
宮城県や秋田県以南、東シナ海。
語源
灸でただれた皮膚を「疣生（いぼお）」といい、えらの後方の黒い斑紋を「灸痕」としたところから。東京では「えぼだい」。この「えぼ」は東京でイボのことを「えぼ」ということに由来する。
地方名
西日本では「シズ」。これが輸入もののイボダイの仲間に使われ、まぎらわしい。また獲れるとお金になり正月の餅が買えることから「モチノウオ」。徳島県では「ボウゼ」。ほかにはアゴナシ、クラゲウオ、コタ、シマス、シュス、テチョウ、ヨウオ、ヨシ。海外では本種の仲間を、バターを塗ったようなぬるぬるとした姿から「バターフィッシュ」という。

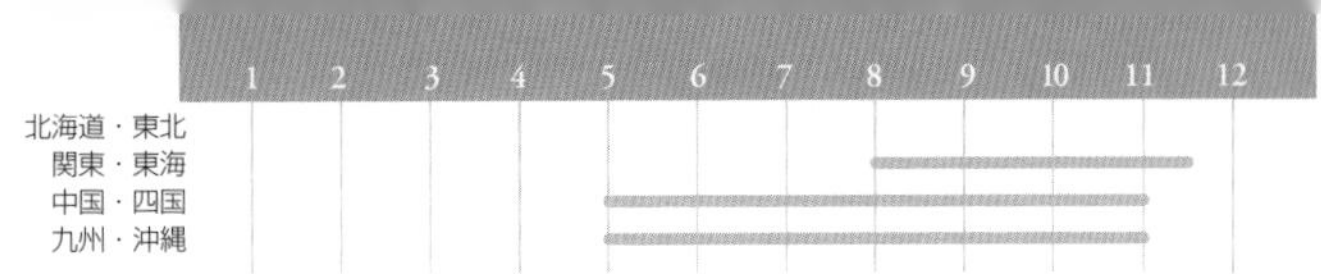

旬は夏から秋

鮮魚はやや高値安定で、国産でつくる干物も高級なもの。もっともおいしいのは初夏で、夏から初秋の産卵後でなければ、いつも味がいい。

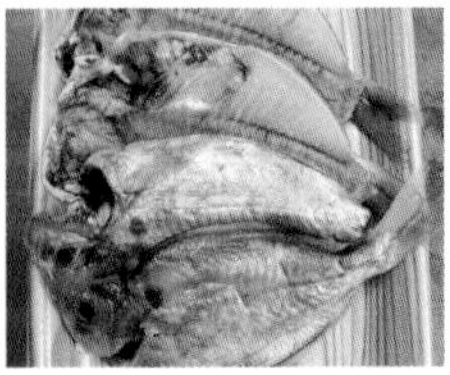

水分が多いため、干物にしたほうが美味。しっとりして旨みが強く、身離れもいい。まさに干物のためにあるような魚。

体表の粘液が多く、透明なら鮮度がよい

丸っこく、かわいらしい顔つき

祭りの魚

徳島県では祭りの魚として珍重する。丸のまま酢で締めた姿寿司「ぼうぜの寿司（ぼーぜの寿司）」は祭りのごちそうである。

脂がのって甘みもあるが、塩焼きや煮つけには劣る

仲間

春から初夏を告げる、たいへんな高級魚。関東でも非常に高いが、関西では手が出ない値段。高級料理に使われる。

真名鰹《マナガツオ》 マナガツオ科

西京漬け

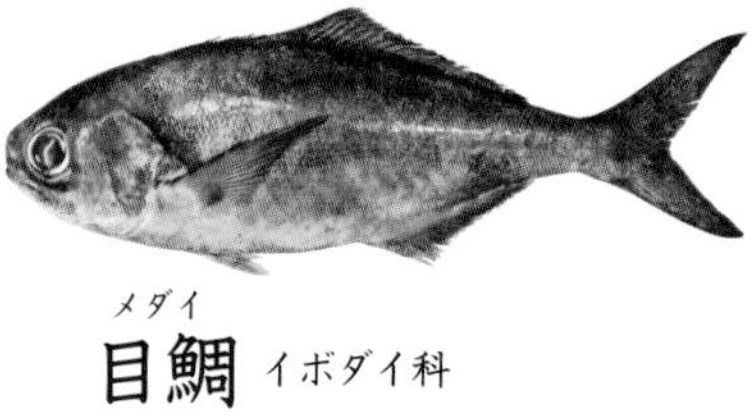

おいしいわりに安価で、スーパーではパックの切り身で売られている。クセがなく刺身にもでき、鍋物にも使えるのでもっと活用を。

目鯛《メダイ》 イボダイ科

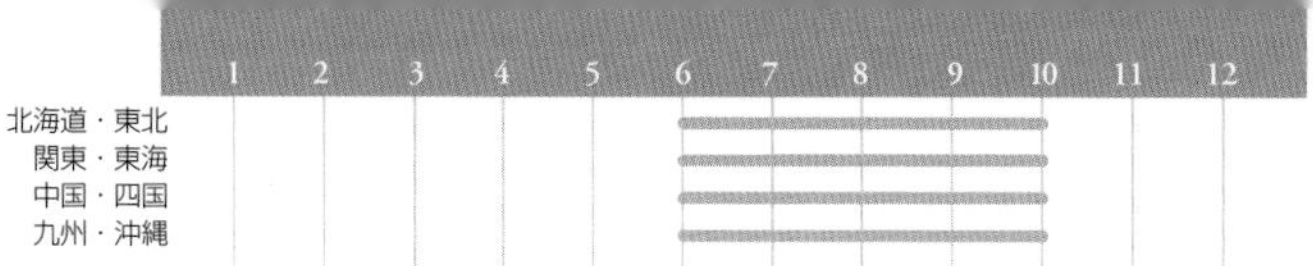

北海道・東北

いわし

Sardine

鰯

標準和名
マイワシ（真鰯）

科
ニシン科ニシン亜科

生息域
沖縄を除く日本全国。サハリン東岸のオホーツク海、朝鮮半島東部、中国、台湾。

語源
「真」はイワシ類（カタクチイワシ、ウルメイワシなど）の代表的なものの意。「いわし」は「卑しい（いやしい）」の転訛したもの。また、水から揚げるとすぐ死ぬため、「いわし」は「弱し（よわし）」の転訛したものとも。ほかの魚に食べられて「弱し」とも。

地方名
日本海で「平子鰯（ひらごいわし）」。関東の市場では「七つ星（ななつぼし）」とも呼ばれる。ほかにはキンタル、オイザサ、オイワシ、オラシャ、カブダカ、ギンムシ、コビラ、ドコ、トレンゴオ、ヒラ、ヒラレ、モロクチ。

日本人になじみ深い青魚の代表格

マイワシは、かつては日本の総漁獲量の3割を占めていたほどたくさん獲れた魚です。安い魚の代表でしたが、近年では獲れなくなり、季節によっては1尾2000円を超えることもあります。

今ではアメリカからカリフォルニアマイワシを輸入するような状況で、加工品の多くはこの輸入もの。とはいえ味や栄養面で劣るわけではありません。

暑くなると美味に

12月から5月ごろまでは漁獲量が不安定で味が落ちるうえ、値段が高騰。暑くなるにしたがい脂がのって美味に。マイワシには豊漁不漁の周期があり、マスコミで不漁が騒がれるが、食用においては心配ない。

目が白っぽいのは塩水に浸けたから。鮮度とは無関係
頭が小さく、全体に銀色で光っているもの
えらが鮮紅色のものを。体が黄色みがかったものや目の赤いものは避ける

「開き」「切り身」は洗ってはダメ

開いたり切り身にしたりしたら洗ってはいけない。身からおいしさが流れ出してしまう。また、マイワシは小骨が多く包丁を使うと身に残るので、手開きが基本。

仲間

カリフォルニアマイワシ

ニシン科

黒斑が大きく2～3列とたくさんある。日本の伝統的な干物やほお刺し、丸干しは本種が多く、よく見るとこの模様で判別できる。

臭みの取り方あれこれ

青魚に酸味が加わると、がぜんおいしくなる。梅干しの酸味が利いた梅干し煮。

加熱前には必ず塩を。1時間前くらいに振るのがベスト。酒を振るのもよい。

煮魚なら、しょうがやねぎなど香味野菜を加える。しょうゆやみそも効果あり。

青魚特有の旨みがあり、甘くやわらかで寿司に向く

30秒でできる、いわしの手開き

一

包丁を立て刃先で尾から頭までなでるようにしてうろこを取り、頭を切る。

二

お腹を薄く切り、内臓を出してよく洗う。キッチンペーパーなどで中をふく。

三

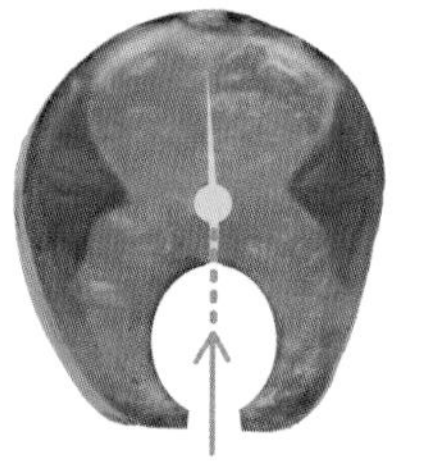

身のまんなかあたりに親指の先を入れると中骨にさわれる。

四

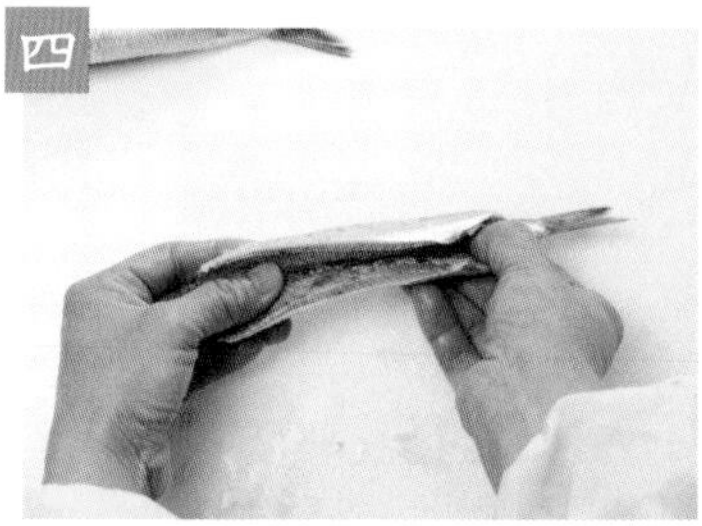

親指の先で、中骨の上をしごくようにしてジリジリと身をはがす。

五

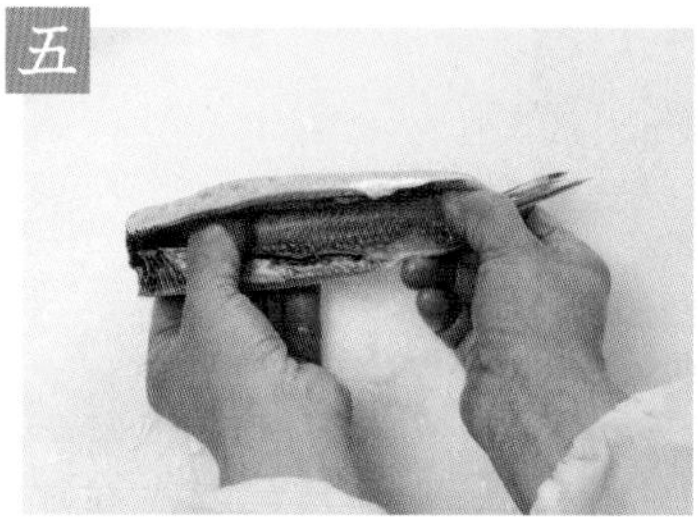

同様に、頭のほうに向かって、中骨から身をはがしていく。

六

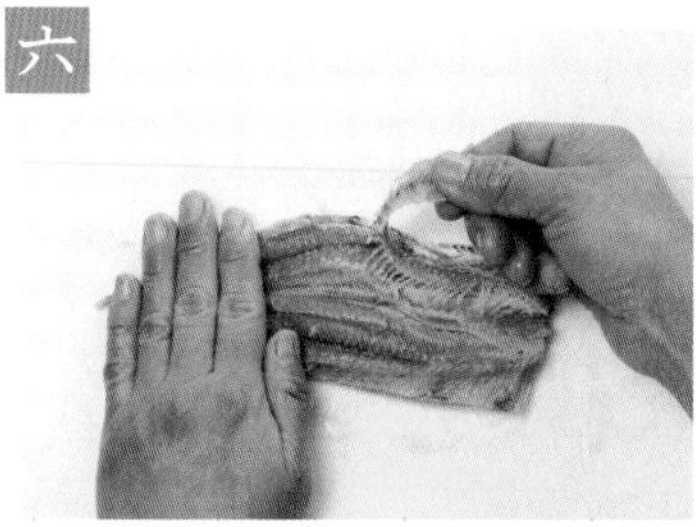

身を開いて尾のつけ根で中骨を折り、ゆっくりはがし取る。

七

外側に少し残った腹骨の部分を切り落として、できあがり。

簡単、干物のつくり方

塩焼き程度に塩を振って密閉袋に入れ、半日ほど寝かせてザルなどにのせ冷蔵庫に半日おく。庫内は乾燥しているため簡単に水分が飛び、腐敗やにおいの気になる屋外より手軽においしくできる。

おいしいコツ

保存前にできるだけ調理を

下味をつけたり、酢や梅干しで調理したりすれば冷蔵庫で4〜5日はもつ。酒、しょうゆなどのタレに浸け込む、ちらし寿司の具にする、南蛮漬けにするなどして保存を。

冷凍保存は

開いて塩を振ったらラップに包んでポリ袋に入れ、冷凍庫へ。1週間くらいはもつ。

半解凍がベスト

冷蔵庫内で自然に解凍する。急ぐときはペーパータオルにのせてラップをかけ、電子レンジの弱で1尾につき1分強加熱する。芯が凍った半解凍のほうが鮮度を保てる。

味がよく多彩な食べ方が各地に伝わる

イワシは使い勝手がよく、地方ごとに、じつにさまざまな食べ方があります。

郷土料理では千葉県外房の「なめろう」「さんが焼き」「酢みそ和え」、博多の「ちり鍋」、石川県の「こんか漬け」「塩いり」などが有名。また、酢漬けの腹におからを詰めて寿司風にした料理も、各地に残ります。

料理

にんにくオイル煮

材料（2人分）
イワシ…6尾（600g）
にんにく…2かけ
オリーブオイル…大さじ5
白ワイン…大さじ1
塩…適量
パセリ…少々

作り方

1. イワシを手開きして中骨、腹骨を除く。
2. にんにくはみじん切りにする。
3. フライパンに**2**とオリーブオイルを入れて中火にかけ、少し煙が立ったらにんにくを取り出す。
4. イワシと白ワインを加え、弱火で煮る。
5. イワシに火が通ったら塩で味をつけ、火から下ろしてパセリを振る。

いわしと季節の野菜のぬた

酢洗いしたものはからしみそとの相性が抜群。食欲のないときにもおすすめで、みそは赤みそのほうがおいしい。

材料（3人分）
マイワシ…中3尾
せり…1/2束
塩…適宜

からし酢みそ
みそ…50g
酢…大さじ2
砂糖…20g
練りからし…10g

作り方

1. イワシは手開きして皮をむき、塩焼きよりかなり強く振り塩をして20分前後おく。出た水をよくふき取って酢で洗う。せりは塩ゆでし水にさらしておく。
2. **からし酢みそ**の材料を合わせ、すり鉢などですっておく。
3. きざんだせり、細切りにしたイワシを合わせ、**2**を加えて和える。

ちり鍋

鍋の具材にはされにくいが、意外にも非常に美味。福岡県でしか食べられていないのがもったいないほど。

材料（5人分）
イワシ…8尾(800g)
好みの鍋野菜類…適量
豆腐…1丁
こんぶ…20cm角
酒…80cc
水…適量
塩…少々
ポン酢…適量

作り方

1. イワシはうろこを取り、頭と内臓も取って水洗いし、ひと口大に切る。
2. 野菜類、豆腐は食べやすく切る。
3. 鍋に水とこんぶを入れ、沸騰してきたら酒と塩で味をつける。**1**、**2**を入れて、煮えたらポン酢などでいただく。

ふわっほろの極上いわしつみれ汁をつくろう

材料（2人分）
イワシ…2尾
長ねぎ…5㎝
しょうが…1かけ
みそ、酒
…各大さじ1
卵…1個
豆腐…1/2丁
好みの野菜…適量
水…3カップ半
こんぶ…20㎝長さ
A［酒…大さじ2
しょうゆ…小さじ1
塩…小さじ1/2］

一

イワシは手開き（P31参照）して尾を切り、中骨に沿って切り半身にする。長ねぎ、しょうがはみじん切りにする。

二
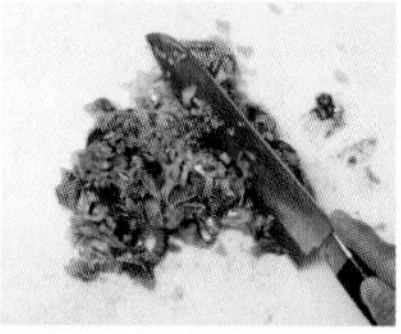
まな板の上でみそを加えて粘りが出るまでたたき、Aをまぜて加える。

三

ボウルに二を移し卵を加えてまぜる。

四

鍋に水とこんぶを入れてだしを取り、Aで味つけする。

五

四が煮立ったら、スプーンで三をすくって落とす。

六
アクを取りつつ煮て、団子が浮かんでくればOK。豆腐や好みの野菜を入れていただく。

おいしいコツ

つみれ汁の材料をおいしくアレンジ

右のつみれ汁は、調理途中で少しアレンジするだけで別の料理に大変身。

なめろう

「つみれ汁」の二までできなめろうの完成！

さんが焼き

「なめろう」をハンバーグ状にまとめ、大葉ではさんでフライパンで焼く。

揚げ団子

「なめろう」を適当な大きさに丸めて小麦粉をまぶし、油で揚げる。

骨まで愛して

開いたときに出た中骨は捨てずに、砂糖、しょうゆを加えた衣にくぐらせてじっくり揚げよう。サックリ香ばしい骨せんべいに。カルシウム摂取に絶大な効果がある。

いわしの塩いり

「塩いり」は石川県金沢周辺の郷土料理。イワシの旨みを余すところなく堪能できる、さわやかな一品。

材料（4人分）
カタクチイワシ
…20尾
塩…大さじ1
大根おろし…適量
酢…適宜
水…2カップ半

作り方
1. フライパンに水と塩を入れ、カタクチイワシをゆでる。
2. 火が通ったらゆで汁を捨て、水分を飛ばすように煎る。
3. 皿に盛り、大根おろしを添える。好みで酢をかけていただく。

ごま漬け

残った刺身でも簡単にできるおいしい一品。ご飯にのせてそのまま食べても、お茶漬けにしても最高においしい。

材料（1～2人分）
マイワシ（刺身）
…適量（残ったもので）
白ごま…適宜
しょうゆ…50cc
みりん…50cc
しょうが、にんにく（好みで）
…各適量
青じそ…適量

作り方
1. 白ごまを半分つぶれるようにすり、しょうゆ、みりんを加える。すったしょうが、好みですったにんにくも加える。
2. 1にマイワシを30分ほど漬け込む。
3. 器に盛り、食べる直前にきざんだ青じそを振る。

老化防止からガンの抑制まで

イワシなどの青魚にはDHAやEPAが非常に豊富に含まれています。DHAには、脳細胞を活性化して老化や動脈硬化を防止する働きがあり、EPAには中性脂肪を低下させ、ガン細胞の増殖を抑える働きがあります。また、疲労回復、美肌づくりや貧血防止にも効果のあるビタミンB群も豊富です。

リーズナブルな価格でおいしいので、下処理や調理法を工夫し、ぜひ食卓のレギュラーにしたいものです。

片口鰯《カタクチイワシ》 カタクチイワシ科

稚魚のときは、しらす、ちりめんとなり、大きくなると煮干しに加工される。また刺身や煮魚にもなり日々の食卓を飾る大衆魚。

アンチョビー

すぐ傷んでしまうので、カタクチイワシを買い求めたら、できるだけ早く調理を。

材料（つくりやすい分量）

カタクチイワシ…1kg
塩…500g
ローリエ…5〜6枚
オリーブオイル…1カップ半

作り方

1. カタクチイワシは頭と内臓を取り、海水程度の濃度にした塩水の中で血液、内臓などをよく洗い落とす。
2. 水気をよくきって塩に漬け込む。1〜2日漬け込んだら水洗いし、水きりしながら1日陰干しする。冷蔵庫で寝かせてもよい。
3. 保存びんなどにイワシ、ローリエ、オリーブオイルを詰めて1か月以上寝かせる。

生しらす寿司

特徴である、かすかな苦みと甘み、旨みが渾然一体となり、洪水のように迫りくる。

自宅で楽しめる生しらす丼

産地限定だった生しらすも、冷凍技術の進歩で自宅でも楽しめるように。熱いご飯に生しらすをのせ、薬味に青ねぎ、しょうがをちらす。好みで、だしじょうゆなどをかけても。

「田作り」の名は、肥料にされていた歴史から

田作りはカタクチイワシの素干しのこと。イワシ類はゆでて干したものを田畑の肥料にしており、とくに大阪府泉南地方の木綿栽培の必需品だった。イワシを田に入れると収穫量が増えることから「田作り」「五万米《ごまめ》」などと呼ばれた。

おせち料理にも欠かせない田作り

ちりめんじゃこレシピ

ちりめんご飯

すだちはまさにちりめんじゃこの「出合いのもの」。「この世にこれほどの美味があってもいいのだろうか」と食べていて罪の意識にさいなまれるほどおいしく、茫然自失の体になる一膳。

材料（1人分）

ご飯…1膳分
ちりめんじゃこ
…40g
すだち…1～2個

作り方

1. ご飯はできれば少なめにして、じゃこをてんこ盛りにする。
2. すだちをしぼりかけ、一気にいただく。

ちりめんじゃことキャベツのパスタ

材料（2人分）

パスタ（スパゲティ）…160g
水…2ℓ
塩…20g
ちりめんじゃこ…100g
キャベツ…400g（ちぎる）
オリーブオイル…大さじ1と1/2
にんにく（つぶす）…1/2かけ
カイエンペッパー(好みで)…適宜

作り方

1. 鍋に水を入れて沸かし塩を入れ、パスタをゆでる。
2. 1と並行してフライパンにオリーブオイル、にんにく、ちりめんじゃこを入れて火にかけ、ゆっくり香ばしく炒める。
3. 1が2分経過したらキャベツを加える。2の半量を取り分けておく。
4. ゆであがった3の湯をきってフライパンに移し、好みでカイエンペッパーを振る。皿に盛り、取り分けておいたじゃこを飾る。

仲間

潤目鰯《ウルメイワシ》 ニシン科

旬は冬。寒い時期には刺身にしてもおいしいが、干物はイワシのなかでは最高峰。目に串やわらを刺した「目刺し」やえらから通した「ほお刺し」も王様級のおいしさ。

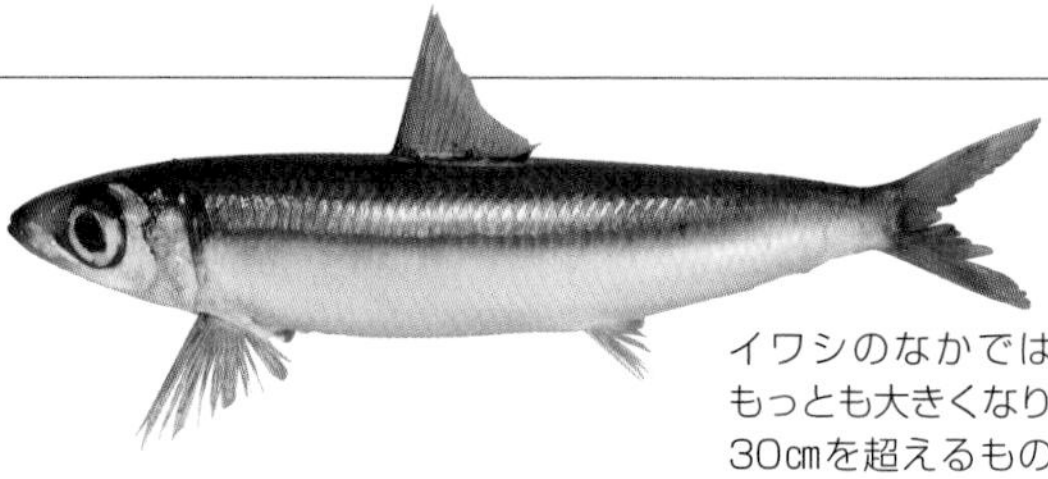

イワシのなかではもっとも大きくなり30㎝を超えるものもめずらしくない

目刺し

ほお刺し

鰶《コノシロ》 ニシン科

酢締めがいちばん。江戸前握りの基本的なネタだが、自宅でも簡単につくれる。また、脂があるのでじつは塩焼きもおいしい。体に対して横に細かく包丁を入れてから焼くとよい。

大きさによる値段

シンコ（4㎝前後）は高く、コハダ（8～10㎝）はやや高め、ナカズミ（12㎝前後）になると値が下がり、コノシロ（15㎝以上）は非常に安い。

コハダの酢締め

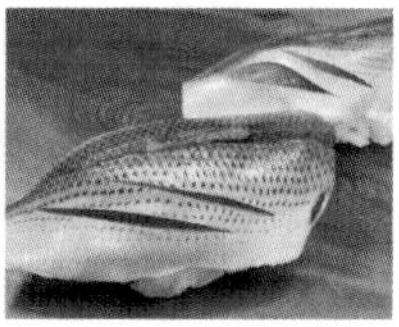

シンコの握り

うなぎ
鰻

Japanese eel

標準和名
ウナギ（棟木、胸黄）
科　ウナギ科
生息域
日本各地。
語源
奈良時代成立の『万葉集』にある大伴家持（おおとものやかもち）が詠んだ「痩せたる人を嗤咲（あざわら）ふ歌（和歌）」の、「石麿にわれ物申す夏痩に良しというものぞむなき（鰻）とりめせ」の「むなき」は、ウナギが家屋の棟木のように細長いことからきている。一説に、これが江戸時代になって「ウナギ」になったとも。
地方名
大型のものを大ウナギ、川に近づいてまだ白っぽいものを「シラスウナギ」「黒目」という。また古くは「宇治丸」とも。

国産だけではとうてい足りない

日本でなじみ深い食材ですが、いまや台湾、中国、さらにオーストラリアなどからも輸入しています。量も質も高まってきた国産養殖も需要には追いつかない状態です。

少ないながら天然ものも獲れています。その味わいは別格で、自然保護の意味からも忘れてはならないものです。

基本的に生きているものを料理しますが、中国などからは蒲焼きで輸入しています。

栄養

ビタミンA、Dが豊富で、ビタミンAは１串で成人の必要量の３日分に相当する。ご飯を効率よくエネルギーに変えてくれるビタミンB_1も豊富なので、うな丼はスタミナ回復に効果的。魚の身には希少な鉄分も、たくさん含まれている。

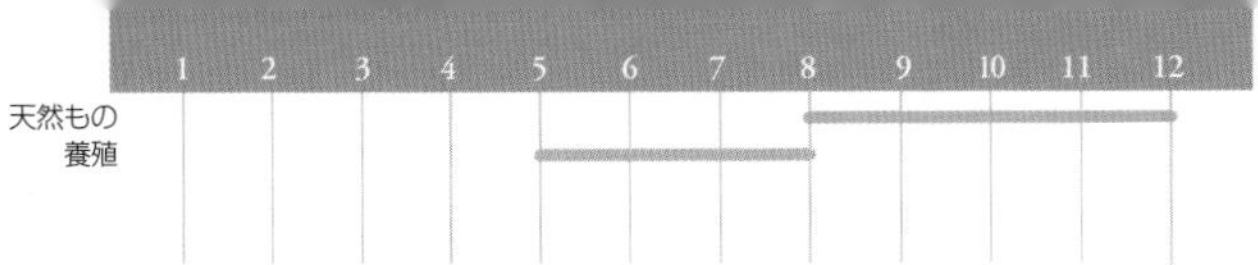

旬は養殖と天然で違う

熱帯グアム周辺の深海で誕生。北海道日高地方以南の日本各地、朝鮮半島西部沿岸海域から中国大陸、ベトナム北部、台湾、フィリピンなどで河川をさかのぼって育つ。

天然ウナギを食べられる地域も激減している。千葉県小見川にて

全長１ｍを超える

パックものを絶品にするコツ

蒲焼きひと切れに酒大さじ１を振ってレンジで１分ほど温めると、身がふくらんでおいしくいただける。

料理

家庭で簡単、ひつまぶし

材料（２人分）
ウナギ（市販の蒲焼き）…１本
みりん、しょうゆ…各1/4カップ
砂糖（好みで）…少々
ご飯…小４膳分
薬味（ねぎ、ごま、きざみのりなど）…適量
わさび（好みで）…少々

作り方
1. みりんとしょうゆを合わせてひと煮立ちさせ、味をみて甘みが弱ければ砂糖を少々加える。付属のタレを使ってもOK。
2. ウナギはレンジで温め、細かくきざむ。
3. ご飯にのりを振り、2をのせる。
4. 残りの薬味をのせ、まぜ合わせる。そのまま食べても、お茶漬けにしてもよい。お好みでわさびを。

生食は不可のため蒲焼きを寿司ネタに。香ばしさが絶妙

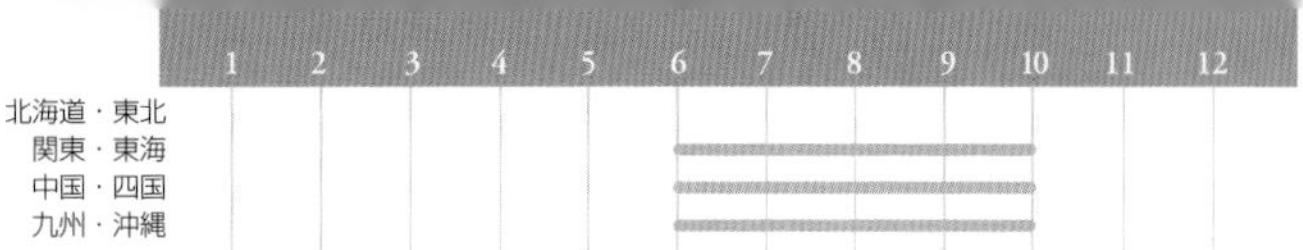

えい

Japanese stingray

鱏

標準和名
アカエイ（赤鱏）
科　アカエイ科
生息域
南日本。朝鮮半島、中国沿岸、台湾。浅い砂地、干潟などに生息。
語源
「アカエイ」は赤いエイの意。「エイ」とは、片辺（かたへい）、つまり片側魚（片側だけになった魚）の意味。尾が長く杓（ひしゃく）の「柄」に似ていることから。「枝針（えはり）」から。尾の長いことを「燕尾（えび）」ということから。アイヌ語でトゲを「ai」、東北でも“刺されて痛いこと”、トゲ、針、茨、矢などを「あい」といった。「エイ」の語源はアイヌ語の「アイ」など諸説ある。
地方名
市場など流通の世界では単に「エイ」。ほかにはアカエエ、アカマンタ、アカヨ、アズキエエ、イエタン、イユ、エイガ、エイガンチョウ、エウ、エエタン、エエチャンチャン、エエノウオ、カセブタ。

安いのに絶品。要注目の魚

調理は煮つけが基本ですが、煮つけを好む人が減ってきたこともあり、近年ではエイ自体あまり食卓に上らなくなりました。

ところが、じつは刺身が絶品で、コチュジャンと合わせた韓国料理のカオリ・フェは非常においしいものです。

また肝の味も抜群で、ムニエルにしても王様級。安いのでぜひ家庭でも積極的に活用したい魚です。

「えいひれ」独り歩き

旬は夏。関東の市場では少なく、値段は安い。「えいひれ」人気からひれだけの入荷も。関西では韓国料理などの需要があり、活け、野締めなどがしばしば見られる。

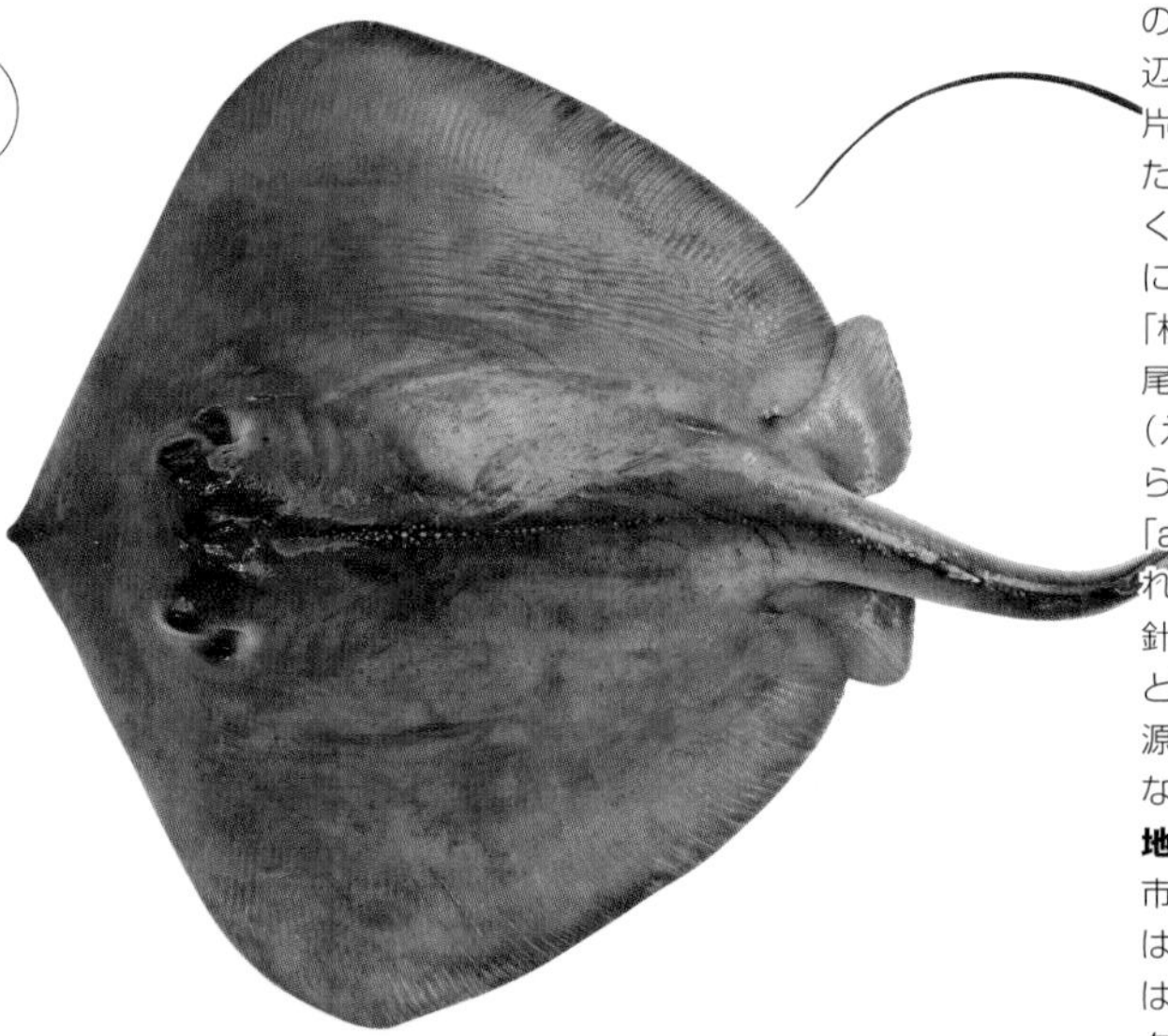

料理

赤えいのムニエル

ムニエルにして、エイの右に出るものはいない。ひれの軟骨の先が香ばしく、また軟骨と軟骨の間からすばらしいジュ（魚から出るエキス）が出る。仕上げにオレンジ果汁やコアントロー、マデラー酒などを使っても美味。

材料（2人分）

アカエイ（ヒレ）…2枚
塩…少々
こしょう…少々
小麦粉…適量
バター…50g
オリーブオイル…大さじ1
レモン汁…1/4個分
レモン（飾り用）…少々

作り方

1. エイは表面に塩を振り、しばらくおいてから水分をふき取る。
2. こしょうを振り、小麦粉を全体にまぶす。
3. フライパンにバター半量、オリーブオイルを熱し、2を入れて両面を弱火でこんがり焼き、皿に取り出す。
4. フライパンの余分な油をふき、残りのバターを入れ、少し焦がしてレモン汁を加え3にかける。レモンを飾る。

煮こごり

残った煮汁とほぐした軟骨や身をバットなどに流すと、見事な煮こごりになる。煮つけを多めにつくってお試しを。

刺身は意外に各地で食べられている。軟骨の食感がよく、とても美味

全国の名物料理マップ

素材活用の知恵の宝庫

郷土料理の多くは、産地で大量に獲れる材料をうまく保存し、消費するために開発されたものです。魚の郷土料理にもこの考え方のものは多く、石川県の「イワシの塩いり」や福岡県の「あぶってかも」なども保存の知恵から生まれた料理といえます。

魚はほかの食材と違い、その地方ごとで好まれるものや多用されるものが大きく異なるのも特徴。その素材を知り尽くした現地でこそ生まれた知恵が凝縮されているので、ぜひ食卓でも楽しみたいものです。

ちゃんちゃん焼き

【北海道】

サケ漁師さんが始めた、豪快な料理。サケの半身をホットプレートなどで焼き、玉ねぎなどの野菜を加えて、みそとバターで味つけします。

さめのすくめ

【青森県】

名産のアブラツノザメの頭をゆでて骨を取り除き、型に入れて冷やした煮こごりです。酢みそなどでいただきます。

ほっきカレー

【福島県ほか】

戦後生まれの名物料理。肉が高価だったころに、身近なホッキガイと市販のルウで手早くつくった家庭料理です。貝の旨みがベストマッチ。

かつおのたたき

【高知県】

身をわら火であぶって熱いうちに切り、青じそ、ねぎ、しょうがなどをのせて酢じょうゆをかけたもの。土佐ならではの豪快な料理です。

鯛めし

【愛媛県】

南予地方の名物料理。刺身をしょうゆ、みりん、生卵に漬け込み、ご飯にのせます。薬味に、ごまや青ねぎなどをたっぷり使うとおいしい。

わけ料理

【福岡県】

有明海名産のワケ（イシワケイソギンチャク）をゆで、酢みそ和えやみそ汁などにして食べるもの。プルンとした食感が楽しめます。

頭料理

【大分県】

山間部に伝わる料理。大型のクエやオオニベの頭やアラをさまざまな部分に分けて、湯通しして食べるものです。かぼすじょうゆでいただきます。

つけあげ

【鹿児島県】

魚を包丁でたたきミンチにして、豆腐と合わせて揚げたもの。沖縄などから伝わり、さつま揚げとも呼ばれます。やや甘めの味つけでおやつにも。

深川めし

【東京都】

アサリのむき身の汁をご飯にかけたもの。しょうゆ仕立てのものと、炊き込みご飯があります。隅田川以東が貝の産地だったころの名残です。

じゅんじゅん

【滋賀県】

すき焼きのことを琵琶湖周辺で「じゅんじゅん」といいます。ウナギなどを薄切りにして、野菜といっしょにすき焼きの甘辛い煮汁で煮て食べます。

くぎ煮

【兵庫県】

早春に瀬戸内海で獲れる生まれたばかりのイカナゴを甘辛く炊いたもの。その姿が折れくぎに似ているために、この名がつきました。

隠岐《おき》そば

【島根県】

日本海で獲れたマサバを焼き干しにし、これをほぐしてだしを取り、名産のそばにかけていただきます。甘辛いだしが利いた素朴な味わいです。

わに料理

【広島県】

備北地方ではサメを好んで食べます。古くは正月や晴れの日のもので、「お腹が冷えるくらいたくさん食べたい」といわれるほど、人気の刺身です。

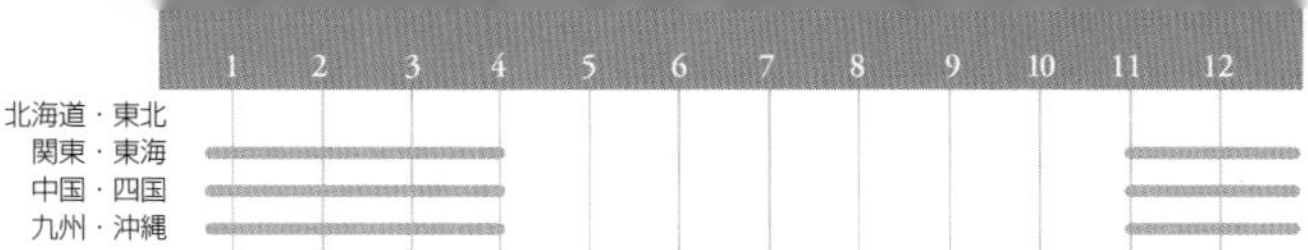

かさご

Rockfish 笠子

「見た目の悪い魚ほど味がいい」の代表格

トゲだらけの武骨な姿形ですが、外見とは裏腹に中身は白く美しく、味わいも上品。

カサゴの仲間には、浅瀬にいる種と、大型の深海に生息するものとがいます。なかでも浅場カサゴは味もよく、漁獲量が少ないので高値です。

以前は煮つけが調理法の主流でしたが、獲れなくなるにつれ全般に高くなり、鮮度のよいものを刺身にするのがメインになりました。

夏が旬の高級魚

通年獲れるがおいしいのは夏。市場には通年入荷し、最低でもキロ2000円前後と高価。非常に美味で、古くは惣菜魚だったが、徐々に漁獲量が減り家庭の食卓から遠のいてしまった魚。

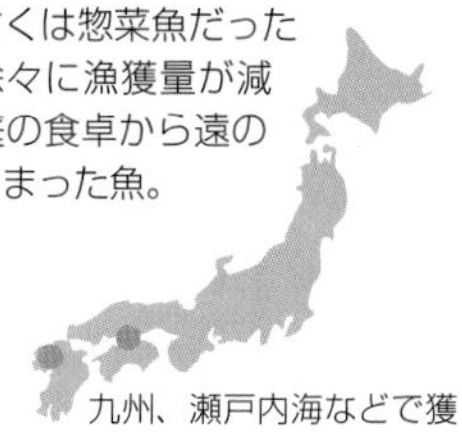

九州、瀬戸内海などで獲れるが量は非常に少ない

標準和名
カサゴ（瘡魚）

科 フサカサゴ科

生息域
北海道南部以南、東シナ海。浅い岩礁域。

語源
さわると瘡（かさ／皮膚がカサカサする皮膚病）になっているようだから。頭が大きくあまり食べる部分がないため。「磯の笠子は口ばかり」は、実行力のない人をいう。

地方名
目が上を向いているので瀬戸内海などでは「目張（メバル）」。顔が不細工なので「面洗わず（ツラアラワズ）」。釣り上げると口を大きく開けていることが多いので「アンポンタン」などとも呼ばれる。ほかにはアラカブ、ガシラ、アカガシラ、カラコ、ホゴ、ネバイ、ハチ、ハチカサゴ、ガガナ、ボッカ。

料理

かさごのトマト煮込み

カサゴからはたくさんのイノシン酸を含んだおいしいだしが取れ、トマトには旨み成分のグルタミン酸がたっぷり。旨みの相乗効果でおいしく、しかも簡単にできる。

材料（2人分）

カサゴ…中2尾（アラだけでも可）
にんにく…1かけ
玉ねぎ…1/2個（みじん切り）
セロリ…1/3本（みじん切り）
ホールトマト缶詰…1缶
オリーブオイル…大さじ1
白ワイン…大さじ1
塩・こしょう…適量
ローリエ…1枚

作り方

1. カサゴは水洗いして、ひと口大に切る。
2. 鍋にオリーブオイルとにんにくを入れて熱し、香りが立ってきたらにんにくを取り出す。
3. 1を炒め、玉ねぎ、セロリを加えて炒めて、白ワイン、ホールトマトをつぶしながら加える。塩、こしょうで味を調える。
4. 煮汁が少なかったら少し水を加え、ローリエを入れて、弱火で15分前後煮込む。絶対に煮立たせないのがコツ。

刺身、焼き物のあとに汁にすれば二度おいしい

頭ばかり大きく身は少ないので、刺身や焼き物にしたら汁物を楽しもう。塩焼きの残りに熱湯をかけて骨湯に、またアラ（内臓や骨など）は鍋物や潮汁、みそ汁に。にじみ出るスープのおいしさは感激もの。

仲間

夢笠子《ユメカサゴ》 フサカサゴ科

上品でいながら脂からくる甘みと旨みが強い。おいしいのは煮つけ、鍋物、ブイヤベースなど、汁を使う料理。

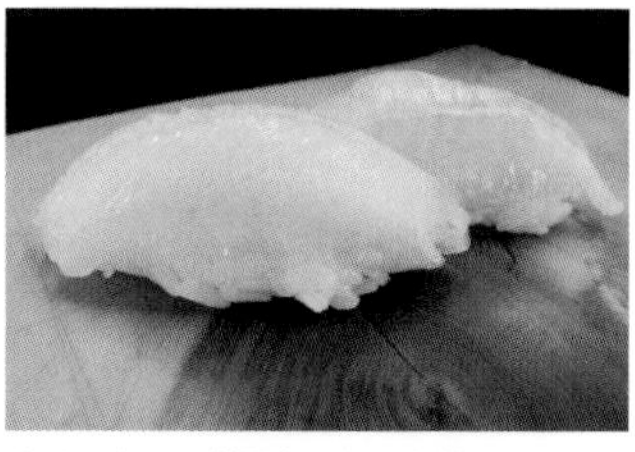

皮下に旨みが凝縮。皮目を焼くか湯引きして食べるべし

大佐賀《オオサガ》
フサカサゴ科

超高級魚で値段どおり味も一流。皮霜造りの刺身は皮下のゼラチン質がプルンと溶ける。煮ても焼いてもおいしく、本種の鍋料理に勝るものはあまり多くない。

伊豆笠子《イズカサゴ》
フサカサゴ科

味のよいカサゴの仲間でも最上で、皮下に旨みがある。もっともおいしいのはやはり鍋物。三枚におろして皮つきのままそぎ切りにし、しゃぶしゃぶにする。

阿候《アコウ》
フサカサゴ科

定番的な赤魚で、おいしいのは鍋物。こんぶと酒だけで汁を調え、ひと切れずつ落としながらポン酢で食べる。皮目に酒を塗りながら焼く若狭焼きも絶品。

狸目張《タヌキメバル》
フサカサゴ科

鮮度のよいものは刺身になる。皮をつけたまま焼き切りにするとよい。塩焼きや煮つけが非常に美味で干物も絶品。近隣種のキツネメバルも似た味わい。

鬼虎魚《オニオコゼ》
フサカサゴ科

時間がたつと味が落ちるので、刺身は活魚で。白身ながら味に深みがあり、汁物も美味。「冬のフグ、夏のオコゼ」といわれる。カサゴ類でもっとも高価。

アラスカメヌケ
(赤うお)
フサカサゴ科

冷凍品、フィレや粕漬け、しょうゆ漬け、干物など、加工品では多くが「赤うお」として流通し、いずれも美味。

料理

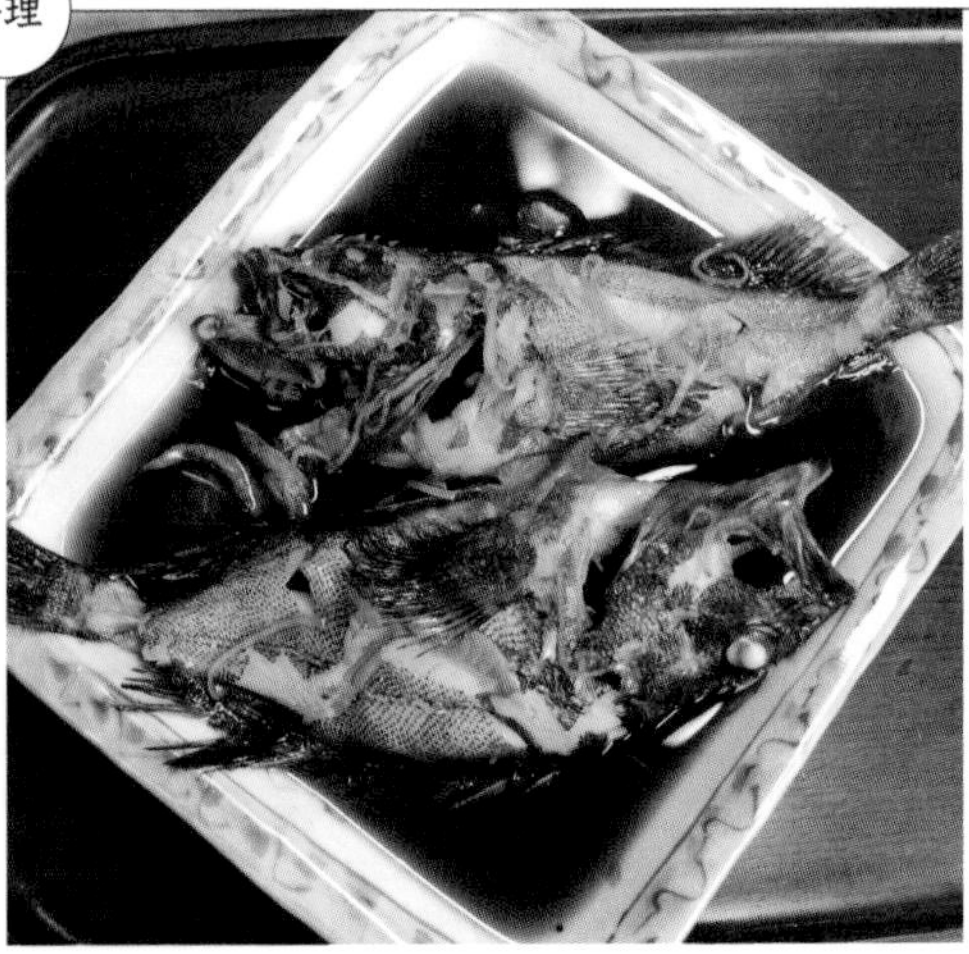

かさごの煮つけ

クセのない魚なので、少々薄味に仕立てる。ほろほろとした甘みのある白身は、繊細で適度に繊維質。食べ終えたら骨湯を楽しんでも。

材料（2人分）

カサゴ…2尾
塩…適量
酒、みりん、しょうゆ
…各1/2カップ
砂糖（好みで）…少々
水…1カップ半
しょうが…1かけ

作り方

1. カサゴはうろこをていねいに取る。
2. 塩を振って少しおき、熱湯をかける。冷水に取り、残ったうろこと汚れを洗い流して、よく水分をきる。
3. 鍋に酒、みりん、しょうゆ、好みで砂糖を入れて水を張り、カサゴ、しょうがの千切りを入れて火にかける。
4. 最初は強火で、沸いてきたらアクを取り、その後は中火に。アルミホイルの落としぶたをして煮上げていく。あまり煮詰めすぎないのがコツ。

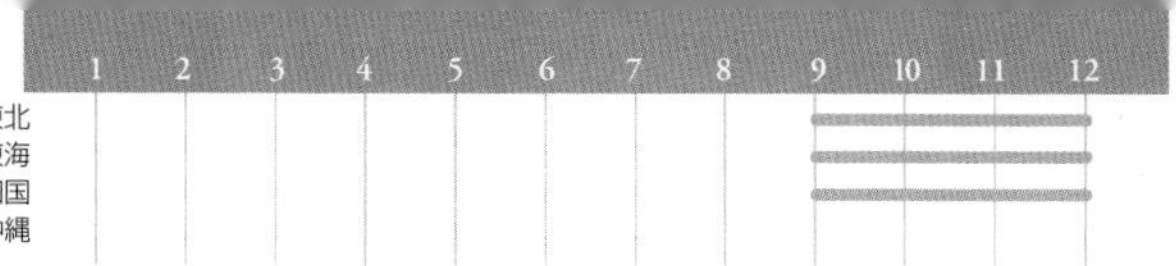

かじか 鰍

Japanese sculpin

鍋を壊すほどのおいしさ!?

川にいるものと海にいるものがあり、前者は養殖も行われている高級魚。金沢のゴリも「川のカジカ」ですが、一般にはなじみの薄い存在です。

このゴリを獲るときに用いられる、川底に固定した網に無理やり追い上げる「ゴリ押し漁」は、強引に事を進めるときに使う言葉、「ゴリ押し」の語源になっています。

おいしいのは、なんといっても秋から冬の時期。とくに、寒い時期に痺《しび》れるほど冷たい川底から獲れたものは、抱卵していて脂ものっており最高の味です。各地の山間部などで、少ないながらも漁獲されています。

鮮度が落ちやすいので、買い求めたら早めに下処理をしましょう。

標準和名
カジカ

科　カジカ科

生息域
淡水魚。本州、四国、九州北西部。河川上流の小さな石のある川底。

語源
古くは鳴くと思われていて、声が渓流に生息する河鹿蛙（カジカガエル）に似ているとされたため。ほかに、〈かじ〉は瘡（かさ／皮膚がカサカサする皮膚病）のこと、〈か〉は魚名語尾であるとも。「魚へんに秋」と書くのは歳時記の季語が秋であるため。春の産卵から夏にかけて荒食いし、脂がのった時期が秋であるため。

地方名
北陸では「ゴリ」「ヤマノカミ (山の神)」とも。ほかにはアブラコ、アユカケ、ドンボ、ナイラギ、ハウト、ハゼ、ビンガ、フグ、マゴリ、ミヤマゴリ。

河川と海を行き来する小卵型と、河川だけで一生を送る大卵型がある

仲間

棘鰍《トゲカジカ》

カジカ科

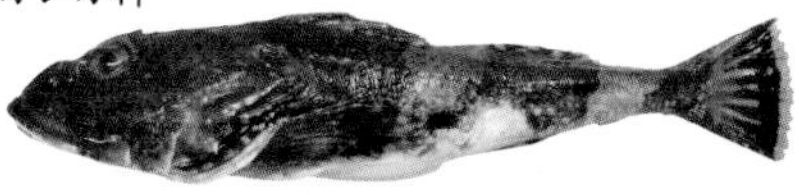

鍋にすると、そのおいしさから鍋の底をかき回し、ついには鍋を壊してしまうほどおいしいことから「鍋壊し」の異名がある。

ごり酒

石川県金沢などで出されるのが「ごり酒」。旨み、風味が熱燗に溶け出して、とてもおいしい。

料理

かじかのみそ汁

魚のみそ汁は栄養面で非常に優れた、しかも簡単な料理。汁にエキスがたっぷり出るので、もっとも余すところなく魚を活用できる。

材料（2人分）

カジカのアラなど
…300g前後
根菜類（大根、にんじん、玉ねぎなど）
…全部で300g程度
水…1ℓ
酒…1/2カップ
こんぶ…4㎝角
みそ…大さじ2
(好みで調整)
万能ねぎ…適量

作り方

1. カジカは湯通しし、水の中で汚れやうろこなどをきれいに取り除く。
2. 鍋に水を注ぎ、1、酒、こんぶ、根菜類を入れて火にかける。
3. 沸いてきたらこんぶを取り出し、アクをすくう。
4. 汁に旨みが出てきたら、みそを溶き入れ火を止める。器に盛り、ねぎを散らす。

トゲカジカの身は淡泊で旨みに欠ける。それを補うのが肝のおいしさ

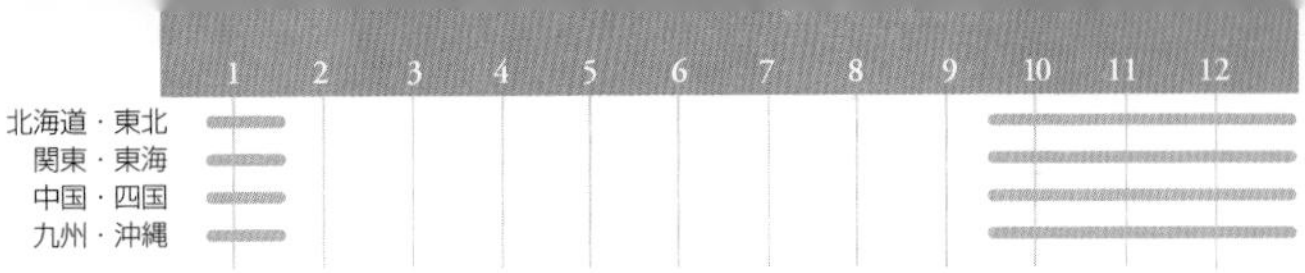

かじき
Swordfish
梶木

昔はマグロより人気だった

最近の冠婚葬祭の席に並ぶ刺身といえばマグロですが、本来はマカジキが中心でした。今でも石川県などでは、単にマグロといえばマカジキです。メカジキも「カジキマグロ」ともいわれます。しかしマカジキ同様、マグロの仲間ではありません。

ともに、マグロの人気に押されてやや地味な存在になっていますが、じつは味もよく、歴史的にも重要な魚です。

旬は寒い時期

メカジキの旬は秋から冬。輸入、国産とも年中出回るが、やや高値。マカジキの旬は冬から春。漁獲量の減少と嗜好の変化から市場への入荷が減りつつある。値段はやや高い。

マグロの仲間ではない

「カジキマグロ」などというが、マグロはサバ科、マカジキはマカジキ科、メカジキはメカジキ科である。

身は薄いピンク色。白っぽいものは脂ののりがよい

女梶木《メカジキ》
メカジキ科

スーパーでおなじみの切り身。ムニエルに煮つけにといろいろ使えて便利

標準和名　メカジキ（女舵木）
生息域　世界中の温帯・熱帯域。

メカジキはフライにしても美味。ムニエルなどでも嫌みのない万人受けする味わいに

真梶木《マカジキ》
マカジキ科

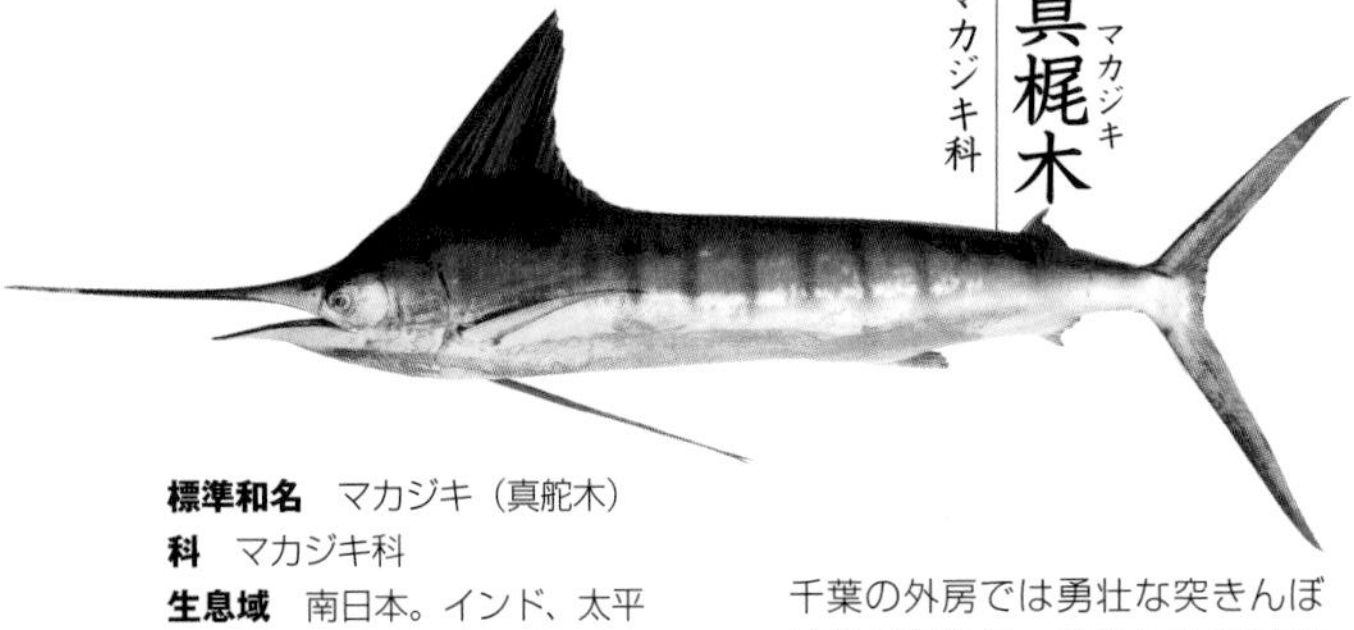

標準和名　マカジキ（真舵木）
科　マカジキ科
生息域　南日本。インド、太平洋の熱帯、温帯域。

千葉の外房では勇壮な突きんぼう漁が行われ、獲れたものは江戸の町に運ばれていた。古くから東京を代表する魚でもある。

マカジキの刺身は非常にきれいで味も抜群。マグロよりおいしいとも

メカジキ：神奈川県立生命の星・地球博物館　提供（瀬能 宏撮影）

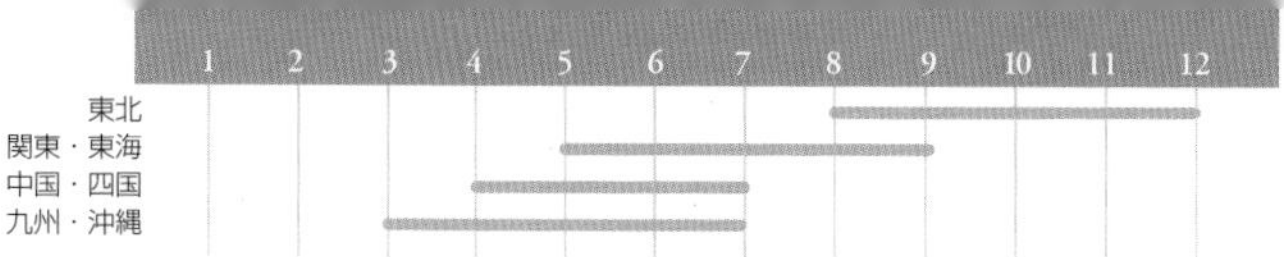

かつお 鰹

Striped tuna

本当に新鮮なら血のにおいがしない

カツオでもっともよく食べられているのは本ガツオ（カツオ）ですが、ほかにも知らず知らず口にしているさまざまな種がいます。

刺身ではカツオに勝るとも劣らないハガツオや、ほとんどカツオの獲れない日本海のヒラソウダガツオなどは魚通にはたまらない美味です。

そばつゆの原料「ソウダ節」に使われるマルソウダガツオも知っておきたい魚です。

初ガツオと戻りガツオ

旬は春と秋。産卵期は夏と冬で、赤道周辺では周年。国内では、多くは夏に産卵している。関東の市場では1月から晩秋までの長期間見られるが、冷凍ものも多い。

切り身は色が深く、澄みきった赤のもの。茶色っぽいものは生ではおいしくない

腹側に黒い縞模様がある

標準和名　カツオ
（堅魚、堅木魚、松魚）

科　サバ科

生息域

日本近海、世界中の熱帯・温帯海域。日本海にはほとんどいない。

語源

「硬魚（かたうお）」が転じたもの。縄文時代から食べられてきたが、古くは生で食べられることはなく、硬く干したものが産地から送られ、調味料、携帯食として珍重されていた。都などに来たときに硬く干した状態だったため、「硬魚（かたうお）」と呼ばれ、そのまま名前になった。「勝魚」とも書き、武家にとっては武運長久につながる魚ともされていた。

地方名

小型魚は「サンゼンボン（三千本）」。カツ、カツウ、タテマダラ、スジガツオ、ハタジロ、マガツオ、ショウバン、チュウバン、ダイバン、トビダイ。

足が早い

アミノ酸の一種「ヒスチジン」が多いため、時間がたつとヒスタミンに変わり、アレルギーを起こすことがある。かつて生食が避けられていたのは、こうした理由からだと考えられる。

栄養たっぷりの身

身が赤いのはミオグロビンという色素を多く含んでいるため。たんぱく質に富み、必須アミノ酸をバランスよく備えている。EPA、DHA も豊富。

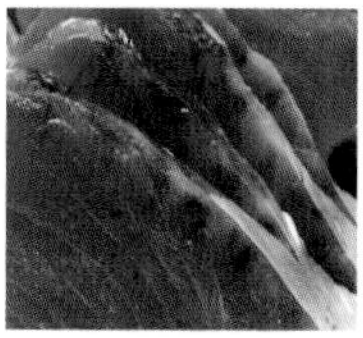

料理

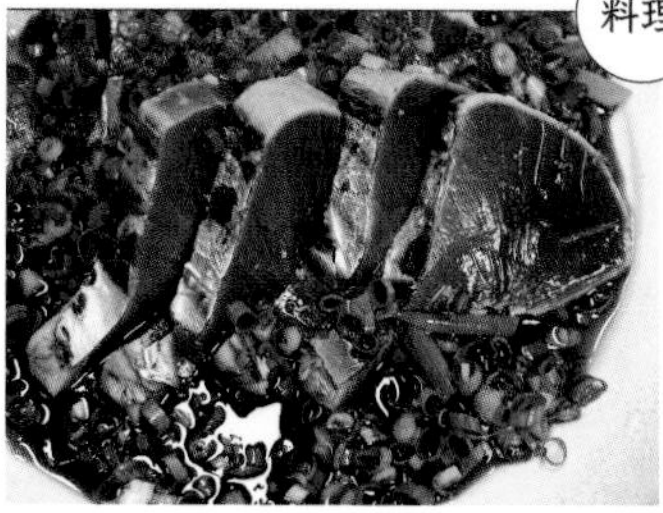

塩辛

新鮮なカツオの内臓をじっくり熟成させた、静岡県焼津に古来伝わる珍味。絶好の酒のつまみだが、チャーハンなどにまぜても美味。

カツオのたたき

材料（2人分）

カツオ（背身）…300g
塩…少々
おろししょうが…1かけ分
万能ねぎ…1/2束
おろしにんにく…1かけ分
ゆず果汁…大さじ3
しょうゆ…大さじ3
※好みで青じそなどを使う

作り方

1. カツオは皮つきのまま金串を打ち、皮目に軽く塩を振って表面を強火であぶる。
2. 冷水に取って粗熱を取り、刺身状に切る。
3. ゆず果汁としょうゆを合わせ、しょうが、にんにくを加えたものをかけ回す。
4. ねぎをちらしてトントンとたたく。

たたきを握りに。鮮度が落ちやすいのでたたきが重宝する

季節ごとのおいしい食べ方

カツオは季節によってかなり味わいが異なります。

春に出てくる初ガツオは、脂がないのでたたきがおすすめです。ただし、脂は少なくても旨みはたっぷりあり、お腹側の皮が薄くてやわらかいので銀皮造りもおすすめ。脂も旨みも少なければ、表面をこんがり揚げてから「揚げたたき」にしてもいいでしょう。

秋に出てくる戻りガツオは皮を引かないと食べられませんが、脂があるので刺身にするのがいちばんです。安価なものや新鮮でないものは、塩ゆでして表面を乾かした「なまり」にしても、おいしくいただけます。

ここではカツオのさまざまな食べ方を、いくつかご紹介します。時期に合わせ、またその日の気分でも多彩にアレンジして楽しみましょう。

さんしょう煮
カツオのアラは、しょうゆ、酒、砂糖に実ざんしょうを加えて煮上げる。

銀皮造り
初ガツオの腹身は皮つきのまま刺身にするとうまい。しょうがとともにいただく。

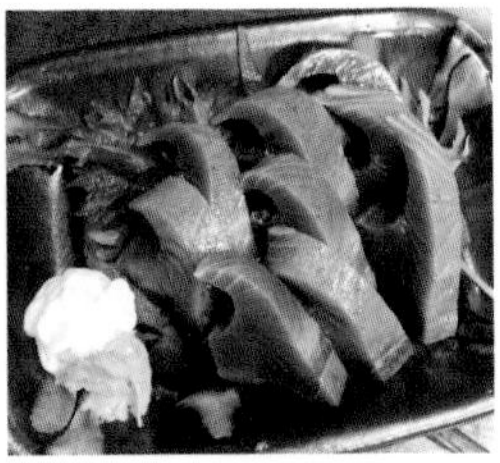

マヨネーズ添え
初ガツオの淡泊さを補う食べ方。練りごま、からし、ポン酢などを加えても。

揚げたたき
高温で揚げ、酒、みりん、しょうゆ、砂糖を煮立てたタレに浸ける。玉ねぎなどとともに。

土佐の塩たたき
粗塩をすり込んで直火で焼き、熱いうちに香味野菜とともにいただく。

平造り
脂ののった戻りガツオは皮を引いて厚めに切り、平造りに。身の旨みをたっぷり味わえる。

なまり節と根菜煮
塩ゆでしたカツオ、「なまり」を、じゃがいもなどと煮たもの。とてもおいしい。

かつお納豆
納豆とは相性抜群。きざみねぎにおろしにんにく、しょうゆ、タバスコ、みりんで。

豆板醤炒め
炒めて豆板醤、甜麺醤のタレにからめる。にんにくと黄にらの風味がご飯と好相性。

おいしいコツ

薬味いろいろ

季節の野菜、とくに香りのある野菜と合わせたい。みょうが、玉ねぎ、ねぎ、にんにく、かいわれ大根、青じそなど。トマト、オクラなどを添えても楽しい。

残ったカツオをおいしく食べる

かつお飯

残りものでもおいしくできるのがこちら。塩ゆでして煮つけ、みょうがやねぎとともにご飯にまぜ合わせる。

材料（4人分）

カツオの刺身（残りものでも）…200g前後
しょうゆ、みりん…各大さじ1
砂糖…少々
しょうが…1かけ
みょうが、青ねぎ、青じそなどの香味野菜（好みで）…適宜
ご飯…4膳分

作り方

1. 刺身は湯通しし水をきる。
2. フッ素加工のフライパンにしょうゆ、みりん、砂糖を煮立て、1を甘辛く煮る。
3. 煮上がりにしょうがのおろし汁を振る。
4. 3ときざんだ香味野菜を炊きたてご飯にざっくりまぜ合わせる。冷凍ご飯でも、おいしくできる。

江戸の人はどうやって食べていた？

　江戸っ子がもっとも親しんだというカツオ。山口素堂の詠んだ「目には青葉　山郭公《やまほととぎす》　初松魚《はつがつお》」の俳句も有名です。江戸時代には、すでにカツオの「刺身」が食べられていたとの記述がありますが、足の早いカツオを、はたして当時の環境で食べることができたのでしょうか。

　じつは、当時の「刺身」とは、あぶるか湯通ししたもの。完全な生食は昭和になってからで、ごく最近のことです。カツオの刺身は、流通と保存技術の発達の賜物《たまもの》といえます。

　ちなみに当時の「たたき」は、今でいう内臓の塩辛「酒《しゅ》盗《とう》」をさします。

　かつお節は古代から食べられており、江戸時代の書物には、産地として、安房（千葉）、伊豆、紀州（三重、和歌山）、阿波（徳島）、土佐（高知）、薩摩（鹿児島）などが挙げられています。

仲間

縞鰹《スマ》

サバ科

やや暖かい海域にいて産地のみでの利用がほとんど。関東での旬は秋から冬で、脂ののった時期の刺身はカツオに劣らず絶品。

歯鰹《ハガツオ》

サバ科

赤みの弱い身色と鮮度の落ちやすさから安価だが、鮮度しだいで刺身はカツオ以上との声も。とくにおいしいのは晩秋から冬。

平騒多鰹《ヒラソウダガツオ》

サバ科

産地などで限定的に食べられている。とくに日本海ではカツオがほとんど獲れないため、カツオといえば本種のこと。

丸騒多鰹《マルソウダガツオ》

サバ科

鮮魚として売買されるのは産地が中心。むしろ、そば店で使う濃厚な麺つゆの原料「ソウダ節」としての知名度が高い。

おいしいコツ

上手なかつおだしの取り方

「かつおだし」とは、かつお節とこんぶで取っただしのこと。一番だしと二番だしがあるが、一度に両方つくるのが無駄がなくておすすめ。冷凍庫で2～3日は保存できる。

一番だしの取り方

一番だしは香りが高く、どのような料理にも向いている。

一 水１ℓにこんぶ15～20g（日高昆布で15～20㎝）を入れ、弱火でゆっくり加熱。二 沸騰直前にこんぶを取り出し、差し水をしてかつお節20～30ｇを加える。三 10～15秒沸かし、火を止めてこす。

二番だしの取り方

香りも旨みも弱いが素材の味わいを活かせ、根菜類などを煮るのに向く。

水１ℓに、一番だしのときに使ったこんぶとかつお節を入れて10分ほど弱火で煮立て、新しいかつお節を10ｇ加える。少し煮て火を止め、かつお節が沈んできたら、こし取る。

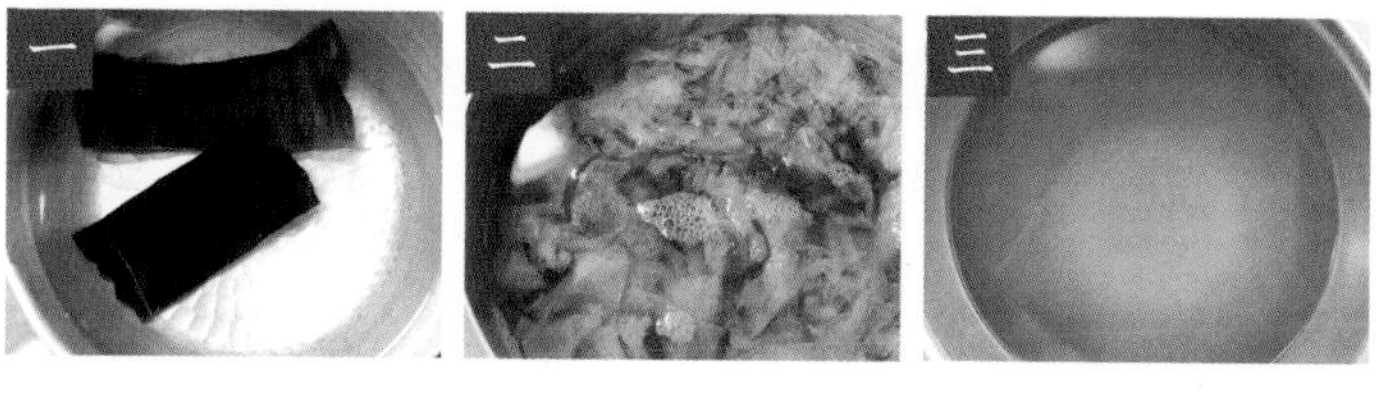

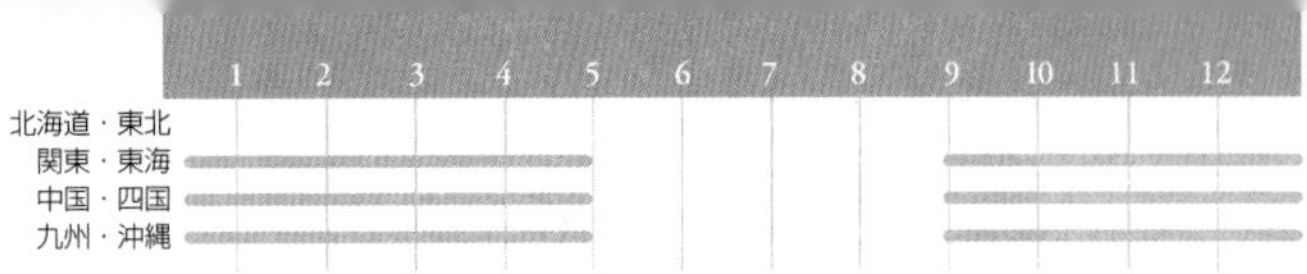

北海道・東北

かます

Barracuda 叺

塩焼きや高級寿司ネタにも

塩焼きは定番中の定番で、なんともいえない風味を楽しめます。「カマスの一升飯」などともいわれ、これはカマスの塩焼きが1尾あれば、ほかにおかずがなくてもご飯が進む、という意味。持ち味を十全に活かした調理法です。

これに加えて近年、料理人の間で刺身にすることが流《は》行《や》っています。とくに皮つきアカカマスのあぶりは絶品の味わいです。

市場には安定して入荷しますが、つねに高値で取引されています。

旬は長く、産卵の前後を除けばつねに味がいいのが特徴。とくにおいしいのが秋から冬で、大型のカマスは脂がたっぷりのり、驚くほどのおいしさです。

標準和名
アカカマス
（赤叺、赤梭子魚）
科 カマス科
生息域
琉球列島を除く南日本。東シナ海、南シナ海。
語源
「叺（かます）」とは長方形の筵（むしろ）を二つ折りにして袋状にしたもの。昭和30年代くらいまでは水産の世界でもさかんに使われた。この叺のように口が大きいから。また体色がヤマトカマスと比べて赤いことから。
地方名
単に「カマス」ということが多い。関東などの市場で、「ホンカマス（本かます）」と呼ぶ。これはヤマトカマスを「ミズガマス（水がます）」と呼ぶのに対して。三重県尾鷲ではアラハダ。徳島県阿南ではシャクハチ（尺八）。ほかにはアラハダカマス、オキカマス、ツチカマス、ドロカマス、ナダカマス、マガマス、ヤエガマス。

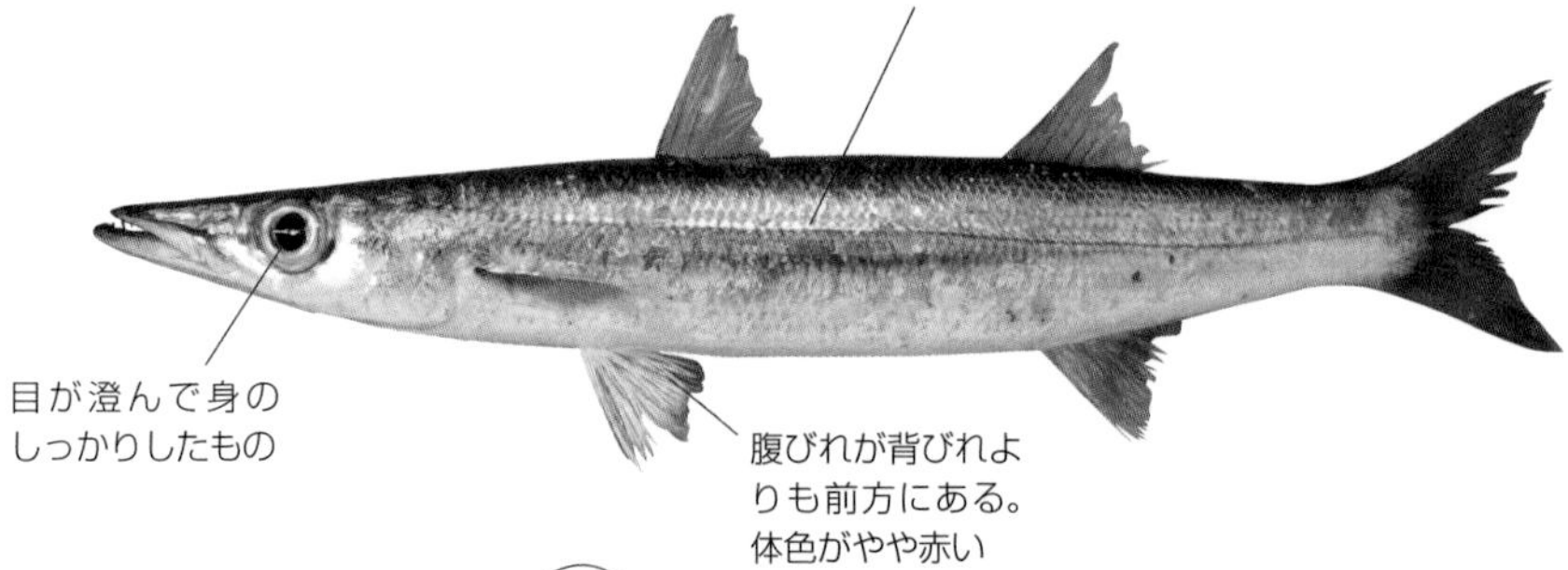
体表がぬめっとしたものは脂がある
腹びれが背びれよりも前方にある。体色がやや赤い

料理

かますの塩焼き

材料（2人分）
カマス…2尾
塩…適量
かぼす（またはすだち、レモン）…1個
大根おろし…適量

作り方

1. カマスはうろこを取り、腹に包丁を入れて内臓を取り出し流水でサッと中を洗う。
2. よくふいて両面に塩を振り20分以上おく。
3. 2を魚焼きグリルかオーブンで焼く。
4. 皿に盛り、かぼすと大根おろしを添える。

酢締め

刺身は水っぽく酢締めなどに向く。酢の作用で皮がやわらかくなり、もっとも美味な皮下を楽しめる。

仲間

大和叺《ヤマトカマス》 カマス科

「ミズガマス」ともいわれるように水分が多く、干物に向く。アカカマスの半値以下という庶民の味方。干物は塩の代わりにナンプラーを塗って仕上げてもおもしろい。紀州や四国の「かます寿司」も有名。

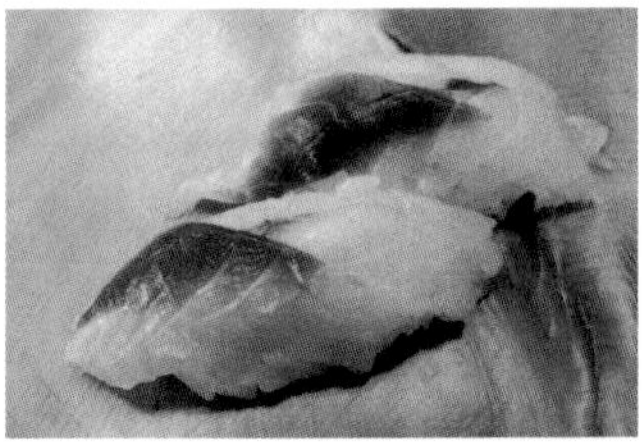

獲れたてのものをネタに。ひなた臭いクセもなく、甘く素直な味わい

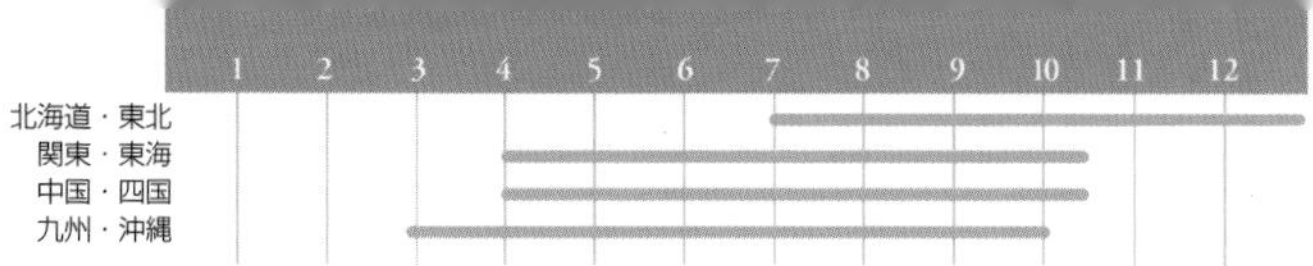

かれい 鰈

Marbled sole

庶民の味が高級魚に大躍進

かつては惣菜の定番魚でしたが、今では活けものは超高級魚となっています。

一般に夏が旬で、寒い時期の子持ちもまた非常に美味。クセのない白身で、塩焼き、煮つけ、唐揚げなどあらゆる料理に向きます。

カレイはとても種類が多く、30〜50㎝くらいのものが主流ですが、オヒョウのように2mにも達する大型のものもいます。

夏と冬、二度おいしい

旬は夏だが、寒い時期には子持ちガレイが出回り、この時期のメスは値段も手ごろで喜ばれる。産卵期は晩秋から春。学名に「横浜」(yokohamae) とついており、東京湾を代表する魚。

標準和名
マコガレイ（真子鰈）

科 カレイ科

生息域
九州の大分から北海道南部。東シナ海北部、渤海。水深 100 m より浅い砂泥地に生息。

語源
「カレイ」とは、目が体の片側だけにあり、魚の片割れのようであるため「かたわれ魚」と呼ばれ、これが変化したもの。また「韓（朝鮮半島)」周辺でたくさん獲れたので「韓えい」がカレイになったともいわれる。

地方名
口が小さいので「クチボソ（口細）」「オチョボ、キツネガレイ」。味がいいので「アマガレイ」。大分県大分湾日出町にある木下家の居城・賜谷城の真下で獲れるものが有名なので「城下ガレイ」などという。ほかにはオタイヤ、マガレ、メジカ、メジカアサバ、ヤマブシガレイ。

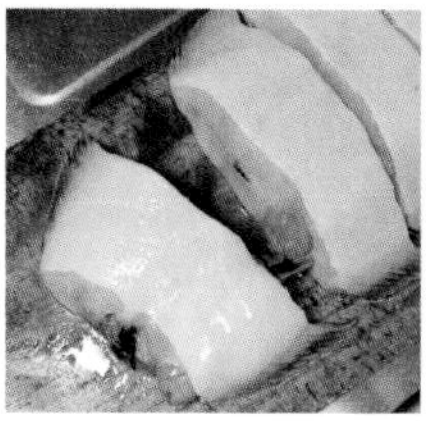

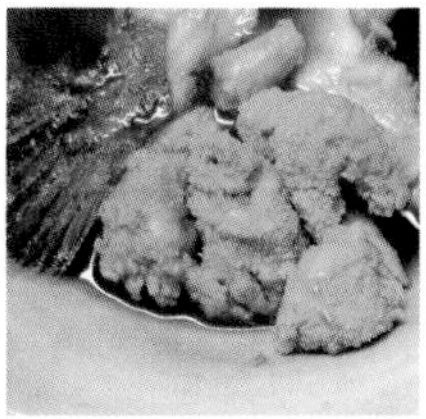

おいしい部分はどこ？

夏は身が繊細で脂がのり非常においしいが、冬から春には子持ちの卵の部分が美味。身と卵、それぞれのおいしい旬がある。

栄養

高たんぱく、低脂肪で、タウリン、ビタミン B1・B2・D が豊富なため、離乳食や年配の方の食事、病人食としても最適。また、ひれのつけ根には美肌づくりに効果的なコラーゲンが豊富。

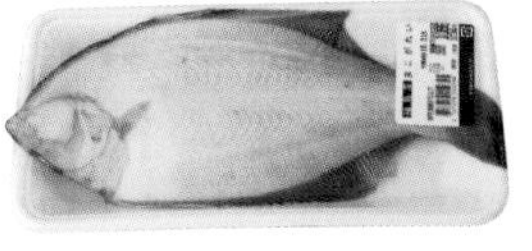

マガレイ（P51 参照）とまぎらわしいが、こちらは裏側が白一色。小型のものは唐揚げにすると、余すところなくおいしくいただける

夏を代表する寿司ネタ。白身なのに旨みがある

おいしい煮つけのつくり方

一

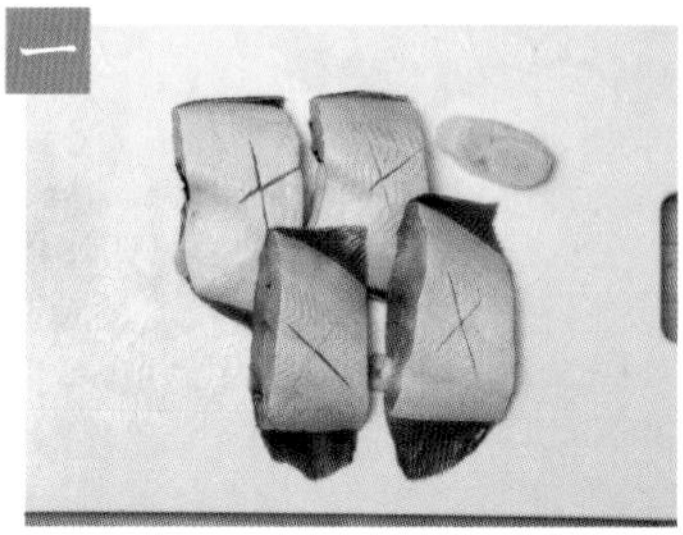

皮に切り込みを入れ、皮が破れないよう熱湯に水をさした80℃くらいの湯をかけ、すぐ流す。冷水に取り、残ったうろこなどを取って水分をよくふき取る。

二

鍋に一、水、酒を加える。酒は加熱前に加えないと、消臭効果が出ない。鍋はフッ素加工の深めのフライパンがおすすめ。

三

みりん、砂糖、しょうゆ3分の1量を加える。はじめは薄めに味つけするのがポイント。薄切りしたしょうがは、魚にはのせないこと。

四

煮汁をかけて表面を固めてから落としぶたをすると、ふたが身につかない。落としぶたはアルミホイルが便利。ときどき味見し、しょうゆ3分の1量を加える。

五

味見して残りのしょうゆを加え、強火で一気に煮詰める。脂の多い魚は味がしみにくいので、煮汁をつけながらいただく。

材料（2人分）

カレイ（切り身）…4切れ
水…1カップ
酒…1カップ
みりん、砂糖…各大さじ1
しょうゆ…大さじ2
しょうが…1かけ

※煮つけの際は必ず湯通しを。生臭みが格段に違う。しょうゆは3回に分けて味をみながら加えよう

おいしいコツ

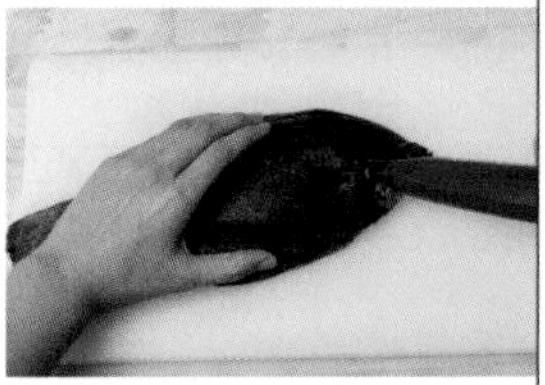

下処理のやり方

尾から頭に向けて、包丁でうろこをそぎ落とし、えらぶたに包丁の先を入れて開き、えらを引き出す。裏返して胸びれの下に切り込みを入れ内臓をかき出し、水で洗う。

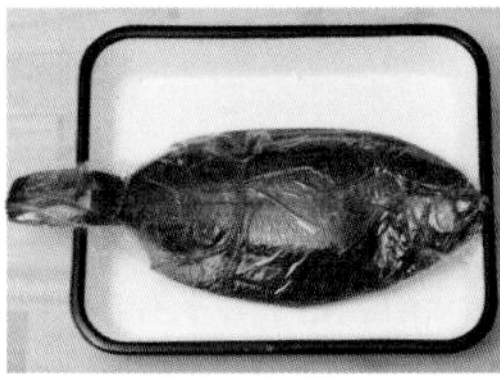

冷凍保存

下処理したものに塩を振り、ラップにくるんで冷凍庫へ。なお、煮つけなどに調理してあれば1週間はもつ。

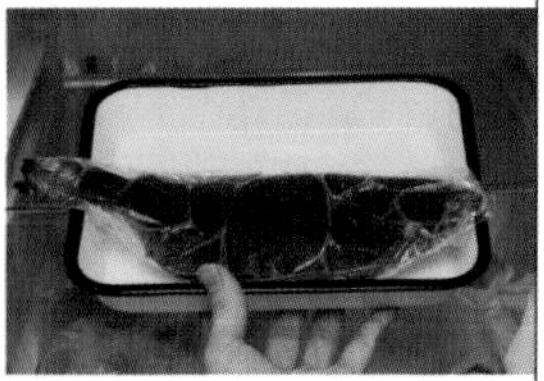

解凍のコツは

冷蔵庫に3～4時間おき、半解凍にする。夏場以外なら、室内の涼しい場所で常温解凍してもよい。ゆっくり解凍するとドリップ（水分）が出ず、味が落ちない。

料理

かれいの唐揚げ

材料（1人分）

カレイ…小1尾
塩…少々
すだち…1/2個
大根…3cm分
万能ねぎ…10cm分
片栗粉…適量
揚げ油…適量
しょうゆかポン酢（好みで）…適宜

作り方

1. カレイのぬめりとうろこを取り、表面に十字の切れ目を入れ、塩を振る。
2. 片栗粉をまぶし、170℃の油でゆっくり揚げる。
3. 2を器に盛り、細かくきざんだ万能ねぎとおろしておいた大根、すだちを添える。大根おろしにしょうゆかポン酢をかけていただく。

かれいのムニエル

材料（4人分）

カレイ…1尾
ベーコン…2枚
じゃがいも…1/2個
小麦粉…適量
バター…大さじ3
オリーブオイル…大さじ3
塩・こしょう…少々
パセリ…適量
レモン…1/6個

作り方

1. カレイに塩、こしょうを振って小麦粉をまぶす。
2. ベーコンをみじん切りにして、フライパンにオリーブオイルを熱し、カリカリに焼いて取り出す。
3. **2** のフライパンにバター半量を溶かし、**1** を両面色よく焼く。
4. 鍋を中火に熱し残りのバターを溶かす。薄切りにしたじゃがいもを入れて炒め、つやを出す。
5. 器に **3** と **4** を盛りつけ、みじん切りにしたパセリをかけ、くし形切りにしたレモンを添える。

かれいの蒸し煮

材料（4人分）

カレイ（切り身）…300ｇ
（マコガレイなら半尾）
セロリ、玉ねぎ、にんじんなどの野菜…100g（粗みじん切り）
にんにく…1/2かけ
白ワイン…大さじ1
オリーブオイル…大さじ2
バジル（乾燥）…少々
塩・こしょう…適宜
スイートバジル（飾り用）…適宜

作り方

1. カレイに塩、こしょうを振る。フライパンにオリーブオイル半量とつぶしたにんにくを熱し、香りを移す。
2. にんにくを取り出し、白ワイン半量を加えて野菜を弱火でゆっくり炒める。
3. 野菜の旨みが出たら、カレイの切り身をのせ、ゆっくり蒸し煮する。
4. カレイの身を取り出し保温する。フライパンに残りの白ワインとオリーブオイルを加え、塩、こしょう、バジルを振り、熱しながら味を調えて煮詰める。
5. 皿に野菜とソースを敷き詰め、カレイをのせる。まぜ合わせながらいただく。

あるときは「ヒラメのえんがわ」 また、あるときは スーパーの「カレイ」

回転寿司の「ヒラメのえんがわ」は、じつは多くがアメリカやロシアから輸入したカラスガレイとアブラガレイです。

カラスガレイは古くから人知れず流通し、別名「ギンガレイ」として業界では有名でした。おもに食堂で使われたり、缶詰などの加工用にされたりしていましたが、回転寿司の「えんがわ」で一躍有名になったのです。

一方、アブラガレイはいろいろな商品名でフィレが出回っており、スーパーでも「カレイ」の切り身として並んでいます。店頭に並んだ生のものは鮮度が悪く、揚げ物くらいにしかできませんが、冷凍のフィレが多く出回り、これがなかなかの優れもの。生より品質的にも上で、フライにすると絶品です。ぜひお試しを。

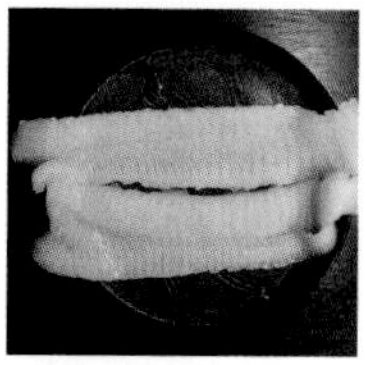
回転寿司でおなじみのアブラガレイのえんがわ

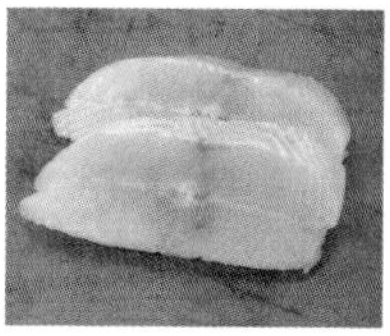
スーパーの定番、カラスガレイの解凍フィレ

烏鰈《カラスガレイ》
カレイ科

油鰈《アブラガレイ》
カレイ科

真鰈《マガレイ》
カレイ科

20cm程度の比較的小型のものが多く、安価。裏側の尾びれあたりが黄色みを帯びている。この色が強く、さわってみて硬いものほど鮮度がいい。

松皮鰈《マツカワガレイ》
カレイ科

最高に美味で高価なカレイ。幻の魚といわれ、稚魚の放流、養殖などが進められている。養殖が増え、特上の白身はヒラメか本種という時代に。

赤鰈《アカガレイ》
カレイ科

惣菜用によく使われ、カレイのなかでも庶民的なものだったが、あまり獲れなくなって高級魚の仲間に。アカガレイでちょっとぜいたく、が今風。

目痛鰈《メイタガレイ》
カレイ科

西日本では非常に高価なカレイ。瀬戸内で獲れ、大阪などでは魚屋さんで活け締めが売られている。皮に臭みがあるので、皮をはいでから料理する。

刺身が絶品。関西ではとくに珍重される

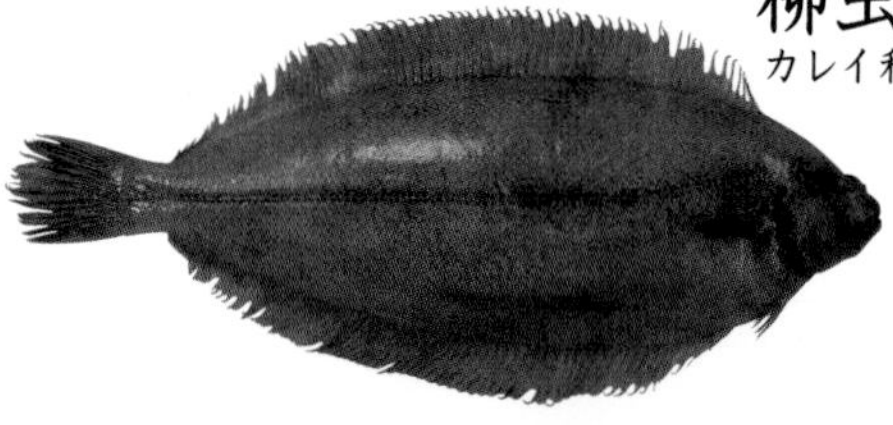

柳虫鰈《ヤナギムシガレイ》
カレイ科

子持ちとなる寒い時期にはヒラメを超える高級魚に変身。値は卵の量と色合いで決まる。古くは若狭のものが有名で、京都などでは「若狭ガレイ」とも。

干物の最高峰で甘い真子（卵巣）がおいしい

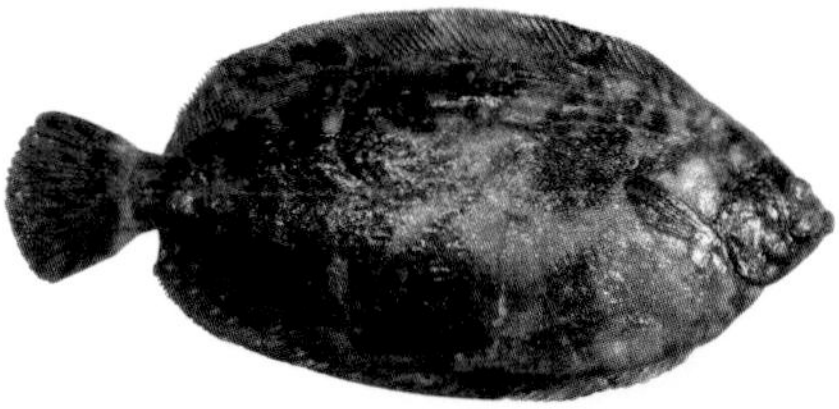

婆鰈《ババガレイ》
カレイ科

東京では高級魚として有名。三陸では年取り、正月の膳に欠かせない魚である。地味な煮つけも、ババガレイでつくるとごちそうに。

大鮃《オヒョウ》
カレイ科

開高健の釣り紀行などで有名に。古くから切り身として流通し、惣菜などになっていた。60年代にはヒラメと偽って売られ、国内初の食品偽装事件に。

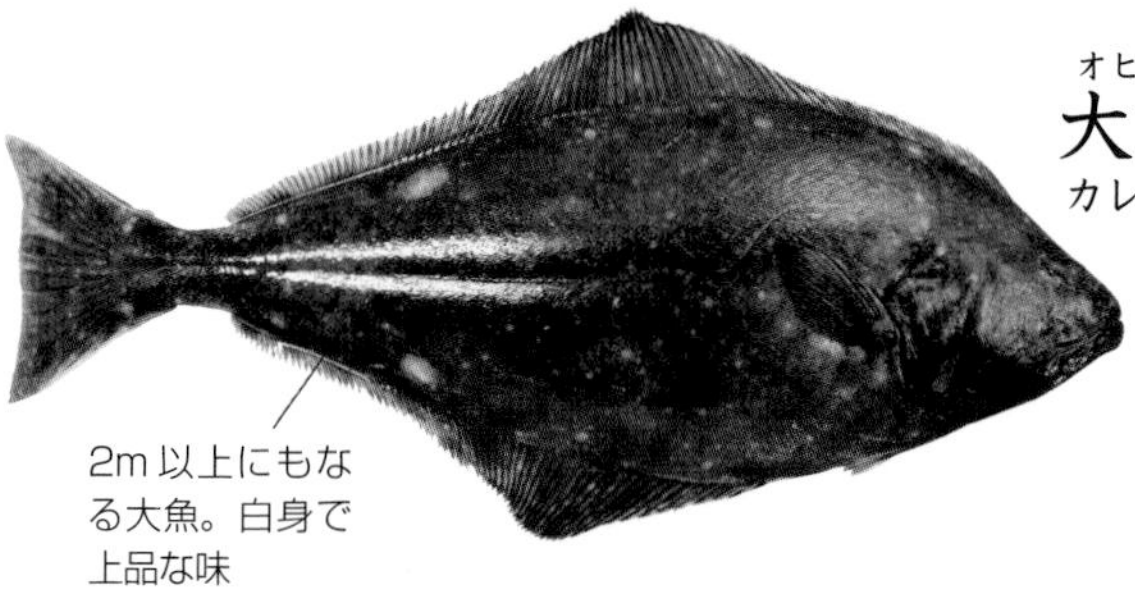

2m 以上にもなる大魚。白身で上品な味

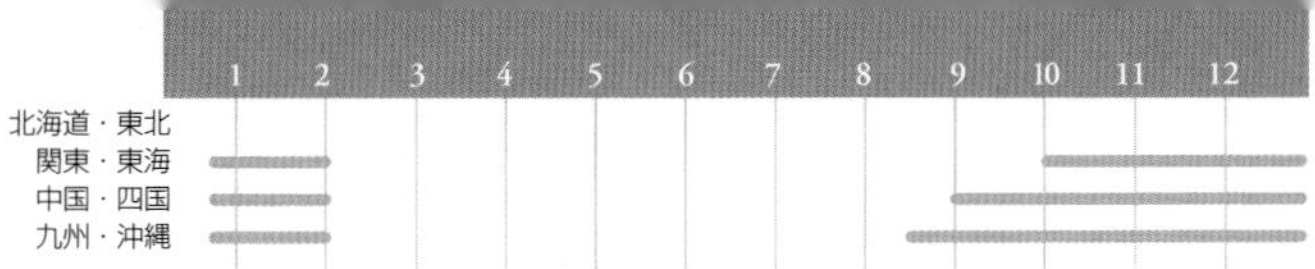

かわはぎ

Threadsail filefish

皮剥

肝の味わいから フグより上とも

日本でもっとも食べられているのは、カワハギ、ウマヅラハギ、ウスバハギの3種。味のよさ、価格の高さもこの順です。昔から味のよさには定評がありましたが、今ではすっかり高級魚に。

フグに近いシコッとした身質をもち、甘みがあり旨みが強いのが特徴。刺身にしても、煮ても焼いてもおいしい万能選手です。肝が貴《とうと》ばれ、その大きさが値段を決めます。

旬は秋から冬。産卵期は5月から8月で、その後を除き年間を通して市場に入荷があります。9月の声を聞くころから身が張ってきて、秋以降どんどんおいしくなるのが特徴。野締めになったものはやや高く、鮮度の高い活魚はかなりの高値になります。

標準和名 カワハギ

科 カワハギ科

生息域

北海道以南、東シナ海。100 m以浅の沿岸に生息。

語源

皮をはぎ料理するため。

地方名

関西では単に「ハゲ」。気になる方には聞き捨てならないが、魚屋さんなどでは「ハゲいりまへんか」の声が飛ぶ。カワハギを「丸ハゲ」、ウマヅラハギを「長ハゲ」という。皮をはぐことから身ぐるみはがされるので「バクチウチ（博打打ち）」。正月の餅を買えるほど高値の魚という意味で「モチノウオ」。また顔つきからチュウチュウ。背びれのトゲが硬いのでツノギ。形からラケット。ほかにはセンバ、コオモリ、ヤキモチコゴモリ、アシナカコゴモリ、ツノギ、ゲバ、ハゲコウベなど。

料理

かわはぎのちり鍋

材料（4人分）

カワハギ（ブツ切り・肝）…2尾分
白菜…1/4株
せり…1束
長ねぎ…1/2本
しいたけ…4枚
A［水…2ℓ　こんぶ…10㎝角］
B［酒…2カップ（多くてもいい）　塩…大さじ1］

作り方

1. カワハギはサッとゆで、ザルに取る。
2. 白菜は6㎝角、しいたけは薄切りに、せり、長ねぎは5㎝に切る。
3. 鍋にAを入れ、Bを加える。
4. 1をだしの出る骨のついた部分から加え、煮ながらいただく。合間に野菜、好みで豆腐などを加えて食べる。

絶品の肝は家庭でも活用を

ゆでてしょうゆに溶かしたものを刺身に使うなど、肝を活用したい。生きている状態が最上なので鮮度を大切に。

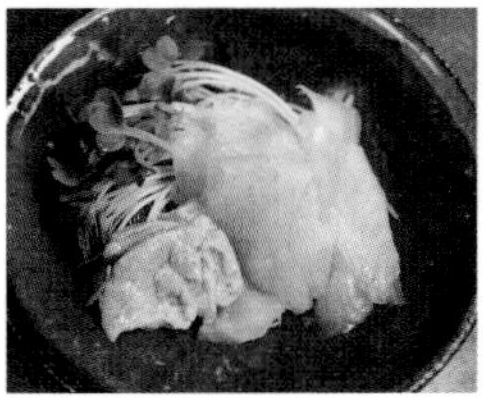

仲間

馬面剥《ウマヅラハギ》 カワハギ科

高度成長期に突然大発生し、伊豆半島に「干物ロード」ができた。カワハギより大味だが、甘みもあり充分美味。

身は涼しげな色合いで弾力があり、甘みを感じる旨みがある

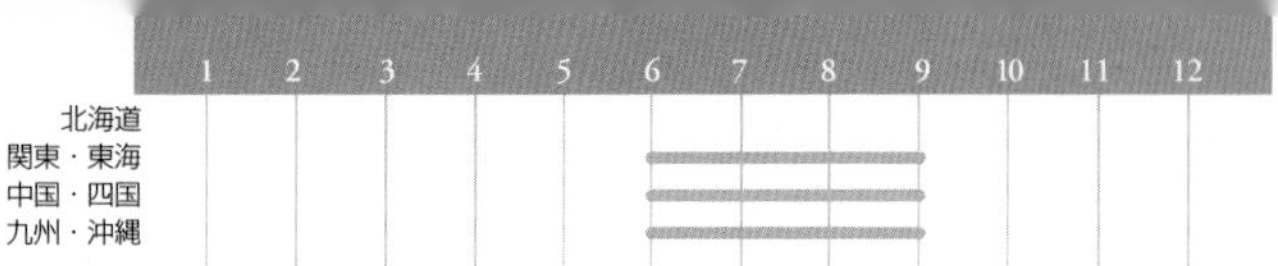

かんぱち 間八

Greater amberjack

養殖ものの味がよくなり身近に

古くから値の張るもので、庶民にはなかなか手の届かない魚でした。ところが近年、養殖ものの影響で値は下がりぎみです。まだまだ高級魚ではありますが、スーパーなどにもお目見えしています。

白身魚の刺身といえば、シマアジ、カンパチ、ブリが代表的なもの。価格もおよそこの順に高く、人気も同様です。天然魚はとても少なく、非常に高価になっています。

夏が旬ですが、年間を通してあまり味が落ちないのがうれしいところ。

市場には養殖ものが多く入荷し、天然ものも含めるとかなりの量になります。それでも養殖も天然も高値がつき、とくに養殖魚ではブリよりもつねに上です。

標準和名
カンパチ（赤頭）

科 アジ科

生息域
南日本。東部太平洋を除く全世界の温帯、熱帯域。

語源
「間八」は東京での呼称。左右体側に斜めに走る暗褐色の線があり、顔を正面から見ると「八」の字に見えるため。

地方名
関東では小型のものを「シオッコ（汐っ子）」「ショゴ」などという。60㎝を超えるとカンパチとなる。高知県では典型的な出世魚で、幼魚をネイリコ、小型魚をネイリ、中型魚をニイリ、大型魚をシオ、特大魚をオーシオ（大しお）。ブリなどに比べると赤みが強いのでアカヒラ（赤平）、アカビラ（赤平）、アカバリ、アカバ。ほかにはネウ、チギ、ハチマキ。

養殖ものも優秀

天然のカンパチは身が硬く、非常に食感がよい。しかし、養殖ものも、この硬い食感を失わず、また味わいでもブリより優れている。養殖は九州、四国に多く、鹿児島が日本一の生産量を誇る。

ブリ属の中では体高が高い。体色が赤みを帯びている

料理

カルパッチョ

薄く切った鮮魚に調味料をかけ回すだけでなんとなくおしゃれに見える、簡単でお得な一品。

材料（3人分）

カンパチ（切り身）…300g
にんにく…1かけ
塩・こしょう…少々
A ［エキストラバージン オリーブオイル…大さじ1
バルサミコ酢…少々
塩・こしょう…少々］

作り方

1. カンパチはなるべく薄く切る。
2. 皿ににんにくの断面をこすりつけてオリーブオイル（分量外）を塗り、塩、こしょうを振って1を盛りつける。
3. Aを合わせて回しかける。

刺身は王様級

刺身にしてこれほど旨みを発揮する魚もめずらしい。天然ものには幼魚でも脂がありおいしいものがある。これは小さいとおいしくないブリとは違うところ。

仲間

平政《ヒラマサ》 アジ科

ヒラマサは夏に旬を迎えるブリ属の魚。秋に三陸や青森で獲れるものには驚くほど脂がのっておいしいものがあり、値段も高い。

いまや高級寿司店の顔となるネタのひとつに数えられるまでに

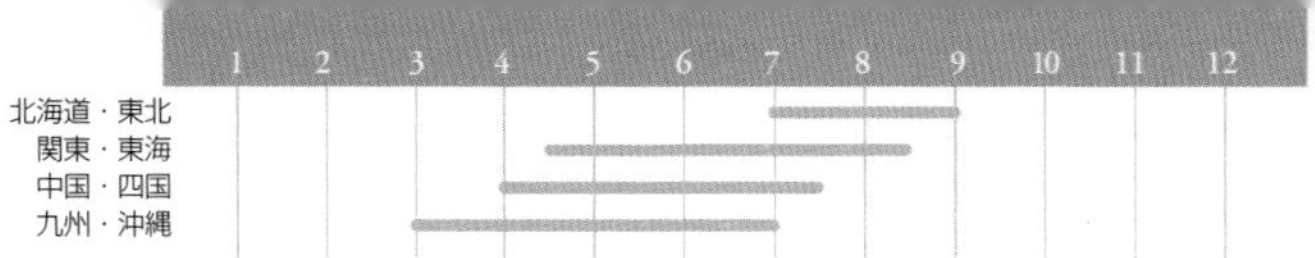

きす 鱚

Japanese whiting

標準和名
シロギス（白鱚）
科　キス科
生息域
北海道南部から九州。朝鮮半島、黄海、台湾、フィリピン。浅い砂地に生息。
語源
地方名に多い「きすご」が本来の呼び名とされる。一般に「きす」とは「ご」を省略したもの。室町時代から伝わる『御湯殿の上の日記』に初めて“きすご”の記録があり『和漢三才図会（寺島良安著　1712年）』にも「幾須吾（きすご）大なるものを吉豆乃（こずの）といい」とある。語源は「生直（きす）＝性質が素直で飾り気のない」に魚名語尾「ご」がついた。
地方名
市場では単に「キス」。「キスゴ」「キス」と呼ぶ地域が多い。釣りの世界では大型のものを「ヒジタタキ（肘叩）」、小型を「ピンギス」「シラギス」「マギス」とも。島根県ではほかにナタギス、キツゴ、ホンギス。

輸入するほど日本人の好きな魚

シロギスは、もともとあまり大量に獲れる魚ではなく、上品な白身魚として古くから高級なものでした。

そんな高嶺の花が、最近ではスーパーなどにも並ぶように。これは南半球や東南アジアなどの近縁種です。キスは、各国から輸入したくなるほど日本人が好きな魚なのです。

江戸前天ぷらでは定番的な存在で、割烹料理のお吸い物にもつきものといえます。

産卵前の初夏が旬

旬は晩春から初夏、夏。産卵期は初夏から秋口で、産卵後は味が落ち、秋には回復する。そして寒くなると、また味が落ちる。関東では冷凍もの、鮮魚とも入荷の多い魚。鮮魚は高値となっている。

あぶり

三枚におろし、血合い骨を抜いたものに軽く塩を振って洗い、皮を直火であぶったもの。淡泊な白身に、皮の旨みがプラスされた逸品。

全体に細く、かすかに赤みがかった灰色。古くなると全体に白くなる

料理

きすの天ぷら

材料（4人分）
キス…8尾
塩…少々
卵…1個
水…1/2カップ
天ぷら粉…1/3カップ
揚げ油…適量

作り方
1. キスはうろこを取り、頭を切って内臓を取り水洗いする。
2. 水気をふき背開きにして腹骨を取り、軽く塩を振る。
3. 卵を溶いて水と天ぷら粉をまぜ、衣をつくる。衣は冷やしておくのがコツ。
4. 2に軽く天ぷら粉（分量外）をまぶし、3をつけて170℃の油で揚げる。

仲間

似鱚《ニギス》　ニギス科

脂に特有の風味があり、天ぷらはシロギスよりもおいしい。年中脂がのっていて、生食、焼き物などにすると美味。

目の覚めるような美しい白身にトロンとした脂がのる

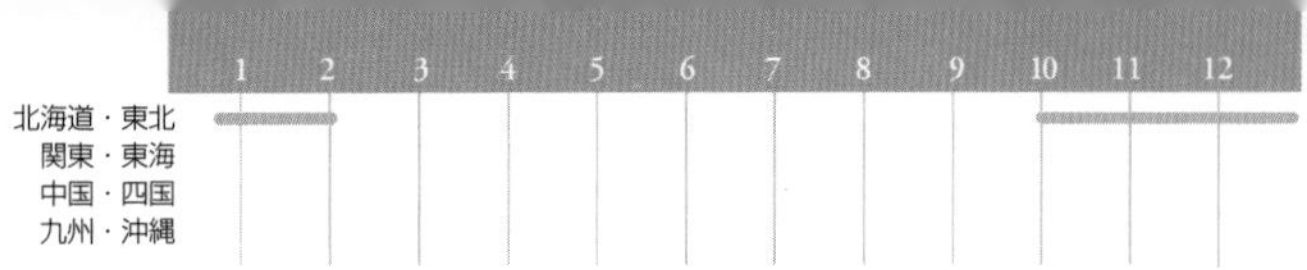

きんき 金魚

Shortspine-channel rockfish

甘辛く煮つければ絶品の味わいに

大正時代、釧路では動力船による底曳《そこびき》網漁が始まりましたが、そのころはほとんどが肥料となってしまったほど、値の安い魚でした。

それが70年ごろから値上がりし、今では最上級の高級魚となりました。

脂がのり、見た目にも赤くて美しく華やかなため、マスコミで取り上げられることが多く、これが高値を呼んでいるともいえます。

キロ１万円超もざら

旬は秋から冬。北海道周辺での産卵期は２月から５月。年間を通して入荷がある。１尾2500円でもあまり高く思えないほどの高級魚で、決して値が下がらない。

鮮度がよいほど深紅に輝いている

煮魚を侮るなかれ

煮魚というと低級な料理だと思われがちだが、旨みのある魚でなければおいしくできない。「キンキの煮つけ」は最上の料理のひとつ。小さいものでも脂があっておいしくできる。

標準和名
キチジ（喜知次、黄血魚）
科　フサカサゴ科
生息域
北海道東部、オホーツク海。ベーリング海、北アメリカ東岸。水深100～1200mに生息。
語源
漢字では「黄金魚」。金色に輝くことから「きん」で「き」は魚名語尾だと思われる。
地方名
関東ではもっぱらキンキ。標準和名の「キチジ」は宮城での呼び名で、流通のうえでも料理店などでもほとんど使われることがない。北海道ではメンメ、メイメイセン、メメセン。漁業者は小さなものを「ショウキン（小金）」「ジャミキン」と呼ぶ。「赤い魚」の意味で「アカジ」とも。きれいなので「キンギョ」などとも呼ばれる。

料理

きんきとかぶの煮物

材料（４人分）

キンキ…小8尾
水…2カップ半
酒…1/2カップ
みりん…1/4カップ
かぶ…6個

作り方

1. キンキはうろこをよく取り、内臓を抜いてよく水洗いする。
2. ボウルに入れ熱湯をかける。水に取り、汚れや残ったうろこを取り除く。
3. かぶは皮をむいて下ゆでしておく。
4. 鍋に水、酒、みりんを入れ煮立ったら**2**を加える。アクを取りつつ煮て、7割がた火が通ったら**3**を加える。かぶがやわらかくなったら、できあがり。

仲間

阿羅斯加喜知次《アラスカキチジ》

フサカサゴ科

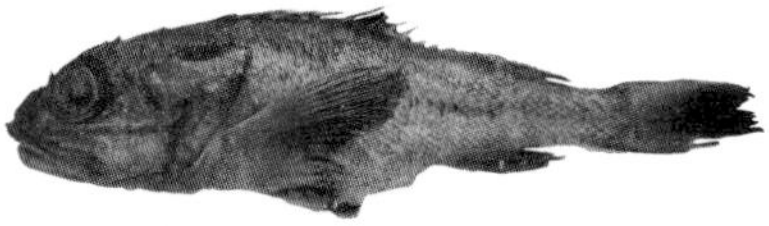

一般には国産と区別されず、冷凍されて流通。脂が多いためか解凍しても生臭みがない。干物、冷凍魚のなかでも高級で、塩焼きも非常においしい。

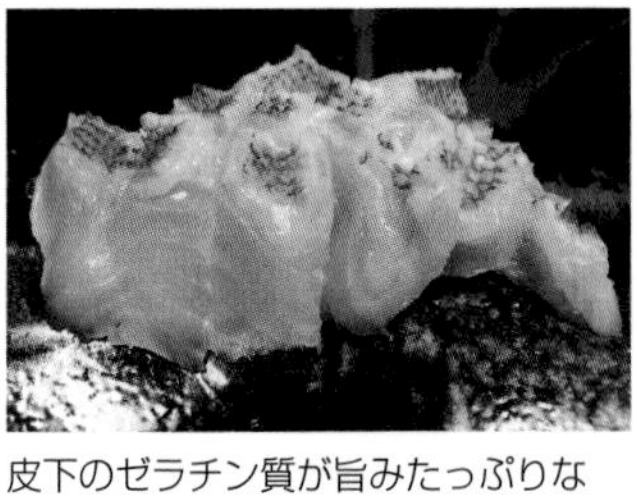

皮下のゼラチン質が旨みたっぷりなので、皮霜造りがいちばんおいしい

きんめだい

Alfonsino

金目鯛

流通の発達でどこでも刺身が食べられるまでに

かつては脂っこさが嫌われ安価で、産地周辺でのみ食べられていた魚でした。ところが流通の発達と脂志向の影響で、みるみる高級魚に。もっぱら煮つけや塩焼きにされていたものが、いまや刺身やしゃぶしゃぶ、フレンチではグリエ、イタリアンではカルパッチョと引っ張りだこです。

　鮮魚は非常に高いですが、冷凍ものはお手ごろ価格。もっと活用したい魚です。

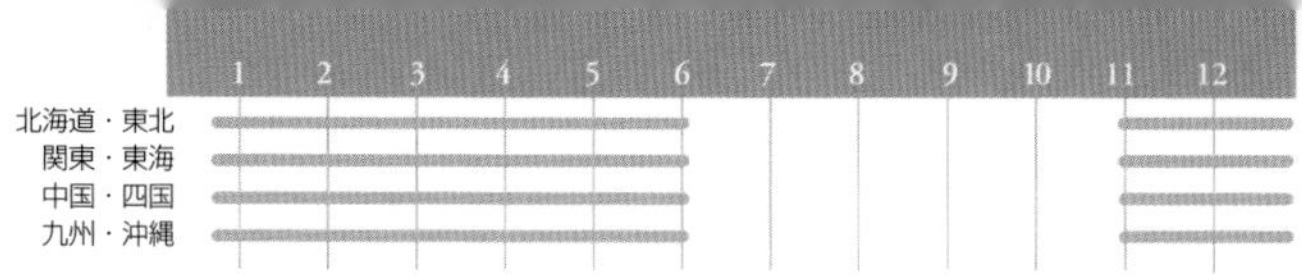

初夏の産卵前と冬が美味

通年水揚げされるが、とくに11月から４月の冬期と、５月から６月の初夏の産卵前が旬。東京に入荷するものの多くは静岡、神奈川、高知、千葉県銚子などのもの。

標準和名
キンメダイ
科　キンメダイ科
生息域
北海道釧路沖以南の太平洋に見られる。また北太平洋、太平洋、インド洋、大西洋、地中海など全世界の水深100～800ｍに生息する。
語源
大きな目の奥にタペータムという反射層があり、金色に光るため。
地方名
ナンヨウキンメに対して「マキン(真きん)」「マキンメ（真きんめ）」。ほかにはアカギ、アカギギ、アコウダイ、カゲキヨ、カタジララ、キンメ。

目が大きいのは、なぜ？

深海にすむ魚は、目が退化してしまうものと、目が大きくなったり光を集める組織が発達したりするものとに分かれる。キンメダイは後者で、大きな目で獲物をしっかりととらえる。

大きいものは体長50㎝を超える。大きいほど脂がのり旨みが増す

丸く、目が透き通っていて黄金色のもの。皮目が赤く鮮やかなもの

切り身はつやがありサシ（脂の細かいスジ）が入っているもの。白っぽいものは避ける

料理

金目鯛のコトリアード風

材料（４人分）

冷凍キンメダイ…小４尾
玉ねぎ…1/2個
セロリ…1/3本
にんじん…1/3本
バター…大さじ２
牛乳…１カップ
溶けるチーズ…50ｇ
塩・こしょう…少々
ブロッコリー（飾り用）…少々

作り方

1. キンメダイは三枚におろして血合い骨を取り、塩、こしょうを振る。
2. フライパンにバターを溶かし、キンメダイをソテーして耐熱容器に移す。
3. **2**のフライパンで、きざんだ玉ねぎ、セロリ、にんじんを炒め、牛乳を加える。
4. 半量ほどになるまで煮詰めて**2**の耐熱容器に加え、チーズをのせて溶けるまでオーブンで焼く。ゆでたブロッコリーを飾る。

脂がトロッと甘く、身質はやわらかいながらも、かみごたえがある

コスモポリタンな魚で世界中から輸入

キンメダイの生息域は広く、いまや世界中から輸入されています。築地市場などにもニュージーランド、チリ、アメリカなどから、冷凍ものが驚くほど大量に入っています。

また、国産のキンメダイの仲間でも安いものが存在します。「平キン」もしくは「板キン」と呼ばれるナンヨウキンメ、そしてやや小ぶりなフウセンキンメです。

この姿の似た2種は脂も旨みもキンメダイよりやや劣り安価。しかし実際はたいてい「キンメダイ」として流通しています。「平キン」などと表示する正直な小売店はまれ。かなり信頼できる、ひいきにしたい店です。

「地きんめ」が最高級

東伊豆で獲れる「地きんめ」は鮮度がよくて最高。大きくて色も赤く鮮やか。まず刺身は脂が身の中まで均等に含まれ、トロッと甘くしかも上品。煮魚にするとこの脂が浮き上がり、煮汁全体をからめるようにして溶け出してくる。身はホロッとしていて、白身ながら濃厚な旨みをもっている。

築地市場の冷凍輸入もの

国産だけではまかないきれないほどの人気で、築地でも輸入ものを見ない日はない。これらが切り身となってスーパーなどに並ぶ。

仲間

風船金目《フウセンキンメ》 キンメダイ科

キンメダイとフウセンキンメの区別は難しい。目の前方にある穴（鼻の穴）で見分けるしかない。小型なので味わいはやや落ちる。

南洋金目《ナンヨウキンメ》 キンメダイ科

キンメダイに比べ脂が少ないため、塩焼き、煮つけの味は物足りなさを感じさせるが、刺身は上品な白身でなかなか美味。

おいしいコツ

解凍法

解凍は10℃以下の状態でゆっくり行うのが基本だが、急ぐ場合は密閉袋やビニール袋などに入れて袋ごと水に浸け、水を入れ替えながら芯の凍った半解凍に戻す。30分ほどでできる。

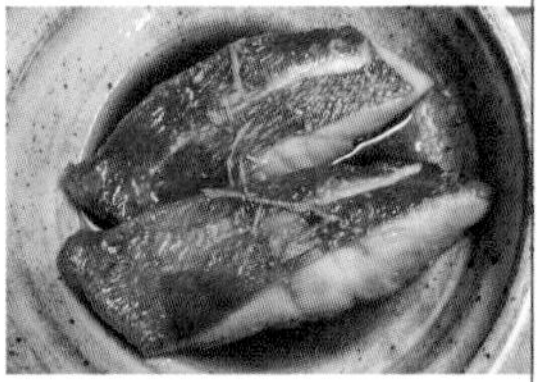

煮つけはこってりと

煮つけには淡い味つけと、こってり甘みを利かせたものがある。キンメダイは脂が強いので、それに負けない甘みと濃口しょうゆの旨みをまとわせ、こってりさせると最高にうまい。

釣ったらお取り込みは慎重に

浮き袋のある魚を釣り上げると、腹を浮かせて半死半生になるものだが、浮き袋を欠いているキンメダイは水面近くまで元気に暴れている。これをうっかり落とすと、そのまま元気に深海にお帰りになるので、くれぐれも取り込みは慎重に。

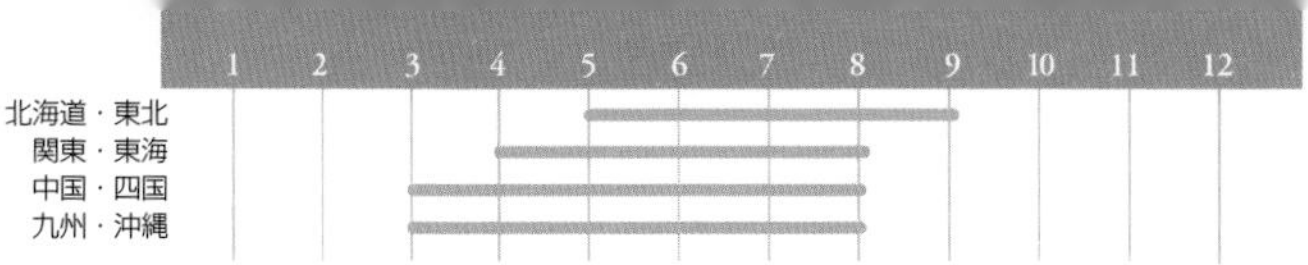

ぐち

White croaker 愚痴

かまぼこにもなる定番的惣菜魚

東京ではイシモチと呼ばれ、塩焼き魚の定番として食べられています。白身でクセのない上品な味わいの魚です。惣菜魚とされるゆえんであり、干物ももちろん美味。塩、こしょうを振ってごま油で焼いてもおいしくいただけます。

そのほか、東海道線開通によって西日本から神奈川県小田原に伝わり、いまや名物となったかまぼこの原料としても非常に重要な魚です。

標準和名
シログチ（白愚痴）
科　ニベ科
生息域
東北以南、東シナ海。黄海、渤海、インド・太平洋域。水深20～140mの砂泥地。
語源
漢字で「白愚痴」。シログチの属するニベ科の魚は、浮き袋を使って「ググッググッ」と鳴く。これが愚痴をこぼしているように聞こえるため。また「白」は色合いから。同様の別種に「黒愚痴」「黄愚痴」がいる。
地方名
関東では「イシモチ（石持）」、福島県では「ハダカイシモチ（裸石持）」。この「石持」とは内耳にある扁平石（耳石のいちばん大きいもの）が大きく、頭部を食べているとこれが口に当たるため。ほかにはアカグチ、アブライシモチ、イシムチ、ガクガク、ガマジャコ、キグチ、キングチ、クジ、クチ、クツ、コイチ、シラクチ、シラグチ、シラブ、ヌベ、ヒラクチ、モチウオ。

旬は産卵の合間の夏

旬は夏。産卵期は5月か8月。入荷量は多く、値段は高くもなく安くもない。スーパーなどにも比較的多く流通している、安定した評価の魚。

高級かまぼこに

味のある上品な白身は高級かまぼこやちくわにされる。写真は京都市でつくられる、ゆでかまぼこ「あんぺい」。

刺身は極上

釣り師や漁師さんに「刺身で食べていちばんおいしいものは何か」と尋ねると、決まって「鮮度のいいシログチ」と返ってくる。ただし、身に水分が多く鮮度が落ちやすいので、市場に出回るものでは刺身にできない。知る人ぞ知る極上の味である。

料理

白ぐちの塩焼き

材料（2～4人分）
シログチ…2尾
塩…適宜

作り方
1. グチは内臓を取り中を水洗いする。
2. 1に塩を振り30分ほどおき、焼きあげる。

仲間

鮸《ニベ》 ニベ科

浮き袋は粘着性があり膠（にかわ）の原料となる。愛想がなくそっけないことを「にべもない」というが、その語源が本種。

黄愚痴《キグチ》 ニベ科

韓国料理では一般的な魚で、韓流ブームの到来以降、かなりの人気に。焼き魚としては超弩級においしい。ごま油を使って焼くと非常に香ばしい。

脂の旨みに甘み、酸味もあり、まろやか。食感はトロのよう

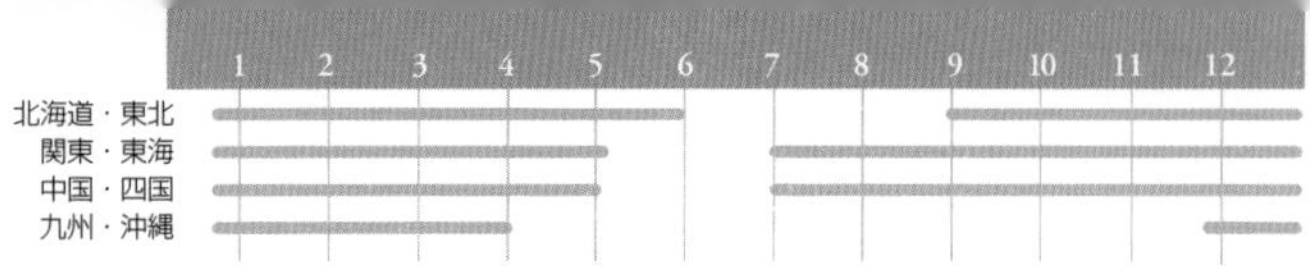

こい 鯉

Common carp

標準和名
コイ
科　コイ科
生息域
日本全国。河川の中・下流域、湖沼、ダム湖。
語源
魚偏に里（り）と書くのは、コイのうろこが縦に36枚並ぶことから、1里（＝36町）になぞらえている。名前の起こりは黒い色合いから「濃い」ため。雌雄相恋して離れないので“恋”からきたとも。推古天皇の時代に定められた「冠位十二階」でタイを“大位”、コイを“小位”とした、など諸説ある。
地方名
「マゴイ（真鯉）」という地域が多い。ほかにはアカクチ、アフミコイ・オオミゴイ（近江鯉）、カワスジ、クイユ、コー、サラサ、ジコイ（地鯉）、ナメ、ナメイ、ナメリ、ノゴイ（野鯉）、ブンシロー、ホオリュウ、ヤマト、ヤマトゴイ（大和鯉）。

縄文時代からの伝統的食用魚

淡水魚を使った料理は近年あまり食卓にのぼらなくなりましたが、コイは縄文時代から食用とされ、マダイ以上に珍重されていました。宮中での膳部の一流派「四条流」の包丁式でも使われるなど、日本の歴史に深く根づいていたことがうかがえます。

島根県津和野ではコイが町のシンボルにもなっており、もとは飢饉《ききん》に備えた非常食用だったとか。

初夏を感じさせる魚

旬は春から夏。産卵期は初夏で、日本全国に生息する。現在では一般に流通することは少なくなっているが、長野、茨城、琵琶湖周辺など、比較的日常的に食べられている地域もある。

仲間

似五郎鮒《ニゴロブナ》 コイ科

琵琶湖周辺では、現在のすしの原形となったふなずしの材料として高値で取引される。好みが分かれるが、強い酸味のなかにコクと旨みがある。

ふなずしの強いにおいは苦手とする人も多いが、やみつきになる人も

料理

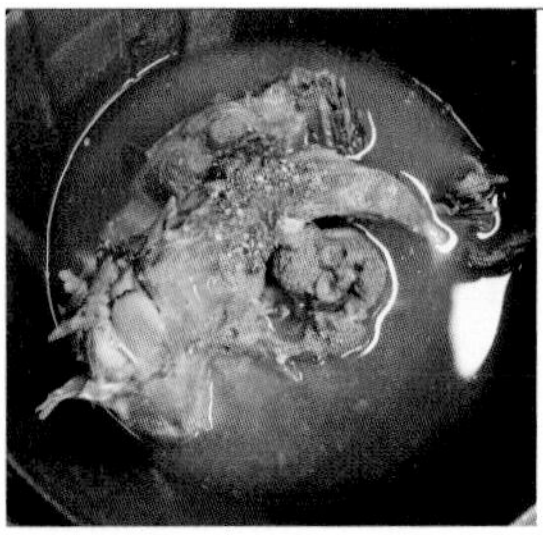

こいこく

こいこくは、だれが食べてもおいしい料理。淡水魚に抵抗がある人は、ここから始めてみては。

材料（4人分）
コイ（うろこつき切り身）…4枚
みそ…120g（みその塩分によって加減する）
水…1ℓ
酒…1カップ
粉ざんしょう…適宜

作り方
1. コイは熱湯にくぐらせて冷水に取り、血液や汚れを除く。
2. みそ、水、酒を合わせたものを煮立ててコイを加え、弱火で煮る。
3. うろこが食べられるくらいにやわらかくなればOK。粉ざんしょうを振っていただく。

洗いは生きているコイでしかつくれない。からし酢みそを添えて

こち

Bartail flathead

鯒

標準和名

マゴチ（牛尾魚）

科　コチ科

生息域

南日本の浅い砂地で小魚、エビなどをエサにしている。

夏を代表する白身魚

夏といえばスズキかコチといわれる、夏を代表する昔ながらの高級魚です。とくに刺身が絶品で、夏場の関東では活けのものがフグのように食べられています。高たんぱく低脂肪、ビタミンB_2も豊富なので、夏バテ予防にも。

歩留まりが悪いうえに鮮度が落ちるのが早く、おまけに値段も高い魚ですが、真に価値があるのは活魚だと思われます。

産卵期は春から夏で、気温が上がってから夏前後までがおいしいシーズン。年間を通じて流通量が多く、とくに初夏から秋が多いという特徴があります。

岡山県の郷土料理「こちのかけ飯」

岡山県では、コチのような歩留まりの悪い魚を工夫してうまく食べる食文化が発達している。「コチのかけ飯」もそのひとつ。ゆでて汚れを除いて身だけをほぐし取り、ゆで汁に野菜とともに戻してしょうゆで味をつける。これをご飯にかけるのだが、すこぶるおいしい。

夫婦仲のいい魚

必ず夫婦いっしょにいる魚。釣りでもオスかメスが１匹釣れると必ずもう１匹釣れるという。相方が追いかけてくるのだ。

見た目とは裏腹に上品な白身で、握りにしても絶品

めごち

Dragonet

女鯒

標準和名

ネズミゴチ

科　ネズッポ科

生息域

新潟、仙台湾以南、南シナ海。浅い砂地に生息。

コチとは違う天ぷらの王様

江戸前といえば寿司と天ぷら。なかでも江戸前天ぷらを代表するネタが、クルマエビにアオヤギ、そしてメゴチです。この魚がないと天ぷら屋さんは店を開けられないといえるほど。

メゴチはコチ（マゴチ）とはまったく別の仲間で、大きさもせいぜい20㎝ほどの小魚です。高級魚とは思えない貧相な風貌ですが、天ぷらにしてこれほどおいしい魚はそうありません。一度食べるとやみつきになる味です。

最近は輸入ものも増え、スーパーやチェーンの天ぷら店でも口にできるようになりました。

鼠鯒《ネズミゴチ》

ネズッポ科

仲間

瀬戸滑《セトヌメリ》 ネズッポ科

「メゴチ」として代表的なもの。産卵期は夏から初秋。天ぷらにすると身が締まり、香り高くておいしいが、小ぶりなものが多いので、値段は安い。

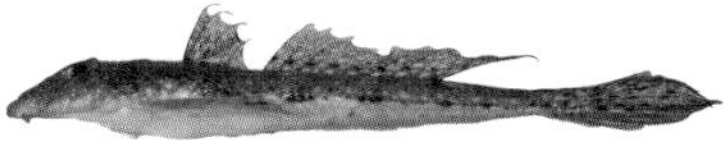

メゴチは天ぷらの王様で、とくに関東でよく食べられ、関西でも「天ごち」の呼び名があるほど。そのまま食べると皮目にやや臭みのようなクセを感じるが、揚げるとこれが絶妙な風味を醸す。

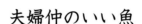

揚げる

丸ごと食べられるのが魅力

揚げ物は「汚れるから」と敬遠されがちですが、どんな魚も揚げればおいしくいただけます。粉をつけて唐揚げ、衣をつけて天ぷらに。そこにパン粉をまぶすとフライになります。唐揚げは小さすぎるものや磯臭いもの、水っぽいものでもおいしくつくれ、丸ごと食べられるため捨てる部分もなく、カルシウム補給の点でも優れています。骨を揚げて骨せんべいもいいですね。フライには白身でクセのないものが向いています。

揚げ物は、揚げているときに箸で適度に油をかき回すのがポイント。また、少量ずつ油に入れて油温が下がらないようにするとおいしく仕上がります。

骨せんべいといえばキスやイワシ、ウナギなどが有名だが、アジなど骨のしっかりしたものも、低温（150～160℃）で揚げるとおいしくできる。

魚のフライのポイントは、衣をつけたらすぐに揚げること。そうすると、衣はサクサク、中はふっくら仕上がる。

今の天ぷら粉は非常に優れものなので、ぜひとも活用したい。まず天ぷら粉だけをまぶし、その後残った粉を同量の水で溶き、再びくぐらせるとよい。

魚と野菜の相性

刺身のつま

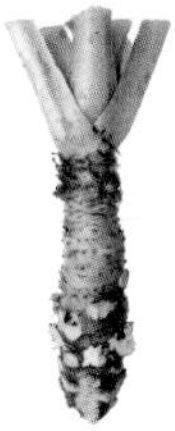

すっきりとした香りと味わいにしながら、食中毒も予防してくれる

添えもの

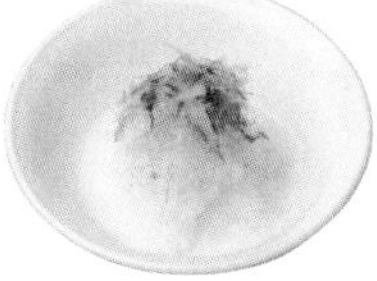

大根おろしは消化を助け、かんきつ類は抗酸化作用を発揮

好相性には秘密がある

魚をおいしくする野菜の筆頭といえば、やはり塩焼きに欠かせない大根おろしが浮かびます。

この大根、添えると単においしいばかりではなく、じつはいろいろなメリットがあることがわかっています。

まず、魚肉をやわらかくする酵素を含み、消化を促進する働きもあるため、食感も消化もよくなります。

また、独特の辛みが臭みを消し、殺菌効果もあり、脂肪分を分解してくれる働きも。さらに、魚の焦げに含まれる発ガン性物質を体外へ排出する働きもあるなど、いいことずくめです。

ほかにも、イワシと組み合わせられる定番ものに梅干しがあります。あのさわやかな酸味には、魚の臭みを消すばかりか、食べるときに気になる骨をやわらかくする働きもあるのです。当然ながら身もやわらかくなり、酸による殺菌効果も得られます。

焼き魚や刺身に添えられるかんきつ類にも意味があります。香り成分のリモネンには脂肪燃焼効果があるうえ、カルシウムの吸収率をグンと引き上げてくれます。さらに抗酸化作用が高いのも特徴的です。魚に含まれるＥＰＡ、ＤＨＡはとても酸化しやすいので、いっしょに摂れば酸化を防ぐ働きもあります。

薬味　カツオと好相性のにんにくやねぎ。強力な芳香が臭みを消し、食欲を増進

調味料など

イワシは梅干しと料理することで生臭みが消え、やわらかく仕上がる

煮魚にはしょうがを。臭みを消しつつ、抗菌作用と整腸作用を発揮

そして、刺身のつまの紅《べに》たで、青じそ、大根、みょうが、薬味のねぎ、わさび、しょうが、にんにくなど。脇役ながら、その強力な芳香が生臭さを消し、すっきりとした味わいは魚の脂っぽさをほどよく緩和して食べやすくしてくれます。しかも味わいの面のほか、見過ごせない重要な役割を務めているのです。

つまには食欲を増進してくれる効果がありますが、これは消化液の分泌を助ける役割をもっているため。

とくに注目されているのが、寄生虫を撃退する殺菌作用や、魚が原因で起こるじんましんやアレルギーの症状を抑えてくれる働きです。しその場合、殺菌作用は細かくきざむとより高まるため、刺身にはぜひ千切りを添えたいところです。

薬味のわさび、しょうが、にんにくに抗菌作用や整腸作用があり、刺身が傷むのを防ぐ役割をもつこともよく知られています。わさびの辛みにも魚の生臭さを消し、食欲を増進させる働きがありますが、これはわさびの辛み成分である「アリルからし油」に臭みを分解する作用があるため。この辛み成分には、大腸菌やサルモネラ菌など多くの食中毒菌の増殖を抑える働きがあることもわかっています。

古来、好相性とされる魚と野菜には、味のよさだけでなく、うれしい効果がたくさん含まれているのです。

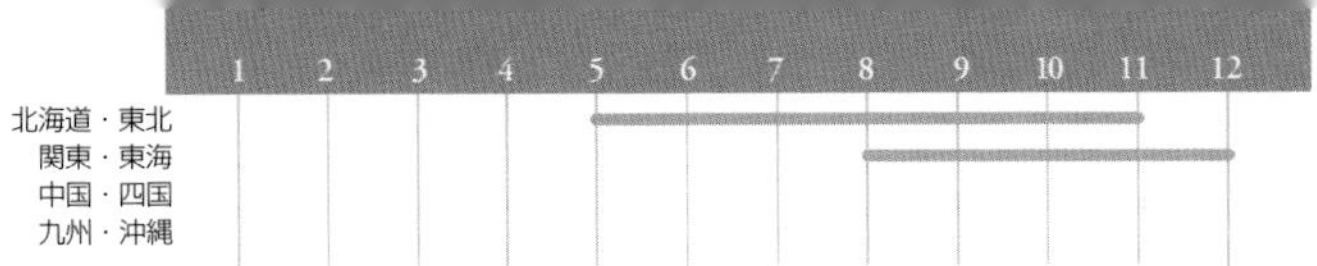

さけ 鮭

Chum salmon

世界でいちばんサケが好き

魚全体の消費量が落ち込むなか非常によく食べられ、なんと世界の漁獲量の3分の1を日本で消費しています。国内漁獲量が年間20万t以上もあるのに、同じくらいの量のサケ類を輸入。その多くが養殖魚で、さまざまな種が存在します。

ちなみに、国内で秋の産卵回遊群にまじって獲れる未成熟のサケは「鮭児《けいじ》」と呼ばれる超高級魚です。

時期、場所で味が変わる

ほかのサケの仲間たちと違って、旬は春から夏。若い「時知らず」は脂がのってやわらかく、頭が小さい。秋に産卵のために川をめざすものは「秋味」といい、やや脂が少ない。

切り身は皮が銀色で、切り口につやがあり身が鮮やかなオレンジ色のもの

成熟すると皮が赤や褐色になり味が落ちる。身を食べるならオスを

標準和名
サケ
科 サケ科
生息域
千葉県利根川以北と日本海、山口県以北の河川に遡上する。またアジア側では朝鮮半島東部からシベリアのレナ川、東部太平洋ではアメリカのカリフォルニア州からカナダのマッケンジー川まで遡上。北太平洋、北極海に回遊していく。

語源
アイヌ語の「サクイベ」「シャケンベ」からくる。身が裂けやすいので「さけ」となったなどの説がある。「鮭」とは中国で鱖魚（けつぎょ／スズキ目の淡水魚）をさす言葉で、魚偏に「生」と書くのが正しいとされる。

地方名
東京では「シャケ」。新潟県村上は魚の中の魚だとして「イオ（魚）」という。

サケの腹身を焼く サケハラス

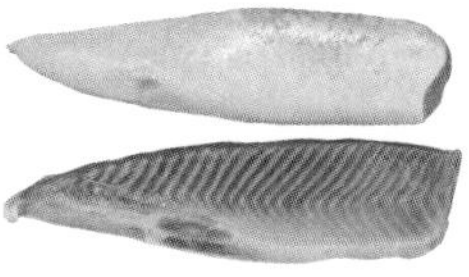

サケの腹身には脂があり旨みも濃厚で、そのおいしさは有名。脂が多いため、フッ素加工のフライパンなら油を引かなくてもきれいに焼ける。

料理

ちゃんちゃん焼き

ホットプレートで焼きながら食べるのが本格的だが、フライパンなどで少量つくっても、日常的なおかずやお弁当などに使える。

材料（2人分）

サケ（切り身）…2枚
バター…50g
好みの野菜（キャベツ、玉ねぎ、にんじんなど）…適量
A
- みそ…大さじ1
- 砂糖…少々
- 酒、みりん…各大さじ1
- 水…大さじ2

作り方

1. 好みの野菜を5㎜幅程度にきざんでおく。
2. フライパンにバターを溶かしてサケを焼き、**1**をのせる。
3. **A**を合わせ、味をみて加減し、**2**にかける。火が通ったら、できあがり。

身の生食は避けたい。寿司になるのはいくら

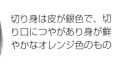

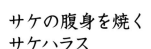

おいしいコツ

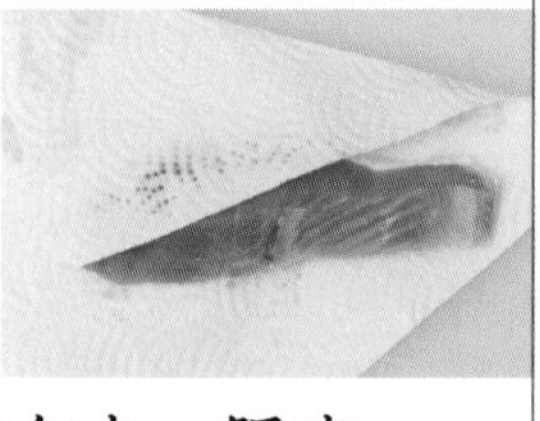

冷凍・解凍

サッと水洗いして水気をふき、塩分のないものは塩を振って締める。酒を少々振ると消臭にも。水分をよくふき、ラップにくるんで冷凍する。解凍せずに調理してＯＫ。

焼きほぐして冷凍

焼いて骨などを取り、ほぐしてから冷凍すると、そのままチャーハンや卵焼きに入れらるなど調理しやすい。

塩抜きの方法

真水だと旨み成分が流出するので、食塩水に２〜３時間浸ける。ただし、塩ザケの食塩濃度より薄くする。目安は1.5％（水１カップに小さじ半分の塩）の濃度。

切り身いろいろ

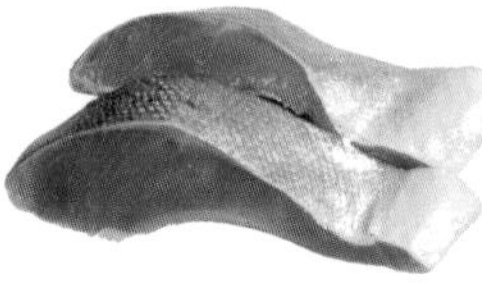

ギンザケ

サケ

ベニザケ

キングサーモンは目立って鮮やかなオレンジ色、ベニザケはその名のとおり濃い紅色、サケもきれいなオレンジ色の身。ギンザケはオレンジ色の身に黒い斑点のある皮が特徴。サーモントラウトはピンクがかったオレンジ色である。サケの身をサーモンピンクに色づけるアスタキサンチンは、にんじんなどの緑黄色野菜が多く含むベータカロチンと同じカロチノイド系色素のひとつ。タイやキンメダイなどにも含まれるが、サケほど多く含む魚はない。活性酸素を除去し、動脈硬化を防ぐ効果が期待できる。

キングサーモン

サーモントラウト

国産ものは近年不人気？

「塩ザケ」は、新巻鮭で有名な国産の標準和名「サケ」でつくられているとはかぎらない。これは脂の少なさが敬遠されているため。現在は輸入もののベニザケやチリなどから輸入された養殖ギンザケ、サーモントラウトが塩ザケの主流に。せっかく獲れた国産のサケは中国などに輸出されている。

塩マス、缶詰とほとんどが加工品に

サケの仲間のなかでもたくさん獲れ安価なカラフトマスは、おもに塩マスや缶詰になります。やや脂が少なく赤みが弱いため、残念ながら人気は下降ぎみですが、日本の缶詰素材の元祖で、明治時代から外貨獲得の大きな役割を担ってきました。

サケ科

樺太鱒《カラフトマス》

天然

卵巣はマス子

サケ同様、卵巣も塩漬けやしょうゆ漬けになる。安いわりにとてもおいしい。

缶詰はさっぱりしていて使いやすい

多種を大量輸入する サケ消費大国日本

　現在輸入されているおもなサケはベニザケ、キングサーモン、ギンザケ、サーモントラウト、アトランティックサーモンです。

　ベニザケはすべて天然、キングサーモンは天然魚と養殖ものがあり、ギンザケはほとんどが養殖で天然はわずか。

　アトランティックサーモンと品種改良によって人工的につくり出されたサーモントラウトは、すべてが養殖です。

「甘塩」「辛塩」って？

切り身などで見かける「甘塩」とは、塩分濃度約３％の塩水で処理したものをいい、「中辛」は濃度約７％、「辛塩」は濃度約11％で処理したものをいう。

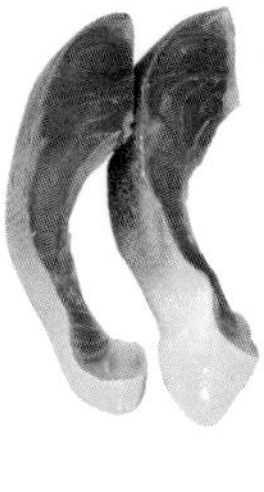

赤くしっかりと硬いもの。くぼんだりしていないものを選ぶ

銀鮭《ギンザケ》

サケ科

頭部背面に黒い小さな斑紋がちる。尾びれにはスジ、斑紋がない

輸入　養殖

標準和名　ギンザケ
外国名　Coho salmon
生息域　沿海州中部以北の日本海、オホーツク海、ベーリング海、北太平洋の全域。日本の河川には、まれに産卵回遊する。

天然ものは国内では獲れない。宮城で養殖が始まり、これが南米のチリに移植されて世界中に輸出されている。いまやギンザケは養殖サケの代名詞ともいえるほど。またコンビニおにぎりのサケは、ほとんどが本種。

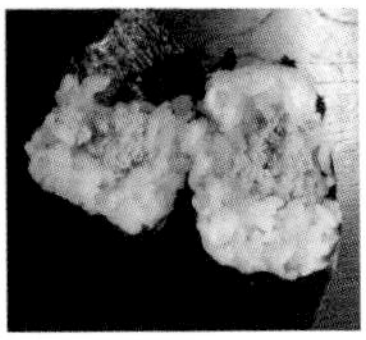

アトランティックサーモン

サケ科

標準和名　タイセイヨウサケ
外国名　Atlantic salmon
生息域　大西洋北部。

輸入　養殖

料理

鮭チャーハン

材料（２人分）

塩ザケ（甘塩切り身）
　…1/2切れ
長ねぎ…1/2本
卵…１個
ご飯…300ｇ
塩・こしょう…少々
サラダ油…適量

作り方

1. サケは焼いて皮と骨を取り、ほぐす。ねぎは小口切りにし、卵は溶きほぐす。
2. フライパンに油を熱し、卵、ご飯、サケ、ねぎの順に加え、まぜつつ炒める。
3. ご飯がパラパラになったら、塩、こしょうで味を調える。塩は、サケの塩辛さによって加減する。

カルパッチョ

もっとも早くに養殖されたサケの仲間で、本来のサーモンとは本種のこと。寿司ネタでもおなじみの、生食用サケの代表格。

料理

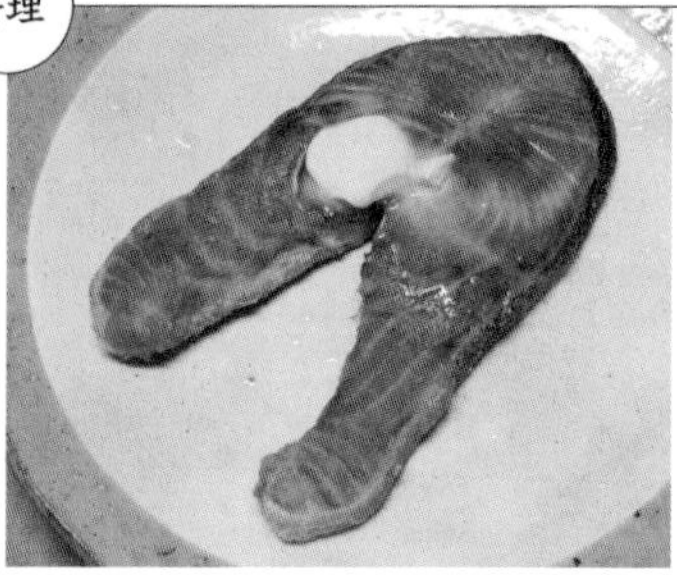

鮭のムニエル

材料（4人分）

サケ（切り身）…4切れ
塩・こしょう…少々
小麦粉…適量
サラダ油…大さじ1
バター…大さじ2

作り方

1. サケに塩（分量外）を少々振ってしばらくおく。
2. 1の水気をふき取り、塩、こしょうを振って小麦粉を薄くつける。
3. フライパンに油を熱し、2を入れて強火で両面を焼き、皿に盛る。
4. フライパンの油をふき取り、バターを入れて火にかけ、軽く焦がして3にかける。

三平汁

材料（4人分）

塩ザケ（切り身）…2切れ
大根…10cm
にんじん…1/3本
さやいんげん…8本
日高こんぶ…5cm角
酒、塩…各適量

作り方

1. 野菜は、ひと口大よりやや大きめに切る。
2. サケの切り身は、ひと口大に切って熱湯をかける。
3. 鍋に2、ひたひたの水、こんぶを入れて火にかける。煮立ったら1を入れ、こんぶは取り出し、細かくきざんで戻す。
4. アクを取りつつ野菜がやわらかくなるまで煮たら、酒、塩で味つけする。量は塩ザケの塩分で加減する。

脂ののりがよく アメリカでも 高級魚

ベニザケは、アメリカではキングサーモンに次ぐ高級魚で、日本でももっとも好まれるサケです。ほとんどがアラスカ、カナダなどから輸入され、スモークサーモンはお土産としても代表的なもの。

少ないながら国内でも獲れますが、すぐに高級料理店などに買われてしまいます。

氷河期に北海道の河川にも遡上し、そのまますみついたのがヒメマスです。

標準和名　ベニザケ
外国名　Sockeya salmon
生息域　北緯40度、択捉（エトロフ）島、カリフォルニア以北に生息。太平洋北部、ベーリング海、オホーツク海を回遊する。日本の河川には遡上しない。

輸入　天然

紅鮭《ベニザケ》

サケ科

もっとも赤みが強く、国内でも人気。養殖法が確立されておらず、すべてが天然もの。高級塩ザケの代表格。

最近目立つ航空便

原則として冷凍フィレで流通するが、値段が高いせいか、チルドで輸入されるものが目立っている。やはり冷凍ものより美味なので人気。

キングサーモン

サケ科

標準和名　マスノスケ
外国名　King salmon
生息域　太平洋の東北以北（北緯40度以北）、日本海、オホーツク海、ベーリング海。国内には少ない。

輸入

キングサーモンはアメリカでもいちばんおいしいサケとされ、塩ザケはサケの横綱とも。体長2m、重さ60kgにもなり、養殖もされている。

キングサーモンは知る人ぞ知る高級寿司ネタ。まるでトロのよう

養殖ものが席巻するサケ市場

世界の養殖業は、天然に存在する種をそのまま育てる時代から、人工的に養殖用の品種をつくり出す時代に変容してきています。

　近年輸入量が急増し、国内でも養殖されているのがサーモントラウト。これは商品名で、もとはニジマスです。国内でも、このニジマスから栃木のヤシオマス、長野の信州サーモン、愛知の絹姫サーモンなど、養殖品種が次々と生み出されています。

　これらは「三倍体」と呼ばれる産卵することのない交配種で、病害に強く子孫を残さないため、通常種よりかなり大きくなります。

　サーモントラウトに旬はなく、大きさも一定で、味わいもつねに同じ。多くが南米のチリから冷凍されてやってきます。コード番号などがついており、水産物ではなく工業製品を思わせる姿で市場に並びます。

サーモントラウト

サケ科

見た目は完全にニジマス

標準和名　ニジマス
外国名　Salmon trout
科　サケ科
生息域
養殖用につくられた三倍体の魚。

生で食べられる

サケは基本的に生食できないが、サーモントラウトは大丈夫。色が美しくおいしいため、寿司ネタの定番に。

ニジマスを何度も改良

ニジマスは病気に強く味もいいので、明治期から淡水養殖が始まりました。刺身のおいしいことは古くから知られ、養殖品種の改良にも長い歴史があります。これを海面養殖用につくり出したのが本種です。

　世界的な貿易商材のサケ。サーモントラウトは、その主役の座をギンザケから奪うかの勢いで増えています。

「ますのすし」の原材料

回転寿司やコンビニの「ますのすし」の原材料は、ほとんどが本種。

仲間

絹姫《キヌヒメ》サーモン

ニジマス×イワナ、ニジマス×アマゴの２種があり、それぞれのよさを引き継いでいる。とくに後者の味がよく愛知県山間部の名産に。

信州《シンシュウ》サーモン

長野県水産試験場がつくり出した三倍体の新しいブランド養殖ザケ。成熟しないので味は一定。病気などに対してもニジマスより強い。長野に行ったらぜひ食べたい魚。

天然ものは生食できない？

天然のサケ科魚類にはアニサキス、裂頭条虫（サナダムシ）の寄生が見られるため生食は危険だとされ、これらを体内に取り込むと強い腹痛、腹部膨満、倦怠感などの症状が出ます。しかしアニサキスなどの寄生虫は、一定時間冷凍することで死滅させられます。アイヌ民族のあいだなどで食べられていたルイペ（ルイベ）はサケを凍らせたものですが、これは、古くから危険回避の知識があったことを示しています。養殖ものは寄生虫をもっている野生動物の侵入を防いでいるため、生食も可能です。

なぜ「マス」なのに「サケ」なの？

かつて、「サケ」は標準和名のサケ、「マス」はサクラマスをいいました。混乱が生じたのは明治時代に英語が入ってきたとき。英語では、淡水と海を行き来するものが「サーモン」、淡水だけに暮らすものが「トラウト」でしたが、日本語に訳すとき、前者をサケ、後者をマスとしてしまったのです。

やがて、新たなサケの仲間が流通するようになり、これも混乱の原因となりました。北洋のベニザケもギンザケも古くはベニマス、ギンマスと呼ばれていました。それがいつの間にかベニザケ、ギンザケと変わります。

これは、古くからマスよりサケのほうが格上との認識があったため、商品価値を考えて「サケ」にしたのではないかと思われます。

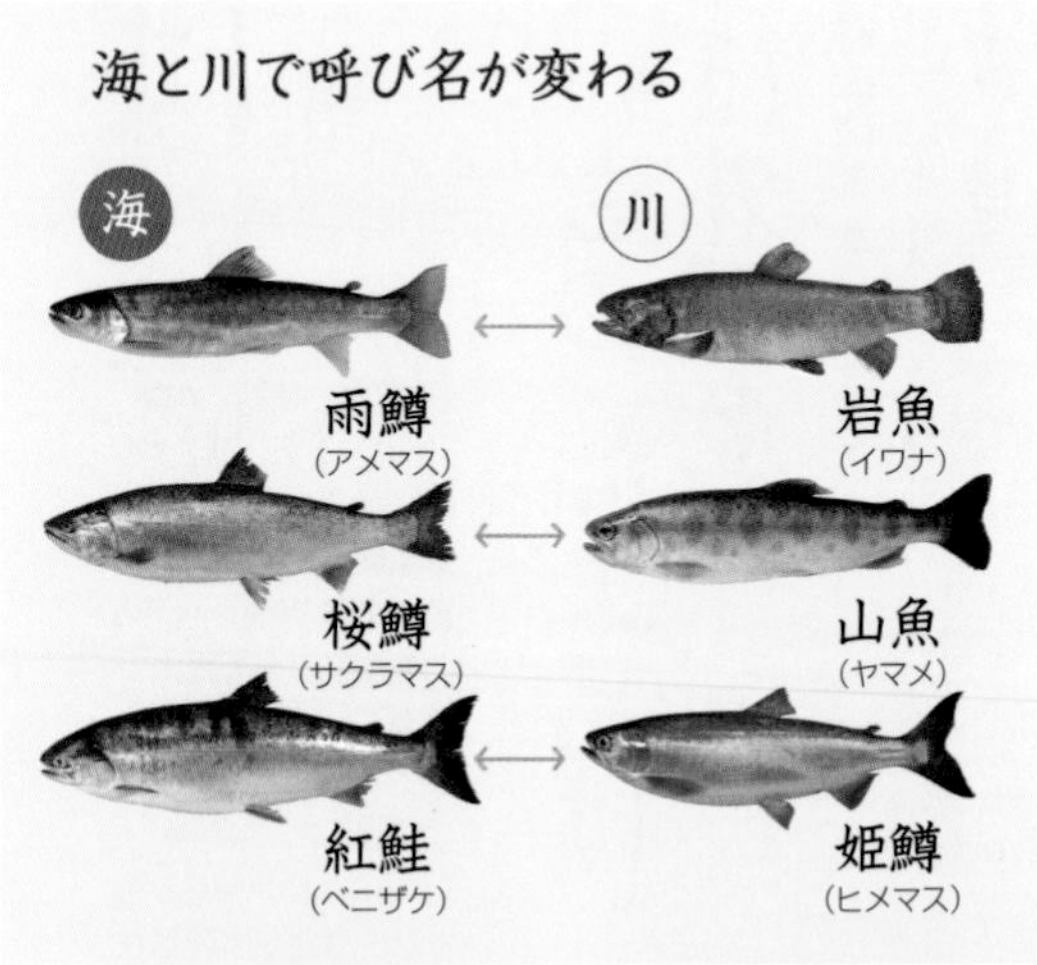

無添加いくらしょうゆ漬けをつくろう

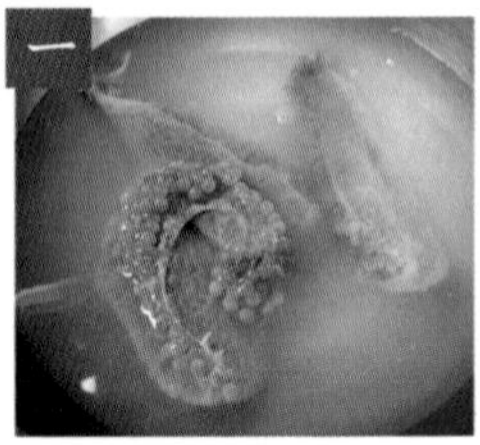

ボウルに 50 ～ 60℃の湯を張る。そこにすじこを入れる。卵を包む袋が縮んでほぐれやすくなる。

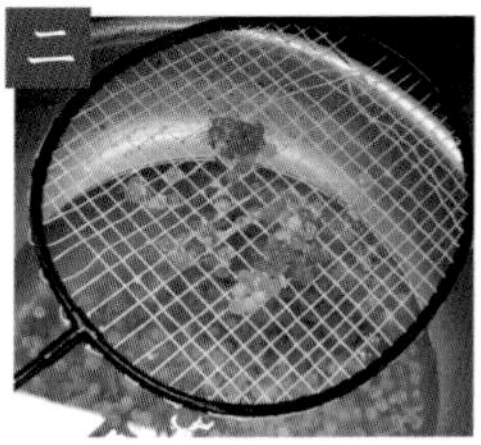

一を粗めの網でこしながら、脂の多い皮膜や血管を取り除く。これが残ると生臭くなる。

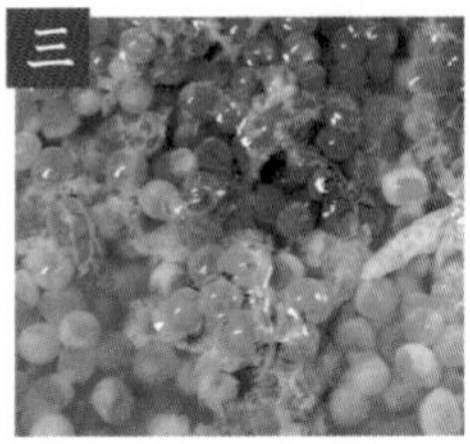

二の水を捨て、また水を注ぎ、手で卵巣をほぐしていく。水を替え、水が透明になるくらいまで何度か行う。

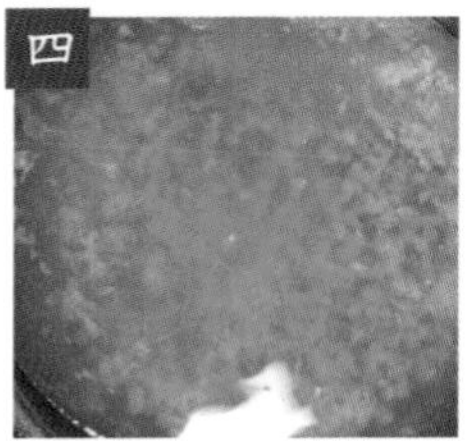

水を替えながら皮膜や破れた卵の袋、余分な脂を洗い流す。卵の表面がつやつやするくらいまで行う。

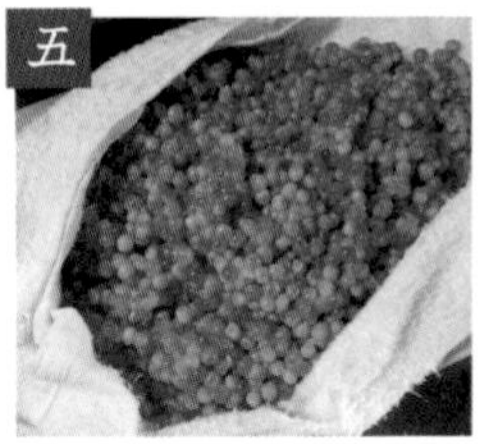

ザルに取って水気をきり、布に取る。これをザルにのせて冷蔵庫で１時間ほど寝かせ、余分な水分を抜く。

酒とみりんを合わせ、煮立ててアルコール分を飛ばして冷やし、しょうゆを加える。これと五を密閉容器に入れ、ひと晩以上寝かせる。

いくら

サケといえば、その卵のいくらも人気。卵巣に入ったままのものをすじこ、卵巣膜を取って一つひとつバラバラにしたものがいくらです。塩やしょうゆに漬け込みますが、こうすることで冷蔵して薄味なら２～３日、濃い味つけなら１週間以上はもちます。どんなお酒にも合い、日本酒なら吟醸酒、ワインならシャブリがおすすめ。シャンパンにも合います。

アメマス：神奈川県立生命の星・地球博物館　提供（瀬能 宏撮影）

さば　鯖

Pacific mackerel

標準和名
マサバ
（斑葉魚、真鯖、小歯狭歯、青魚、青花魚）
科　サバ科
生息域
日本列島近海。世界中の亜熱帯、温帯域。
語源
もっとも代表的なサバということ。「小歯」は『大言海』に「小歯の義。サバノウオが成語なり、サはささやか、小の意なり、この魚、他の魚に変わりて、歯、小なり」とある。「さば」＝「斑葉（いさば）」の「い」が欠落したもの。すなわち体に斑紋、文様のある魚。
地方名
成長段階では「ろうそく」などとも。ほかにはアオサバ（青鯖）、ヒラサバ（平鯖）、ホンサバ（本鯖）。

安いもの、加工品はほぼ外国産

サバには大きく分けて、マサバ、ゴマサバ、タイセイヨウサバの3種類がいます。

マサバは近年高価で、1尾5000円を超えることもありますが、私たちが食べているのは、ほとんどが外国産のタイセイヨウサバです。最近では養殖が増え、各地でブランドサバも。

刺身もいいですが、サバはやはり塩焼きに軍配が上がるでしょう。

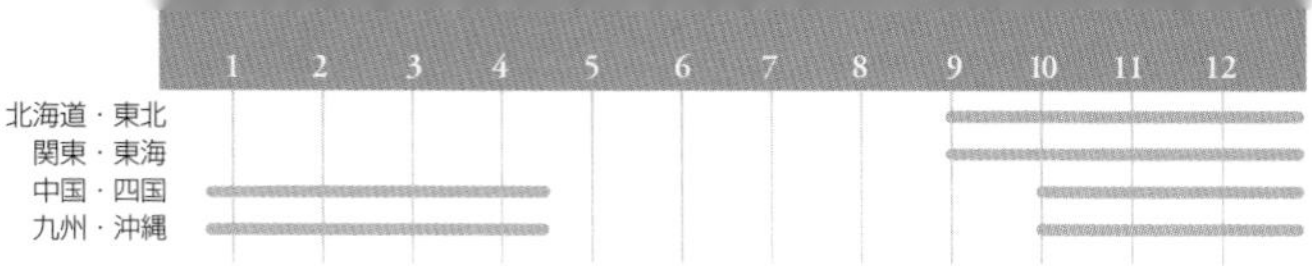

「秋サバ」でなくても

旬は本来秋から冬だが、時季はずれでもおいしいものがある。これは日本が南北に長く、産卵期も長くなるため。産卵は南では3月から4月、北では6月、7月に盛期となる。

栄養

DHAやEPAなどが豊富に含まれ、血中コレステロール値を下げる効果があり、生活習慣病の予防が期待できる。とくに血合い部分にはビタミンやミネラルが多く含まれている。

「さばを読む」は傷みやすさから

数をごまかすことを「さばを読む」というが、これは急いでサバを数えて数をごまかしたことに由来する。それほどにサバの足が早かったということ。サバは内臓に含まれる消化酵素が活発に働き、自己消化を急速に起こすため、非常に傷みやすい。

生の刺身はシコッとした強い食感に青魚の充実した旨み。かんきつ類と塩で食べてもおいしい

冷凍技術の発達で

「サバの生き腐れ」といわれるほど足が早いため、昔はサバを食べられる地域はかぎられていた。冷凍技術の発達により、今では多くの人がおいしく食べられるように。

大阪ならではのバッテラ。白板こんぶと合わせた押し寿司

さばレシピいろいろ

さばの塩焼き

材料（2人分）

サバ（切り身）
…2切れ
塩…小さじ1
大根…適量
かぼす（好みで）
…適宜

作り方

1. サバは皮目に2か所ほど切り込みを入れる。
2. 両面に塩を振り、冷蔵庫に30分以上おき、水分をふく。
3. グリルで焼き、大根をおろして添え、好みでかぼすのしぼり汁をかける。

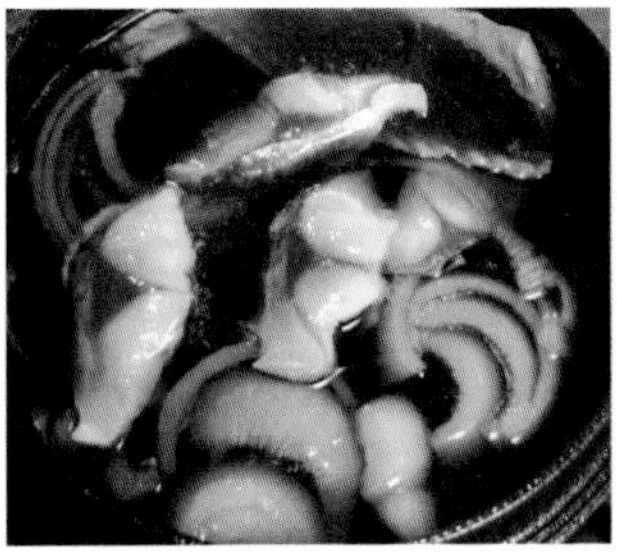

さばのいり焼き

材料（4人分）

サバ…1尾
玉ねぎ（好みの野菜でも）
…適量
煮汁
［水…5カップ
みりん、酒
…各1/2カップ
砂糖…少々］
※煮汁は市販の「すき焼きのタレ」でも

作り方

1. サバは三枚におろして、腹骨と血合い骨を抜き、皮つきのまま5㎜幅に切る。
2. 鍋に合わせた**煮汁**を注ぎ、ひと煮立ちさせる。
3. 薄切りにした玉ねぎを入れ、**1**を加えて煮ながらいただく。

さばのガーリックソテー

材料（2人分）

サバ（切り身）
…2切れ
にんにく…1かけ
オリーブオイル
…大さじ1
塩・こしょう…適量

作り方

1. にんにくをみじん切りし、オリーブオイルで炒める。
2. サバを入れ、塩、こしょうを振って焼きあげる。

さばのリエット

材料（2人分）

ゴマサバ（半身）
…1切れ
白ワイン…90cc
水…1カップ
塩・こしょう、タイム
…各適量
ローリエ…1枚
バター…大さじ1
牛乳…1/2カップ
生クリーム…少々
玉ねぎ(みじん切りして
水にさらす)…1/2個
食パン…2枚
バジル、タバスコ
（あれば）…各少々

作り方

1. 鍋に白ワイン、水、塩、こしょう、タイム、ローリエを入れ、サバを加えてゆでる。
2. ゆであがったら皮、骨などを除き、フッ素加工のフライパンに移してほぐし、バターと牛乳で練りあげる。味をみながら塩、こしょうを振り、生クリームを加える。
3. **2**の粗熱を取ったら、玉ねぎを加える。
4. パンにのせていただく。好みでバジルやタバスコなどを振る。

おいしいコツ

臭みを取る

唐辛子、酒、牛乳、しょうがなどのほか、梅干しも効果的。これは臭み成分がアルカリ性で、梅干しの酸が中和してくれるため。

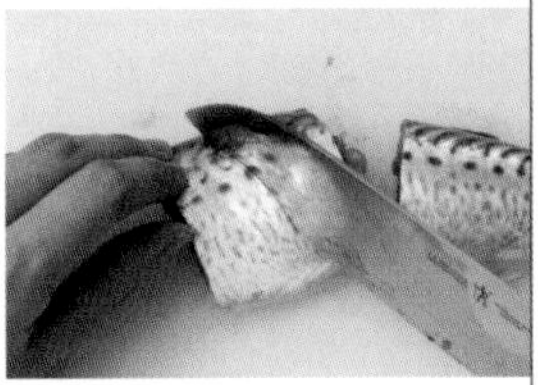

皮目には飾り包丁を

下ごしらえで十字に切り込みを入れると、煮汁がしみ臭みも消えやすくなる。皮が縮んで身割れしてしまうのを防ぐ効果も。

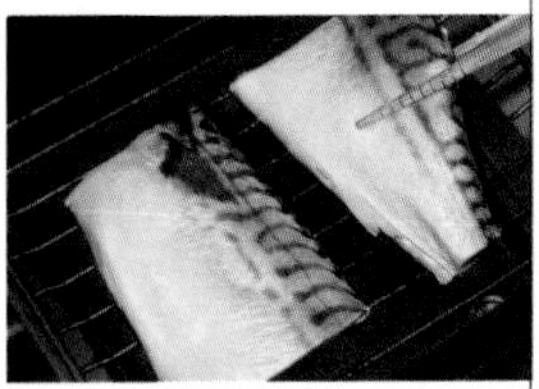

一夜干しの焼き方

大きく厚みがあるので、コンロ内が温まったら弱火に。そうしないと中まで火が通らず表面だけ焦げてしまう。冷凍ものの場合は解凍してから。一般に干物は解凍せずに焼いてもかまわないが、サバは大きいため、解凍後でないとうまく火が通らない。

失敗ナシのさばのみそ煮

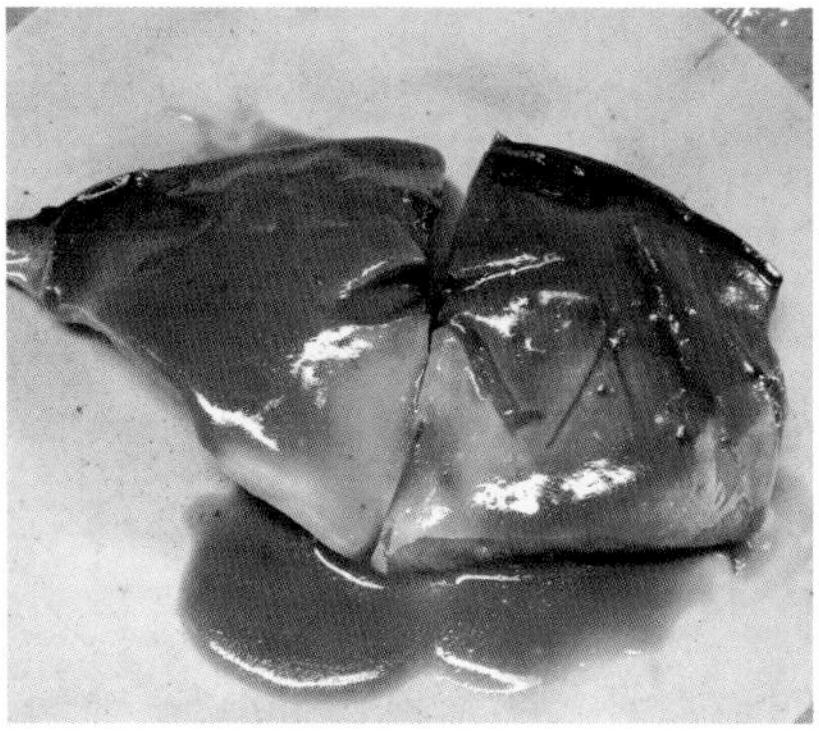

難易度が高いと思われがちで、つくったことのない人も多いとか。しかし、手間こそかかるものの、けっして難しくはない定番料理。手順と最後の詰めさえ間違わなければ、だれがつくってもおいしくできる便利なお惣菜のひとつ。

材料（5人分）

サバ（切り身）…5切れ
赤みそ、白みそ…各大さじ2

A
- 水…2カップ半
- 酒…1/2カップ
- みりん…1/2カップ
- 砂糖…大さじ1
- しょうゆ…大さじ1

しょうが…適宜

作り方

1. サバは飾り包丁を入れ、熱湯をかけて冷水に取り、水分をよくふき取っておく。

2. みそを合わせて3等分し、3分の2量とAを合わせ火にかけ、煮立ったら1を入れる。
3. 薄切りのしょうがを加え10分ほど煮る。やや煮え加減になったら味をみて残りのみそを加え、もう一度煮る。みそがトロリとしたらできあがり。

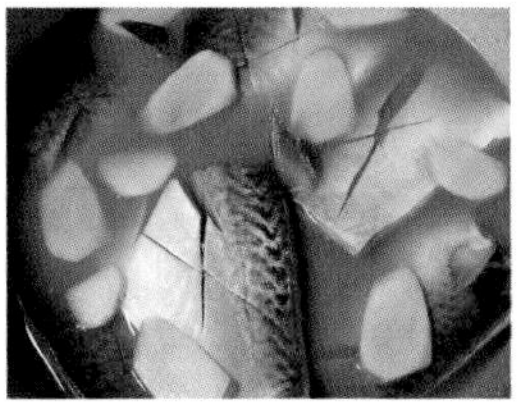

もっとも多く食べられているサバ

回転寿司のサバ、そしてスーパーなどに売られている干物、文化干しをはじめ、締めサバ、フライなど、加工品の多くがタイセイヨウサバです。これらは、ノルウェー、オランダ、フランス、スペインなどから加工された状態で冷凍輸入されています。

しかし、決して味が落ちるわけではなく、また価格の面からも庶民の味方です。

大西洋鯖《タイセイヨウサバ》

サバ科

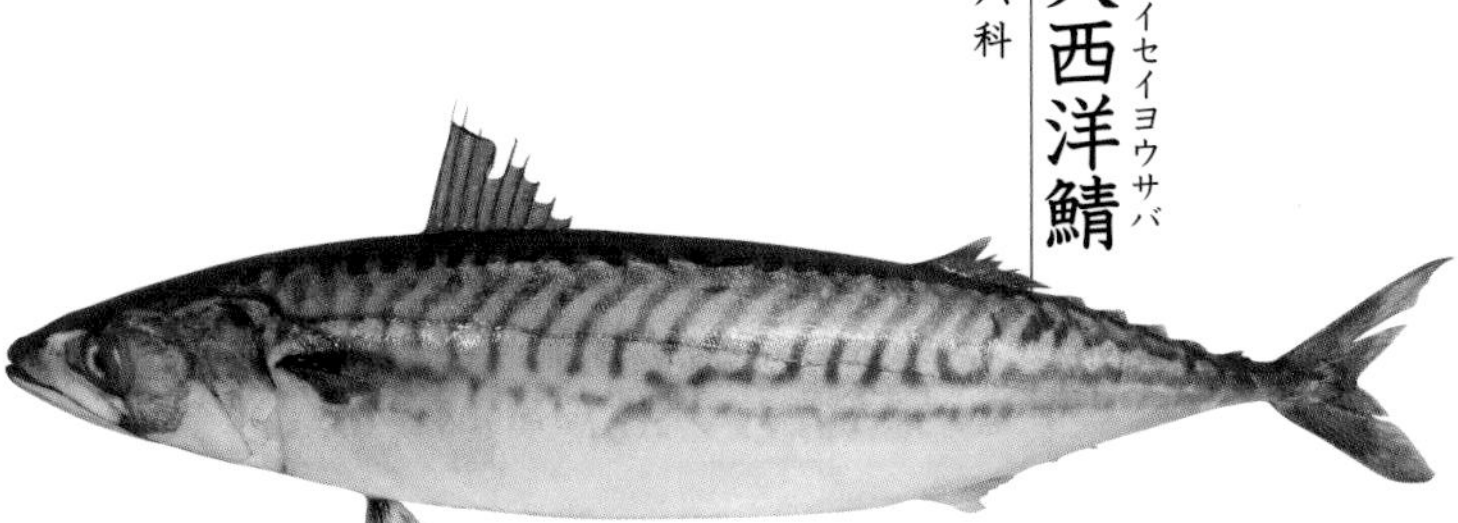

国産のマサバとの違いは、背中にくっきりとした「くの字」紋があり、体側に黒い斑点があること

おろしたときは「船場汁《せんばじる》」を

中骨、腹骨、頭などのアラに塩を振って軽く干す。鍋にこんぶを敷き、水と処理したアラを入れて火にかける。沸騰させないように温めてこんぶを取り出し、酒と塩で味をつければ「船場汁」のできあがり。これは、大阪府船場の老舗の丁稚さんに出された朝の汁。安価で時間をかけずに食べられ、体も温まることから忙しい問屋街で重宝され、定着した。

そばつゆのコクを生み出すサバ

ゴマサバはサバ節の原料にされます。サバ節はコクがあって香り高く、深い旨みをもつだしが取れ、そばつゆには欠かせないもの。安価なのでやや低級なイメージがありますが、充分おいしい魚です。

マサバ同様、冬がもっともおいしく、年間を通してあまり味が落ちません。マサバほど脂は多くないものの、塩焼きや唐揚げにすると非常においしくいただけます。

脂がないときはたたきにしましょう。三枚におろして皮目を焼き、香りのある野菜をのせポン酢などをかけて薬味とともに手でたたきます。野菜や酢、しょうゆの味わいが加わり、おつな味になります。

胡麻鯖《ゴマサバ》
サバ科

ブランドサバ

清水サバ…高知県土佐清水市でブランド化。1本ずつ釣って活け締めにしている。脂がたっぷりのり美味なゴマサバ。

屋久サバ…鹿児島県屋久島でブランド化。清水サバ同様、1本ずつ活け締めにしたもの。独特の食感と旨みが生き、とくに冬は脂がのっている。

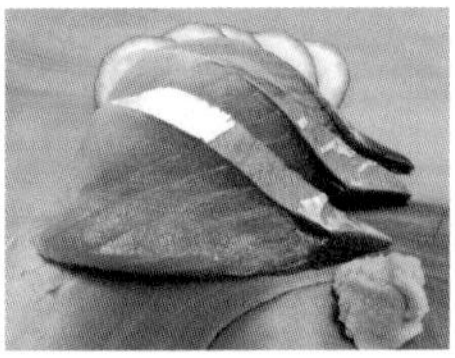

清水サバ（写真左上）の刺身はシコッとした食感があり、旨みが濃厚

締めさばをつくろう

塩さばに加工されたものは質のよいものが多く、これを使って締めさばをつくるとおいしい。冷凍サバでつくるときは、よく酢で締めると生臭みが消える。

1. 塩に漬ける

三枚におろし、身が隠れるほどたっぷり塩をまぶして1時間ほどおく。これで水分と生臭みが抜ける。水洗いして塩を流す。

2. 酢で洗う

割酢（酢をこんぶだしで割り、砂糖を加えたもの）もしくは生酢で洗い、小骨を抜く。合わせ酢（酢、砂糖、ときに水）に漬け込んでもよい。

アレンジ：「さば寿司」に

皮をむいた締めさばを酢飯にのせ、ラップでくるむ。サバを下にして重しをのせる。半日ほどおいたほうがおいしい。

おいしいコツ

冷蔵は1～2日

サバは鮮度が命。傷みやすいのですぐ内臓を出し、冷蔵庫で保存して1～2日のうちに調理する。酢で締めると、5～6日はもつ。

冷凍は調理してから

低温状態ですばやく調理を。生のまま冷凍すると解凍時に旨みが出てしまうので、できるだけみそ煮などに調理してから冷凍する。保存の目安は2～3週間。

解凍ものを上手に使う

解凍してドリップ（水分）が出ているもの、においがついた冷凍フィレは、にんにくやしょうが、あるいは香辛料を利かせた料理にしよう。最上級の身質ゆえ、揚げ物、照り焼きなど、いろいろアレンジできる。

冷凍サバのにんにく風味竜田揚げ

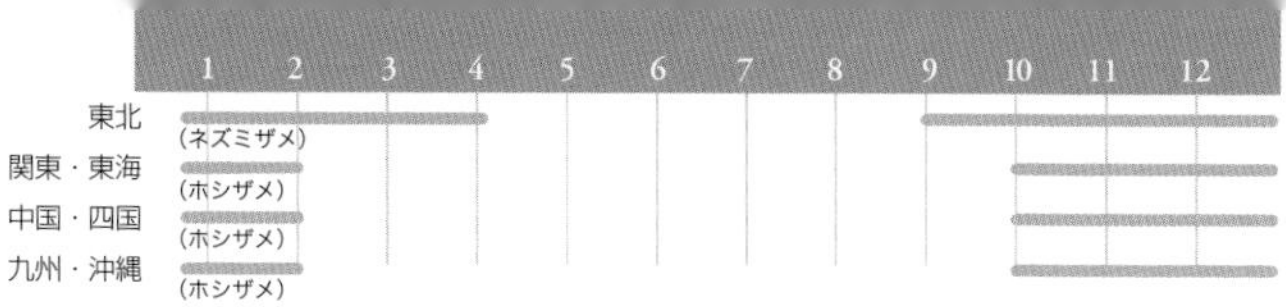

さめ 鮫

Smooth dogfish

南北で食べ方と旬が違う

西日本ではホシザメ、北日本ではアブラツノザメ、ネズミザメが代表的な食用ザメです。

基本的に寒い時期がおいしいのですが、北日本では煮たり焼いたり、西日本では生で、あるいは湯引きしたりして食べます。北日本では寒い時期の魚、南日本では夏にも好まれる魚となっています。ほかにも、おでんダネなどの練り製品にされるヨシキリザメなどもいます。

ネズミザメは、宮城県気仙沼の市場には内臓つきのまま運ばれて洗われません。そして内臓を抜いて血をまぶすようにします。これは「粘液が多く、血液が変色していないものは鮮度がいい」と市場関係者に思われているためです。

標準和名
ホシザメ（星鮫）
科　ドチザメ科
生息域
北海道以南の日本各地。東シナ海から朝鮮半島東部、渤海、黄海、南シナ海。
語源
星鮫の「星」は白い斑文のこと。
地方名
ただ「フカ」と呼ぶ地域が多い。福岡県玄海町で「ノウサバ」。ほかにはソウボウシロザメ、カノコザメ、コワ、サシサガ、シモフリ（霜降り）、シロブカ、セザメ、タイザメ、チギザメ、ツノジ、ツマグロブカ、テッポウ（鉄砲）、テンスリボウ、トギラ、ノウソクリ、ノウソブカ、ノウマキ、ノオクリ、ノソ、ハカリザメ、ハカリメ、フカ、ホシ、ホシブカ、ホシモダマ、ホシワニ、マナゾ、マノウソ、マブカ、ワニ。

美肌効果、抜群！

サメにはコラーゲン、スクワレンなど、若さを保つ成分がたっぷり含まれている。肌の改善に効果があるので、女性は積極的に食べたい。

味はいいのに不人気。頭と内臓を取って湯通しし、皮をたわしなどでこすってそぎ切りにする。これをからし酢みそで食べると、夏はとくに最高。

フカの湯ざらし

愛媛ではホシザメをフカという。ゆでて水にさらし、からしみそでいただく。涼やかで飽きのこない味わい。

仲間

鼠鮫《ネズミザメ》　ネズミザメ科

遠洋マグロ漁などで獲れるもの。ひれはフカヒレに、身は食用として使われる。大型で淡泊な味。

じつは おでんダネです

左下の「はんぺん」はサメのすり身、右下の「すじ」は、すり身にして残ったスジや軟骨が原料。軟骨は歯ごたえがあり、コラーゲンが主成分なので美肌効果抜群。

油角鮫《アブラツノザメ》　ツノザメ科

「むきザメ」でもっとも味がよいのが本種。内臓を取り皮をむいているので、切り身にして、そのまま料理にできる重宝なものである。

ネズミザメの刺身はクセのない味。寿司にしても美味

ネズミザメ：神奈川県立生命の星・地球博物館提供（瀬能 宏撮影）

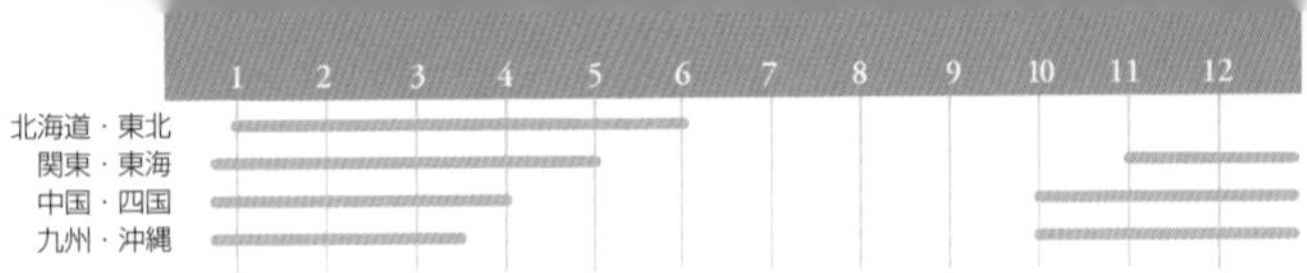

さより

Halfbeak

針魚

高級寿司屋の春の魚

寿司や天ぷらの高級素材として定番で、潮汁や刺身として出されるときも、やはり高級感があります。その長い身を結んでこんぶだしでいただくお吸い物は、お祝いの席などに使われ、見た目に美しく食べても非常においしいものです。

トビウオに近い種で、食用種にはサヨリのほか、ナンヨウサヨリ、ホシザヨリ、クルメザヨリなどがいます。

また干物もあり、非常に高価ですが、それだけの価値がある味わいです。ぜひ一度お試しを。

旬は晩冬から春、初夏です。市場には秋から春にかけて入荷が増える高級魚で、近年、輸入ものも目立つようになりました。

標準和名
サヨリ（細魚）
科　サヨリ科
生息域
琉球列島・小笠原を除く北海道南部から九州。朝鮮半島、黄海。

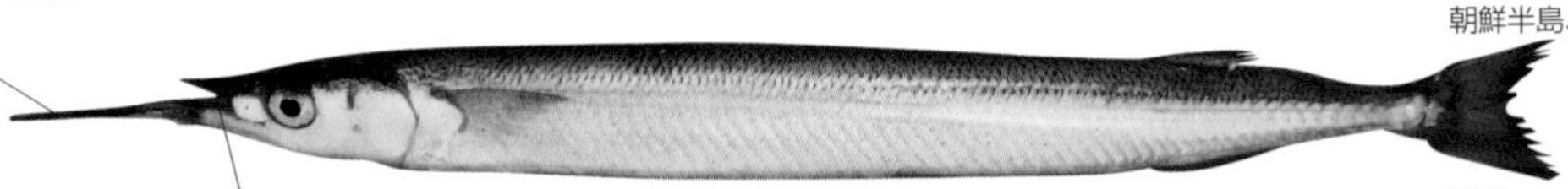

鮮度のいいものはクチバシの前部が赤い

上のくちばしは伸びていないので受け口

語源
「沢寄り（さわより）」で多く集まるの意。「さ」は「狭長なる」。古名「よりと」の「と」を略したもの。諸説あるが、群れをつくり体が細長いという意味。
地方名
市場、釣りの世界では小型を「エンピツ（鉛筆）」、大型を「カンヌキ（閂）」。ほかにはカンノウオ、サイチ、サイラ、サイレンボウ、サエリ、ショウブ、ショブ、スクビ、スグメ、スス、スズ、スズウオ、ホソクチウオ、ミツハーイオ、モサヨリ、モンジロ、ヨド、ヨドロ、ヨロズ、ラス。

サヨリは腹黒い？

サヨリはお腹を開くと黒く「ハラグロ」といわれたりする。ここから、いっていることとやっていることが違う人を「サヨリのような奴だ」といったりする。

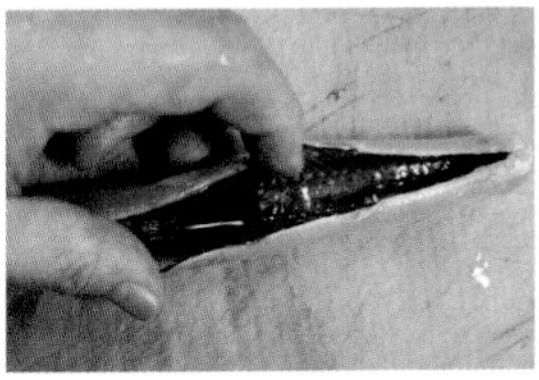

刺身も印象的な味わい

透明感のある、銀皮の美しい白身だが、強い独特の風味と旨みがある。盛り合わせにあっても強い印象を残す味わい。こぶ締めや酢締めにしてもよい。

料理

さよりの一夜干し

刺身が天下一品なら焼いても絶品。単に塩焼きではなく軽く干せば、より美味に。塩を振って小一時間あればできてしまう。

材料（4人分）
サヨリ…中4尾
塩…適量

作り方
1. サヨリは頭だけを残して開く。内臓を取りよく洗う。ここで、塩焼きよりもやや弱めに振り塩をする。
2. 20分ほどおいて出た水分をふき取り、風通しのよい場所か、ラップをかけず冷蔵庫に小一時間おくと、簡単一夜干しのできあがり。

味わい深く、やわらかな食感があとを引く。まさに恋人のよう

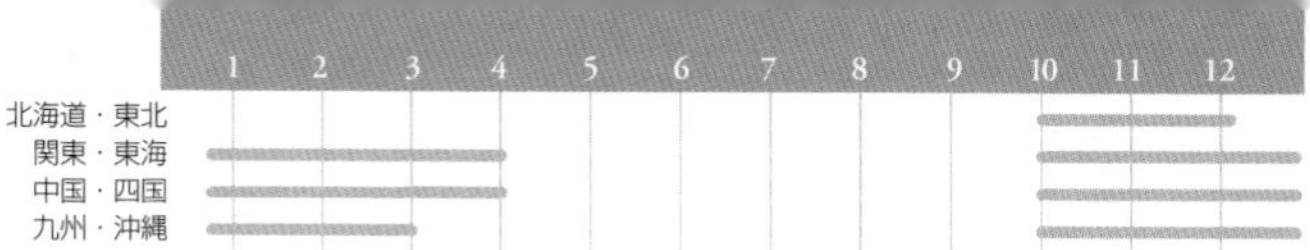

さわら 鰆

Japanese spanish mackerel

標準和名
サワラ
（狭腹、小腹、馬鮫魚）

科 サバ科

生息域
南日本に生息するものだったが、青森などでも漁獲されている。

語源
ほっそりした体形の魚で「狭い腹（さはら）の魚」の意と思われる。魚偏に「春」と書くのはもっぱら瀬戸内海、関西での状況によるものだろう。この周辺では産卵のために瀬戸内海に入る春が、もっとも獲れる時期でもある。

地方名
ほかのサワラ類と区別してとくに「本サワラ」という。また出世魚で、50cm前後までを「サゴシ（サゴチ）」、50～60cm前後を「ヤナギ（ヤナギサワラ）」、それ以上を「サワラ」という。サゴシ（サゴチ）は「狭腰」の意味、ヤナギは柳の葉のように細いという意味で、すべて体つきの特徴からきている。ほかにはカマチ、トオサアラなど。

冠婚葬祭に必須の魚

古来、日本では冠婚葬祭に使ってきた魚で、煮物に焼き物にと、懐石料理につきものの魚です。

昔はあまり獲れず、高級魚でしたが、今では温暖化の影響で東北・青森でも漁獲できるほど多く獲れるようになっています。

西日本で珍重されてきた魚で、とくに岡山で非常に好まれ、「サワラの値段は岡山で決まる」といわれるほどです。

旬は秋から春で、春の魚として知られています。

若魚である「サゴチ」は年間を通して市場に入荷が多く、大きく成長した「サワラ」も年々増えてきています。

大きくなるほど値段は高くなり、大型のものは今でも高級魚です。

おいしい刺身の造り方

大きいものは刺身、やや小ぶりのものは焼き霜造り（皮目を焼いて切る）にする。三枚におろして血合い骨を抜き、皮目を強火であぶって冷水に取り、酢で締める。

鮮度のいいときは透明感のある白身だが、すぐに白濁する
身がしっかりして硬いもの。目が澄んで、体色（銀色）の光っているもの

しっぽがおいしい

魚は一般に頭側のほうがおいしいといわれるが、サワラは尾側のほうが美味。

料理

さわらの幽庵焼き

材料（4人分）

サワラ（切り身）…4切れ
すだち…4個
A［しょうゆ、みりん、酒…各大さじ3］

作り方

1. サワラはサッと水洗いして水気をふき取り、半分に切る。
2. すだちは1個をきれいに水洗いして輪切りにし、Aと合わせバットに入れる。これに1を入れ、何回か返しながら15～20分浸ける。
3. グリルの受け皿に水（分量外）を張って、焼き網に薄くサラダ油（分量外）を塗り、盛りつけたときに表になるほうから焼けるように並べる。弱めの中火で、両面にこんがり焼き色がつくまで焼く。
4. 焼き上がったら皿に盛りつけ、半分に切った残りのすだちと、あればすだちの葉を飾る。
   ※オーブンで焼く場合は10～12分、220℃で予熱し、焼き網にサラダ油を塗って盛りつける側を表にして並べ、返さずに焼く

仲間

粃《シイラ》 シイラ科

惣菜魚としてなじみ深く、ハワイでは「マヒマヒ」として大人気。そのほか照り焼き、塩焼き、ムニエル、フライ、天ぷらなど、幅広く活用できる。

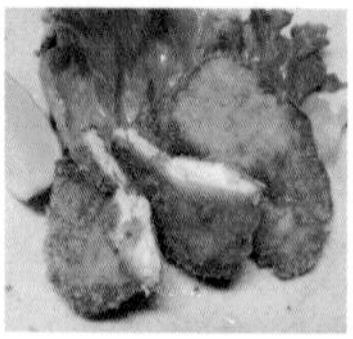

青魚と白身魚のよさを兼備し、驚くほど美味

焼き魚をきれいに食べよう

きれいに食べると おいしく味わえる

魚好きは魚をきれいに食べます。本当においしい魚を前にすると箸が止まらなくなり、自然と皿にちらかすことなく食べてしまうからです。真においしい魚の食べ方を知り、調理のコツを知ることが、じつは魚をきれいに食べるためのいちばんの近道かもしれません。

とはいえ、魚の食べ方にも決まりがあります。きちんとした食事の場では、その知識も必要。ここでは、マナーにのっとった魚の食べ方を少しご紹介します。

切り身魚や煮魚の食べ方も基本的には同じです。上身から下身の順番で左から右に向かって食べ、骨や皮などは魚の向こう側など一か所にまとめておきましょう。

一 ひれを取る

左手で頭を押さえ、箸で背びれと胸びれを取って魚の向こう側に置く。このとき身を箸などで数回押さえておくと骨離れがよくなる。

二 上身の頭側から

上身（うわみ）のえらの後ろから始め、背側から腹側へ箸を入れていく。これをくり返して右側（尾側）まで食べ進める。

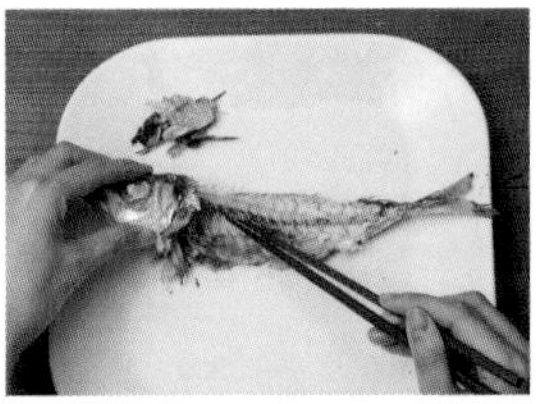

三 骨をはずす

上身を食べ終わったら左手で頭を持ち、箸を中骨と下身（したみ）のあいだに入れる。中骨を身からはがし、魚の向こう側に置く。

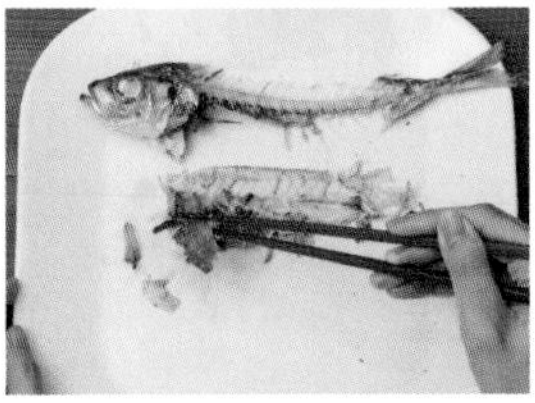

四 下身も頭側から

残った下身も頭側から尾へ、背から腹への順で食べていく。

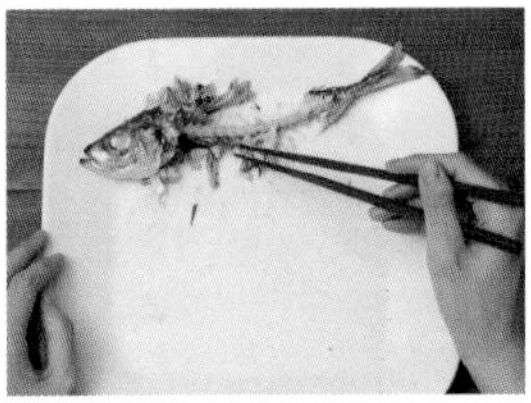

五 食べ終える

食べ終わったら、ひれや骨などはひとまとめにしておく。

ワンポイント

小骨が口に入ったときは、片手で口元を隠し、箸ではさんで取り出す。手で取り出すのはマナー違反。西洋料理の場合はナプキンで口元を隠し、フォークで受ける。

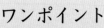

さんま 秋刀魚

Pacific saury

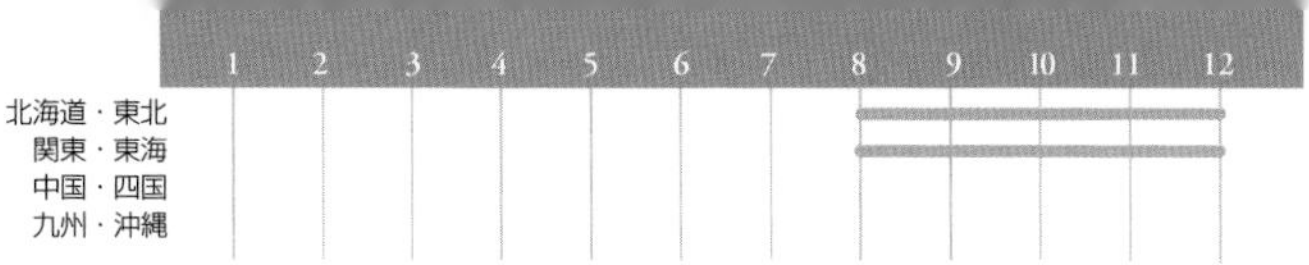

唯一100%天然かつ国産の魚

サンマは100%天然、しかもすべてが国産という今どきめずらしい魚です。このサンマにも、なぜか「天然」のうたい文句を見かけます。しかし、これは不自然。すべて天然もので国産です。

今でこそ刺身もスーパーに並ぶようになりましたが、生食されるようになったのは、ごく最近のこと。じつは20世紀にはあまりなじみのないものでした。

標準和名
サンマ（三馬）
科　サンマ科
生息域
日本各地。アメリカ西岸に至る北太平洋。
語源
細長い体つきから「狭真魚（さまな）」。これがサンマに変化した。

漢字は秋刀魚、三馬と書く。「秋刀魚」は、今では初夏から出回っているが、古くは秋に獲れるものだったため。「三馬」は当て字で、ここに馬がつくことから築地などで符丁的に「午（うま）」の字を使う。

地方名
日本全国で獲れる魚で、形からサヨリとよく混同されている。サイラ、サイリ、サイリイ、サヨリ、サイロ。同じく形からサーベラ（サーベル／片刃の曲刀）ともいう。ほかにはバンジョウ、カド、サザイオ、スズ、マルカド。

秋にはかなり安価に

旬は夏から秋。初夏から秋に太平洋側を北上するものと、冬から春に日本海側を南下するものがある。初夏の解禁日には1尾600～1200円前後にもなるが、秋も深まるころには100円を大きく割る。

胃がなく腸が短いため非常に消化が早い。排泄物がたまらず内臓が傷みにくいので、おいしい

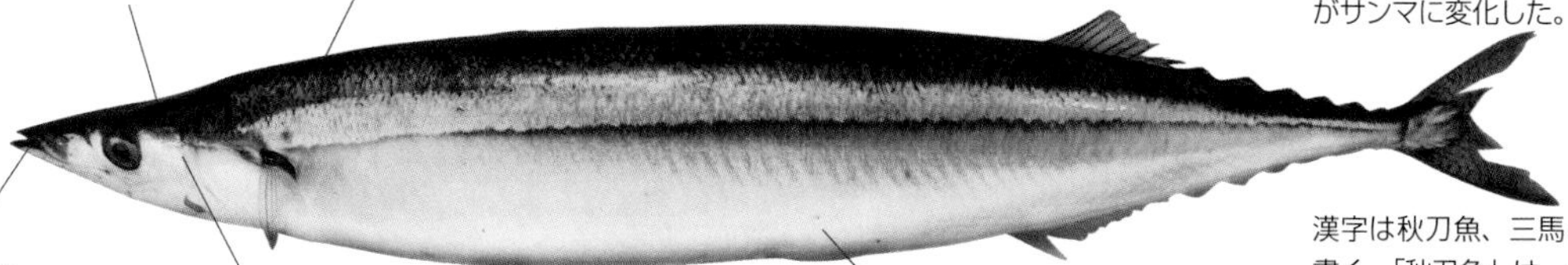
頭が小さく見えるものは脂がのっている
肩が張っているもの
くちばしが黄色やオレンジ色のもの
えらが鮮紅色であるもの
身がふっくら張りのあるもの

栄養

DHA、EPAが豊富。血栓ができるのを防ぎ、アルツハイマー病予防などにも効果がある。骨を丈夫にするビタミンDも多く、成長期の子どもには欠かせない。

新鮮ならピカピカで立つ

ピンと皮が張り、ピカピカのものは新鮮。白い部分はキラキラと、背の青い部分も黒々と光っている。また、手に持ったときにヘナッとならず、ピンと立つものも新鮮な証拠。

旬をはずした生より旬の冷凍ものが上

冷凍技術の進歩により、今の冷凍ものの味は決して悪くない。旬の時期に獲って急速冷凍し、品質が低下しにくい業務用冷凍庫で保管したものなどは、脂がのっていない「走り」の時期の生よりおいしいことも。

旨みと甘みをまったりと感じる感激の味

おいしいコツ

家に帰ったらまず塩を

まず塩を振っておく。こうするともちがよくなるうえ、味もかなりよくなる。

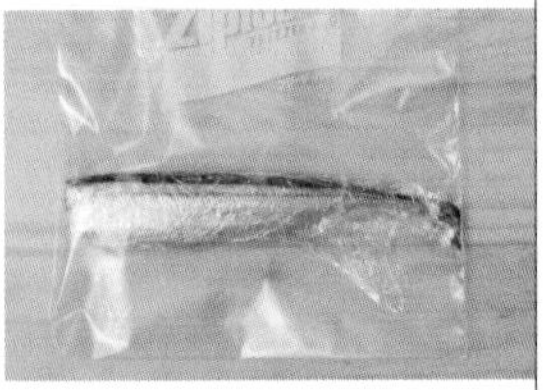

冷凍保存するなら

１尾ずつラップで包んで密閉袋に入れる。また、一夜干し風に保存することもできる。頭と内臓を取り、両面に塩を振り、新聞紙、キッチンペーパーを重ねてサンマをのせ、冷凍庫に半日おく。完全に凍ったら、１尾ずつラップにくるんで再度冷凍庫へ。１か月ほど保存可能。

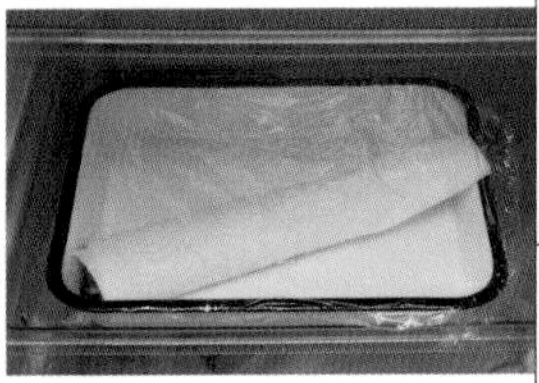

解凍方法

冷蔵庫でゆっくり自然に半解凍する。芯は凍ったまま調理を。冷凍庫から取り出した魚は、キッチンペーパーなどで包んだほうが均一に解けるため、うまく解凍できる。

塩焼きのおいしさは魚類中の頂点とも

サンマは塩焼きが圧倒的においしい。最近のガス台付属の魚焼きグリルはなかなか優れているので、家庭でもおいしい塩焼きが楽しめる。

おいしい塩焼きのつくり方

1. さわりすぎない

魚にとって人の体温はやけどするくらい高い。あまりべたべたさわらない。

2. 肛門から切る

まるまる太った身には火が通りにくく、長いと焼きにくいので斜めに切るといい。肛門あたりから切ることで火が早く通る。

3. 塩を振る

天然塩を両面にまんべんなく振る。30分以上冷蔵庫に置く。

4. グリルで焼く

グリルは熱しておく。片面焼きグリルの下部分にアルミホイルを敷くと輻射熱（ふくしゃねつ）で火の通りが早い。

5. 火加減

中火から強火にして、火の近くに水気をふいたサンマを置く。盛りつけるときに表になるほうから7分焼き、ひっくり返して5分ほど焼く。

内臓の味を決めるもの

８月以降の棒受け網で獲ったサンマはうろこを飲む。ごく薄く小さいため、大量に内臓にたまってしまい、これが味を落とす原因に。内臓は鮮度落ちが早く、冷凍ものは味が落ちやすいので注意を。

干物

産卵が終わって脂が抜けたサンマを千葉、伊豆半島、熊野灘などでは干物に加工する。千葉ではこれを「白干し」といい、風味がよく酒のつまみにぴったり。

落語「目黒のサンマ」

三代将軍徳川家光は、鷹狩りの際、現東京目黒の茶店に立ち寄り、食事を所望する。茶店では気さくに夕食用のサンマを焼いて差し出した。これにいたく感激した家光は、以後サンマを所望するも、将軍の口に合うよう調理するため、茶店のものとは似ても似つかない代物に。そこで家光は「サンマは目黒にかぎる」という。

低級な魚を無造作に食べるとおいしく、ていねいに調理するとまずくなるという皮肉を込めた滑稽噺《こっけいばなし》だが、家光の決め台詞《ぜりふ》はのちのつくり事だともいわれる。

家光が食べたとされるサンマは、10月になると房州（千葉）などから入るひと塩ものだったと思われ、今のように流通が発達する以前はこれが主流だった。

さんまの炊き込みご飯

材料（4人分）

サンマ…1尾
薄口しょうゆ
　…小さじ2
米…2カップ
しょうが…少々
水…2カップ
ねぎ…10㎝
塩…3g
酒…少々

作り方

1. サンマは内臓と細かいうろこを取り、ひと口大に切る。しょうがとともに30分ほどしょうゆ（分量外）に浸す。
2. 米を研ぎ、そこに1を入れる。
3. 塩と酒、しょうゆを加え、水加減して炊き、炊き上がったら器に盛る。小口切りにしたねぎを振りかける。

※ 脂の強いサンマを使うと濃厚な味に仕上がる

さんまの蒲焼き

材料（2人分）

サンマ…2尾
小麦粉…適量
A［しょうゆ…大さじ3
　みりん…大さじ2
　砂糖、水…各大さじ1］
おろししょうが…少々
サラダ油…適量

作り方

1. サンマは三枚におろして骨を取り、小麦粉をまぶす。
2. Aを合わせておく。
3. 熱したフライパンに油を引いて1の両面を焼き、2を入れて照りを出す。しょうが汁を数滴落として、できあがり。

※ ご飯にのせ、きざんだ青じそと白ごまを振って丼にしても

さんまのサルサトマトソース

材料（2人分）

サンマ…2尾
ミニトマト…8個
玉ねぎ…1/4個
塩・こしょう…少々
タバスコ…少々

作り方

1. ミニトマトはさいの目切り、玉ねぎはみじん切りにする。
2. 1に塩、こしょう、タバスコを適量加えよくまぜる。
3. サンマに塩（分量外）を少々振って焼き、2をかける。

さんまのマリネ

材料（2人分）

サンマ…1尾
玉ねぎ…1/2個
ピーマン…1/2個
トマト…1/2個
オリーブオイル
　…大さじ3
酢…180cc
塩・こしょう…少々
砂糖…大さじ2
かいわれ大根…適量
レモン…適量

作り方

1. サンマは三枚におろし、食べやすい大きさに切る。
2. 密閉容器に薄切りにした玉ねぎとピーマンを入れ、オリーブオイルをかけて塩、こしょう、砂糖を振る。
3. 2にサンマをのせ、酢をかけて冷蔵庫で1時間ほど冷やす。
4. 3を器に盛りつけ、輪切りにしたトマトとかいわれ大根、細切りにしたレモンを添える。

さんまの香草焼き

材料（４人分）

サンマ…４尾
塩・こしょう…少々
玉ねぎ…大１個
バター…大さじ１
タイム…小さじ１
バジル…小さじ 1/2
セージ…４枚
オリーブオイル…大さじ２
※タイム、バジル、セージは粉末状のものでもＯＫ

作り方

1. サンマは頭をつけたままお腹のところで半分に切り、塩、こしょうを振る。
2. フライパンにバターを熱してみじん切りにした玉ねぎを炒め、タイム、バジル、セージもみじん切りにして加える。
3. 耐熱皿にバター（分量外）を塗って **1** と **2** を入れ、オリーブオイルをかけ、220℃のオーブンで約 10 分焼く。

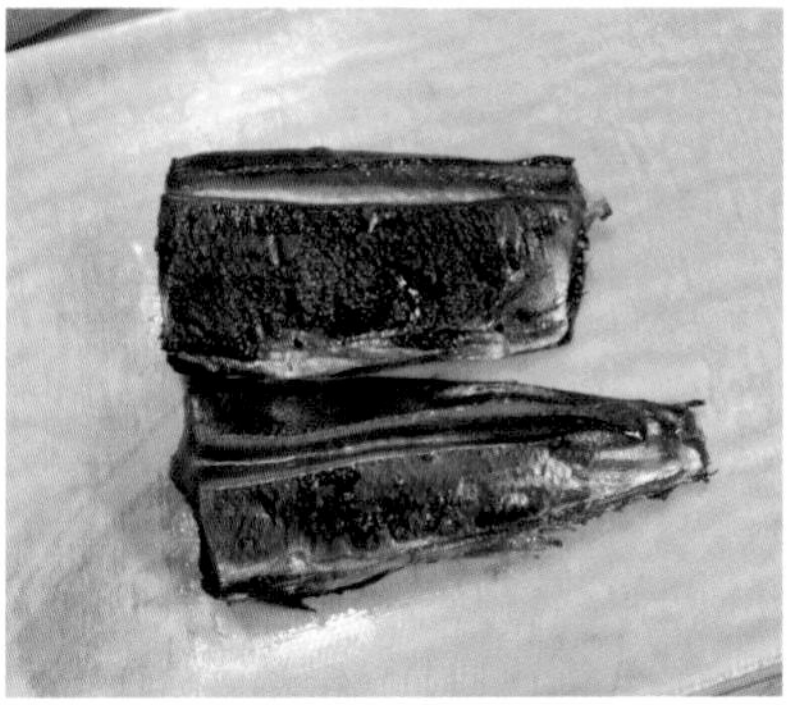

さんまの ワタしょうゆ焼き

材料（２人分）

サンマ…２尾
A［しょうゆ、みりん、酒…各小さじ２］

作り方

1. サンマは水洗いして１尾を２等分し、まんなかに切り込みを入れる。ワタ（肝）は分けておく。
2. ワタをすり鉢などですり、**A**を合わせる。
3. サンマを焼き、７割がた焼けたら**2**を２～３回塗って香ばしく焼き上げる。

魚の身色について

魚は身や皮の色で、「白身魚」「赤身魚」などと呼ばれます。ときに身色が青いものを「青魚」と呼んだりもしますが、水産学上では白身と赤身の2種。イワシやサバ、アジなども赤身魚です。

白身と赤身の違いは、体内に含まれるミオグロビンという色素たんぱく質の量の違いです。この色素が多いと赤くなります。そして、このミオグロビンの量は、その魚の運動量によって変わってきます。

ミオグロビンは、酸素を代謝に必要なときまでためておく働きをするもの。赤身の代表格であるマグロなどは世界中を回遊し、運動量が多いため、たくさんの酸素が必要です。そのためミオグロビンを多くもっています。

一方、白身の代表ともいえるタイやタラなどは、あまり動かず行動範囲が狭いので、ミオグロビンが少ないのです。サケなどは一見すると赤身ですが、じつは白身魚。おもにエサとするエビが、アスタキサンチンという赤い色素をもっているために身色が赤くなっているのです。

一般に、白身は筋繊維がやわらかくて脂肪が少ないのに比べ、赤身は高脂肪。そして青魚と呼ばれる魚は、ＤＨＡやＥＰＡなどの不飽和脂肪酸が多く、栄養価に優れています。それぞれの魚の特徴を知り、かしこく摂っていきたいものです。

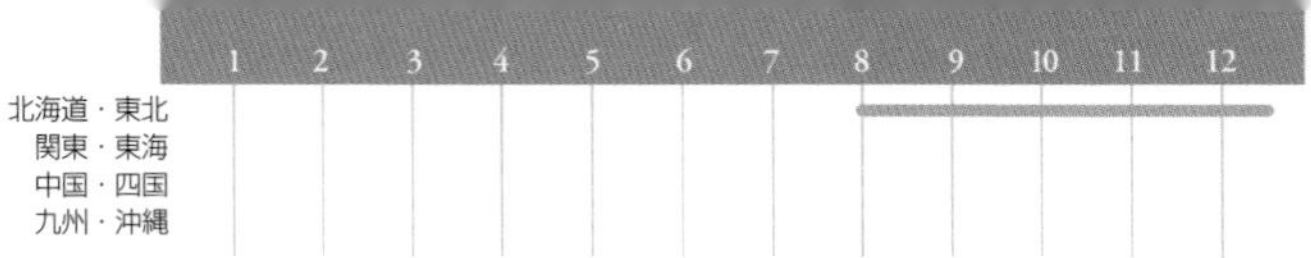

ししゃも

Shishamo smelt

柳葉魚

出回っているのはカラフトシシャモ

干物が主流でしたが、近年は鮮魚も出回り、いつのまにか高級魚に。スーパーや居酒屋などで見かけるものは、じつはノルウェーなどで獲れる安価なカラフトシシャモです。

輸入ものでも決して味が悪いわけではなく、シシャモがこれに押されて需要が落ちたため鮮魚に活路を見出そうとしている状況です。

いずれもとくにカルシウムが多く、栄養満点な魚です。

標準和名
シシャモ
科　キュウリウオ科
生息域
北海道の太平洋側。
語源
アイヌの神によって柳の葉（「柳＝スス」＋「葉＝ハム」、もしくは「柳＝シュシュ」＋「葉＝ハム」）からつくられたという伝説に由来する。伝説では、サケが獲れなくて困ったときにアインシモリ（アイヌの人）がカムイ（神）に祈りをささげたところ、柳の葉が落ちて魚になった、これがシシャモであったとされる。
地方名
「スサモ」「スシャモ」。アイヌ語で「スサム」「スス・ハム」「シュシュ・ハモ」。市場や流通の世界では近縁種のカペリン（カラフトシシャモ）と区別するために「本シシャモ」という。

鮮魚、干物とも高値

旬は産卵期の10月ごろ。シシャモは関東の市場でも鮮魚を秋に必ず見かけ、値段は高値安定。干物は通年出回っているが、これも高い。一般流通はカラフトシシャモ（カペリン）のほうが多い。

生もおいしい

刺身は独特の風味があって非常に美味。アユに非常に近い魚で、アユ同様きゅうりのような香りがする。

戦後の魚

シシャモが全国的に知られるようになったのは戦後のこと。現在行われているシシャモ桁網漁業が始まったのも、1950年代後半からである。

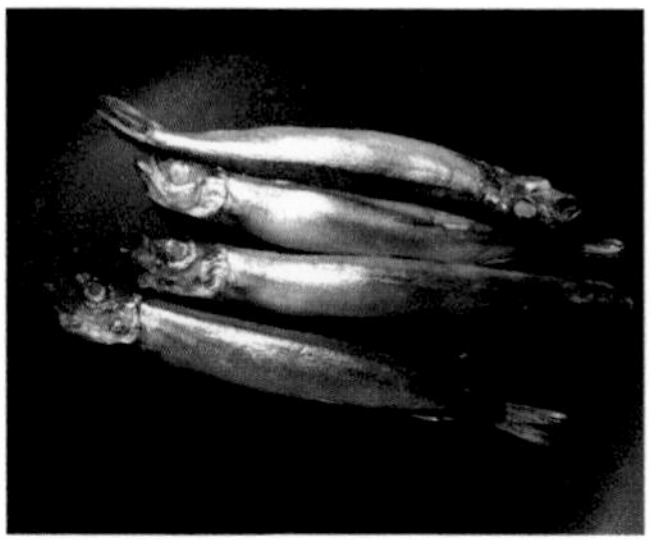

一般に干物で出回っているシシャモ。皮がやわらかく、グリルや魚焼き器で焼くのはとても難しい。シシャモ、カラフトシシャモ（カペリン）はフッ素加工のフライパンで油を引かずに焼くのがコツ。

仲間

樺太柳葉魚《カラフトシシャモ》（カペリン）キュウリウオ科

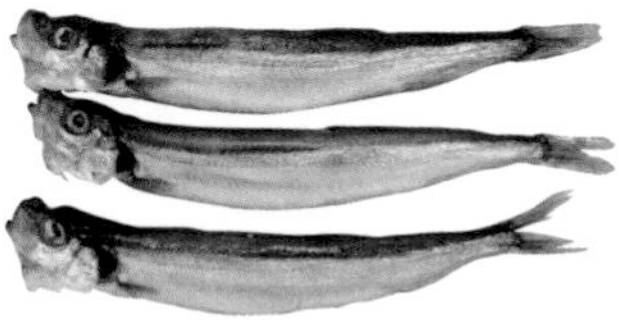

シシャモの代用品とのイメージが強いが、こちらのほうが脂があっておいしいという人も。干物も独特の脂があって美味。

カペリンの卵寿司

アユがもつような、夏の川を思わせる懐かしい風味がある

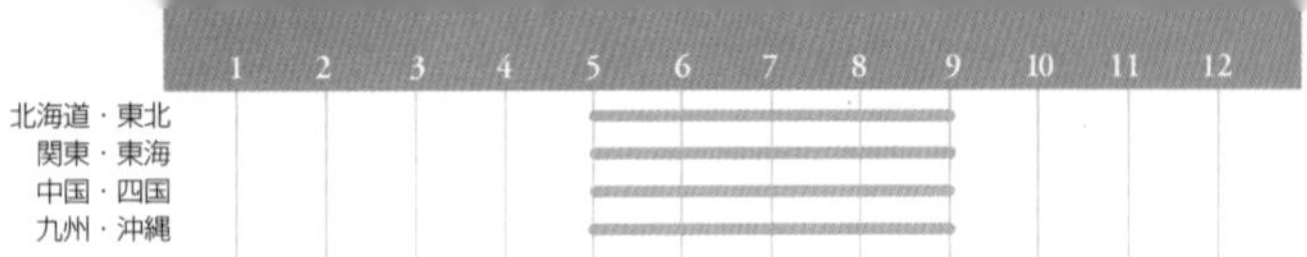

したびらめ

Tongue-sole

舌平目

煮つけの代表から ムニエルの王様に

シタビラメは「ヒラメ」と名はつくものの、ヒラメとはまったく別の種です。もともとシタビラメは、全国的に煮つけで食べられていましたが、今ではムニエルの定番に。実際このムニエルは、極上の味わいです。

　シタビラメとして食べられているものには、アカシタビラメ、クロウシノシタ、イヌノシタの3種があります。

　産地ではミンチ状にたたいて、ごぼうやにんじんと合わせ、汁にしてご飯にかけます。この「げた飯」がじつに美味。たたいたものはスーパーなどに並び、岡山では今も定番料理のひとつです。

　旬は冬から春です。国産ものもありますが、海外輸入のものが安く入ってきています。

標準和名
アカシタビラメ（赤舌平目）

科　ウシノシタ科

生息域
南日本から南シナ海。

語源
「舌平目」は上下に平たい形から、「赤」はウシノシタの仲間では裏側がやや赤みを帯びているため。

地方名
フランス料理に使われることが多く、ムニエル、魚のだし（フュメ・ド・ポワソン）の重要な素材としてSole（ソル）という。国内では不思議な形状からきている名称が多く、アカクツゾコ、アカベタ、ウシノシタ、ウシノベロ、ササガレイ、ベタ、ベロ。

調理は皮をむいてから

よく、皮をむかずにムニエルにしてしまっているケースが見受けられるが、シタビラメは必ずむいてから調理する。皮つきでは極上のムニエルは味わえない。

料理

舌平目のムニエル

材料（2人分）

シタビラメ…2尾
塩・こしょう…適量
小麦粉…適量
サラダ油…大さじ1
バター…大さじ1

作り方

1. シタビラメは皮をむいて塩、こしょうを振り、小麦粉をまぶす。
2. フライパンに油を熱し、1を弱火でじっくり焼く。両面焼いたらシタビラメを取り出す。
3. 余分な油を捨てバターを溶かし、少し焦がしぎみにする。
4. 皿にバターを流し、シタビラメをのせる。

仲間

黒牛之舌《クロウシノシタ》 ウシノシタ科

産卵期は夏で、春から夏が旬だと思われる。アカシタビラメと用途はほとんど同じで、やはりムニエルが最高峰。小型のものは唐揚げ、干物にもなる。

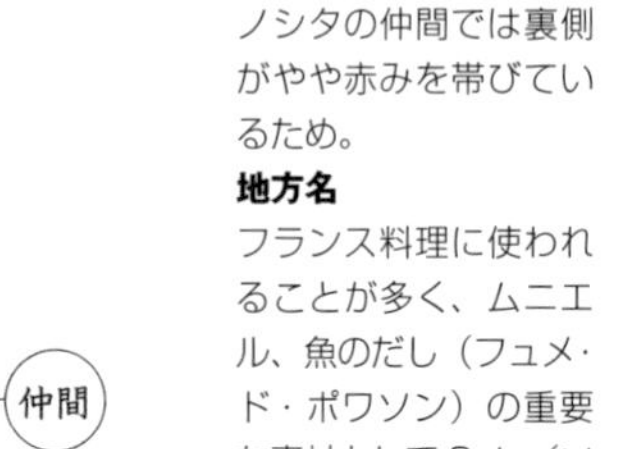

鮮度さえよければ刺身にしてもおいしい。西日本では寿司ネタにも

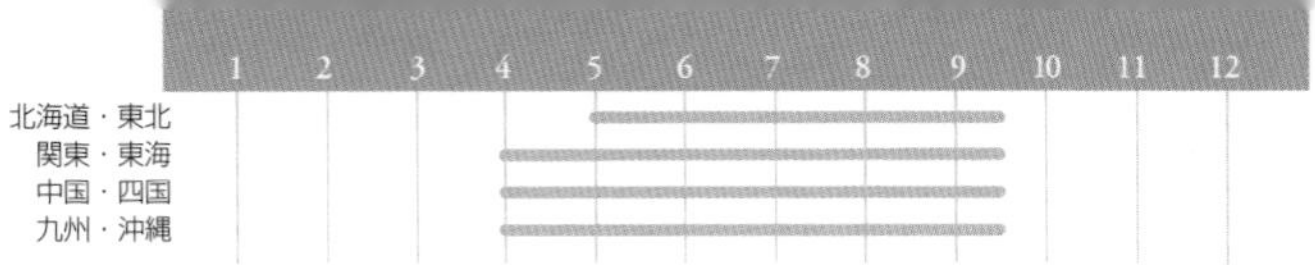

しまあじ

Trevally 島鰺

味がよくて美しい高級魚ぞろい

シマアジはアジのなかでも「ヒラアジ」と呼ばれる仲間に属します。この仲間は、外見は青魚ですが、マダイなどの白身魚とアジの中間的な味わいで、双方のよさを兼ね備えています。とくにシマアジは最高の味わいです。

高価なので一般的には刺身にします。ですが身だけでなく、できれば骨なども活用して潮汁にしてほしいもの。濃厚な旨みがあり、食通をもうならせる味です。

旬は夏から秋。天然ものは少なく、1〜3kgのものは驚くほど高値になります。逆に、大きいと味が劣り安値に。

一般に出回るものの大半は養殖もの。とはいえ刺身では高値で、これにカンパチ、ブリが続きます。

標準和名
シマアジ
科 アジ科
生息域
岩手県以南。太平洋東部を除く全世界の暖海。
語源
「シマアジ」は東京での呼び名で、漢字で「島鰺」。伊豆諸島などでたくさん獲れていたから。
地方名
釣り人のあこがれで、東京で特大のものを「オオカミ」、和歌山県で「ソイ」。ほかには、アブラカマジ、ウタゴ、オーガシ、カツオアジ、カツン、カマジ、ギュウギュウ、クチグロカマチ、クチトガヤー、コセ、コセアジ、シマイオ、シマイサギ、シマイッサキ、シラシヨウジ、ソジ、ソウジ、ヒラアジ、メアカサゴ。

さわって硬いもので、えらが鮮紅色のもの
体表が銀色に輝いていて目が澄んでいるもの

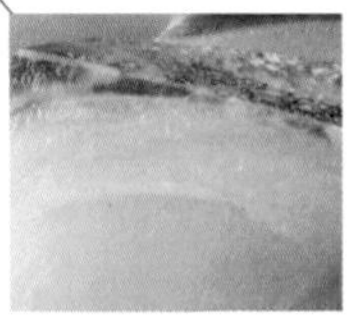
血合いが非常に美しく、食感も最高

栄養面で青背魚の特長をもつ

カルシウム吸収率を上げるビタミンDが豊富で、水溶性のビタミンB_1・B_6も比較的多く含んでいる。また、動脈硬化を予防するDHAやEPAも豊富。ヒラマサやカンパチより青背魚の特長を保っている。

料理

潮汁

材料（2人分）
シマアジのアラ…1尾分
水…2カップ
こんぶ…5㎝角
酒、薄口しょうゆ、塩…各少々
木の芽（飾り用）…適量

作り方

1. シマアジは頭を半分に切り、ほかのアラもひと口大に切る。
2. 1に塩（分量外）を振ってしばらくおき、湯通しして霜降りにする。
3. 鍋に水、こんぶ、2を入れて火にかける。
4. 沸騰したら、こんぶを取り除き、アラも一度ボウルなどに取り出して酒、しょうゆ、塩を入れて味を加減する。
5. 椀にアラを入れて4を注ぎ、木の芽を添える。

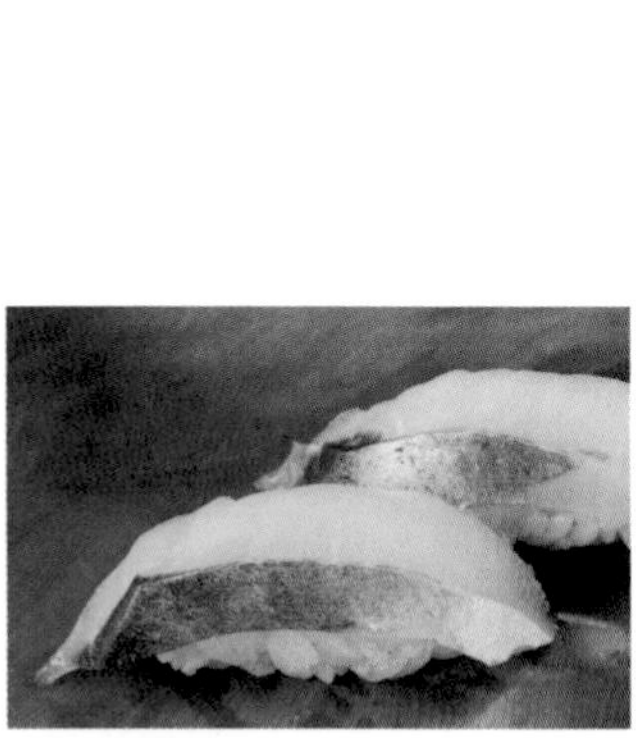
白身で強い旨みがある。硬さもほどよく、最上級の寿司ネタ

家庭で楽しめる最上級のアジ

値段がお手ごろで、魚通もそろってアジのなかでは最上級に味がいいと太鼓判を押すのが、このカイワリ。

コストパフォーマンスの高い魚なのに、ここまで目立たない存在なのは不思議なくらいです。

神奈川の名物で「カクアジ」と呼ばれており、この塩焼きは湘南になくてはならないもの。

値段はシマアジの3分の1ながら、おいしさはシマアジに劣らないともいわれています。

塩焼きにすると身の香りと旨みがたっぷり味わえる

貝割《カイワリ》 アジ科

魚をよく知る寿司職人が好んで使うのが、このカイワリ

仲間

目鯵《メアジ》 アジ科

関東以南ではスーパーなどにも多く、旬は寒い時期。刺身が非常においしいが、なめろう、塩焼き、フライなどもおすすめ。

メアジの刺身は寒い時期にはマアジよりもおいしい。値段もお手ごろなので、もっと食べられていい魚

沖鯵《オキアジ》 アジ科

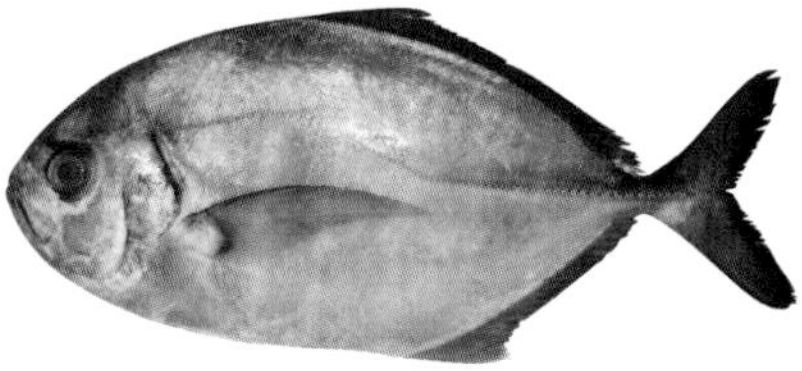

酸味が少なく食感もやわらかで、旨みも脂もあるが安値。塩焼きもおいしく、ポワレにすると、フワッと焼きあがる。

銀紙鯵《ギンガメアジ》 アジ科

身質はとてもよく、刺身はなかなか美味。駿河湾から南の河口などで釣り魚として人気の「めっき」でもある。

しらうお

Icefish 白魚

標準和名
シラウオ
科 シラウオ科
生息域
北海道から岡山、熊本。サハリン、沿海州から朝鮮半島東岸。

甘みと苦みが、旨みと同時に感じられる奥深い味

しらすの「しら」踊り食いの「しろ」

名前が非常に似ているこの2種は混同されがちですが、外見も生態もまったく別の魚。

しらす干しや天ぷらになるのがシラウオ、踊り食いで有名なのがシロウオです。シラウオは漢字で「白魚」、シロウオは「素魚」と書きます。シラウオの体が白いのに対し、シロウオは透明で光が素通りするためです。

またシラウオはサケ目シラウオ科でサケの仲間、シロウオはハゼ科でハゼの仲間です。

シラウオの旬は秋から春で非常に高価。産地は北海道、青森、宮城、茨城、島根などで、島根県宍道《しんじ》湖の「宍道湖七珍」のひとつに数えられます。

シロウオは産卵期に川に上ってくる2月から5月が旬です。

ちりめん

千葉県九十九里の北の端、飯岡町では「ちりめん（しらす干し）」が名物。高価だが非常においしい。

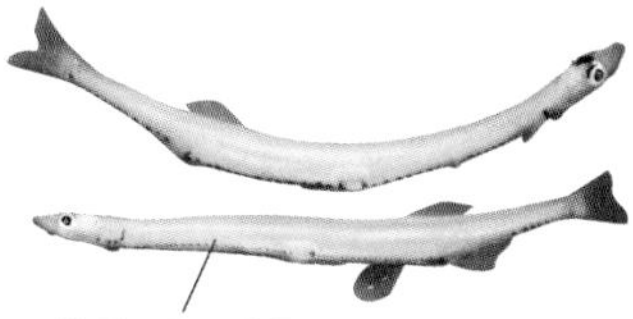

体長10㎝くらいになりメスのほうが大きい

料理

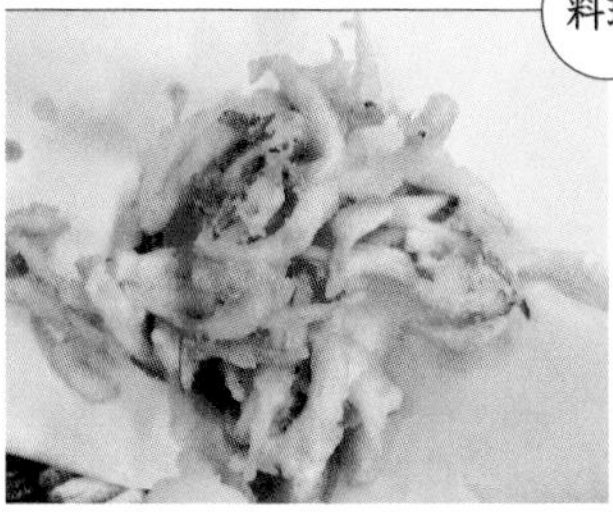

白魚のかき揚げ

材料（2人分）
シラウオ…約300g
三つ葉…1/2束
水…適量
天ぷら粉…適量
揚げ油…適量

作り方
1. シラウオは水洗いしてザルに上げ、三つ葉はきざんでおく。
2. シラウオと三つ葉を合わせ天ぷら粉をまぶす。
3. 残った天ぷら粉に冷たい水を入れて軽くまぜ、**2**に加える。
4. 鍋に油を熱し、**3**をきつね色になるまで170℃で揚げる。

しろうお

Ice goby 素魚

標準和名
シロウオ
科 ハゼ科
生息域
北海道から九州、朝鮮半島。

原則的に生きているものを。元気のいいものがよく、死んだものは価値がない

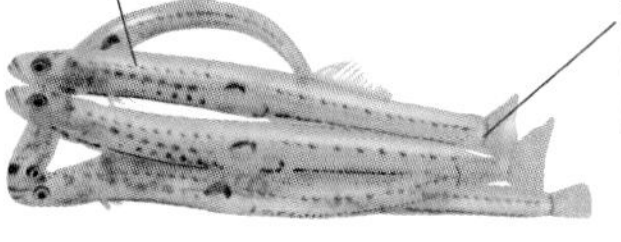

半透明のものや濁りのあるものは、熱を通したほうがよい

踊り

春先に産卵のために川に上るものが踊り食いにされる。生きたまま器に移して酢じょうゆをかけ、ピチピチと口の中で暴れるのを、のどに流し込むもの。

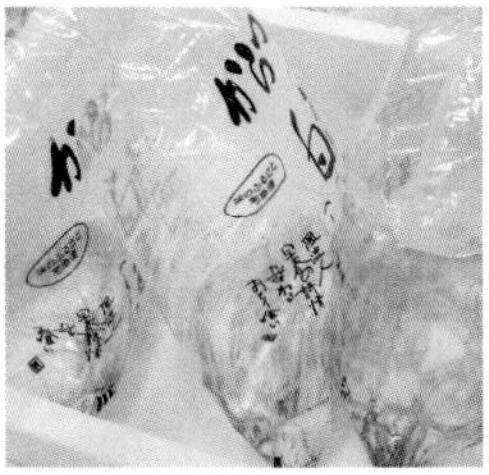

風船に入って入荷

生きているものが都市部にも入荷。酸素でふくらませた袋に水が入って、シロウオが元気に泳いでいる。まだ厳寒の2月に、九州から日本列島を北上しながら5月くらいまで入荷が続く。

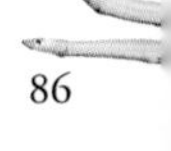

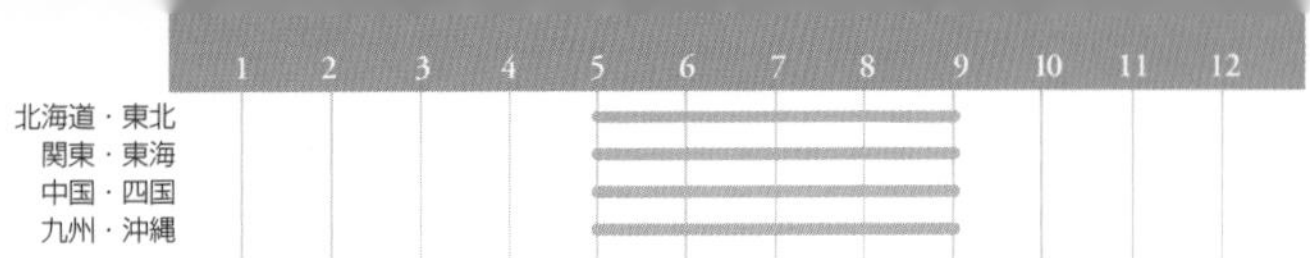

すずき 鱸

Japanese seaperch

外食の高級魚を家庭でお安く

一般的に高級魚と思われていますが、実際のところは夏を除けば、あまり高値ではありません。

お手ごろ価格のせいか、最近では活けもの以外はフレンチやイタリアンでムニエルなどに使われています。

知名度のわりに食卓などにはほとんど登場しません。安くておいしいので、家庭でも手軽に活用したい魚のひとつです。

夏の白身魚の代表格

旬は6月から8月。また西日本では、秋から冬に産卵のために海からやってくる子持ちも珍重される。おもな産地は千葉、兵庫、福岡、愛知、大阪。

標準和名
スズキ
科 スズキ科
生息域
日本各地から南シナ海の内湾、河口域など。
語源
古名「スギユキ」「スヂユキ」「ススキ」と転じて、純白、雪白の意を表したもの。「"すずい"だように身が白い」ことから。「すすき（進）」の意味から、などいろいろな説がある。
地方名
代表的な出世魚で幼魚を「コッパ」、15cm以下を「ハクラ」、1歳魚の15～18cmを「セイゴ」「デキ」、2～3歳魚の35cm前後を「フッコ」「マダカ」、4歳魚以上の60cm以上を「スズキ」と呼ぶ。ほかにはチュウハン、チコウハン、アンザシ、オオマタ、ニュウドウ、ユウドウ、ヌリ。

ビタミンA、Dが多く低カロリー

ビタミンAが特異的に多く、皮にはビタミンDがたっぷり。ビタミンAには美肌づくりやガン予防、ビタミンDには骨が丈夫になる効果が。しかも低脂肪低カロリーなので、生活習慣病の人にも安心。

関東では要注目

東京湾でもおいしいスズキが連日のように揚がっているのに、関東では不人気。これを関西に回してしまうのだから、残念でしかたない。

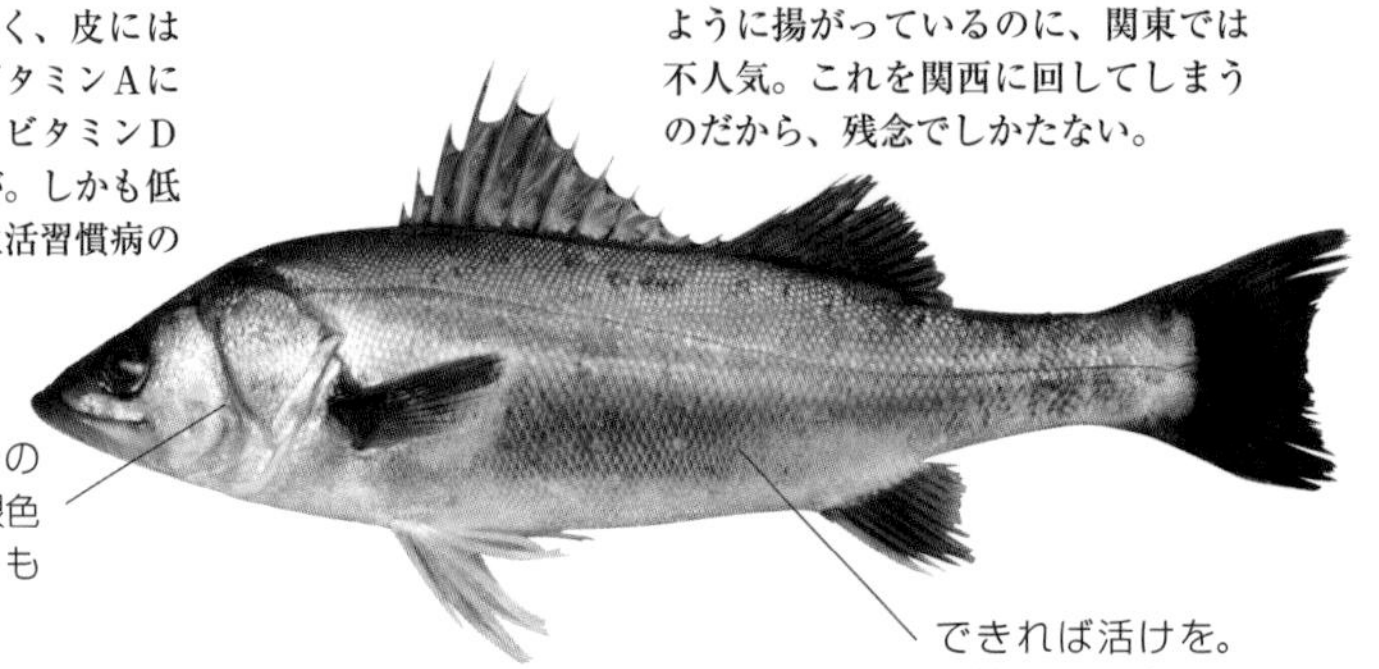
えらが鮮紅色のもの。体表の銀色が輝いているものを選ぶ
できれば活けを。野締めは身がしっかり硬いもの

料理

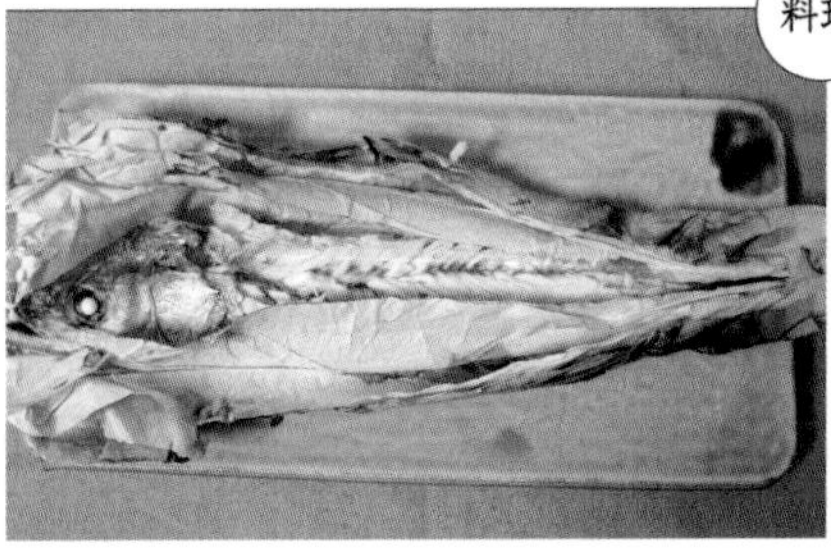

すずきの奉書焼き

島根県東部の松江などの名物料理。厚みのある丈夫な手すき和紙があれば、つくるのは簡単。しっとりした白身で上品な味わいを楽しめる。

材料（2人分）

スズキ…1尾（40cm前後）
塩…少々
厚手の和紙…1枚
しょうがまたはかんきつ類（しぼり汁）…適量
しょうゆ…適量

作り方

1. スズキはうろこと内臓を取り、塩を振る。
2. 1時間以上おいて出た水気をふき、ぬらした和紙で包み込む。
3. 200℃のオーブンで30分ほど焼く。和紙の焦げ加減などに注意する。
4. しょうがやかんきつ類のしぼり汁を合わせたしょうゆでいただく。

洗い

三枚におろして血合い部分を除き、薄く切る（へぎ造り）。よく冷えた氷水に切った身を入れて急速に冷やし、流水で洗うことで身のATP（アデノシン三リン酸）を流し去る。切った身は急速に縮み、独特の食感が生まれる。スズキの洗いは夏にもってこいの味わい。

上品ながら川魚に近い特有の風味が酢飯の上でも存在感を保つ

おろし方の基本

ここでは、タイのおろし方を紹介します。
ちょっと難易度は高いのですが、
タイのおろし方はすべての魚を扱う
基本となるため、取り上げました。
この流れさえ覚えておけば、
いろいろな魚に応用できます。

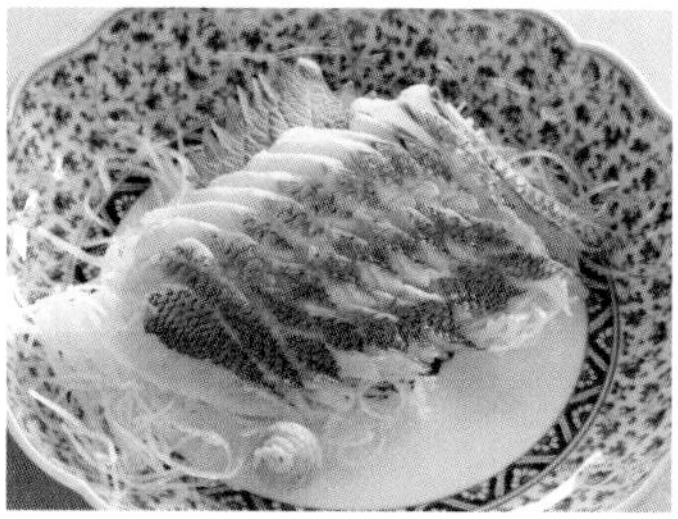

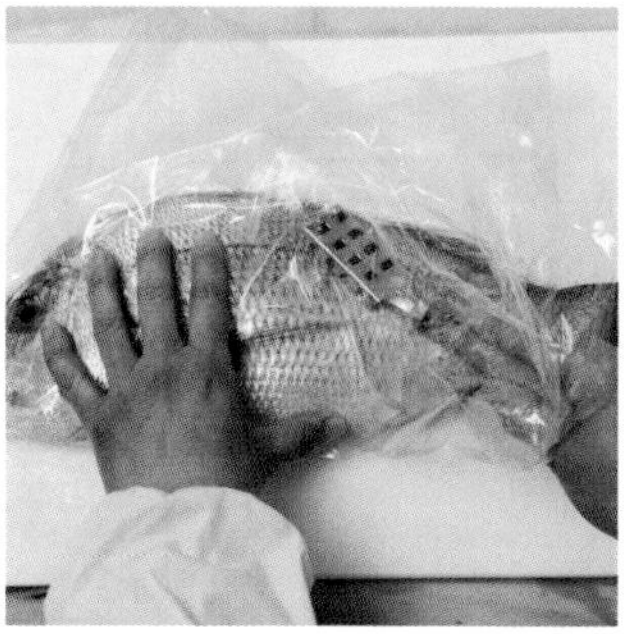

一 うろこを取る

うろこがちらないように大きめのビニール袋などをかぶせ、尾のほうからうろこ取り器でこそげ落とす。裏側も同様に。背びれのつけ根などはとくにていねいに取る。

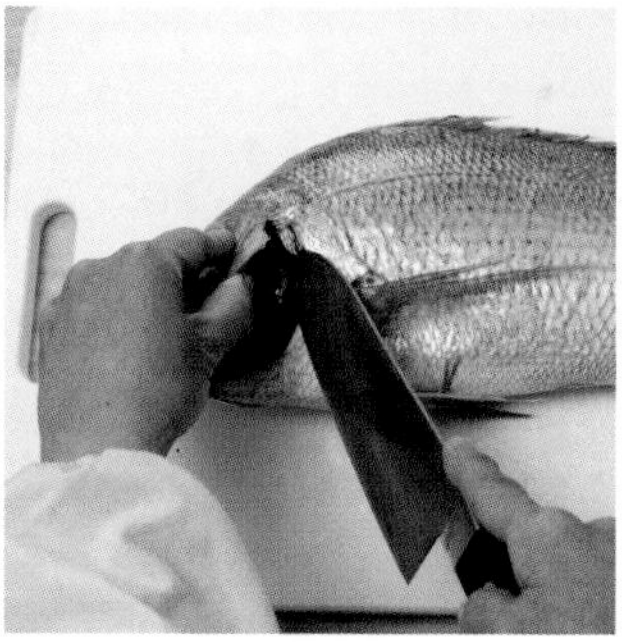

二 えらを切る

えらぶたを持ち上げて包丁を差し入れ、えらの根元をぐるりと切り離す。反対側も同様に。えらを持って引っ張ると、内臓の一部とともに取りはずせる。

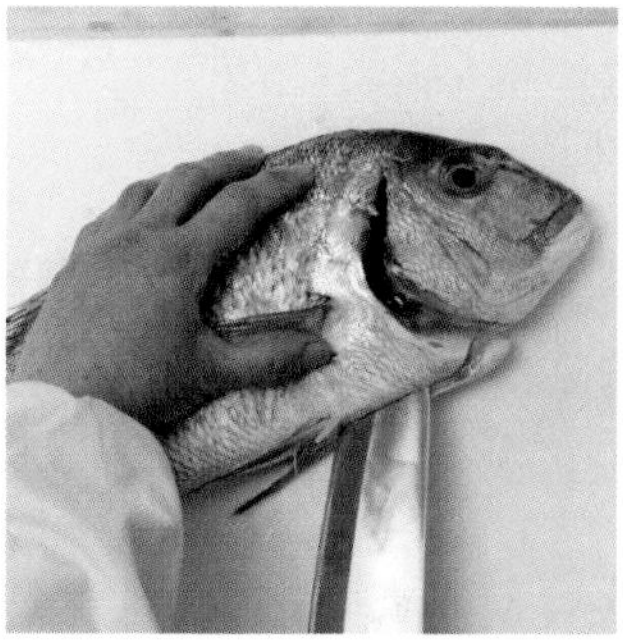

三 腹に包丁を入れる

えらぶたのいちばん下の部分から包丁を入れ、腹から後方の肛門まで切る。

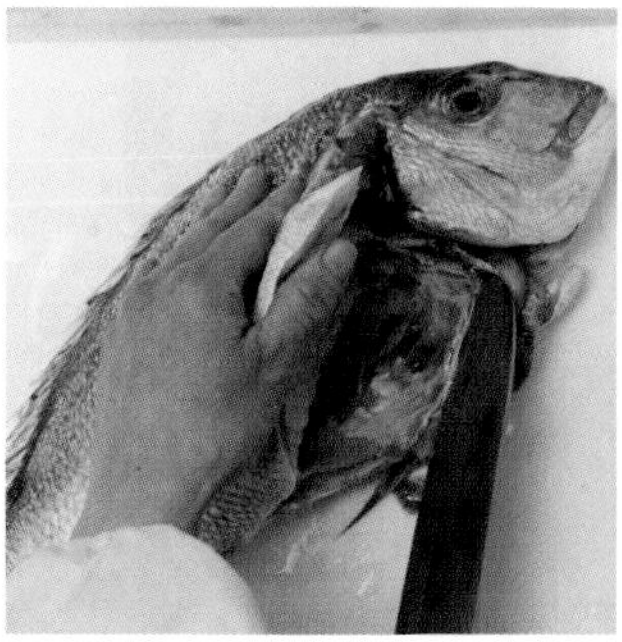

四 内臓を取り出す

片側を持ち上げるようにして、内臓を包丁でかき出す。このとき腹の内側についている血液や内臓をよく水で洗い流すと、においが取れる。

五 頭を落とす

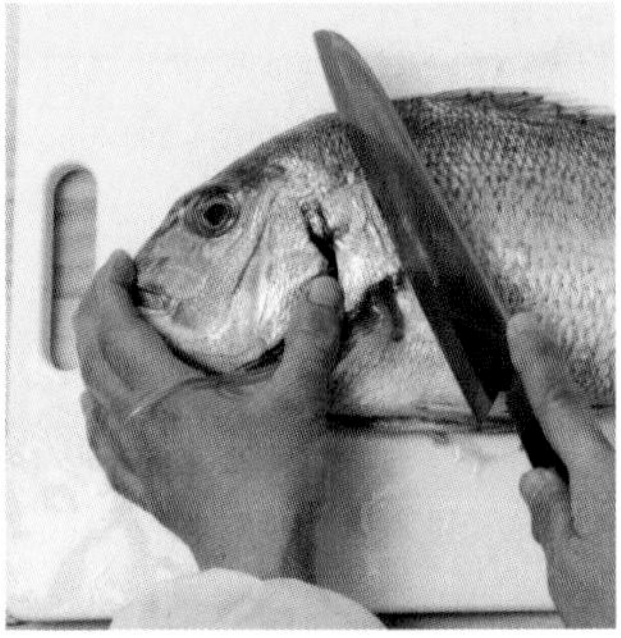

胸びれを手で押さえ、頭を、頭部上の部分から胸びれの後ろにたすきに切る。背骨まで切り、今度は反対側から包丁を入れて頭を切り落とす。

六 二枚におろす

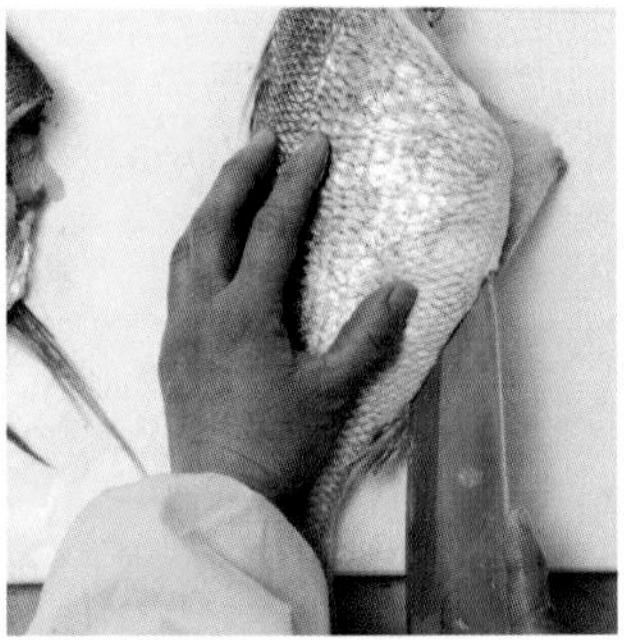

腹側前方から包丁を入れ、まず中骨から腹骨を切り離しながら、後方に向かって背骨に沿って包丁を入れ、片身を切り離す。

七 三枚におろす

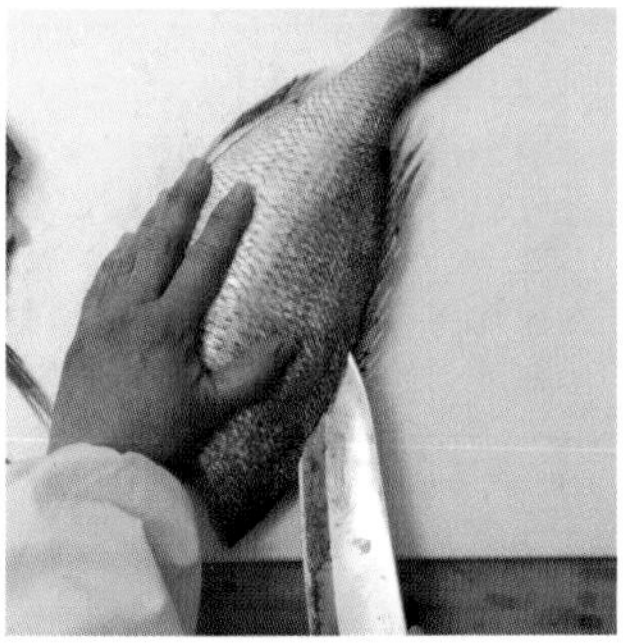

裏返して今度は背の部分から包丁を入れ、反対側の片身を切り離す。

八 腹骨をすき取る

包丁を寝かせて、腹骨のすぐ下（内側）に刃先を入れ、できるだけ身を傷つけないように腹骨を切り取る。

九 切り身にする

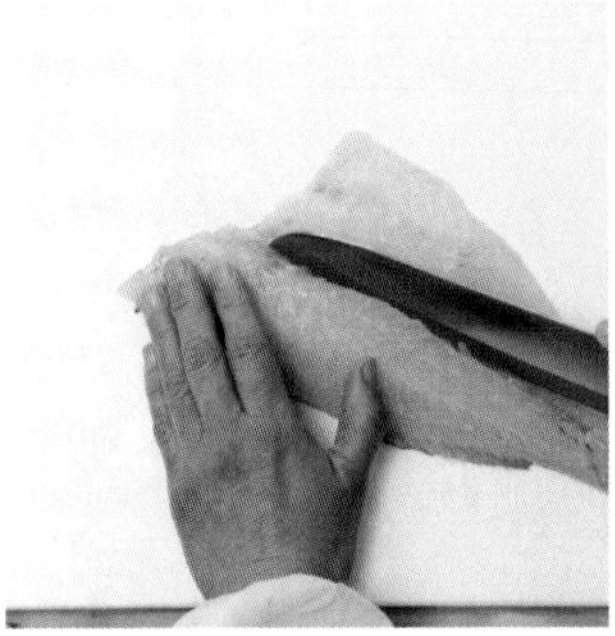

血合い骨(片身の中央に並んでいる骨)の中央部を残して2つに切り、切り身にする。

湯引きのやり方

一 湯引きする

タイは皮がおいしいので、切り身の皮に、縦に切り込みを入れ、80℃くらいのお湯（沸騰させた湯に水を入れて温度を下げる）をかけ、すぐに氷水に取る。

二 水気をふく

水から出し、ペーパータオルなどで水分をよくふき取る。

三 刺身に造る

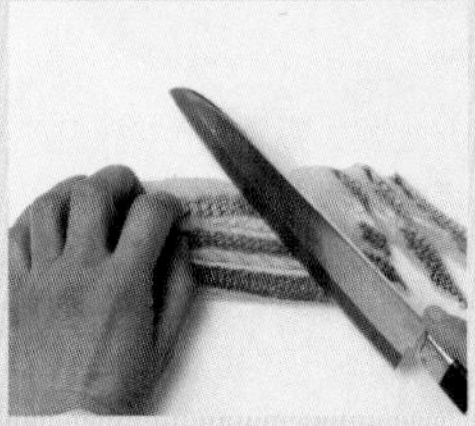

右側から、5㎜程度の厚さに切り、刺身に造る。

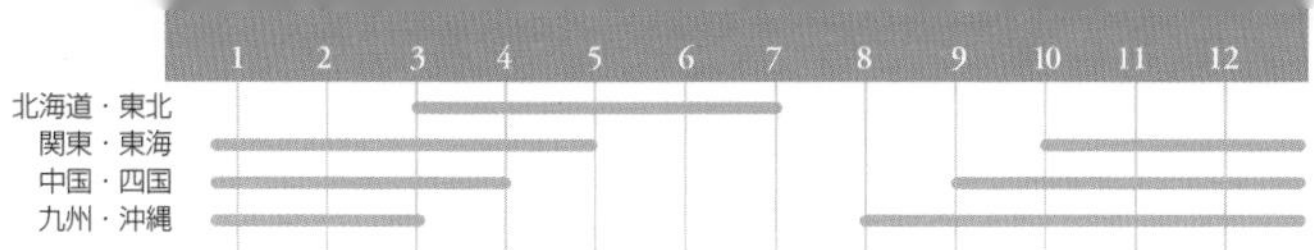

たい 鯛

Red sea-bream

古来大人気の白身の王様

古来おめでたい魚として、また姿の美しさと味のよさから珍重されてきた人気の高い魚です。

その人気にあやかろうと「○○タイ」と名のつく魚もたくさんいますが、じつは正真正銘のタイ科のタイは国内13種しかいません。

なかでもよく食べられているのが、マダイと92ページの5種を合わせた「タイ6種」と呼ばれる魚たちです。

標準和名
マダイ（真鯛）

科　タイ科

生息域
北海道南部以南、東シナ海、台湾にまで生息する。

語源
「マダイ」はタイ類の代表的なものの意。
「タイ」は「タイラウヲ（平魚）」「タヒ（平魚）」の意味。
七福神の恵比寿様が釣るので「目出度い（めでたい）」ことから。

地方名
春に内房荻生（千葉県富津）あたりで行われていた漁が「葛網漁」。ここから「カツラダイ（葛鯛）」の言葉が生まれる。関西では季節によって「サクラダイ（桜鯛）」「ウオジマノタイ」。

「桜鯛」と「紅葉鯛」

旬は春といわれている。ただし産卵後に味が落ちるもののすぐに回復すること、また産卵期も南と北ではかなり異なることから、桜の時期も紅葉の時期もおいしく、いつでもどこかに味のよいものがある。

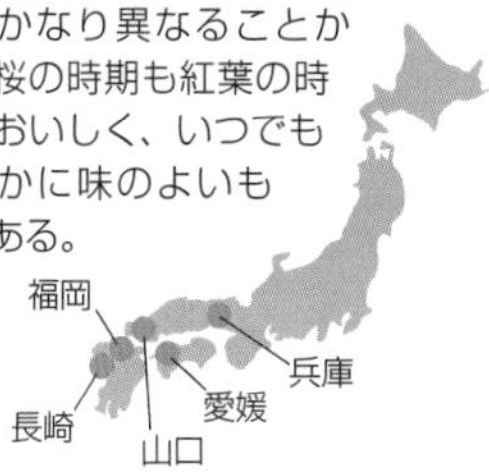

背側が盛り上がる「鯛型」の形状で、赤く、背中などにコバルト色の斑紋が散る

鼻孔（鼻の穴）が２つにくっきり分かれているのが天然。１つにつながっているか、はっきりしないものは養殖

見た目に鮮やかな赤色のものが天然、くすんでいて肥満体のものが養殖

養殖

思うほど高くない

マダイは漁獲方法や、天然か養殖かなどによって値段が大きく異なる。養殖ものは高くなく、サバやイワシより安いこともあるので、どんどん利用しよう。

おいしいサイズは 40 ～50㎝

20年以上生きて体長１mを超えるものもいるが、あまり大きいとまずい。一般に「目の下一尺」などといわれ、40～50㎝ほどのものがいちばんおいしい。

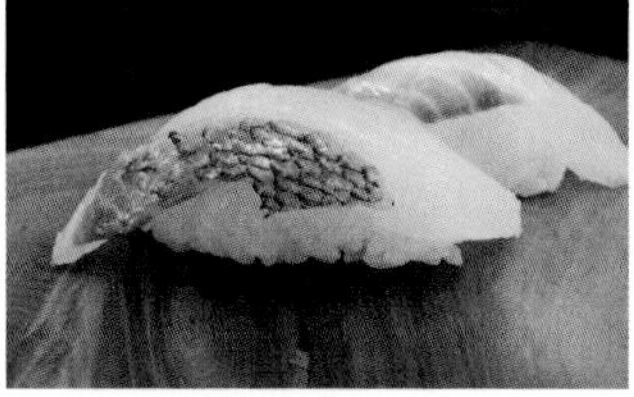

脂ののった養殖ものが人気だが、本当においしいのは天然もの

鯛めし

材料（1人分）

マダイ（刺身）…3切れ
ご飯…小1膳

タレ

［だし汁…1/2カップ
みりん…20cc
しょうゆ…20cc
砂糖…少々］

卵…1個

薬味

［万能ねぎ
（小口切り）
…少々
青じそ…少々
白ごま…少々
きざみのり
…少々］

作り方

1. **タレ**の材料をまぜ合わせ、卵と合わせる。味は好みで加減する。
2. 薄切りにしたマダイを入れる。数分味をなじませて炊きたてのご飯にかけ、**薬味**をのせていただく。

刺身が残ったときなどはぜひ、簡単につくれる鯛茶漬けを。上品な切り身からは予想もできないほどの旨みが出て、とてもおいしいものになる。

鯛茶漬け

材料（1人分）

マダイ（そぎ造りにしたもの）…5切れ
ご飯…小1膳
しょうゆ…80cc
みりん…80cc
熱湯…適量
薬味（万能ねぎ、夏ならみょうがや青じそなど）…適宜
いりごま…少々

作り方

1. マダイはしょうゆ、みりんを合わせたものに漬け込む。時間は気温によって変わるが、目安は1時間ほど。
2. ご飯に1のマダイをのせて熱湯を注ぎ、薬味、いりごまをのせる。熱湯は好みで番茶、煎じ茶などにしてもおいしい。

おめで鯛、ありが鯛

古くから縁起のよい魚とされ、正月料理の中心にあるのがマダイの塩焼きです。結婚式や国技である相撲の優勝祝いにも使われ、日本人の祝いの席の必需品といえます。

平安時代中期成立の『延喜式』にも「鯛」の文字があり、江戸時代には、獲れたタイはいのいちばんに将軍家に献上されました。名物料理も、各地に多数存在します。

おいしいコツ

きれいに姿焼きをつくる

下処理（P 88の「四」まで）をして飾り塩をし、裏に金串を2本刺して直火で焼く。

アラ煮

ほおや目のまわりは刺身にも劣らぬ味わい。しかも安いのでぜひアラ煮に。湯通しして冷水に取り、酒、しょうゆ、砂糖などの甘辛い汁で煮る。

刺身は皮つきで

マダイは皮下に旨みがあるので、皮に熱湯をかけて皮霜造りにするのがおいしい。

血鯛《チダイ》 タイ科

夏から秋に産卵期を迎え、マダイの味が落ちる夏が旬。マダイに次いで値段の高いタイで、マダイよりも水っぽいが、塩焼きやこぶ締めにするとおいしい。

料理

血鯛のマリネ

マダイと比べるとやや水っぽいので、酢締めやマリネにするととてもおいしい。

材料（2人分）

チダイ…1尾
白ワイン、ワインビネガー
　…各大さじ1
こしょう…適宜
ハーブ類（ローズマリーなど）
　…適宜

作り方

1. チダイは三枚におろし、身に塩（分量外）を振って1時間ほどおく。
2. 白ワイン、ワインビネガー、こしょうを合わせておく。
3. **1**を**2**に1時間ほど漬け込む。食べるときにハーブ類を散らす。

若狭焼きなどに

若狭焼きは、うろこをつけたまま塩漬けにし、遠火の強火で焼いたもの。チダイに向く料理法。

マダイとチダイの見分け方

マダイ

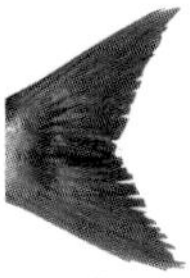

チダイ

チダイは「血鯛」。えらの後縁が、血がにじんだように赤い。マダイはこれほど顕著に赤くない。マダイの尾びれ後縁は黒く縁取られるが、チダイは黒くない。

仲間

黄鯛《キダイ》 タイ科

日本海西部、西日本でたくさん獲れ、よく食べられている。古くは折詰などの塩焼き鯛のほとんどが本種だった。福井県若狭地方の笹漬けもこれ。

平鯛《ヘダイ》 タイ科

旬は秋から春。刺身などの味はときにマダイにひけをとらない。西日本でたくさん獲れる魚だが、最近は関東でもよく見られる。宮崎県では鍋物にも。

黄鰭《キビレ》 タイ科

関東では少なかったが最近増え、市場にはよくクロダイにまじって入ってくる。しかし、主役はこちら。非常に味のよい魚。

黒鯛《クロダイ》 タイ科

漁師さんが船上で1尾丸ごと炊き込む「ちぬ飯」、刺身など、名物料理も多くある。近年は安い養殖ダイが台頭し、あまり売れなくなっている。

鯛になりたい「あやかり鯛」たち

タイの人気に「あやかりたい」と、タイ科ではないのに「タイ」を名乗る魚たちがいます。その数150種を超えるほど。これらは通称「アヤカリタイ」といわれます。

ただ、なかには味も価格もタイ科のタイに負けないものも。また、これらの「○○タイ」は、単に人気を出すためにつけられたのではなく、明らかに平たい形をしていることから「タイ」とつけられたとの説もあります。

的鯛《マトウダイ》 マトウダイ科

フランス料理では「サンピエール（聖なるピエール）」と呼ばれ、ムニエルにすると最高。日本海側では非常に好まれ、刺身に鍋物にと大活躍。スーパーなどに並ばない日はないほど。

石鯛《イシダイ》 イシダイ科

えらの色が赤いこと。さわって硬いもの

磯釣りの王者ともいわれ、エサもサザエやウニを殻ごと、という豪快でぜいたくな魚。マダイより高いこともしばしばだが、その理由も納得できる味。

石垣鯛《イシガキダイ》 イシダイ科

いちばんおいしいのは刺身。薄造りはフグのような食感ながら、フグとは違う旨みがある。冬は小ぶりのものも脂がのり美味。大小で非常に値の開きがあるので、寒い時期の小型魚は狙い目。

仲間

まだまだいる「あやかり鯛」

姫鯛《ヒメダイ》 フエダイ科

旬は春から夏にかけて。小笠原など、東京では古くから高級魚で人気がある。沖縄でも白身魚として有名。夏の刺身はおいしいので、料理店でも人気。

浜鯛《ハマダイ》 フエダイ科

沖縄では高級魚。小笠原、伊豆諸島のある東京でも古くから食べられていた。非常に味がよく、美しい刺身が造れるので、高級料亭などでも使われる。

青鯛《アオダイ》 フエダイ科

伊豆諸島と暖かい太平洋沿岸で獲れる。東京では夏においしい魚として知られる。白身で上品ななかにも旨みがあり、ほどよい食感が楽しめる。

梅色《ウメイロ》 フエダイ科

伊豆諸島、本州太平洋側などの暖かい地域に多い。東京では夏の白身として人気がある。漁師さんなどが「毎日食べても飽きない味」と評す、おいしい魚。

目一鯛《メイチダイ》 フエフキダイ科

魚通が口をそろえ「うまい」と絶賛する魚。刺身は真っ白でおいしそうに見えないが、ひと口食べるとやみつきになる。最近は築地でも高くなっている。

浜笛吹《ハマフエフキ》 フエフキダイ科

沖縄を代表する高級魚。刺身はもちろん、もっとも上質な魚だけでつくられる塩味だけの汁「マース煮」にも。関東、関西でも人気の魚になりつつある。

舞鯛《ブダイ》 ブダイ科

旬は冬。暖かい季節には磯臭いが、寒くなると海藻を食べるため臭みが消える。鍋物や干物で食べられ、おいしい。その容姿から醜鯛（=ブダイ）とも。

雀鯛《スズメダイ》 スズメダイ科

福岡などでは干物が「あぶってかも」の名で名物にもなっていて、とてもおいしい。また、韓国では生をコチュジャン酢やごま油につけて食べる。

たちうお 太刀魚

Largehead hairtail

どんな料理にも合い加熱で旨みもアップ

人気のある魚で、国産だけでは足りず東南アジアなどからも輸入しています。

身質がよく、どんな料理にしても美味で、熱を通すと淡泊な白身が旨みをグンと増すのも特徴です。ミネラルが豊富で、栄養面でも優秀。

美しく輝く銀色の皮には、うろこがありません。皮には旨みが詰まっているので、刺身でおいしいのは銀の皮つきです。

夏に映える美しい銀

温暖化の影響で産卵期は長く、春から秋。旬も産卵期に重なる。市場にはつねに入荷があるが、やや高い。テンジクタチも、タチウオ同様値段は高め。周年美味だが、とくに夏から秋においしい。

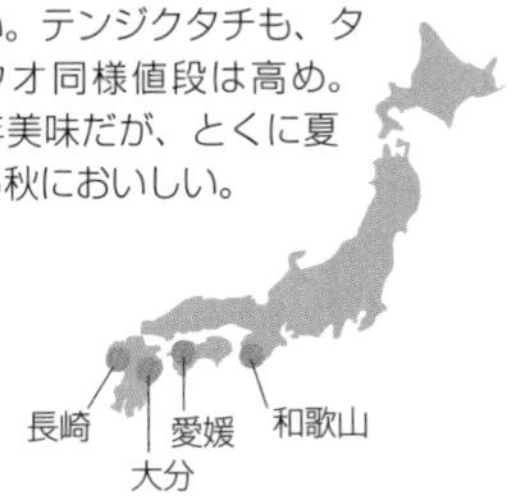

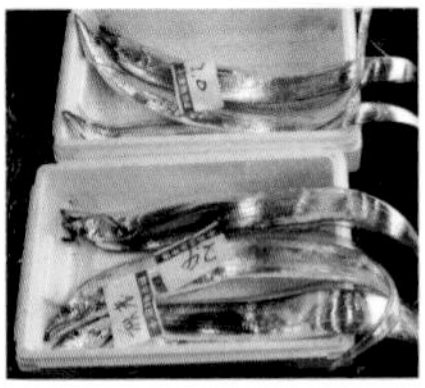

標準和名
タチウオ（立魚）
科　タチウオ科
生息域
北海道南部以南、日本各地。

おいしい食べ方

タチウオはどんな料理にしてもおいしいが、塩焼きを筆頭に、バターとの相性でムニエルが次にくる。素朴に煮つけもなかなかよい。

背びれと目の色合いは透明のものを

語源
太刀のように細長く銀色であるため。鎌倉時代の武将・新田義貞が海に投げた太刀が、魚になったとの伝説がある。立ち泳ぎをする姿からとも。
地方名
カタナ、サアベラ、ハクウオ、ヒラガタナ。

模造パールの原料にも

体表の銀白の色みはグアニンという物質によるもので、古くはガラス玉に塗布して模造真珠をつくるのに使われていたという。

料理

太刀魚の塩焼き

材料（4人分）
タチウオ（切り身）…4切れ
大根…2㎝分
サラダ油…少々
塩…適宜

作り方
1. タチウオはサッと水洗いして水気をふき取り、飾り包丁を入れる。両面に塩を振って20分以上おき、水分をふき取る。
2. オーブンを220℃に予熱して網に薄くサラダ油を塗り、盛りつける側を表にして焼き色がつくまで12～15分焼く。
3. 大根をおろして添える。

仲間

天竺太刀《テンジクタチ》 タチウオ科

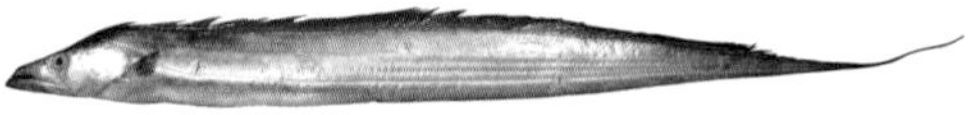

国産で鮮度がよければ、味わいはタチウオに劣らない。いちばんは刺身だが、塩焼きやムニエルなどもおすすめ。

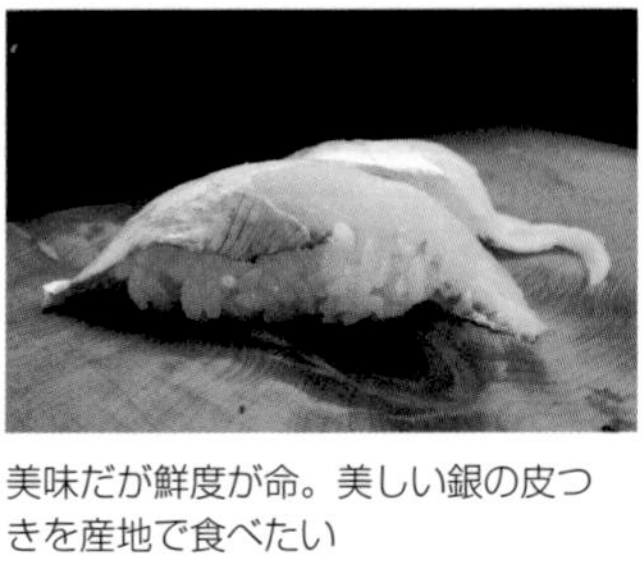

美味だが鮮度が命。美しい銀の皮つきを産地で食べたい

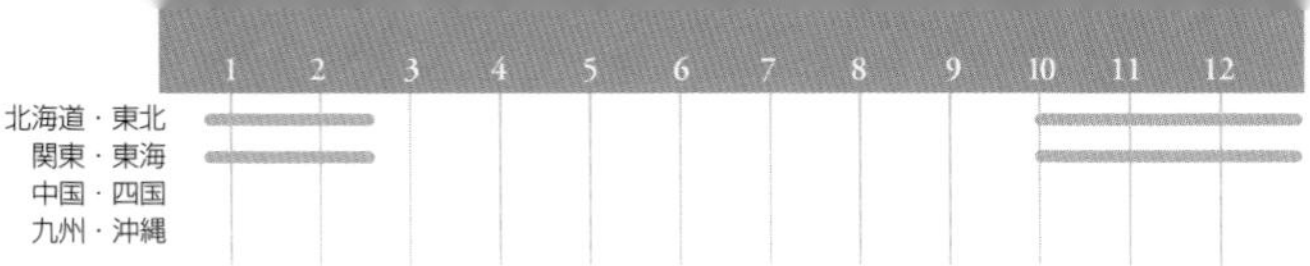

たら

Pacific cod

鱈

世界中で好まれる魚

鍋物の定番ともいえるタラは、フランス、イギリス、スペイン、ポルトガルなどヨーロッパをはじめ世界中で好まれ、たくさん食べられている魚です。アイスランドとイギリスは、タラをめぐって戦争をしたこともあるほど。

タラの身はとても火が通りやすく、くずれやすいのが特徴。鍋物にするときなどは、いただく直前にサッと加熱する程度にしましょう。

鍋物の季節に旬となる

寒くなると入荷が増えてくる。そして厳寒のときに脂がのって白子が太る。なんといっても白子が価格を決めるので、オスのほうが断然値が張る。

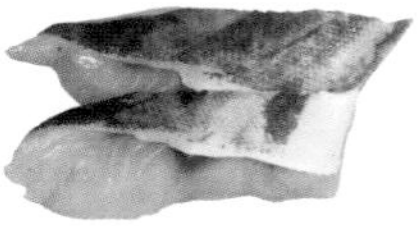

切り身は透明感があり、みずみずしいものを

水分が多くて鮮度が落ちやすい。たとえ値段が高くても鮮度のよいものを

胃袋を塩辛にしたチャンジャ。ごま油、コチュジャンなどと合わせると、ご飯に合う

白子

白子のあるオスが断然おいしい。鮮度のいいオスが手に入ったら、まず白子の有無を確かめよう。国産は生で、輸入ものなら鍋に。

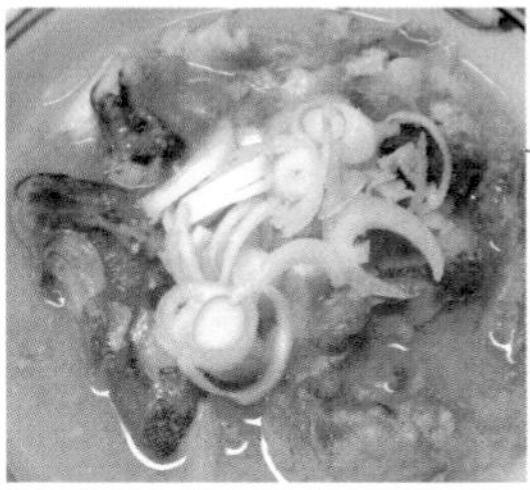

料理

じゃっぱ汁

「じゃっぱ」とはアラのこと。マダラでいちばんおいしいのが、この野性味あふれる、栄養豊富な青森の郷土料理。

材料（4人分）
タラのアラ
（頭、中骨、
内臓など）…1尾分
大根…1/3本
長ねぎ…1本
水…1ℓ
こんぶ…5㎝角
酒…1カップ
田舎みそ…適量
※野菜は好みで

作り方
1. タラのアラは頭を2つ割りにして5～6等分し、中骨も4～5㎝に切る。ほかも食べやすい大きさに切って湯通しし、冷水に取って水分をよくきる。
2. 大根、ねぎも食べやすい大きさに切る。
3. 鍋に水とこんぶ、酒を入れ、大根と1を入れてアクを取りながら煮る。
4. みそを加え、きざんだねぎをのせる。

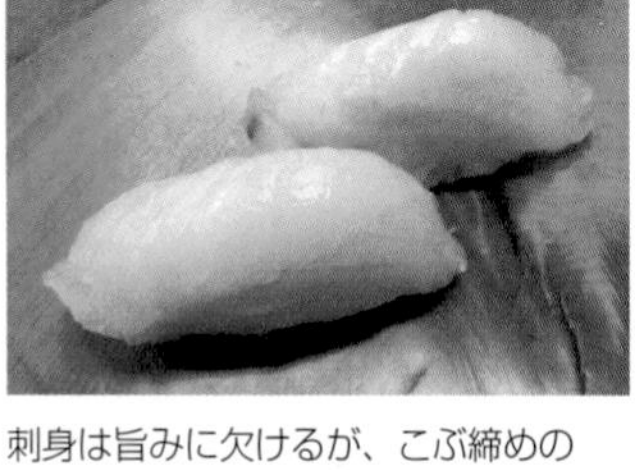

刺身は旨みに欠けるが、こぶ締めの握りはなかなかの味わい

標準和名
マダラ（真鱈）
科　タラ科
生息域
北太平洋、朝鮮半島から北米サンタ・モニカ湾、太平洋側では茨城以北。
語源
漢字の「雪」は、初雪のころから獲れはじめるから。身が雪のように白いため、腹側が真っ白であるためとも。音の基本は「タラ」ではなく、体中に斑（まだら）模様があることから「マダラ」であったとも。
地方名
単に「タラ」と呼ばれることが多い。スケトウダラと区別して「本ダラ」、小型のものを市場では、「ポン」「ポンダラ」などと呼んでいる。ほかにはアカハダ、アラ、イボダラ、コボダラ、スイボオ、マイダラ。またマダラの価値を決める白子を、宮城で「キク」、北海道で「タチ」などという。卵巣は市場では「たらこ」ではなく、スケトウダラのものと区別して「マダラ子」となる。

料理

鱈ちり

材料（4人分）
タラ（切り身）…500g
塩…少々
好みの野菜…適量
豆腐…1丁
こんぶ…10㎝角
酒…2カップ
水…適量

作り方

1. タラは食べやすい大きさに切る。頭などもあるなら、ひと口大に切る。
2. 大きめのボウルに **1** を入れ、塩をまぶす。小一時間おいて水分が出てきたら、熱湯にくぐらせて冷水に取り汚れを落とし、水分をよくきる。野菜、豆腐は食べやすい大きさに切る。
3. 鍋にこんぶと水を入れて、煮立ったらこんぶを取り出し、酒、塩（分量外）を加えて煮立て、**2** を入れて食べる。

※ ポン酢、しょうゆなど、つけるものはなんでもOK

卵が「たらこ」として全国的に普及

　スケトウダラは、鮮魚としてはあまりなじみがありませんが、ちくわやかまぼこなどの練り製品や、たらこ、明太子の原料として、知らず知らず日本人が大量に食べている魚です。たらこはスケトウダラの卵であり、マダラの卵ではありません。

　魚自体の味は、しっとり感や旨みではマダラに劣るものの、みそ汁や鍋物などにするとおいしくなります。

介党鱈《スケトウダラ》 タラ科

古くは値段の安い魚の代名詞だったが、あまり獲れなくなり、近年の脂志向から、切り身魚では非常に高価なものに。

たらこの見分け方

スケトウダラの卵巣が「たらこ」。これを唐辛子などで味つけしたものが「めんたいこ」。よいたらこは皮がピンと張り、粒がプリプリ。悪いものは身がやせている。着色のものでは、色ムラが出ていないほうが新鮮。ただし、着色の赤がきついものは避けたい。

料理

たらこパスタ

材料（2人分）
パスタ（スパゲティ）…200g
たらこ…1腹
バター…大さじ1
塩・こしょう…少々
きざみのり…適量

作り方

1. パスタはたっぷりの湯（分量外）に塩（分量外）を入れてゆでる。ボウルにバターを溶かす。
2. たらこは、皮をむいてほぐし、ボウルのバターに加え、よくまぜる。
3. **1** がゆであがったらボウルに上げてバター、たらこをからめる。
4. 味をみて塩、こしょうで調える。皿に盛り、のりをちらす。

仲間

氷下魚《コマイ》 タラ科

血液中にマイナス温度でも凍らない物質をもつため、この名がある。なんといっても「ヒメダラ」の名の干物が有名。軽くあぶって食べると、お茶漬けや酒のつまみとしてもおいしい。

とびうお

Flyingfish

飛魚

加工品としても飛び回る

鳥のように滑空する姿が印象的なトビウオ。カツオなどの天敵に追われると、尾びれを振って加速し、軽く400mは飛びます。

そのままでもおいしいのですが、ちくわや煮干しなど、加工品としても大活躍しています。

早春の、40cmを超える大型のものは「大とび」と呼ばれ、なかなか美味。価格から考えても高級魚といえます。

標準和名
ハマトビウオ（浜飛魚）
科　トビウオ科
生息域
南日本から東シナ海。
語源
「トビウオ」は翼のような胸びれで海上を滑空することから。「ハマ」は「幅（はば）」を示し、大きいことを表す。トビウオのなかで、もっとも大きいものという意味。
地方名
形から「角トビ」、春に来遊してくるので「春トビ」。ほかにはフルセン。

春を告げる味わい

ハマトビウオは「春とび」といわれ、春の味わい。冬から春に入荷し、出はじめは高価。ホソトビウオ、ツクシトビウオは「夏とび」といわれ夏が旬。こちらは安価である。

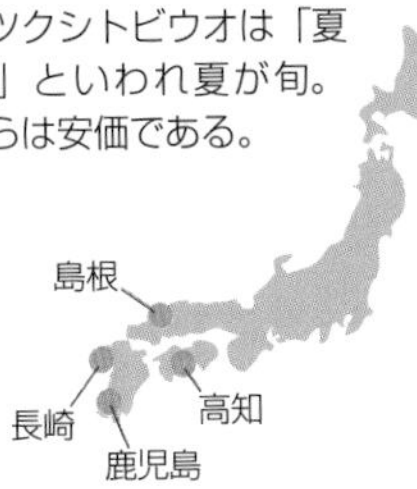

仲間

細飛魚《ホソトビウオ》 トビウオ科

九州や日本海側ではトビウオのことを「アゴ」といい、「アゴ野焼き」という大きなちくわは島根、鳥取の名物。

筑紫飛魚《ツクシトビウオ》 トビウオ科

旬は産卵期と重なり、5月から8月くらいまで。トビウオのなかではもっとも入荷量の多いもので値段は安い。

トビウオは脂が少なく旨みもないが、本種はしっかりと魚の味わいが楽しめる。

血合い部分が赤いものがよい

うろこがきれいについていて、お腹側が光っているもの

あごだし

長崎や島根で夏に獲れるホソトビウオを使ってつくる。長崎では焼いて干し、島根ではゆでて干す。ともに「あご」という。

あごだしの取り方

材料（つくりやすい分量）
水…1ℓ
トビウオ（煮干し）
…6～7尾分
こんぶ…8㎝角前後

1. トビウオは適当に割り、こんぶとともに鍋に入れて水を注ぐ。1時間以上浸けておく。

2. 鍋を火にかけ、ゆっくり温度を上げていく。沸騰直前に火を止め、こす。

血合いが大きいがクセはなく、思いのほか旨みが感じられる

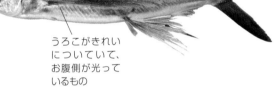

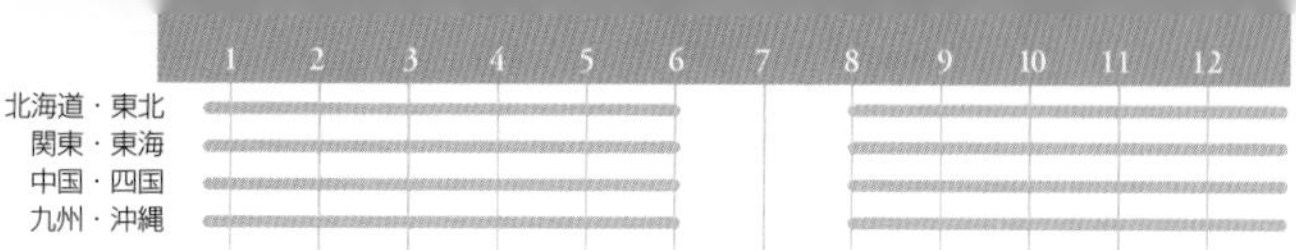

なまず

Catfish

鯰

標準和名
チャー

科 パンガシウス科

生息域
メコン川、チャオプラヤ川。

語源
国内での商品名である「チャー」はベトナムでの呼び名。「ナマ」は「なめらかな」という意味。「ヅ（ズ）」は魚名語尾とされる。ナマズにはさまざまな言い伝えや伝承があり、「地震を予知する」「地震を起こす」の言い伝えは有名。また、明治時代に役人のあいだで流行ったものに鯰髭（なまずひげ）があり、要領を得ないこと、とりとめのないことを「瓢箪鯰（ひょうたんなまず）」といったりする。

地方名
タイで「プラー・サワイ」。

世界の食文化を変える魚

国内では地味な存在ですが、じつはその食用の文化は世界的なもので、各国で養殖もされています。

とくに大規模なのがベトナム、カンボジアで養殖されるチャーという種。クセのない白身で、ナマズを食べる習慣のなかったEUにも輸出されています。

当然日本にも輸入され、白身魚のフライとして市販のお弁当などに使われています。

冷凍フィレで流通

アメリカなどでは魚料理といえばフライかムニエル。材料にはナマズやタラなどがよいが、数が減り不安定。そのためチャーやバサというナマズがベトナムなどから大量輸入されるように。すべて冷凍品なので季節感がない。

きちんと管理された状態で冷凍されている。解凍後は早めに食べること

タイでは重要な食用魚

タイ、カンボジア、ベトナムなど東南アジアでは高級魚。天然ものはおいしいからとたくさん獲りすぎたため、絶滅が危惧されている。

仲間

アメリカナマズ

イクタルルス科

味がいいのでアメリカから移入。山間部などで養殖され、フグのような味わいで「河ふぐ」などと呼ばれる。かたや茨城、千葉ではワカサギを食害して問題に。

鯰《ナマズ》 ナマズ科

かつてかまぼこはナマズでつくられていた。実際、食べると美味。しかし今は細々と食べられているだけで、地震を起こすという伝説のほうが知られている。

料理

フィッシュバーガー

材料（4個分）

ナマズ（冷凍フィレ）…350g
塩・こしょう…少々
パン粉、小麦粉…各適量
卵…1個
揚げ油…適量
レタス…4枚
トマト…1/2個
バンズ（パン）…4個

作り方

1. ナマズは冷蔵庫でゆっくり1日かけて解凍するか、ビニール袋に密閉し、流水で戻す。流水なら30分前後で戻せる。完全に解凍しなくてもよい。
2. ひと切れ80～90gに切り、塩、こしょうを振る。小麦粉をつけて溶き卵にくぐらせ、パン粉をつけて170℃くらいの油に入れる。半解凍なら徐々に温度を上げて、約4分くらい揚げる。
3. レタスは食べやすい大きさにちぎり、トマトは輪切りにする。これを2とともにバンズにはさむ。

フィッシュアンドチップス

チャー：株式会社メイプルフーズ提供

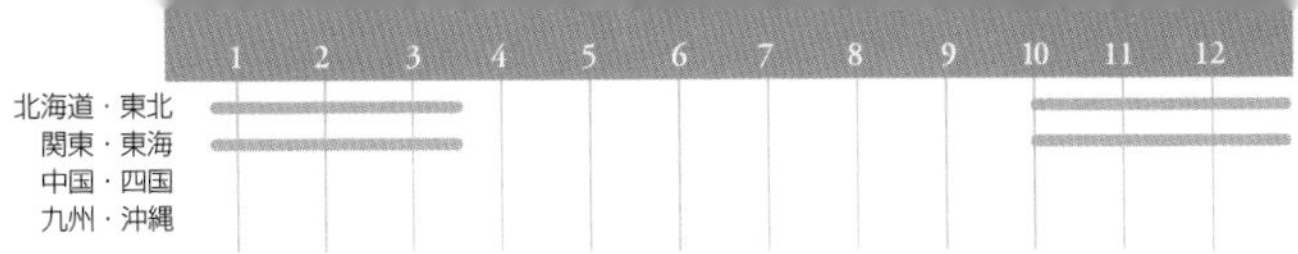

にしん

鯡

Pacific herring

標準和名　ニシン（鰊、春告魚）

科　ニシン科

生息域　犬吠埼（利根川）、島根県以北の日本海。朝鮮半島釜山、ベーリング海。北米大陸ではアメリカのサンチャゴを南限とする。

語源

漢字の「春告魚」は、北海道で春に産卵のために岸にくるものを獲っていたことから。「鰊」は「東の魚」が変化してできた文字。「鯡」の「魚にあらず」と書くのは、江戸時代北海道にあった松前藩の年貢が米の代わりにニシンだったため。音の「ニシン」は「二身」で、獲れたら腹側と背側の二つに身を割り、背側を身欠きニシンにしたため。卵を「数の子」というのは、秋田県でニシンを「かど」といい、「かどの子」が変化したもの。

地方名

秋田県や東北では「カド」「カドイワシ」。

国産はなかなか貴重

今でもスーパーなどには干物が並んでいます。しかし、そのほとんどは外国産。国産のものは高級品となってしまいました。最近は「幻の魚」の看板をはずし、獲れる量も徐々に増えています。昔のようにふんだんに食べられる日も遠くないかもしれません。

ニシンは、数の子、身欠きニシンをはじめ、お正月料理や伝統料理などにも欠かせない魚でもあります。

輸入ものが大半

旬は「春告魚」の文字どおり春。タイセイヨウニシンとともにアメリカ、カナダ、ロシア、中国など輸入ものが圧倒的に多い。鮮魚で出回るものは国産。

子持ちこんぶ

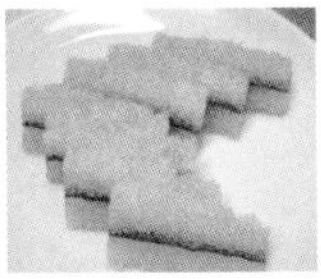

「子持ちこんぶ」はニシンがこんぶに卵を産みつけたもの。近年はアメリカ産のものが多い。こんぶに人工的に付着させたものもある。

料理

にしんのマリネ

北欧などでは街角でも手軽に買える酢漬け。意外に簡単につくれ見栄えもいいので、おもてなし料理にも。

材料（4人分）

ニシン…2尾

塩…適量

A ［白ワインビネガー、白ワイン…各大さじ1
こしょう…少々］

香りづけ用ハーブ（ローズマリー、セージ、ディルなど）、ラディッシュ…各適量

作り方

1. ニシンは三枚におろして塩を振る。1時間ほどおいて、水で軽く洗い、水分をよくふき取っておく。
2. Aを合わせてみじん切りにしたハーブ類を加え、1を漬け込む。

数の子の見分け方

よい

持ってみて塩でしっかり身が締まっているもの。薄皮に張りがあり、透明感があって血管の黒いスジがないもの。

悪い

漂白によって色がとても明るいもの。持ったときにバラバラにくずれてしまうもの。

数の子の食べ方

1. 水に浸けて塩抜きする。水は何回か替える。

2. だしと酒、みりん、しょうゆなどを合わせた漬け汁に入れて、味つけする。

青魚の味の深さや旨み、脂があり、酢飯にぴったり

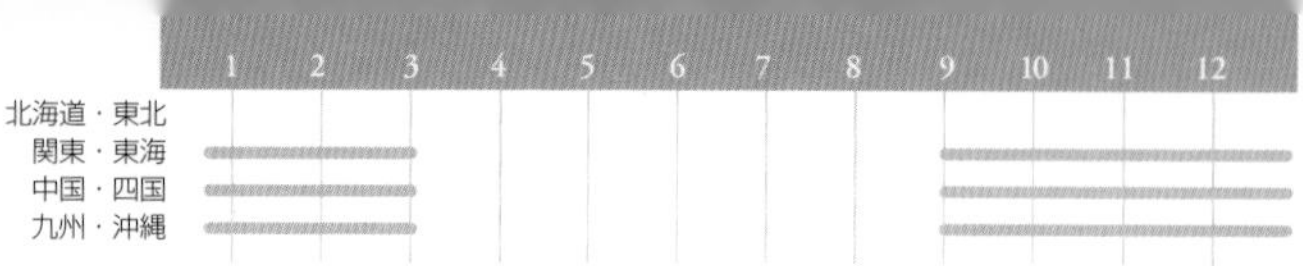

のどぐろ 喉黒

Blackthroat seaperch

標準和名
アカムツ（赤鯥）
科　ホタルジャコ科
生息域
福島・新潟以南、鹿児島。インド洋東部・西太平洋。
語源
「アカムツ」は東京、千葉での呼び名。脂っこい魚で赤い。「ムツ」とは「脂っこい」ことを「むつっこい」「むつこい」「むっちり」「むつごい」というところからきている。すなわち脂っこい魚という意味合い。
地方名
日本海沿岸では「ノドクロ（喉黒）」「ノドグロ（喉黒）」。島根県では小型のものを「メッキン」「メキン」。ほかにはアカウオ、ギョウスン、キンギョ、キンギョウオ、キンメ、ダンジュウロ、メブト。

グルメ番組の主役級高級魚

よく獲れる山陰から日本海での呼び名である「ノドグロ」という名前が、徐々に全国区になりました。

アカムツとも呼ばれていますが、ムツとはまったく違う魚。しかし現在、真のムツよりはるかに人気が高く、超高級魚です。

この爆発的な人気の背景には、テレビのグルメ番組などでよく取り上げられたことがあるかもしれません。

入荷の少ない超高級魚

旬は秋から冬だが、通年水揚げはあり、夏場でも充分に脂ののったおいしいものが楽しめる。産卵期は6月から10月。めずらしくはないものの入荷は少ない。

白身ながら大トロの味わい

旨みも脂も皮下にある。口の中でとろけるようなので、アカムツを「白身のトロ」と評する人もいるが、まさにそのとおり。

新鮮なものはルビーを思わせるかのように赤い

干物界の王様

干物も各地でつくられており、島根県浜田などは名物としているが、これも絶品。干物界でも王様といえる。

料理

赤むつの刺身

鮮度がよければ刺身がすばらしい。皮を引かずに焼き霜造りにしても。

材料（４人分）
アカムツ…１尾

作り方

1. アカムツは三枚におろし、血合い骨を抜く。
2. 薄く刺身に造る。

皮下の脂が甘みを、やわらかな身が旨みを醸し、トロリとのどをすべる

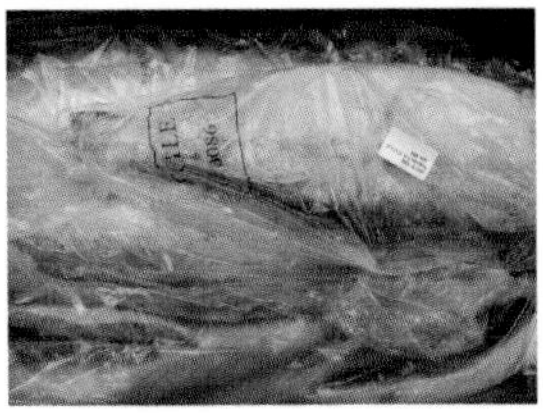

チリから届いたばかりの養殖ギンザケ。サケは養殖ものが大量に輸入されている。

連綿と続いてきた養殖の歴史

日本の養殖の歴史をひも解いてみると、紀元前1世紀ごろの時点で、すでに灌漑《かんがい》用の池などを魚の飼育池としても併用したとの言い伝えが残っています。延暦年間（782〜806年）には、池に蓄えておいた魚を料理に使ったとの記述が見られますが、まだ「養殖」といえる形態ではなかったと思われます。

「養殖」と呼べる形態を取るのは、かなりあとの元和年間（1615〜1624年）のこと。淡水魚のコイの養殖に関する記述が国内最初で、島根県の津和野町などで行われるようになりました。

海産魚の養殖が始まったのは昭和の初頭です。香川県引田町で行われたハマチ（ブリの若魚）の養殖が最初だといわれ、貝類については、延宝年間（1673〜1681年）に瀬戸内海で行われたカキの養殖が最初だとされています。

こうして、人々はそのつど膨大な需要を満たすために、さまざまな養殖法を編み出してきました。

マグロ禁漁への動きが出ている昨今、マグロの大量消費国である日本では、完全養殖クロマグロの養殖用稚魚の出荷に世界で初めて成功し、注目を集めています。

富士川で釣れた天然アユ。
アユは天然と養殖で大きな
違いが出る代表的なもの。

天然もののほうが地球にやさしい

養殖により大量の食料供給が可能になり、私たちは大きな恩恵に浴しているわけですが、そのコストを考えると、養殖というものについても再考してみる必要があります。

ベニザケ、マガレイ、シジミ、甘エビ類、イセエビなどは、じつは天然ものしかないのですが、スーパーなどの表示にはたいてい「天然」とあります。これは、現在でも「天然もの」にこだわる人がいる証拠です。

しかし一方で、天然信仰はくずれつつあり、大量に獲れるのに養殖されているものもあります。その代表がサケで、天然もので充分なのに養殖ものが大量に輸入されています。結局、国産のサケが値下がりし輸出されているような状況です。

ほかにもクロマグロなどは、養殖もののほうがトロの比率が高いため、脂好きの現代人にはむしろ歓迎されている部分もあります。ただし、マグロの味わいが脂の量だけで左右されるとはとても思えません。

それにしても、養殖魚の増大で徐々に天然ものの影が薄くなってきているのは残念です。近年では「天然魚＝高級」という基本的な考えすら、脂志向の影響で崩壊しつつあります。本当にこれでいいのでしょうか。

一尾の魚を生育するために膨大な小魚やエビ、ビタミン類、ときに薬品などを投入し、養殖魚を地球の裏側から航空機で輸送する…。温暖化防止の観点からも、天然ものを嗜好《しこう》するほうがいいのは確かです。

そして、天然ものが自然のなかで再生産できる状況をつくり出すほうが、生物である人間に対しても結果的にやさしいのかもしれません。

煮る

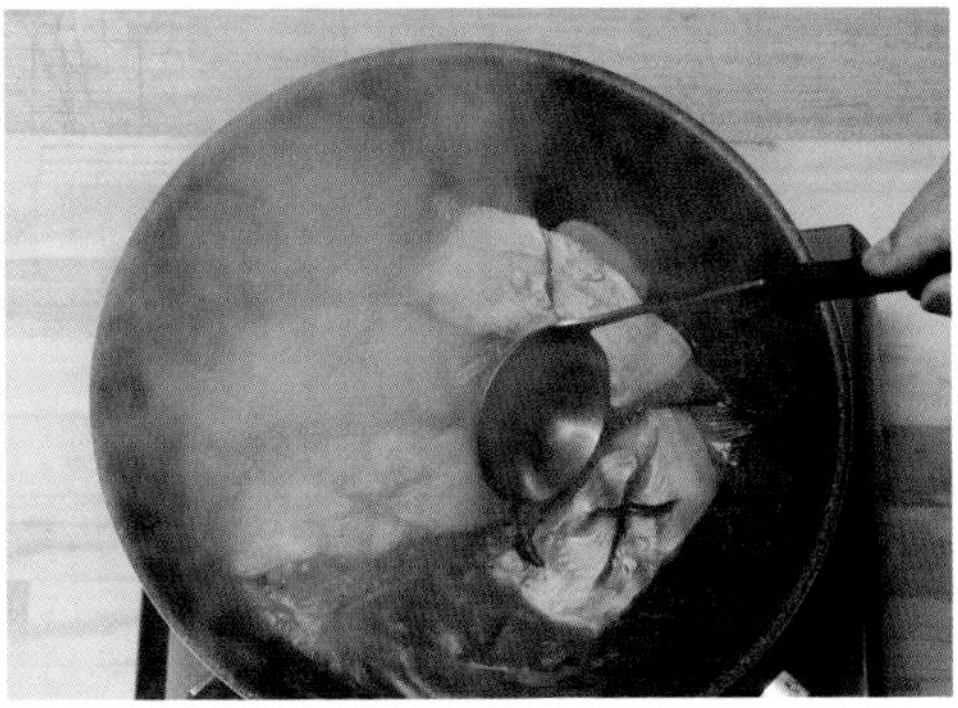

どんな魚にも使える万能調理法

もっとも捨てる部分が出ず、どんな魚にも使えるオールマイティな調理法です。

淡泊な白身魚や脂ののった魚、また青魚など旨みやクセの強い魚にも向いています。塩焼きにすると水っぽいものや、旨みの少ない魚も、煮汁に含まれるアミノ酸や塩分、しょうがの香りなどが欠点を補うため、おいしく食べられるようになります。煮汁に旨みや栄養分がしみ出すので、食べたあとの骨や皮などとともに熱湯を注いでいただくのも、かしこい食べ方です。

まずは湯通しを。これで生臭みが消える。熱すぎると皮が破れるため、80℃くらいのお湯をかけ、すぐ水に取り、残ったうろこ、血液、内臓を取る。

酒には生臭みを抑え、香りや旨みを増幅し、身をやわらかくする効果が。煮はじめから入れるのがポイント。

煮汁をかけて表面を固めたら、アルミホイルなどで落としぶたをして旨みを閉じ込める。沸騰し、ふたが持ちあがってきたら、できあがり。

タイのアラやキンメダイなどは、砂糖、しょうゆが多めの濃い味つけが合う。

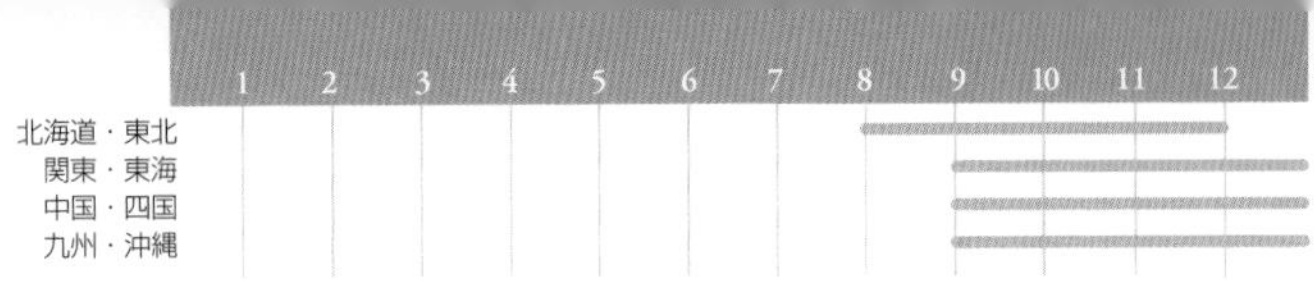

はぜ 鯊

Spiny goby

標準和名
マハゼ（沙魚、蝦虎魚、弾塗魚、破世、沙溝魚）
科　ハゼ科
生息域
北海道から種子島。沿海州、中国、シドニー、カリフォルニア。
語源
ハゼの代表的なもの。「弾塗魚」はよくはねる〈はぜる〉魚の意。
地方名
関東はじめ多くの地域で、単に「ハゼ」。島根県安来などでは「ゴズ」という。その年に生まれた小さいものを「デキハゼ」。岡山県などでは「シロハゼ（白はぜ）」。これは瀬戸内海でウロハゼを「クロハゼ（黒はぜ）」というのに対して使われているようである。ほかにはイーブー、オカンバ、カジカ、カジカギス、キス、グズ、クソハゼ、グンジ、モミハゼ。

江戸前 天ぷらの主役

江戸時代後期に天ぷらが登場して以来の代表的なネタとなっています。隅田川、佃島などには今でも、釣ったハゼをすぐに天ぷらで味わえるハゼ船が健在です。

また焼いて干したものは、各地でお雑煮などのだしに使われています。子どもたちが初めての釣りで出合えるのも、夏のハゼでしょう。

そんな親しみ深いハゼも今では貴重な魚となり、高級品となっています。

旬は大きく育つ秋から冬。秋に旬を迎えたものは「彼岸ハゼ」などといわれ珍重されます。原則的に生きているものが好まれ、死んだものは価値が下がります。

関東では新鮮なものを開いて売っています。

真子《まこ》

寒い時期にだけ楽しめるのが真子（卵巣）。東京湾沿岸ではハゼを天ぷら用に開き、真子は別売りする。サッと煮つけると甘みがあってとてもおいしい。

真子煮

小ぶりのものは唐揚げに

夏などに獲れる「デキハゼ」という小ぶりのものは唐揚げにするのもいい。

仲間

洞鯊《ウロハゼ》 ハゼ科

大型になり、比較的地域が限定される種。夏が旬で、ハゼの天ぷらとされることも多い。

葦登《ヨシノボリ》 ハゼ科

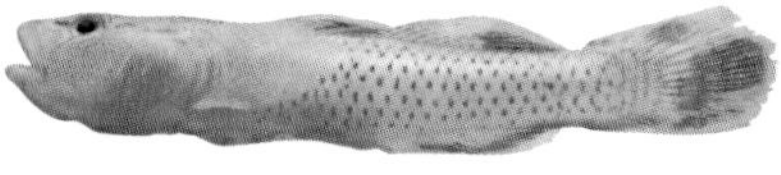

かつては川の小石に間違われるほどいたが、現在ではたいへん貴重な魚に。高知などでは高級魚となっている。

透明感のあるきれいな白身に旨みがたっぷり含まれる

はた 羽太

Grouper, Rock-cod

値段は天井知らず。それでも食べたい

現在、ハタの仲間は超高級魚になっています。とくにクエの値段は不況でも上がり続け、偽装事件が起こるほど。値が高くても、それだけおいしいからでしょう。

そんななか増えてきているのが、国産養殖と台湾からの輸入もの。こちらはちょっと奮発すれば手が届きます。

九州では鍋物は冬の風物詩。晩秋の大祭「唐津くんち」では祭料理の主役となります。

標準和名
クエ（九絵）

科　ハタ科

生息域
南日本。東シナ海、南シナ海、フィリピン。浅い岩礁域。

語源
クエはマハタとともにハタ科を代表する魚。漢字「九絵」は若魚の体に不規則な数条の紋があるため。また『延喜式』には「こいぇり、こやす」の「こや」の転訛で「臥す」の転義。「垢穢（くえ）」で垢がついて汚れていること。

地方名
現在もっとも高値の魚とされているため、地方名などでの混乱が起こっている。とくに九州での「アラ」は同じくハタ科の「アラ」との取り違えを起こしている。「マス」という地域も多い。伊豆諸島では大型のハタを「モロコ」といい、クエもそのひとつ。ほかにはアオナ、イギス、イノミーバイ、オオイオ、キョウモドリ、クエマス、ホングエ、マグエ、モスズ。

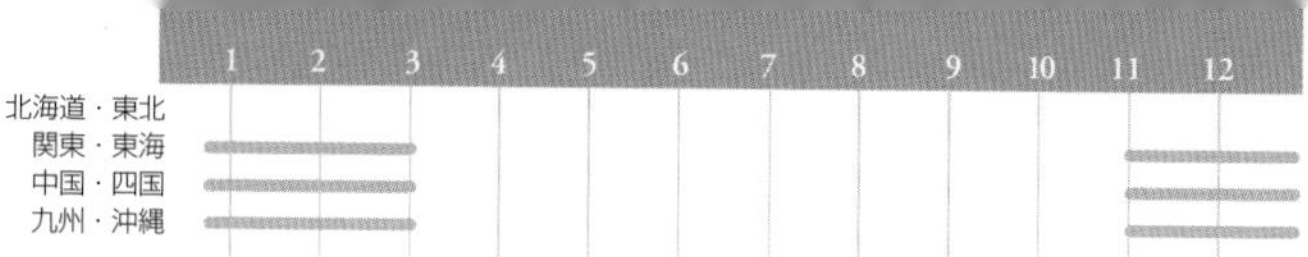

寒い時期の料亭の味

旬は秋から春。入荷は養殖ものが多く、天然ものは少ないが、どちらも高価。とくに活けは非常に高い。一般にはなかなか見る機会がなく、都市部のスーパーなどで売られることはほとんどない。

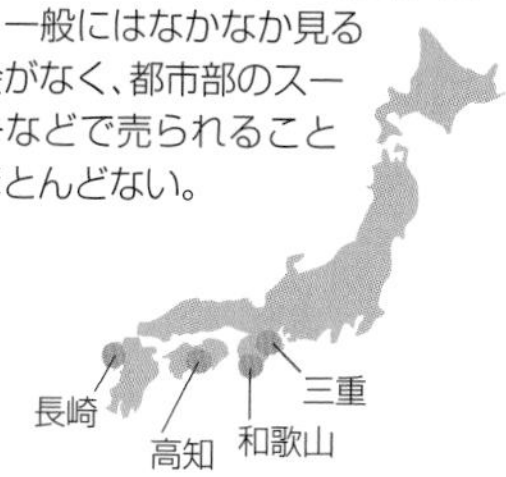

身、胃袋、肝が三種の神器

刺身にするなら肝や胃袋もいっしょにいただきたい。淡泊ななかにも旨みの感じられる身。コリコリして、かむとジワッと甘みがある胃袋。濃厚な旨みと甘みがある肝。3種そろってクエの味わいとなる。

卸売価格で1尾100万円近くなることもある超高級魚。小さいと味が落ち、せめて10kg以上はほしい。大型は究極の美味で、旬は寒い時期。

博多名物アラ

クエの鍋は九州が本場。それがいまや全国区に。白身なのに旨みが強く、熱を通すとギュッと身が締まる。皮のゼラチン質もトロッとしておいしい。

料理

くえ鍋

クエといえば鍋。皮はプルプルのゼラチン質で、頭部に濃厚な旨みがある。身は適度に締まりホクホクとしている。鍋として最上級のもので、満足感のある味わい。

材料（4人分）
クエ（アラ、切り身など）…500g前後
せり、しめじ（好みの野菜類でも）…適宜
水…2ℓ
こんぶ…適量
酒…2カップ
塩…小さじ2（味見して加減）

作り方
1. クエは湯引きする。
2. 水にこんぶを浸けておき、火にかけ沸いてきたら取り出す。酒、塩を入れて煮立て、煮汁をつくる。
3. アラ、切り身、食べやすく切ったせり、しめじを煮ながらいただく。

あっさりしたなかにも旨みがある。超高級寿司ネタ

刺身のあとは「アラ煮」にしても

おいしいだしが出るので、骨や皮、頭などのアラ煮もおすすめ。マハタの皮と皮下はゼラチン質のため、刺身などにしたあとは鍋のほか汁気の多い一品としたい。アラを酒と塩、薄口しょうゆ少々で炊いてもおいしい。ごぼうやうど、かぶなどを加えるとさらに美味。

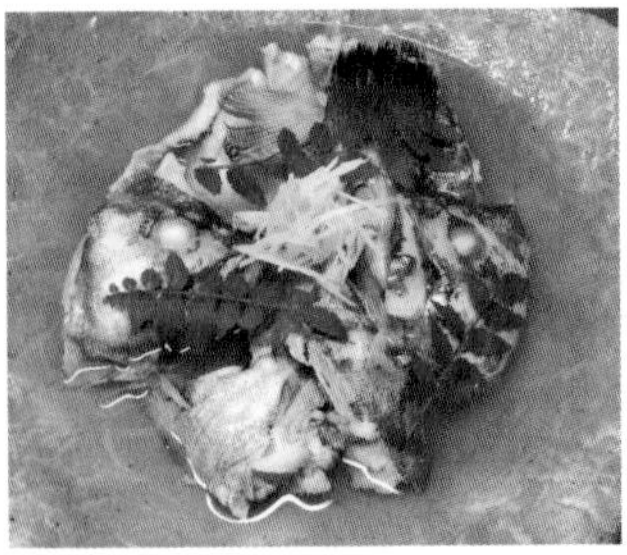

真羽太《マハタ》

ハタ科

目が澄んでいるもの。えらが鮮紅色のもの

「真羽太」と書くハタ科の代表的な魚。クエと人気を二分し、養殖もさかんに行われている。クエよりも安く、味は勝るとも劣らず。

刺身は血合いが美しく、淡泊ながら旨みがある。活けなら小型でも美味

台湾産の養殖ハタも

近年、台湾産の養殖ハタが大量に入ってきています。店で出される「ハタの鍋」などでも、「茶色丸ハタ」と「アズキハタ」という種がよく使われています。なかでも茶色丸ハタが非常に多いのですが、濃厚な味で斑紋に法則があるため、よく見れば区別がつきます。じつは「ハタ」として売られている多くが輸入ものなのです。

蒸しても美味

中華料理の定番が清蒸（チンジュン）。蒸したハタに熱したピーナッツ油をかけ、魚醤ベースのタレでいただく。

仲間

雉子羽太《キジハタ》

ハタ科

旬は春から夏。関西では「冬のフグ、夏のアコウ（キジハタの別名）」といわれるほど。薄造りの刺身は夏の風物詩でもある。

鯇《アラ》 ハタ科

高級魚だが知名度は低い。非常に味がよい、通好みの幻の魚。刺身にして極上。鍋材料としても優れていて、クエにも負けない。焼き物では幽庵焼きがおいしく、粕漬けなどにも向いている。

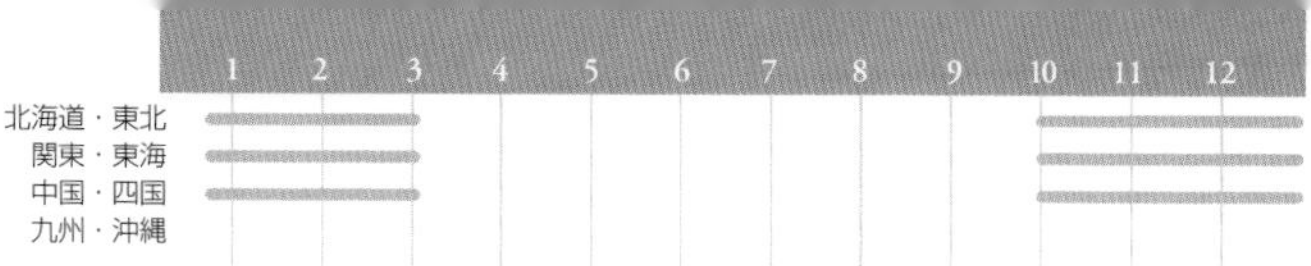

はたはた

Japanese sandfish 鰰

標準和名 ハタハタ（波多波多　斑斑）
科 ハタハタ科
生息域 日本海、北日本。カムチャッカ、アラスカ。
語源
北日本各地での呼び名で雷光の古語〈はたはた神〉からといわれる。海が荒れて雷鳴がとどろくようなときに獲れるから。また波が高いときに産卵のために浅瀬にやってきて獲れることから「波多波多」に由来するとの説も。
地方名
山陰では「シラハタ（白はた）」。「サタケウオ（佐竹魚）」は関ヶ原の戦いのあと、水戸の領主佐竹公が秋田に国替えさせられたが、それからハタハタがよく獲れるようになり、それは常磐のハタハタが佐竹氏を慕って移動してきたため、との俗説から。ほかにはカミナリウオ（雷魚）など。

下ごしらえが楽で極上の味

秋田の人がこよなく愛し、その郷土料理に欠かせません。身は白身ながら旨みがあり、コクのある卵とともに「これぐらいおいしい魚はない」というくらい味のよい魚です。

あまりなじみがないかもしれませんが、味わいが絶品なうえ、近年入荷量も増え、しかも下ごしらえがいらない、と三拍子そろっています。

ぜひ家庭でも積極的に活用しましょう。

卵のある秋がベスト

ぶりこ（卵）をもちはじめる10月中ごろからが旬。おもに秋から初夏にかけて入荷し、冬は高価だが、そのほかの季節は安い。輸入はしておらず、近年国産ものがたくさん獲れて、入荷量が増えている。

ハタハタの価値を決めるぶりこ

晩秋から冬にかけて浅場に産卵にくるハタハタのお腹には大きな卵巣が入っている。これを秋田では「ぶりこ」と呼ぶ。未成熟のものが旨みが強くおいしい。成熟すると独特のプチプチした食感が楽しめる。

三五八《さごはち》漬け

おもに東北に見られる漬け物の一種で、塩と麹と蒸し米を3対5対8で合わせたもの。時間がたつほど発酵が進み、味がまろやかに。身も美味だが、ぶりこのプチプチ感がすばらしい。

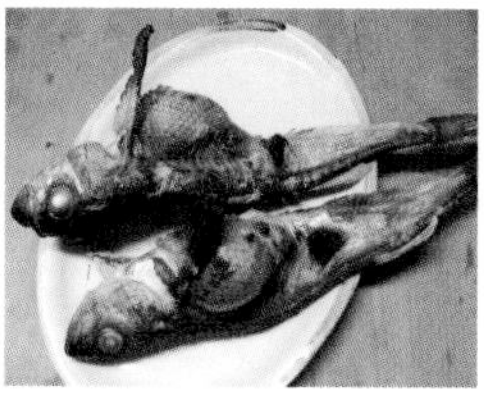

料理

簡単、絶品しょっつる鍋

塩汁（しょっつる）とはハタハタの魚醤のこと。これを鍋の調味料として使うと、すばらしい味わいに。

材料（4人分）
ハタハタ…大8尾前後
こんぶだし…2ℓ（鍋に水、こんぶ10㎝角を入れて沸いてきたら取り出す）
しょっつる…適量
酒…90cc（好みで）
野菜（白菜など好みで）…適量

作り方
1. ハタハタはうろこがないので、軽く水洗いする。内臓もそのままでいい。野菜は洗い、適当な大きさに切っておく。
2. 鍋にこんぶだしを入れ、しょっつるを好みの味になるように加減しながら加える。少し物足りないくらいでいい。しょっつるの香りが気になるなら、適宜酒を入れても。
3. 鍋が煮立ってきたらハタハタをそのまま入れ、好みの煮加減で汁とともにすくい上げ、皿の中で汁にからめながらいただく。

生でなく酢締めで。皮下に甘みと旨みが凝縮

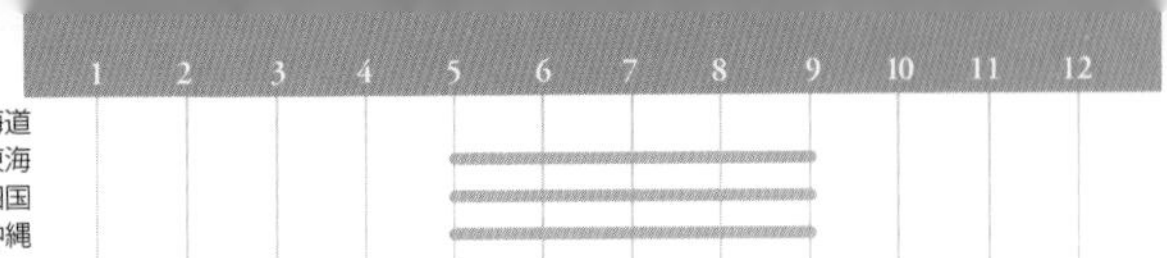

はも
鱧
Conger-pike

関西では日常的な魚

関東では料理屋さんで食べるものですが、関西では大阪湾で獲れることもあり、家庭でもすき焼き風に食べられています。

脂ののった梅雨どきには、淡雪のような食感と、淡泊ながら旨みと脂分の後味のある、豊かな風味が楽しめます。

小骨がたくさんあるので、皮一枚残してミリ単位の幅で切り込みを入れる「骨切り」が必要です。

標準和名
ハモ
科　ハモ科
生息域
福島以南。東シナ海、黄海、インド洋、西太平洋。
語源
漢字は当て字だと思われる。鋭い歯をもち、人に向かってくる。すなわち「はむ（食む）」「はむ（咬む）」から。漢字で「歯魚（はも）」とも。古名は「はむ（波無）」。

梅雨から7月ごろが旬

旬は暖かくなってからで、抱卵魚が目立つようになる8月、9月まで。いちばんおいしいのは梅雨入りから7月ごろで、メスが美味。国産の近海ものは値段が高いが、韓国産や中国産は安い。

祭りハモ

京都の祇園祭は7月いっぱいだが、この間はずっと旬。ここから「祭りハモ」の別名がある。もともと京都で名物になったのは、紀伊水道で獲れたハモを京都に運んでも、その生命力で生きていたからである。

骨切り

ハモは骨が多く、さばくのが非常に困難な魚。骨切り（ハモ切りとも）といって小骨に包丁を細かく入れていく。

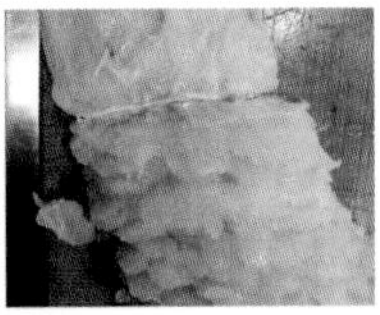

身が薄いべっこう色で透き通った感じのものを

はもざくざく

大阪などではハモの皮が売られており、これを細くきざんだものと、きゅうりもみとを合わせる。近畿地方の半夏生（はんげしょう／初夏の雑節）の味わい。

地方名
味の劣るオスのことを「アオハモ（青はも）」。市場では「ホンハモ（本はも）」。ほかにはウド、ウニハモ、ウミウナギ（海鰻）、ギイギイ、ゴンギリ、ジャハム、タツバモ、トウヘイ、バッタモ、ハブ、ハム。

料理

玉ねぎと相性抜群！

大阪では「泉州の玉ねぎが出るとハモも出る」といわれるほど相性がよく、「魚すき」で食べられる。ハモと玉ねぎ、焼き豆腐などを甘みのあるだしで炊き、卵と合わせて食べる。

はもちり梅肉のせ

材料（2人分）
ハモ…1尾
梅干し…10個
煮切り酒…大さじ1
砂糖…30g
（甘みは好みで加減）

作り方
1. 梅干しはつぶしてすり鉢でする。煮切り酒、砂糖を加えてなめらかになるまでする。
2. ハモは三枚におろして骨切りする。
3. 2を80℃くらいのお湯に落として氷水に移し、ザルに上げていく。
4. ガラス鉢などに3を盛り、1をのせて、できあがり。

関西などでは焼きハモを箱寿司にする。やや甘めの酢飯が合う

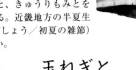

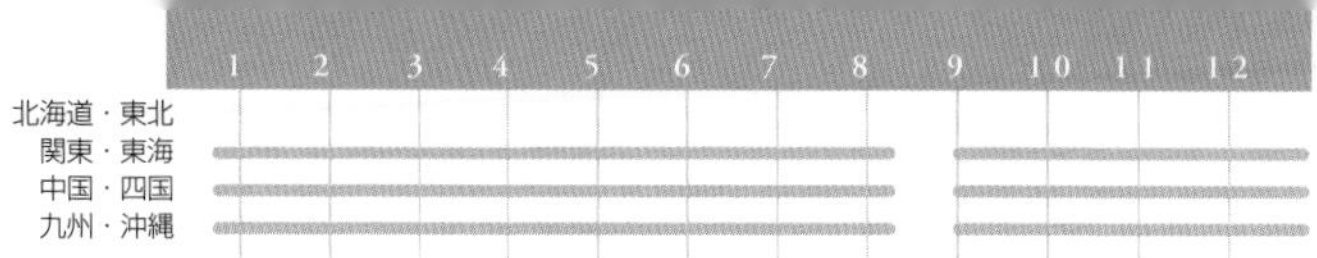

ひいらぎ

Soapy

鮗

知られざる絶品の味

ヒイラギはとても味のよい魚ですが、知名度はありません。これは、あまり専門に漁獲されていなかったり、小魚であったりすることが原因。島根県では味のよさから高級魚です。

その昔、作家の檀一雄が著書『美味放浪記』のなかで干物「にろぎ」の味をほめたことから一躍、全国区になりました。オキヒイラギもこの仲間で、ともに「にろぎ」です。

西日本をメインに流通

初冬から初春にかけてが旬で、脂ののりもよくなる。産卵期は夏。食用として流通するのは産地周辺だけで、一般に流通することはほとんどない。

標準和名
ヒイラギ

科　ヒイラギ科

生息域
琉球列島を除く南日本。台湾、中国沿岸。

語源
「ヒイラギ」は長崎の呼び名で木の柊（ひいらぎ）の葉に似てトゲがあるため。「ひひらく」という古語からきていて、この魚のトゲが鋭く、手に刺さると痛むため「ひりひり痛む」の意味。

地方名
江戸時代に著された『和漢三才図会』には「仁良岐」で、和歌山、愛媛での「ニイラギ」、高知での「ニロギ」と似通っている。島根では榎（えのき）の葉に似ているので「エノハ」。また骨が硬いので「ネコゴロシ」「ネコナカセ」「ネコクワズ」。大量の粘液を出すので「ヨダレ」。ほかにはギギ、ギンタナゴ、ゼンメ、ゴロマイ、シンフタ。

光る

食道付近に発光器があり、腹部が光る。

体は平たく、全体に銀白色。口は折り畳まれていて伸ばすと長くなる

表面にぬめりがあるものほど新鮮

煮つけ、干物はトップクラス

小魚ながらおいしく、刺身に煮つけにと活用される。なかでも煮つけと干物は最高級の味わいである。

抜群に酒に合う「にろぎ」

「にろぎ」は高知での呼び名。大酒飲みの多い土佐には「にろぎで酒は飲んだらいかんぜよ」の言葉がある。ただでさえ大酒なのに、にろぎがあると酒量が格段に増えるからだ。それほど酒に合う魚。

仲間

沖鮗《オキヒイラギ》 ヒイラギ科

オキヒイラギの干物「にろぎ」。山口では「平太郎」と呼ばれ、たいへんおいしい

脂、独特の風味と甘み、食感が酢飯にマッチ

ひらめ　鮃

Japanese flounder

標準和名
ヒラメ（平目　平魚）
科　ヒラメ科
生息域
千島列島以南から南シナ海。
語源
「ヒラ」は平たい、「メ」は魚名語尾。
地方名
関東では小型のものを「ソゲ」。やや大きくなって体長 50 ～ 60㎝のものを「大ソゲ」、それ以上を「ヒラメ」という。またガンゾウビラメなど同じように目が左についている魚と区別するため「本ビラメ」などとも。古くはカレイの大きくなるもので「オオガレイ」、もしくは左に目のあるカレイとの意味で「ヒダリガレイ」、口の大きいカレイとの意味で「オオグチガレイ」などとも呼ばれた。

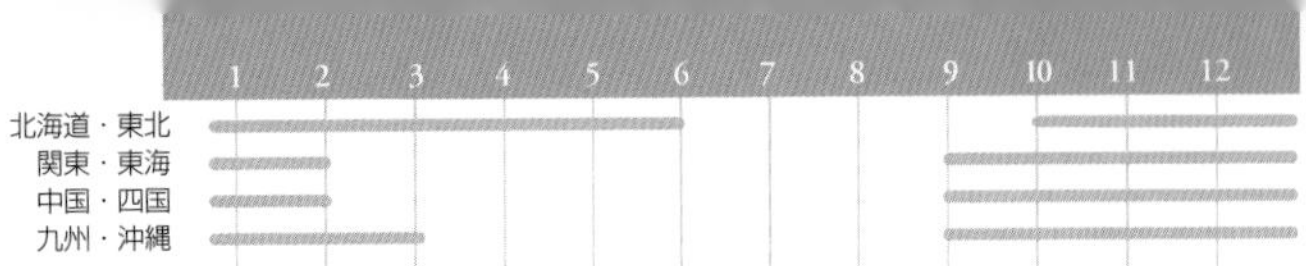

日本を代表する古来の高級魚

いうまでもなく、白身の刺身ではトップに君臨する魚です。その透き通った身の美しさは比類がなく、「タイやヒラメの舞い踊り」などと、日本を代表する高級魚として、古くからもてはやされてきました。

現在では天然ものが減り、養殖が主流です。ただ、ヒラメは天然と養殖の差があまりなく、年々味がよくなっています。

流通は養殖ものが中心

旬は秋から冬。天然ものは寒い時期に大型が、春から秋にかけて小型が入荷するが、量は少なく、年間を通して非常に高い。また中国などからの輸入ものもある。

目が移動する

はじめは普通の魚のようだが、成長にともない右目が上に移動。体長 13 ～ 14㎝ほどで完全に右目が左側に移動する。これはヒラメが海底にすみ、両目が表面に出ていたほうが有利なため起こった「変化」である。

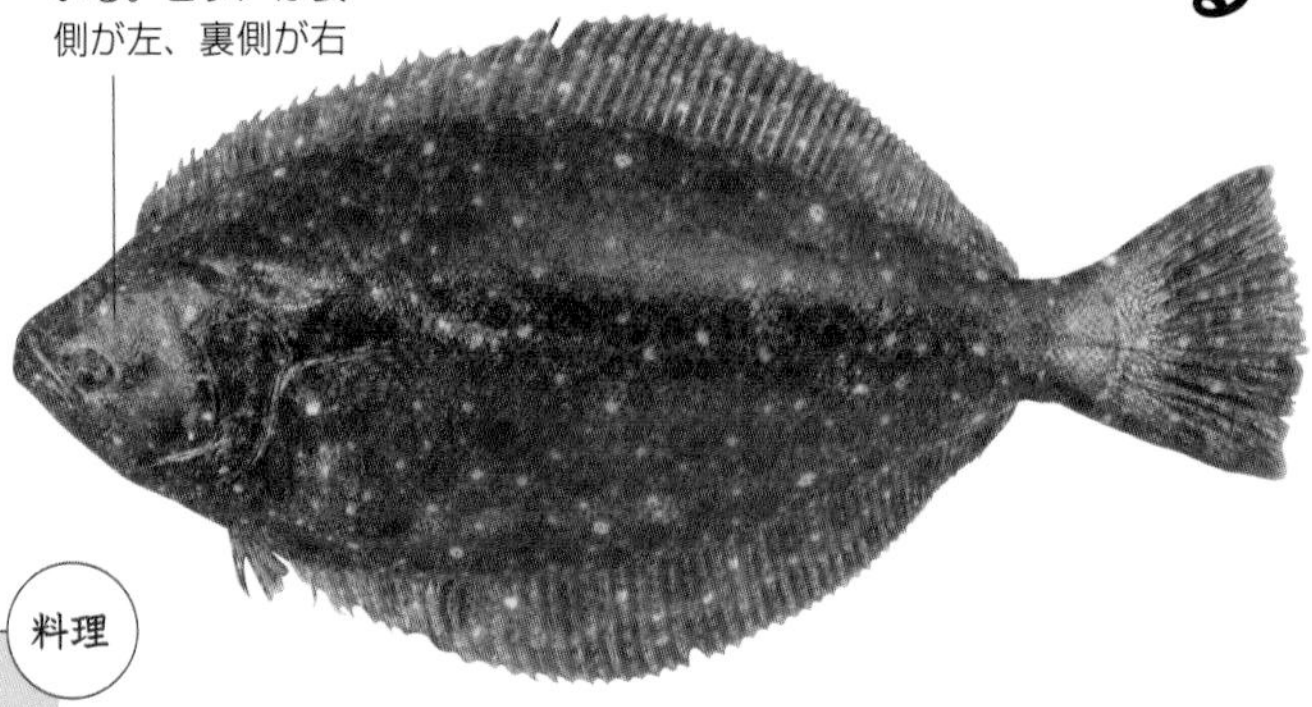
目は左側についている。ヒラメは表側が左、裏側が右

養殖ものの裏面は黒い

養殖もの、もしくは生産して放流したものには、本来白いはずの裏側に高い確率で黒い腫瘍（パピローム）ができる。食べても害はないが、養殖と天然を見分ける決め手にも。

料理

ひらめのムニエル

材料（4 人分）
ヒラメ（切り身）…4 切れ
塩、こしょう、小麦粉…各適量
バター…大さじ 4
にんにく…1 かけ
レモン…1/4 個

作り方

1. ヒラメは塩、こしょうを振ってしばらくおき、小麦粉をまぶす。
2. フライパンにバター半量を溶かし、つぶしたにんにくを入れて弱火で香りを出す。ここに 1 を入れこんがり焼き、皿に盛りつける。
3. 2 のフライパンに残りのバターを加え、デグラッセ（調理後のフライパンの底にできた焼き汁を溶きのばすこと）してレモンをしぼり入れ、2 にかける。

白身魚の刺身では最上とされ、もちろん味も最上級。なかでもひれを動かす筋肉、エンガワは食通もうなる味わい

かみしめると浮き上がる甘みと脂が絶品。言葉を失うほどのおいしさ

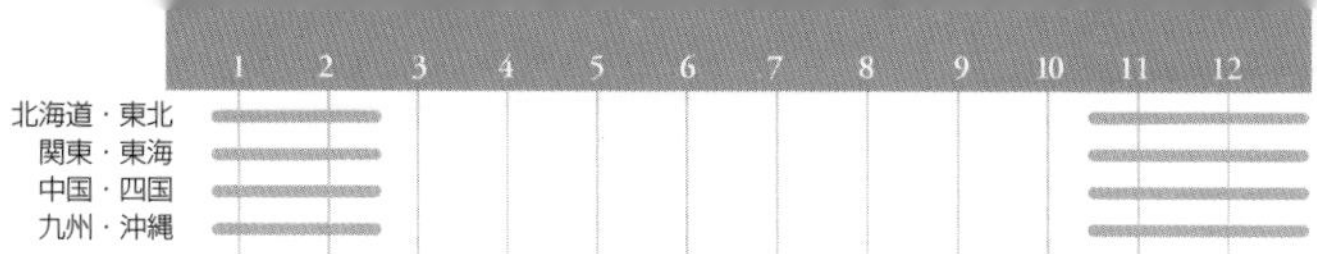

ふぐ 河豚

Globefish

標準和名
トラフグ（虎河豚）
科　フグ科
生息域
北海道から種子島。沿海州、中国、シドニー、カリフォルニア。
語源
虎のような文様があるわけでもなく、不明。
地方名
山口県下関ほか、「フグ」は「不具」に通じるとして「フク（福）」と呼ぶ地方も多い。大阪で「テッポウ（テッポー）」というのはあたると死ぬからきたシャレ。毒にあたって死ぬとの意味合いでは「キタマクラ（北枕）」というのもある。もっと怖いのは「ガンバ（棺桶）」。実際はめったに毒にあたらないので「トミ（富）」。これは江戸時代の宝くじである「富籤（とみくじ）」のこと。天然もので特上のトラフグを「シロ（白）」とも。ほかにはイガフグ、オオフグ、オオブク、オヤマフグ、クマサカ、クロモンフグ、ゲンカイフグ、ソコフグ、ダイマル、ドジラフグフクト、ホンフグ、マグロ、マフグ、モンツキ。

フグの主役はトラフグ

秋の風物詩、下関市南風泊《はえどまり》港のフグの初セリに並ぶのは、すべてトラフグです。

ご祝儀相場とはいえ、1尾が数万円するのはあたりまえで、10万円なんてことも。その値段に見合うほど、刺身や鍋物がおいしいのも事実です。

フグの魅力は、淡泊ななかに強い旨みがあること。熟成させたほうがおいしい魚のひとつで、活魚では真価を味わえません。

鍋シーズンが最高

旬は産卵前の冬。身に旨みが満ち、もっとも珍重する白子が大きくなる。味がよくなる時期が鍋シーズンと重なる。近年では天然ものが減り、流通の主力が養殖ものへと移っている。

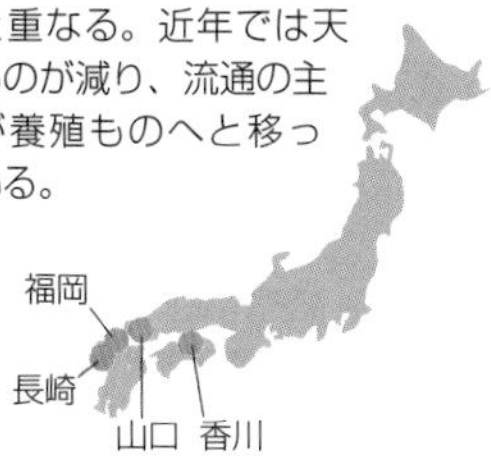

一般には、毒を取り除いた「身欠き」を買う。身がやや飴色でふっくらしているものを

料理

ふぐちり

一般には丸のままでは売られていないので、身欠きを買おう。おもに鍋物や刺身でいただく。フグちりはとても単純で手間いらずな料理。

白子

クリームのようななめらかな食感に、旨みと上品な甘みがあって絶品。

材料（4人分）
フグ（鍋用）…500g
葉ねぎ（万能ねぎなど）、白菜、大根、水菜…各適量
唐辛子（好みで）…適宜
水…鍋に7分目くらい
こんぶ…5㎝角
日本酒…水に対して2割前後
塩…小さじ2
万能ねぎ…適量（小口切り）
大根…適量（おろす）
ポン酢…適量

作り方
1. 土鍋に水を張り、こんぶを沈めておく。小一時間たったら火にかけ、沸騰しそうになったらこんぶを取り出して酒、塩を入れる。
2. フグは熱湯を回しかけて水に取り、汚れや血液などを洗い流す。水分をよくふき取っておく。
3. 1にフグを入れて煮ながらいただく。合間に野菜を投入。ねぎ、大根おろし（もみじおろしにしても）とともにポン酢でいただく。

冬のネタ。大根おろしとポン酢で食べよう

鍋に唐揚げに、と一夜干しは大活躍！

一般家庭からは縁遠く思われがちなフグだが、スーパーでもおなじみの一夜干しを使うと身近なものに。干物だが焼くだけでなく、唐揚げ、鍋物などいろいろ使えて便利。唐揚げなら軽く酒にくぐらせ、小麦粉または片栗粉をまぶして揚げるだけ。鍋なら季節の野菜を合わせよう。

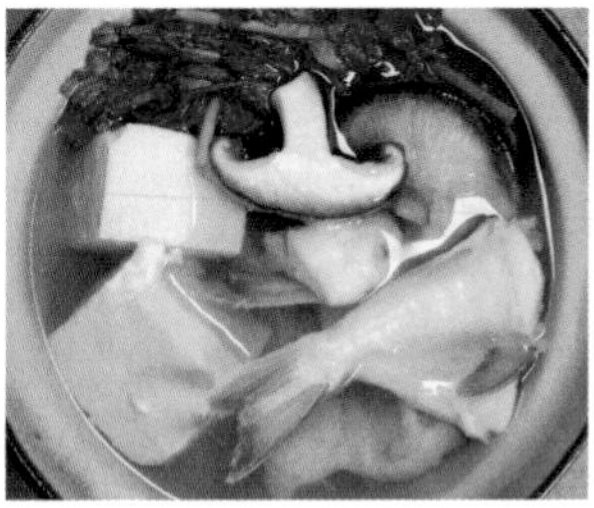

しょうゆ風味焼きふぐ

材料（2人分）

マフグ（身欠き）…2尾

漬け汁

［しょうゆ…大さじ2
みりん…大さじ1
ゆず果汁…小さじ2
万能ねぎ、七味唐辛子…各適量］

作り方

1. フグはひと口大に切る。
2. **漬け汁**の材料を合わせ、**1**を30分前後漬け込んでから炭火で焼く。フッ素加工のフライパンやグリルで焼いてもいい。

すだちしょうゆ漬け

材料（4人分）

マフグ（身欠き）…2尾
すだち…5個
長ねぎ、きゅうり、みょうが…各適量
しょうゆ…適量

作り方

1. フグは塩水で洗い、汚れと内臓を取る。ふきんかペーパータオルにくるんで寝かせる。
2. 三枚におろしたら熱湯に落とし、表面が白くなったら冷水に取って霜降りに。
3. よく水分をきって、しぼったすだち、しょうゆに**2**を漬け込む。野菜を千切りにして、いっしょに皿に盛る。

白鯖河豚《シロサバフグ》 フグ科

無毒とされ、もっとも安いフグ。西日本では鍋や刺身にして喜ばれていたが、近縁種に身にも猛毒のあるドクサバフグがおり、似ているので問題になっている。

毒鯖河豚《ドクサバフグ》

無毒のサバフグ類に似ていながら、身にも猛毒がある。中国、東南アジアからの水産物輸入が増えて大問題に。また温暖化のためか本州でも見つかっている。

真河豚《マフグ》 フグ科

トラフグには劣るがとても味のいいフグ。鍋物や刺身にしておいしく、そのうえ値段が安いのもうれしいところ。干物や冷凍の唐揚げなどにも使われている。

箱河豚《ハコフグ》 フグ科

食べて無毒だが、体表からパクトキシンという毒を出し、ほかの魚などと同じ水槽に入れると大変。長崎県五島列島など名物にする地域も多く、おいしい。

※フグは、必ずフグ調理師のいる店のものか、処理済みの市販品を購入すること

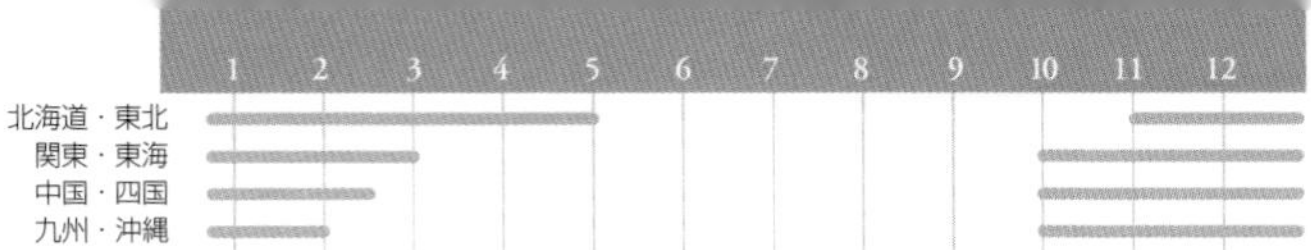

ぶり

Japanese amberjack
鰤

日本人の生活文化に深く根づいている魚

ブリは古くから年取り魚などとして伝統行事に使われてきましたが、今日でも非常によく食べられており、日本人の生活に深く浸透している魚です。

ブリの仲間はブリ、カンパチ、ヒラマサの「ブリ3種」です。ブリが冬に旬を迎えるのに対し、カンパチとヒラマサは夏の魚です。大型のブリは、北陸産などではときに非常に高値となります。

標準和名
ブリ
科　アジ科
生息域
琉球列島を除く日本各地。朝鮮半島。
語源
『大言海』にあぶらの転訛であり、脂肪の多いことから〈あぶら〉→〈ぶら〉→〈ぶり〉となったとある。

江戸時代の『日本山海名産図絵』に「老魚の意をもって“年経（へ）りたるを”“老（ふ）り”により『ふり』の魚という。濁音にいいならわしたり」とある。ほかには身が赤くて“ブリブリ”しているため。雪の降るころによく獲れて、味もよいので「降りの魚」の意。丸くて大きな頭の意で「丸」を〈つぶり〉といい、その〈つ〉を省いたもの。
地方名
P115 参照。

寒い時期が旬

ブリの産卵期は南ほど早く2月から7月で、旬は冬。養殖ものは年間を通じて入荷量が多く、安定した価格を維持している。天然ものも少なくはない。若魚などは非常に安い。

栄養価

たんぱく質、脂質に富む。脂質には血栓性疾患を防ぐEPAや脳細胞を活性化するDHAが含まれる。また、ビタミンB_1、B_2が魚類中では多い。

身がふっくらしていて張りのあるもの。えらが鮮紅色であるもの

天然刺身
余分な脂がついていないため、赤っぽい

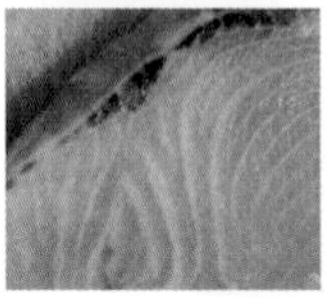

養殖刺身
脂がたっぷりなので白っぽくテカテカしている

ブリとヒラマサの見分け方

ブリとヒラマサの外見は非常に似ている。右記のほかにもヒラマサのほうが体が平たく、縦縞の黄色が鮮やか。旬も違う。

ブリの上あごは角張っている

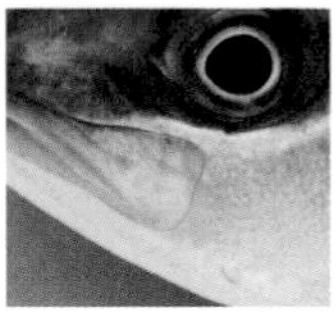

ヒラマサの上あごは丸くなっている

脂の多いものはこんぶだしでしゃぶしゃぶに

脂がのっていると、刺身はときにくどいことも。その場合はやや薄めに切り、こんぶだしのなかでしゃぶしゃぶにすると、さっぱりとして刺身よりも食べやすい。

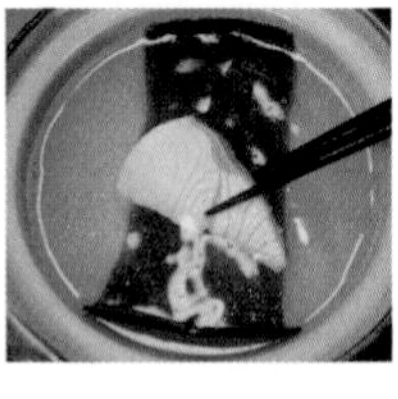

体長60㎝級のガンドで。適度な甘みを含んだ、ブリ本来の旨みがある

小型のものはセビーチェに

セビーチェは、魚をかんきつ類と塩で味つけし、野菜とともに生食する中南米の料理。旨みや脂が少ない場合は、オイルやスパイスで補おう。

年取り魚、正月魚として

年取り魚は糸魚川静岡構造線（地層の大断層線）の東西で分かれるとされ、西はブリ、東はサケ。石川県の加賀前田家では、初代前田利家の時代（1500年代末）から年取り魚としてお歳暮にブリを贈る習慣があった。現在でも娘が結婚すると、その年は嫁ぎ先と仲人に大きなブリをそれぞれ1尾ずつ贈るならわしがある。嫁ぎ先ではこの半身を嫁の実家に返す。

ぶりの照り焼き

和食の定番料理のひとつ。みりん、酒、しょうゆなどをつけながら焼くもので、非常に美味。

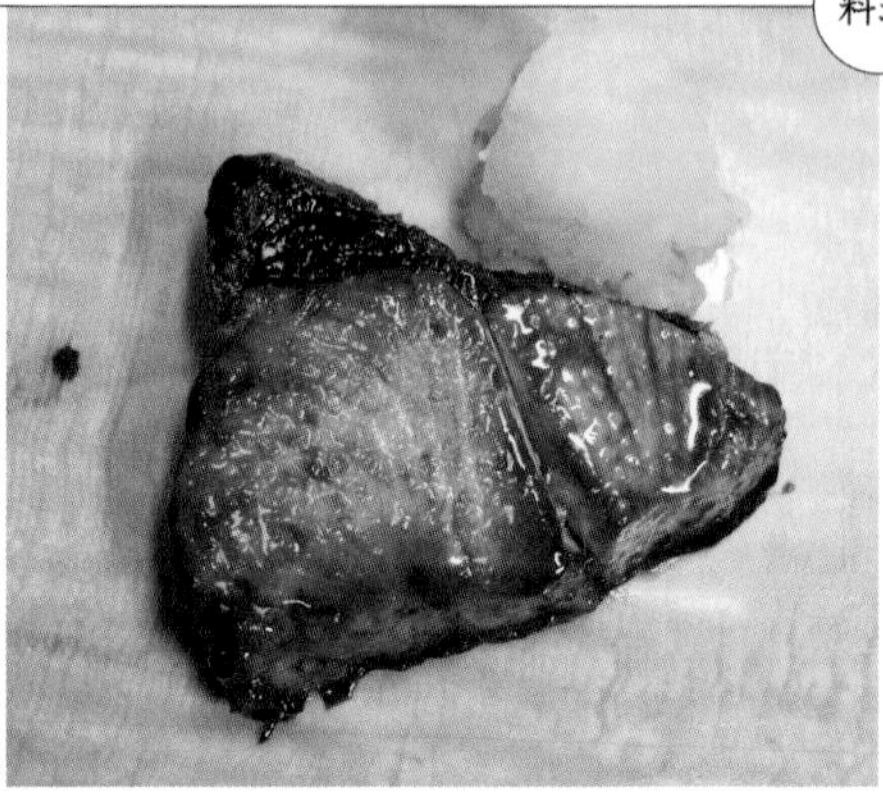

材料（2人分）

ブリ…2切れ
大根…適宜（おろす）
A［酒、みりん…各大さじ2
　しょうゆ…大さじ2］

作り方

1. Aを合わせ、その中にブリを20分ほど漬けておく。
2. 焼き網に1をのせて焼く。途中、スプーンなどでAをブリに回しかけながら両面を焼く。
3. 皿に盛り、大根おろしを添える。

ぶり大根

材料（4人分）

ブリのアラ…1尾分
大根…1/2本
しょうが…1かけ
水…3ℓ
A［酒…2カップ
　砂糖…適量
　しょうゆ…1カップ］
三つ葉、長ねぎ…各適宜

作り方

1. 大根は2cmの輪切りにして下ゆでする。ブリはサッと湯通しして氷水に取る。
2. 鍋に水とA、薄切りにしたしょうが、1の大根とブリを入れ、落としぶたをして2時間ほど煮る。
3. あれば三つ葉と、長ねぎで白髪ねぎをつくり飾る。何度煮返してもおいしい。

出世魚ブリの地域別呼び名一覧

	10cm未満	10〜20cm未満	20〜30cm未満	30〜40cm未満	40〜60cm未満	60〜70cm未満	70cm以上
関東		ワカシ	イナダ		ワラサ	メジロ	ブリ
関西		ツバス	ハマチ		メジロ		ブリ
富山	ツバス ツバイソ	ツバス	コズクラ		フクラギ	ガンド	ブリ
三陸		コズクラ	フクラギ フクラゲ	アオブリ	ハナジロ	ガンド	ブリ
和歌山		ワカナゴ	ツバス イナダ、イナラ	ハマチ	メジロ	ブリ	オオイオ
島根		モジャコ	ショウジンゴ (ツバス、ワカナ)	ハマチ（ヤズ）	メジ	マルゴ	ブリ
高知	モジャッコ	モジャコ ワカナゴ		ハマチ	メジロ	ブリ	オオイオ
九州北部		ワカナゴ ヤズ		ハマチ	メジロ		ブリ

ブリは大きさによって味わいが大きく異なる。おいしいのは40cmを超えてからで、小さいものはまずい。養殖ものはつねに脂ののっているが、もっとも美味なのは脂ののった天然もの。クセもなく、脂があるわりにあっさりしている。

べら 倍良

Rainbowfish

標準和名
キュウセン
（九線、求仙）
科　ベラ科
生息域
沖縄を除く佐渡島、函館以南。朝鮮半島、東シナ海、南シナ海。
語源
「キュウセン」は神奈川県三浦地方の呼び名。メスに９つの縦縞があるため。
地方名
関東では単に「ベラ」。関西では高級魚で「キザミ」「ギザミ」などという。ベラの仲間でもっともおいしいとされているので単に「ベラ」と呼ぶことが多い。小さいときはすべてメス、大きくなるとオスに性転換する。それで小さいころは赤いことから「赤ベラ」、大きいとオスになり青くなるため「青ベラ」と呼ぶ地域が多い。

評価も値段も西高東低

関東ではあまり流通せず、評価も値段も低いのですが、西日本では一般的な食用魚で、とくに瀬戸内海沿岸でよく食べられています。クセのない白身なので刺身にも。夏場のおいしさを考えると関東では非常にお買い得です。

この種は雌性先熟《しせいせんじゅく》で、最初はすべてメス、成長してオスに性転換するのが特徴。オスの体は緑色で黒いスジがあり、メスは赤っぽく縦縞が黒いため簡単に見分けられます。小さいメスより大きいオスのほうが高価です。

ベラは、季語・歳時記では夏のものとなっており、春から夏にかけて旬を迎えます。

ちなみに関西では、ベラ釣り用の遊漁船が出るほど釣り魚としても人気です。

素焼き

いちばんおいしいのは素焼き。焼けたそばから、しょうがじょうゆをつけ手でむしりながら野蛮に口に運ぶのがおすすめ。

広島の「はぶて焼き」

この魚の煮つけをひと晩おき、改めて焼いたものを広島県などでは「はぶて焼き」と呼ぶ。煮つけのおいしさに香ばしさが加わり、絶品。

仲間

瘤鯛《コブダイ》

ベラ科

オスに性転換後、コブができる

子どものころはみんなメス。卵を産み、50cmを超えるとコブが張り出してきて、オスに性転換する。寿命はなんと40～50年という、超長寿魚でもある。

脂と甘みがあり見た目も美しく、初夏の握りとしてさわやかな存在

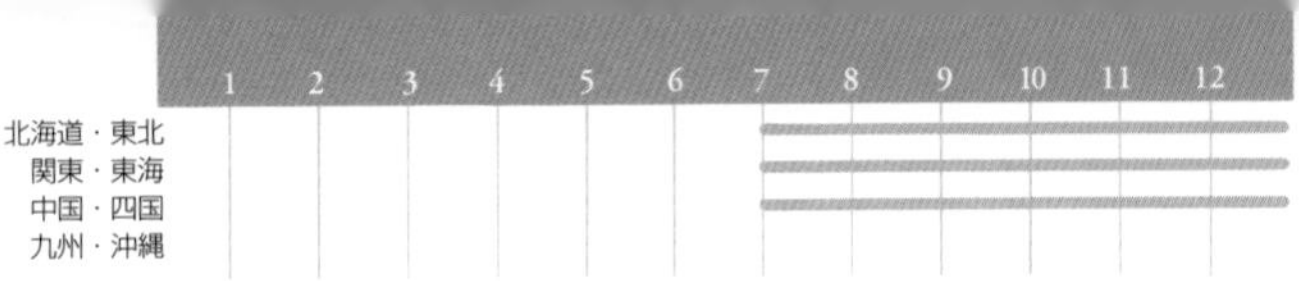

ほっけ

Atka mackerel,
Arabesque greenling

𩸽

ほとんどが「キタノホッケ」

干物の魚としてその味に定評があり、近年では生での入荷も増えてきました。戦後の配給時に腐敗したものが流通し、マイナスイメージを抱いている人もいますが、じつにおいしい魚です。

「ホッケの干物」として流通するものにはホッケとキタノホッケがいますが、多くがキタノホッケで、ホッケのものは、ほとんどありません。

時期により味が異なる

旬は春と秋。時期によって味わいが大きく異なり、春から夏のものには塩焼き、干物、フライが、秋から冬のものは脂分が少ないため、すり身がおすすめ。

標準和名
ホッケ
科　アイナメ科
生息域
海水魚。日本海、茨城以北、オホーツク海。
語源
魚偏に「花」と書くのは海の表層に群れる幼魚が美しい青緑色をしていて花のようだから。産卵期のオスがコバルト色になり鮮やかな唐草文様が見られるから。「ホッケ」とは、「北方の魚」の〈北方〉を「ほっけ」と読むことから。「北海」の意。
地方名
北海道では大型で根（岩礁）についたものを「ネボッケ（根ぼっけ）」と呼ぶ。ときに体長50㎝近いものがあり、比較的値段の安いホッケのなかでも高級なものとなっている。大きさによって小さいものを「アオボッケ」「ロウソクボッケ」、やや大きくなったものを「チュウボッケ」と区別する。ほかにはドモンジョウ、ホッキ、ボッケア、タラバホッケ。

えらの色が鮮やか。触ってぬめっとした感触のものは脂がのっている

鮮度が落ちやすい。なるべくしっかりと硬いものを選ぶ。腹がやわらかいものも避ける

近年では生け締めの入荷もあり、これなど狙い目

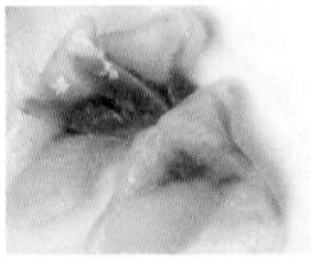
生

干物

干物のおいしい焼き方

まず、身のほうからじっくり焼いて旨みを閉じ込める。火加減は強火から中火くらいで7分ほどを目安に。ひっくり返して、皮目を5分ほど中火で焼く。こうすると皮はパリッと、中はふっくら仕上がる。

料理

ほっけ団子の鍋

生のものをすって団子にし、鍋の具材に使うもので、北海道ではおなじみ。ホッケのよさがいちばん活きる料理ともいえる。

材料（2人分）
ホッケ…1尾
山いも（卵1個分の卵白で代用しても）…50g
長ねぎ…3㎝分
しょうが…1かけ
A［酒…大さじ1
　みそ…大さじ1/2］
B［だし汁…8カップ
　酒…大さじ4
　みりん…大さじ2
　しょうゆ…大さじ4］
好みの野菜…適量

作り方
1. ホッケは身をほぐして骨を除き、すった山いもとよくまぜる。
2. みじん切りにしたねぎ、しょうが、Aを加え、まぜ合わせる。
3. Bを鍋に煮立て、2をスプーンですくいながら落とし、ひと口大に切った野菜を入れる。

仲間

北の𩸽《キタノホッケ》（縞𩸽《シマホッケ》）

アイナメ科

産地、流通の場ではもっぱら「シマホッケ（縞ホッケ）」と呼ばれる。「ホッケの干物」は本種のものが一般的で、ほとんどがロシア産。

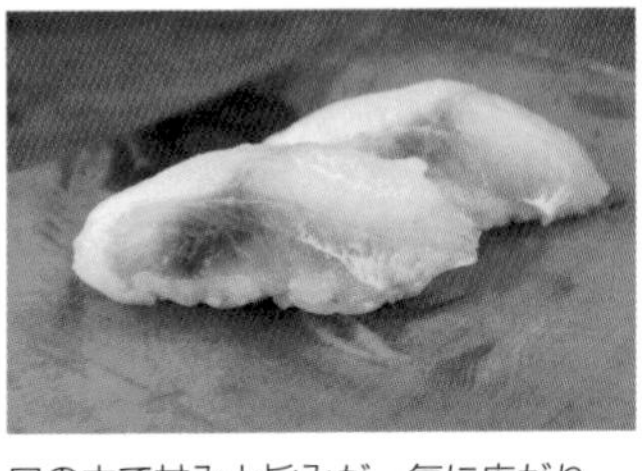
口の中で甘みと旨みが一気に広がりノックアウト

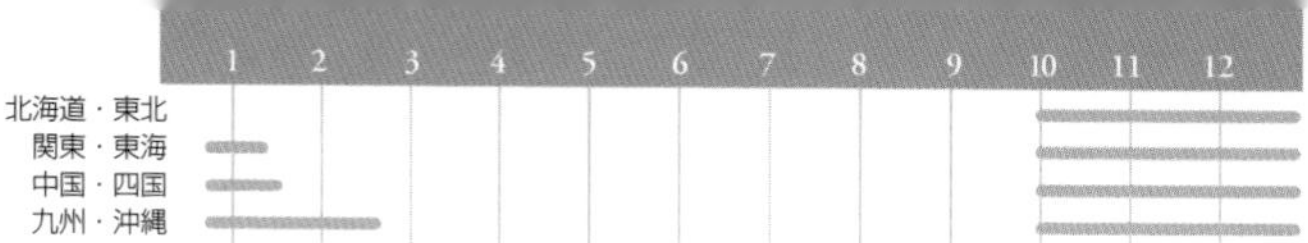

ぼら 鯔

Flathead gray mullet

標準和名
ボラ

科 ボラ科

生息域
北海道以南。熱帯西アフリカからモロッコ沿岸を除く全世界の温帯・熱帯域。

語源
「角笛」に似ていることから、中国の胡語〈はら〉が転じて日本語の〈ぼら〉になった。「ほばら（太腹）」が転じて。「掘る」の意味で、ボラが頭を泥に突っ込んでエサを食べることから。

地方名
成長により名前が変わる出世魚。地方によって多少異なるが、2～3㎝のものを「ハク」、10㎝くらいまでを「スバシリ」、5～18㎝を「オボコ」、10～25㎝を「イナ」、30～40㎝を「ボラ」、40㎝以上もしくは50㎝以上を「トド」。「とどのつまり」という慣用句はボラのいきつくところである大型のトドからきているとも。ほかには「エブナ」「シロメ（白目）」。古くはクチメ、ツクラ、シクラ。

神事に使われた縁起のよい魚

もともと、お食い初めや神事、祭りで使われるなど、日本人の生活に深いかかわりをもっていた魚です。

現在の評価は関西で高く、関東では低いのですが、これは東京湾などが汚染されていたときに、臭いボラが獲れていたためでしょう。今では一部地域を除き、臭みなどはありません。

料理法を選ばない、おいしい魚です。

秋から冬に脂がのる

旬は秋から冬。産卵期は10月から1月で、秋になると黒潮の影響のある暖かい場所に回遊、産卵する。不思議なことに卵巣が成熟して身がやせても脂があり、おいしい魚である。

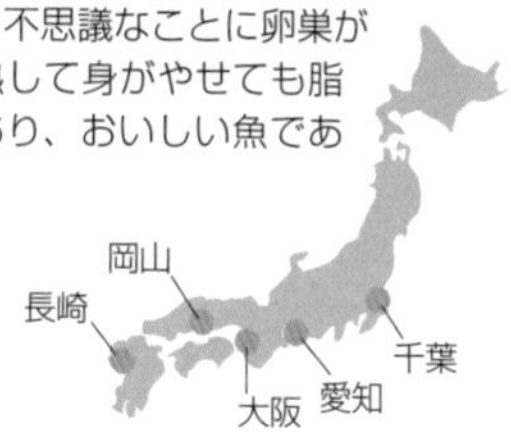

体は細長い。頭部が平たく、目に脂瞼（脂肪の膜）がある

刺身は血合いの色が美しいうえ、甘みと旨みを併せもつ上物のひとつで、非常に皿に映える。洗いにしてもおいしい

料理

からすみのパスタ

材料（2人分）

パスタ（スパゲティ）…200g
からすみ（すりおろしたもの）
…大さじ1と1/2
無塩バター…大さじ1
シブレット（香草）…2～3本
塩・こしょう…適量

作り方

1. 大きめのボウルにバターを入れ、室温に戻す。ここにおろしたからすみを加え、つぶしながらバターとからめる。
2. パスタをゆで、あまりきちんとゆで汁をきらないで1に加える。手早くからめ味をみて、足りなければ塩、こしょうを振る。からすみは塩辛いので、塩分はひかえめに。
3. みじん切りにしたシブレットを2にまぜ合わせる。

からすみは長崎県の名物

ボラの卵巣を塩漬けにして、天日で干し上げたもの。長崎名物となっている。

「いなせ」の語源

「いなせ」とは勇み肌で粋な若者のこと、またその様子をいうが、これは、魚河岸の若者がボラの若魚であるイナの背のように髪を結んだことに由来する。

仲間

目奈陀《メナダ》 ボラ科

春から夏にはボラよりも美味とされる。刺身が絶品だが、暑い時期なら洗いのほうがよい。

血合いは美しい深紅で白身に映え、食感が強い

切る

やわらかい身をつぶさず おいしく仕上げよう

刺身には、おいしさを追求した技がたくさん隠されています。切り方にもさまざまなコツがありますが、ここでは最低限の基本だけご紹介します。

まず、なるべく身に体温を移さないようにしましょう。温まると食感や香りが損なわれ、しかも腐敗しやすくなります。

そして切れ味のよい包丁を使うことも大切。身がつぶれ断面の細胞が壊れたりすると味が抜けてしまい、身のプリプリ感も味わえません。

刺身を引きなれていない人は、この2つの点には気をつけましょう。

基本の切り方

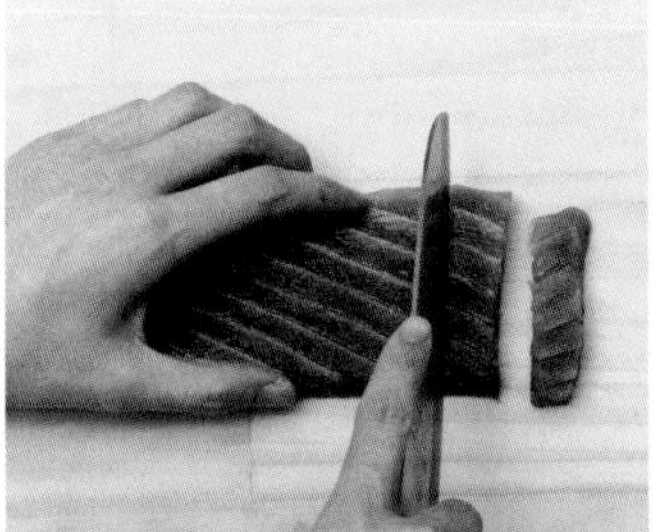

「平造り」

よく切れる包丁で、刃渡りを長く使って引くように切る。包丁の背に人差し指をのせ、少し指で押しながら手前に引くとうまくいく。

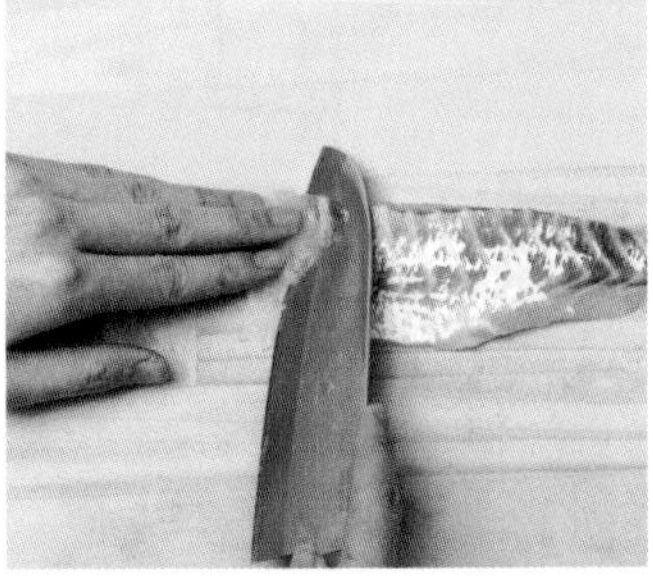

「そぎ造り」

包丁をまな板に対し垂直からかなり寝かせ、刃渡りを長く使って引くように切る。身を、包丁と指先ではさむようにすると、うまくいく。

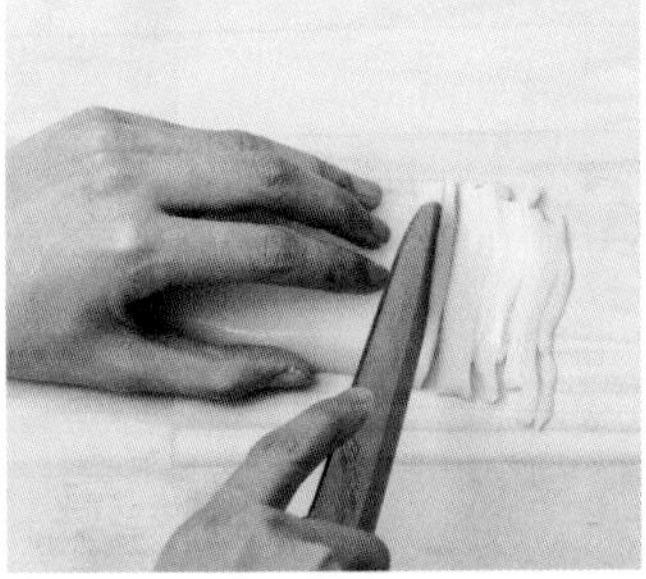

「細造り」

まな板に包丁の先を立てるようにし、切っ先で線を引くように切る。包丁を持つ手の人差し指に力を入れ、ひじを引くようにしよう。

鮮度・熟成

「新鮮だからおいしい」とはかぎらない

日本には素材の味や新鮮さを大切にする文化があり、魚はまさに新鮮さを重視する食材です。ですから昔は生で食べられなかったような魚も、冷蔵や輸送技術の進歩により、かなりの種類を生食できるようになりました。この背景には新鮮でおいしい魚が高価で、数十年前までは海の近くでしか味わえないごちそうだったことがあげられるでしょう。

しかし、この鮮度への〝信仰〟ともいえる強い思いが、ときに魚の真価を味わえなくすることもあるようです。たとえば、いけすで泳いでいた魚をその場で締める活け造り。死後すぐはアルカリ性で旨みが少なく、食感は強いものの味はいまひとつです。それでも「新鮮＝おいしい」ということで、もてはやされました。これは鮮度信仰が味覚を上回った典型的な例です。

タイやヒラメなどの白身魚、あるいは大型のマグ

ロ、ハタなどの魚は、締めて（死なせて）から一定の時間をおくことで旨みが増します。魚を締めると身が硬くなるタイミングがあり、ここで旨みに変化が起こります。そして食感もコリッとしたものに変わります。

魚の身に含まれるATPという成分は、この硬直する時期に旨み成分であるイノシン酸に分解されます。この硬直の初期にイノシン酸の量がピークになるポイントがあり、そこがその魚の旨みがもっとも高まるタイミング。低温冷蔵していても、青魚は硬直までの時間が非常に短いのですが、白身魚のマダラは2〜8時間、マダイでは24時間後ともいわれています。大型のマグロなどは2週間ほどで旨みのピークに達する場合もあります。牛肉も、落としてすぐは旨みがなく味がしないといいますが、魚も熟成することでおいしくなるのです。

とはいえ、このタイミングを逃すと、旨みはあるものの食感は悪くなっていきます。また天然や養殖、産地などによってもおいしいタイミングは異なります。高級寿司店などでは、このタイミングを正しく見極めて熟成させ、おいしさのピークで提供します。

アジやイワシなどの青魚を生で食べるなら、たしかに新鮮さが重要ですが、白身や大型の魚のように熟成することでおいしくなるものも意外に多いのです。

野締め

底引き網などで大量に獲れてそのまま死なせた魚をいい、もっとも安価。イワシやアジなどの小さな大衆魚に多い。獲れてから時間がたっていることもあり、熟成が進んでいる。

活け締め

獲った魚を一定期間、いけすなどで生かして即死させたもの。もしくは生きているうちに即死させたものをいう。刃物を入れることで適度に血抜きもできる。生きている魚のような食感があり、鮮度の劣化を遅らせられる。

活魚

文字どおり生きたままのもの。死なせないためには大量の水が必要なので、輸送コストがかさみ高価。高い鮮度と味のピークを自ら設定できるメリットがある。

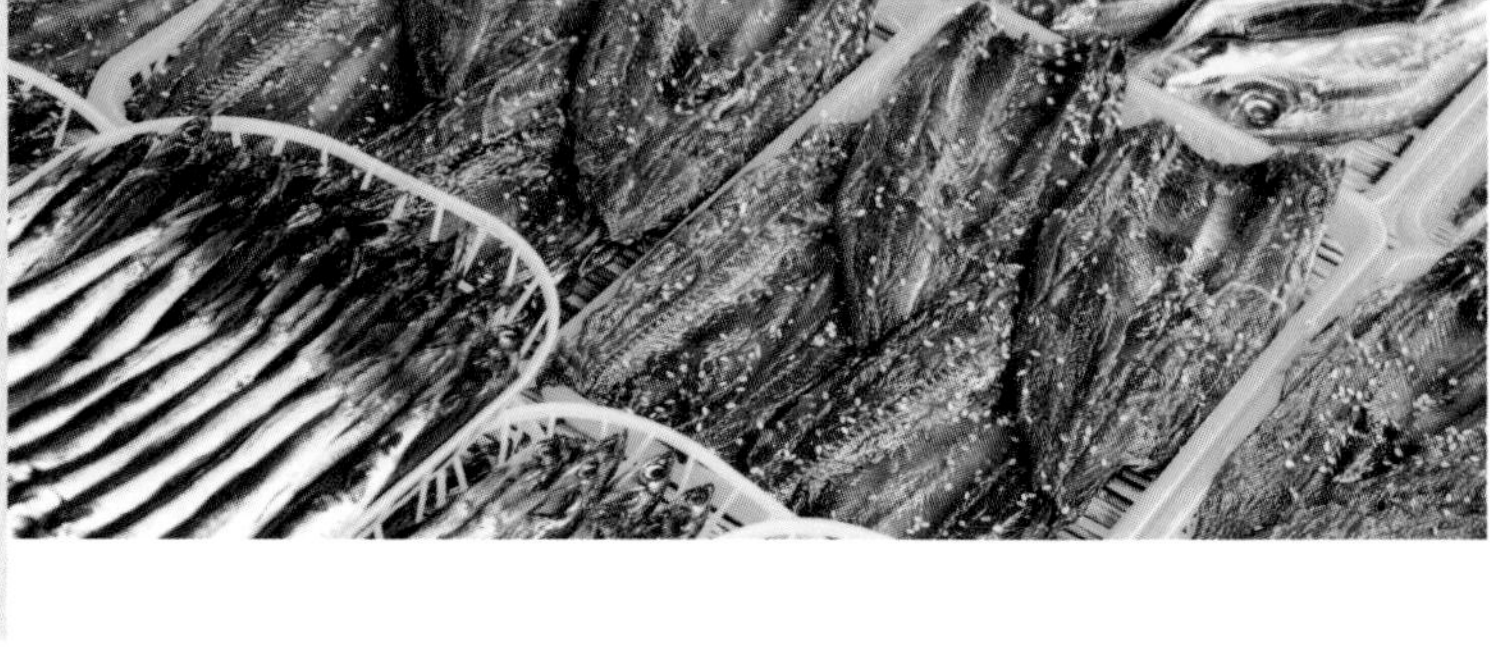

まぐろ

Bluefin tuna

鮪

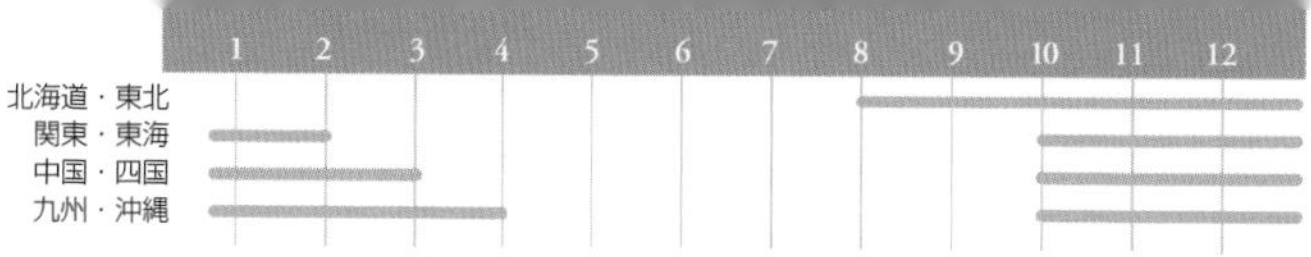

標準和名
クロマグロ
(黒鮪　黒真黒)

科　サバ科

生息域
日本近海。太平洋北部、大西洋暖海域。全世界温帯域。

食べているのは6種類

国内の食用マグロは、メバチマグロ、キハダマグロ、ビンナガマグロ、クロマグロ、ミナミマグロ、コシナガマグロの6種。王様格のクロマグロはときに1尾で家が買えるほど高く、そっくりのミナミマグロもたいへん高価です。

メバチマグロはもっとも日常的なもの。キハダマグロとビンナガマグロはツナ缶や、回転寿司の「ビントロ」によく使われているものです。

冷凍、養殖で旬がない？

国産天然ものの旬は冬だが、世界中から輸入され、冷凍での流通も多いため、季節感がなくなっている。これに拍車をかけているのが養殖マグロ。トロの部分が多く、陸上飼育まで行われている。

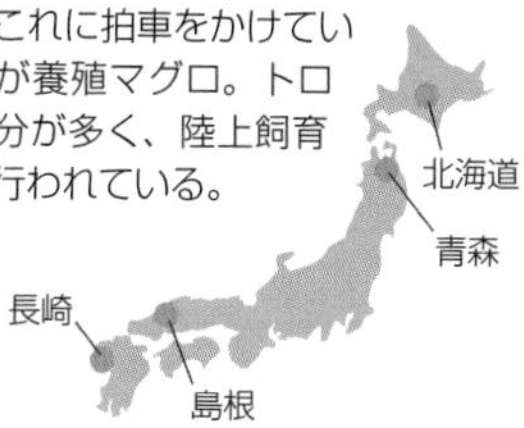

養殖は脂が強いために白っぽく、身はトロのようにやわらかい

語源
背が黒い、肉が赤黒い、目が黒いことなどから、本来は「真黒」と書く。

地方名
一般にはホンマグロ(本マグロ）と呼ばれることが多い。小さいものをカキノタネ、成長にしたがってコシビ、コチウ、コビン、コメジ、シビコ、シンマエ、マメジ、メジマグロ、ヨコワ。

1尾で家が買える

クロマグロはマグロのみならず魚類中の王様。青森県大間は一本釣りで有名です。大間とつくだけでブランドとなり、ご祝儀相場もありますが初セリで、なんと2020万円の値がついたことも。このマグロも可食部は6割ほどなので100gで1万6000円以上です。当然、超高級寿司屋さんでないと食べられません。

一般に流通するのはおもにメバチマグロで、しかも生は少なくほとんどが冷凍もの。それでもやっぱり非常においしいものです。

赤身
体の中心部と後半部分。脂が少ないものの、マグロらしい適度な酸味と香りがある

中トロ
体の前半の背部分の皮に近い部位。スジがなく適度に脂があり、味のバランスがよい

大トロ
クロマグロ、ミナミマグロだけにある。腹側の内臓を包んでいる部分で脂が強い

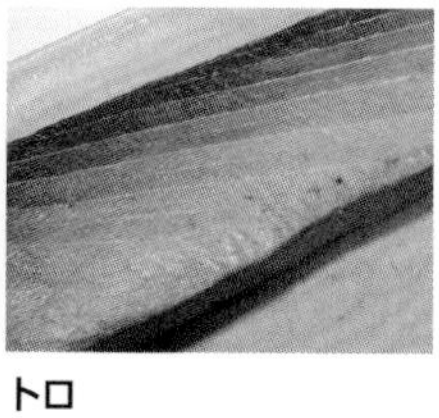

トロ
スジが均等に入っているもの。スジはやや食感を損なうが、コラーゲンとゼラチン質なので美味

おいしいマグロの選び方

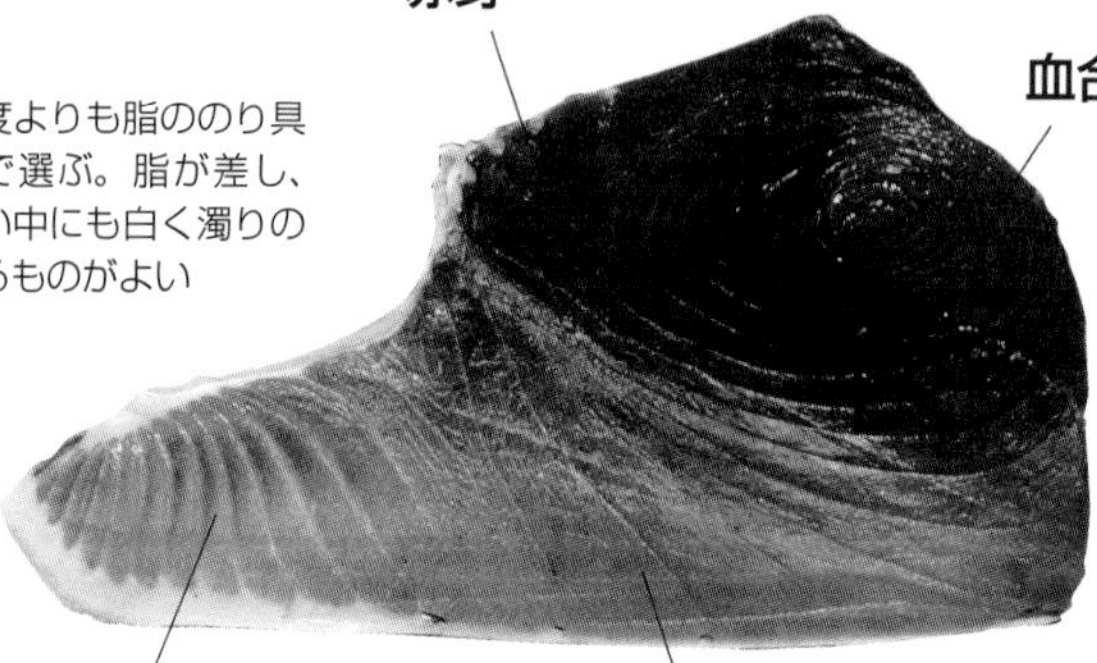

鮮度よりも脂ののり具合で選ぶ。脂が差し、赤い中にも白く濁りのあるものがよい

よいサク よい刺身

切り口が反り、横の断面に太いスジがないもの

スジが少なく、まな板状に直方体のもの。透明感のある赤ではなく、くすんだ赤のもの。

悪いサク 悪い刺身

黒い斑点が出ているもの。角が丸く、ドリップ（水分）の出たものは鮮度が悪い

スジが多く直方体ではないものはマグロの尾に近い部分。脂がなく旨みが薄い。

盛り返しにご注意

切り身パックなどは、売れ残りを翌日盛りなおして、さもその日にパックしたように売るところもあるので、要注意。

冷凍マグロにも鮮度がある

もっとも多く流通している冷凍マグロの質はピンキリです。まずマグロ自体の質があり、適切な処理をして冷凍しないと身の傷みや血のにおいが生じがち。さらに冷凍・解凍のやり方によっても味は左右されます。

もちろん冷凍でも劣化します。何か月も冷凍保存すると、味が落ちます。家庭の冷蔵庫だと劣化はさらに早く、一度解凍したものを再冷凍するのはもってのほか。解凍すると鮮度も味も急速に落ちてしまうからです。

おいしいコツ

プロの解凍テクニック

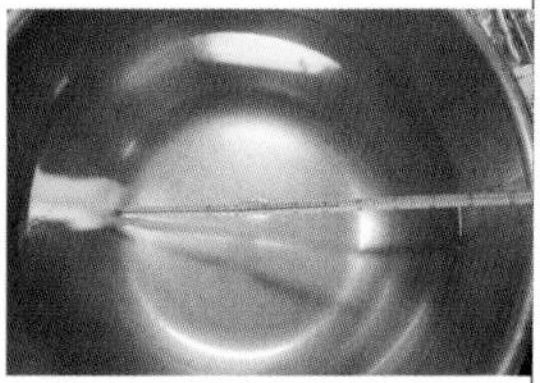

1. 50～60℃の温塩水（塩分濃度3%）を用意する。

2. マグロを1にしばらく浸ける。密閉袋に入れたままでもよい。目安は200 g前後のサクで1分程度。

3. 表面がやわらかくなったら袋から取り出し、表面の水分をふき、ぬれぶきんやキッチンペーパーで包む。

4. 3を冷蔵庫に入れて自然解凍する。時間の目安は、サクひとつで20分程度。

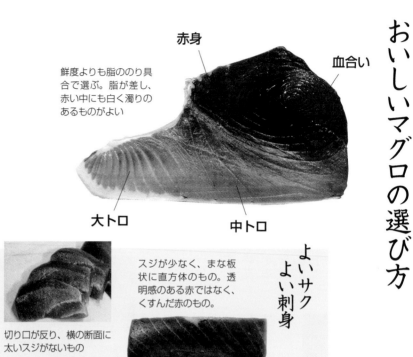

マグロ屋に問われるのは切る技術

築地市場などで「マグロ屋」を生業《なりわい》としている人たちの仕事は、マグロを切ることです。マグロ屋さんの真価は、切る技術で問われます。たとえば仕入れたマグロを上手に半分に切ると、目利きしだいで値は跳ね上がります。平均6等分で上中下（かみ・なか・しも）と分け、これだけで元値の数倍にもなるのです。

ただし、それも切り方しだい。血合いの処理やサクの取り方を失敗すれば半値以下になることも。つねに真剣勝負です。

頭もおいしい

頭部の目の上から取れる円すい形の身を「八の身」という。脂が強く、生で食べるとトロッととろける。

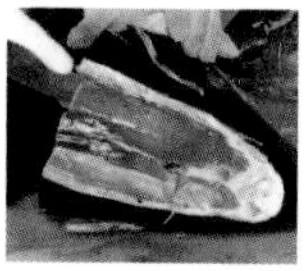

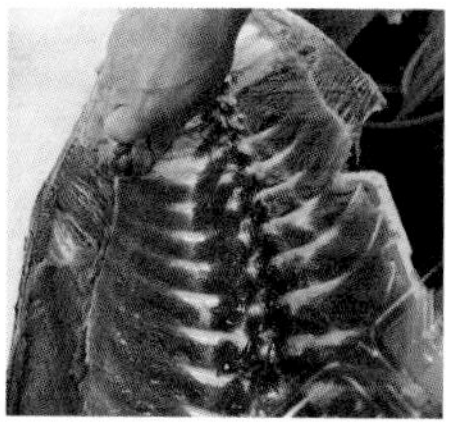

中落ちの取り方

マグロのなかでも最高においしいといわれている、骨際の身を削り取る。スプーンなどだと金属臭が移ってしまうため貝殻などを使うことも。

下の身は安値

マグロは非常に大きく、体重はじつに400kgほど。当然市場では寝かせて入荷されるが、下になったほうの身は自身の重みでつぶれてしまうため、値が落ちる。

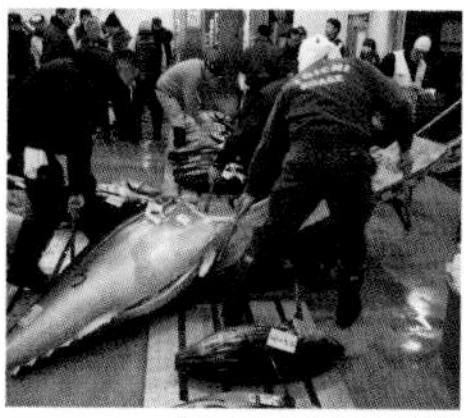

ツラの皮が厚い？

最高級に高価ながら、市場では床を引きずって運ばれることも。じつは、これは皮がとても厚いため。引きずっても身が傷むことはない。

メジマグロって何？

築地などでは、数十kg、数百kgを超すマグロやカジキなどのことを「大物」といいます。テレビで放映される競りの光景などでもおなじみのマグロなどが並ぶ場所は、「大物売り場」ともいいます。

当然、マグロにも小さい時期があって、これを古くは、目が口や体の先端に近いことから「目近（めじか）」といいました。「めじか」が縮まっていつのまにかマグロ類の小型を「メジマグロ」というように。マグロの種類によってクロマグロは「本メジ」、キハダマグロは「黄メジ」などといいます。親のほうは大物ですが、子どもは一般の魚と同じように扱われます。

このメジマグロは産卵しない子どもなので、年間を通して味があまり落ちません。また冬期には脂が体全体にまざり込み、まったりと濃厚な旨みをもつようになります。値段も手の届きやすいレベルなのでお買い得です。

脂ののった寒い時期のメジマグロの寿司は絶品

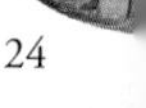

料理

漬けのつくり方

コツは漬け込みすぎないこと。
ねっとり塩辛くなってしまう。

材料（2人分）
マグロ（刺身）…適量
しょうゆ、みりん…各大さじ2
しょうが…1かけ

1. しょうゆ、みりんを合わせ、味をみて甘さを加減する。しょうがと、好みでにんにくをすりおろして加える。

2. 刺身を1に5分ほど漬けてバットなどに引きあげ、汁気をきる。

3. 2を密閉容器に入れて保存する。漬けてすぐに食べても、1日寝かせても味がなじんでおいしい。

まぐろの漬け丼

材料（2人分）
マグロ…1サク
A［しょうゆ…大さじ2
　だし汁、白ごま…各大さじ1
　みりん…小さじ2
　ごま油、わさび…各小さじ1/2］
酢飯…2膳分
万能ねぎ…5～6本
白ごま…少量

作り方

1. Aをすべてまぜておく。マグロは5㎜ほどの厚さに切り、Aに好みの時間漬け込む。
2. 器に酢飯を盛り、1のマグロをのせ、小口切りにしたねぎと白ごまをちらす。好みでわさびを使う。

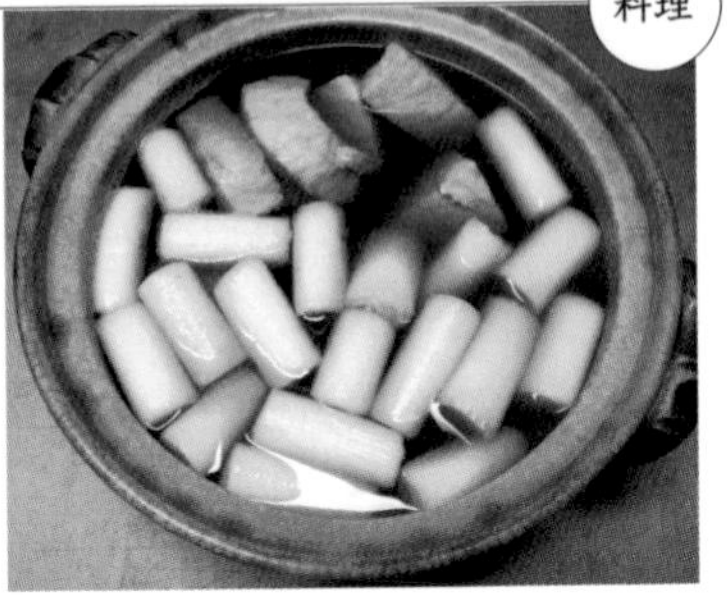

ねぎま汁

材料（4人分）
マグロ（脂のあるところ）…500g
長ねぎ（下仁田ねぎなど）…4本
かつお節のだし汁（顆粒だしでも）…2ℓ
A［みりん、酒…各1/2カップ
　しょうゆ…1カップ
　（上記を、味をみつつ加減する）］

作り方

1. だし汁にAを加えて、味を調える。
2. マグロはひと口大に切る。スジの多い部分は、むしろ加熱するとおいしいので利用する。
3. ねぎは4～5㎝に切っておく。
4. 1に2と3を入れ、好みの加減に火を通し、いただく。

養殖マグロが増加中

旬ではない産卵後のマグロを一定期間いけすで飼い、脂がのった状態で出荷したものが「畜養」、稚魚をつかまえてきていけすで飼い、大きくしたものが「養殖」です。ただ、いけすで飼料を与えたという意味では同じもので、畜養も養殖の一種と考えたほうがよいでしょう。

この畜養マグロは90年代くらいから築地市場などでしばしば見られるようになりました。とくに当時はメキシコ産が多く、「メキシコ＝畜養」という時代もありました。近年では、国内では奄美大島や沖縄、海外では地中海、東南アジアで養殖されたものが増え、ミナミマグロはオーストラリアなどの養殖ものが増えています。

そして、近畿大学などで行われているのが完全養殖。飼育しているマグロから生まれた卵を孵《ふ》化《か》させ、出荷できるまで育てたものです。この技術によってマグロ養殖の展望が大きく開けました。

また養殖は海を汚すことから、陸上で育てようという試みも行われています。天然マグロの減少にともない、食用マグロは養殖されたものばかりとなることも、遠い未来の話ではないかもしれません。

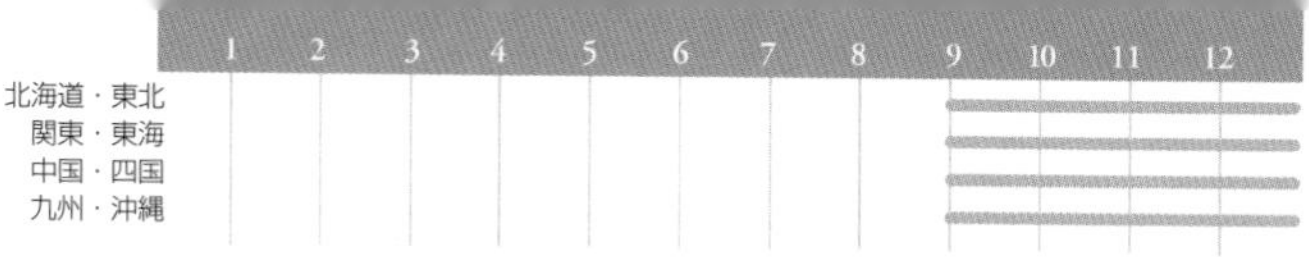

庶民派マグロの代表格

国内で水揚げされるもの、輸入ものとともに、もっとも多いのがメバチマグロ。国内で消費されるマグロの4割弱を占めます。

その名のとおり、非常に目が大きいのが特徴。胸びれがやや長く、ちょっとずんぐり太って見えます。

切り身にして鮮やかな赤で、もっともマグロらしい色合いをしています。刺身以外にも、煮物にねぎトロにと加工されてスーパーに並んでおり、多くの人が知らず知らず食べているマグロです。

国産の生の旬は秋冬

比較的お手ごろなイメージのメバチマグロも、秋から冬、千葉県から三陸沖で揚がる生のものは非常に高値がつく。

色合いの鮮やかななかに、白濁する脂が見えるもの。身に張りのあるもの

赤身が多く中トロは取れるが大トロは取れない

目撥鮪《メバチマグロ》

サバ科

眼撥鮪

標準和名　メバチマグロ

外国名　Bigeye tuna

冷凍マグロののこぎり引き

メバチマグロなどの冷凍魚は専用ののこぎりで切っていく。その様子はまるで製材所にいるかのようだ。

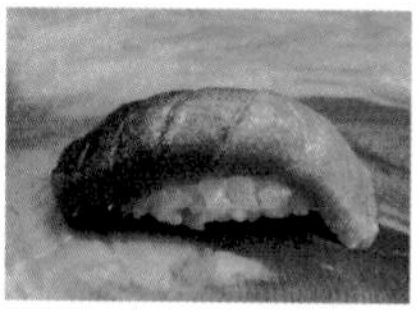

美しい赤身の色合い。上品な旨みがもち味

料理

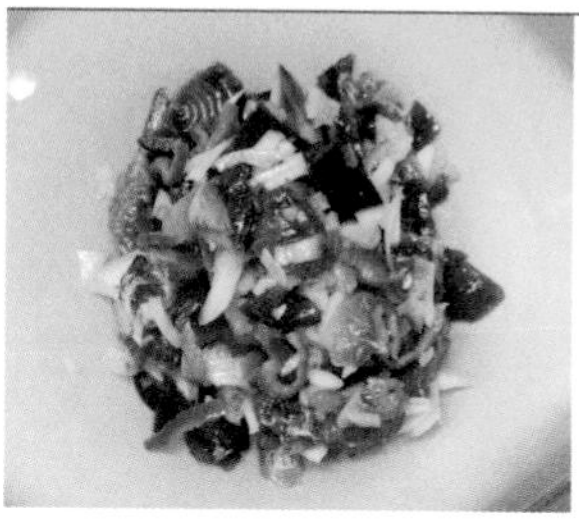

めばちまぐろのセビーチェ風

セビーチェはかんきつ類を使った南米の酢の物。本来はハラペーニョなど激辛の唐辛子を使うが、タバスコで代用。

材料（2人分）

メバチマグロ…200g
ピーマン…1/2個
トマト…1/2個
みょうがが…1本
玉ねぎ…1/4個
※野菜は生で食べられるものならなんでもよい
ライム…1/8個（量は好みで）
塩…少々
タバスコ…少々

作り方

1. マグロは1㎝角程度に切る。トマトとピーマンは種を取り、ほかの野菜と合わせて粗みじんに切る。
2. 野菜とマグロを和え、ライムのしぼり汁をかけ、塩で味をつける。タバスコを加え、辛さを加減する。

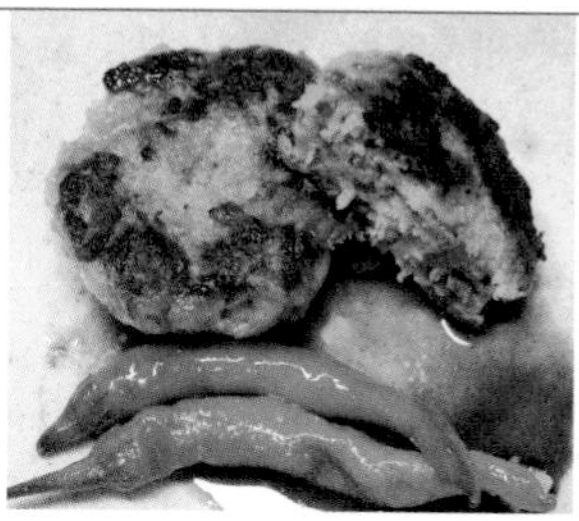

まぐろの和風ハンバーグ

市販のマグロの尾やカマ、切り落としなどスジの多い部分でつくる。安価でお買い得なのにおいしい。

材料（4人分）

マグロ（切り落としなど）…400 g
玉ねぎ…1/2 個
万能ねぎ…少々
みりん、しょうゆ…各 1/2 カップ
A［牛乳…大さじ 1/2
小麦粉…少々
ナツメグ…少々
こしょう…少々］
サラダ油…適量
つけあわせの野菜…適量

作り方

1. 鍋にみりんとしょうゆを注ぎ火にかけ、160cc程度に煮詰める。玉ねぎ、万能ねぎはみじん切りにし炒める。
2. マグロは包丁で細かくたたく。ねばりが出るようになったら、玉ねぎ、万能ねぎ、Aを加えて練り、ひとつの直径を10㎝前後にまとめる。
3. フライパンに油を熱し、2を焼いて一度取り出す。そこに1のタレを入れて沸騰させる。
4. 皿に3のタレを流し、ハンバーグをのせる。つけあわせを盛りつける。

旬は夏

南半球の冬、北半球の６月から８月が旬。ただしほとんどが冷凍輸入されたものなので、年中おいしい。クロマグロとともに高級マグロの双璧となっている。

南鮪《ミナミマグロ》

サバ科

印度鮪
標準和名 ミナミマグロ
外国名 Southernbluefin tuna
別名 インドマグロ、ゴウシュウマグロ

サクなら身にへこみ、黒ずみ、シミ、スジのないもの。丸の見極めは一般には難しい

本マグロと変わらない濃厚な旨みと脂の甘さが楽しめる

大トロが取れる高級マグロ

大トロは、クロマグロとミナミマグロの2種類からしか取れず、養殖されているのもこの2種類のみ。

身質も見た目もそっくりなものが、北半球と南半球にすみ分けており、数の減少が深刻な点も共通しています。

ミナミマグロは非常に高価なマグロで、クロマグロよりおいしいというプロの料理人もたくさんいます。

鬢長鮪《ビンチョウマグロ》

サバ科

標準和名 ビンナガマグロ
外国名 Longfin white tuna

ビントロと呼ばれる脂の多い部分。脂の甘みが強い

もとはツナ缶の材料として使われる安価なものだったが、回転寿司のネタとしてブレイク。いまやスーパーの刺身売り場の定番に。味のわりに安く、お買い得。

ツナ缶詰のつくり方

身を蒸し煮して調味料や油といっしょに缶に詰める。これを真空状態にして密封、加熱し、調理と同時に殺菌する。これにより保存性が高くなる。油漬けタイプと水煮タイプに大別できる。

黄肌鮪《キハダマグロ》

サバ科

標準和名 キハダマグロ
外国名 Yellowfin tuna

高知や九州など産地が西日本にあるためか、関東より関西以南でよく食べられている。桃色の身で夏のマグロともいわれ、生は夏がおいしい。

あっさりした味わいなので、漬けにして表面をあぶっている

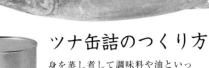

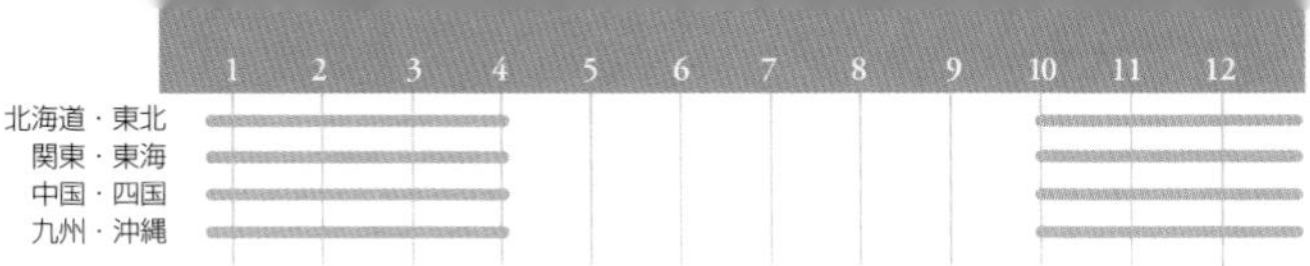

むつ 鯥

Japanese bluefish

庶民的惣菜魚から高級魚へ

昔は庶民的な惣菜魚でしたが、今では高値安定、ときに非常に高価な魚となりました。刺身、塩焼き、煮つけなど、調理法を選ばず美味で、関東では鍋材料としても人気です。

ムツは小さなときから脂があり非常に美味。この小さいものも流通しており、安いのでお買い得です。身がやわらかく、くずれやすいことを除けば、ほぼパーフェクトな魚といえます。

産卵期は10月から3月で、旬は冬。市場への入荷量は少ないものの、定番的な魚です。稚魚や幼魚も市場で見かけ、成魚は関東では定番的高級魚になっています。

ちなみにかつて銀ムツと呼ばれよく見かけた魚は、ムツの仲間ではありません。

標準和名
ムツ

科　ムツ科

生息域
北海道以南、鳥島、東シナ海。

語源
脂っこいことを「むつっこい」「むつこい」「むっちり」などというのに由来。脂ののっている魚の意味。

地方名
「ロクノウオ」。江戸時代、仙台伊達藩主は代々陸奥守（むつのかみ）であったため、「むつ」と呼ぶことをはばかって。「ロク」は「六」であり「むつ」を表す。子どもは浅い場所に、親は深い場所にいるが、ともに暮らさないので「オンシラズ」。ほかにはオキムツ、カツチャムツ、カナムツ、カラス、クジラトウシ、クジラトオシ、クロマツ、ツノクチ、ムツゴロウ、ムツメ、メダカ、メバリ、モツ、ロク。

ムツの子どもは親不孝!?

ムツは深海魚だが、その子どもは磯まわりに群れ、親のそばにいない。ここから、ムツの子どもには「親不孝」「恩知らず」との別名もある。

目が青く澄んでいるもの。腹をさわってみて張りのあるもの

切り身は淡いピンク色のものがいい

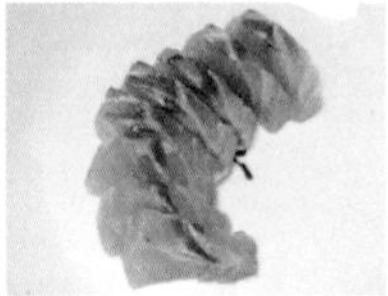

料理

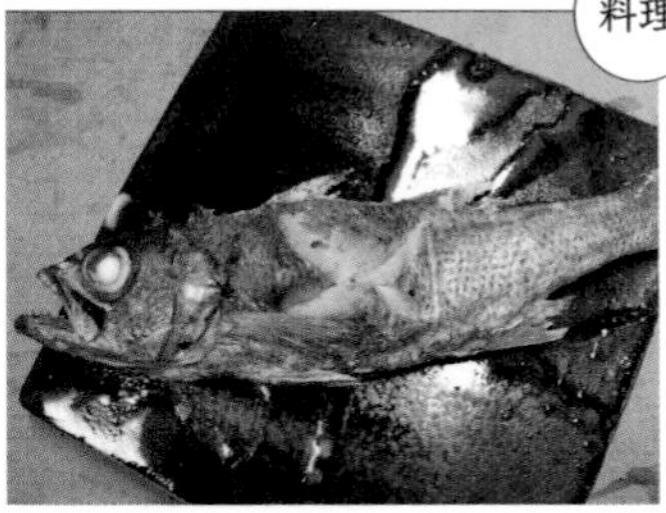

むつの塩焼き

材料（2人分）

ムツ…2尾
塩…適量

作り方

1. ムツはうろこを落とし、内臓を取る。
2. 1に軽く塩を振ってグリルで焼く。

仲間

大目羽太《オオメハタ（シロムツ）》 ホタルジャコ科

大型のものは刺身にすると美味。クセのない白身で上品な味わいである。小ぶりのものは天ぷらやフライがおすすめ。

子ムツは身がやわらかく、脂があって甘い

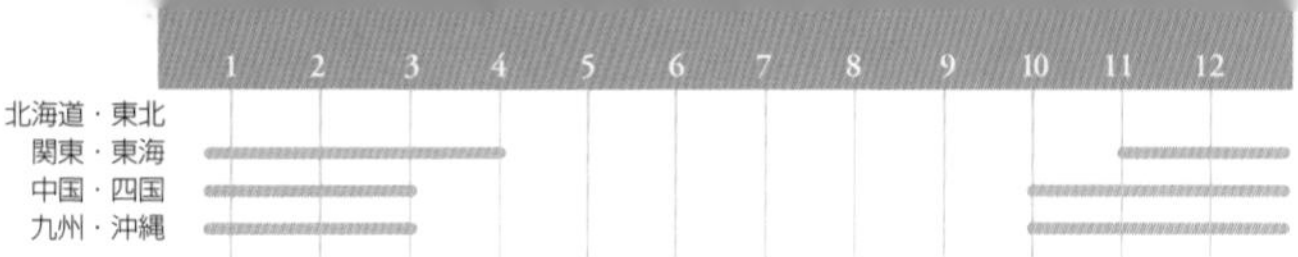

めじな

Greenfish

目近魚

磯釣り用の魚も旬は美味

西太平洋域にはメジナ、クロメジナ、オキナメジナの3種がいます。国内に3種とも生息し、すべて食用です。

　海が荒れると獲れる魚といわれ、荒天時に入荷が多くなります。食べてみても、夏場はエサの関係で臭みがありますが、旬である冬には脂がのって美味です。刺身にしても、ムニエルやポワレでも、小麦粉をつけてごま油で焼いても、おいしくいただけます。

　メジナは食用としてよりも釣りの世界で知名度が高く、磯釣りの代表的な対象魚です。釣りの世界では「梅雨メジナ」という言葉があり、これは産卵後に荒食いするのが梅雨で、釣り師が釣期のひとつととらえているため。日本海からの入荷が多い魚です。

刺身の見た目はマダイそっくり

標準和名
メジナ（眼仁奈、目品）
科　メジナ科
生息域
新潟、房総半島以南から鹿児島。朝鮮半島南岸、済州島、台湾、福建、香港。
語源
「メジナ」は東京周辺での呼び名。目が吻（口）に近いことから。
地方名
関西では広く「グレ」と呼ばれている。黒っぽい色なので、九州ほかで「クロ」「クロダイ」「クロヤ」「クロバン」「クロアイ」。静岡県では「クシロ」。寒くなると海藻を食べるようになることから「ノリクシロ」ともいう。北陸などでは、水温が下がると獲れはじめるので、サケの接岸になぞらえて「サケノイオノツカエダイ」。ほかにはクマダイ、シシビ、サカズキイボ、マギリメ、タカイオ、タコ、ポン。

雑食にもほどがある！

メジナは動植物を食べる。静岡県では、なんとミカンをエサに釣る。これを「ミカンクシロ」ともいう。

料理

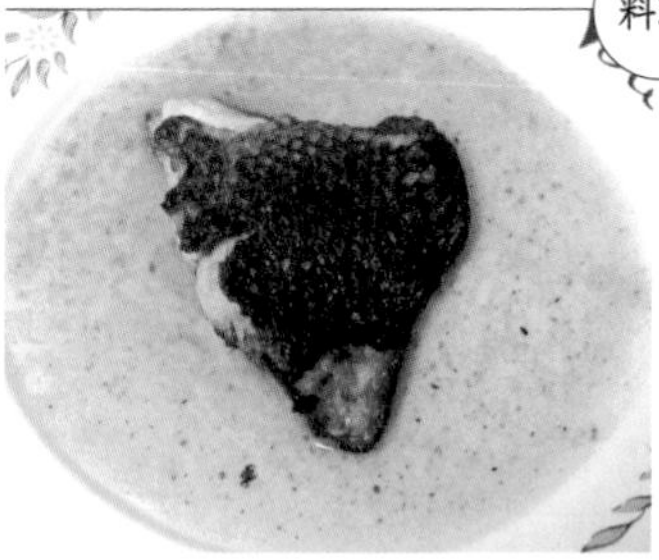

めじなのポワレ

材料（2人分）
メジナ（半身）…1枚
塩・こしょう…適宜
白ワイン…大さじ1
ごま油…大さじ1
レモン…1/8個

作り方
1. メジナに塩、こしょうを振っておく。
2. フライパンを熱し、ごま油で皮からじんわりと焼き、皿に盛りつける。
3. 残ったジュ（フライパンに残る魚から出たエキス）を白ワインで溶いて煮詰め、レモンをしぼり**2**にかける。

仲間

黒目近魚《クロメジナ》 メジナ科

秋・冬が旬。ただし産卵後を除けば、夏でも比較的臭みがなく、おいしい。メジナよりも沖合いにいるため、メジナほど磯臭くない。

寒い時期のメジナの握りは臭みもなく、おいしい

めばる
目張
Goldeye rockfish

獲れなくなって惣菜魚から高級魚へ

多くの魚は、近年の刺身ブームで生食されるにつれ値を上げてきました。しかしメバルは依然、調理の主流が煮つけや塩焼きにもかかわらず、獲れなくなってきたために値上がりしている魚です。

かつては惣菜魚として広く親しまれる庶民的な魚でしたが、いまや一般家庭にはなかなか手の届かない魚になりつつあります。

標準和名
ウスメバル（薄目張）
科　フサカサゴ科
生息域
北海道南部から東京、駿河湾。
語源
「ウス（薄）」は文様がはっきりしないためだと思われる。「メバル」は目が大きく見張っているようであるため。
地方名
沿岸の浅場にいるメバルと区別するために、「沖メバル」と呼ばれることが多い。また同じく沿岸にいるメバルが黒いのに対しこちらは赤いので「アカメバル」とも呼ばれる。ほとんどの地域で単に「メバル」と呼ばれていて、地方名は少なく、ほかにはアカガサ、メガラ、スズノメバチメ、アカスイ、アオヤナギ、ツヅノメバチメ、ホゴ、セイカイ。

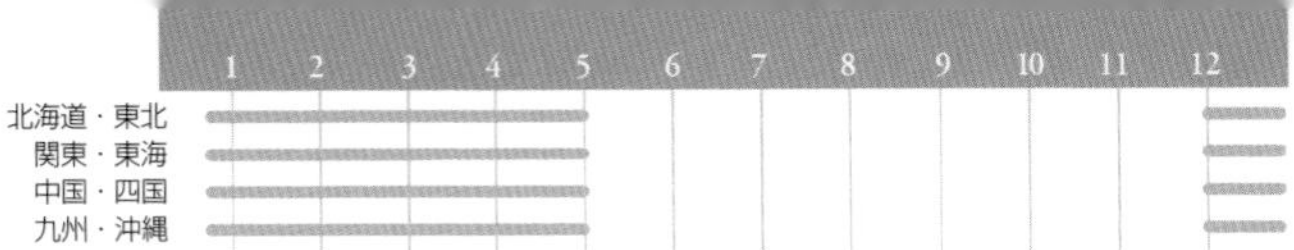

北海道・東北

たけのこの時期が旬

東北で「メバル」といえばウスメバルであり、市場への入荷は青森からが多い。旬は３月後半から５月ごろで、たけのこが出る季節においしくなるといわれている。

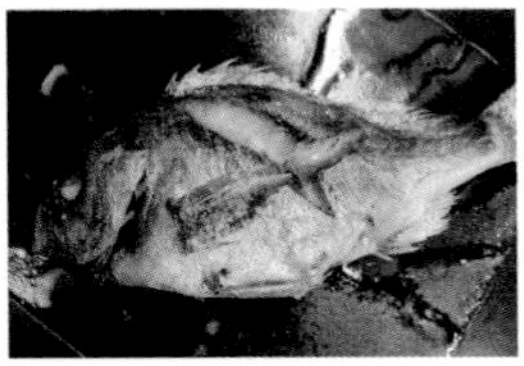

焼くか煮るか

その素直すぎる味わいは、刺身ではやや個性に欠け、やはり焼くか煮るかにかぎる。刺身志向の強い現代で、依然焼き魚、煮魚に軍配が上がる貴重な魚。

薄い赤色の地に褐色の文様がある
目が黒く澄み、体に光沢があって腹が白いもの
20㎝くらいまでのものがおいしい

料理

めばるの煮つけ

材料（4人分）

メバル…4尾
煮汁
A
- しょうが…薄切り３枚分
- 水、酒…各１カップ
- みりん…1/2カップ
- 砂糖…30g（甘みは好みで加減する）
- しょうゆ…大さじ4

作り方

1. メバルはうろこを取って内臓を抜き、ボウルに入れる。80℃くらいの湯を注ぎ、冷水に取って汚れをきれいに落とし、水をよくきる。
2. 鍋に**煮汁**の材料を合わせ（ただし、しょうゆは3分の1量）、メバルを入れて火にかける。
3. 沸いてきたらアクを取りつつアルミホイルの落としぶたをし、中火で煮る。煮加減をみて残りのしょうゆを2回くらいに分けて足す。

仲間

撥目《ハツメ》
フサカサゴ科

身に水分が多くてやわらかく、どこか弱い雰囲気。白身魚ながら皮下に旨みがあり、焼くと不思議なほど美味。

素直な白身だが、旨みも甘みもそれなりにある

仲間

柳の舞《ヤナギノマイ》
フサカサゴ科

産地では刺身にもなり美味だが、鮮度が落ちやすいので、一般には煮つけや塩焼きなどにしかできない。

蝦夷目張《エゾメバル》
フサカサゴ科

関東ではなじみが薄いが、安価なうえにおいしいので、もっと評価されてもいい魚。煮つけ、みそ汁にするととても美味。

目張《メバル》
フサカサゴ科

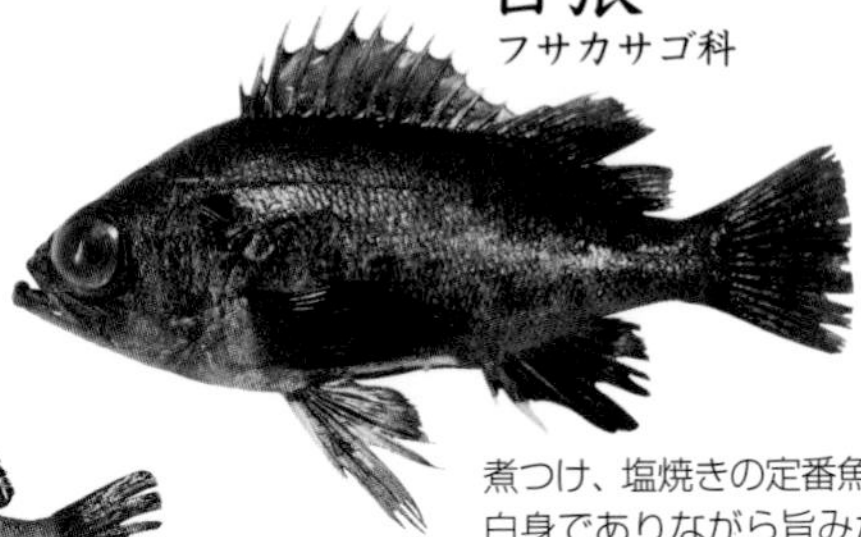

煮つけ、塩焼きの定番魚。白身でありながら旨みがあり、身に張りがある。食べると高級魚たる理由がわかってくる。

めひかり 目光

Bigeyed greeneye

脂のりもよいかわいい深海魚

名前の由来は深海性で目が大きく、青く光って見えることから。ひと昔前まで雑魚《ざこ》的な存在でしたが、近年は高級魚といえる存在になりました。

産地では唐揚げが人気で、刺身、塩焼き、唐揚げなども美味。また、干すと旨みが増します。

開いた状態で冷凍し、年間を通して天ぷらを品書きにのせている店も。それほど味がいいということです。

標準和名
アオメエソ
（青目狗母魚）

科　アオメエソ科

生息域
相模湾から東シナ海、九州からパラオ海嶺。

語源
目が大きく青いため。

地方名
一般的には「メヒカリ（目光）」と呼ばれることが多い。ほかにはトロボッチ、オキウルメ、ヒメヒカリ。

冬から春が美味

旬は千葉以北では冬から春。流通量は少ないが、めずらしくはない。値段はやや高め。水深200～300mにいる深海魚である。産地は静岡県、愛知県、三重県、宮崎県など。

頭でっかち

千葉県銚子から北に生息するものがマルアオメエソ、それ以南が本種（アオメエソ）。また、アオメエソのほうが体に対して頭、目が大きい。

体長20㎝ほどになる

脂もあり、おいしすぎてあごがはずれないか心配

仲間

丸青目狗母魚《マルアオメエソ》
アオメエソ科

鮮度のよいものはとても高価。刺身はトロッとしている。また一夜干しの人気はずば抜けており、入荷と同時に売り切れるほど。

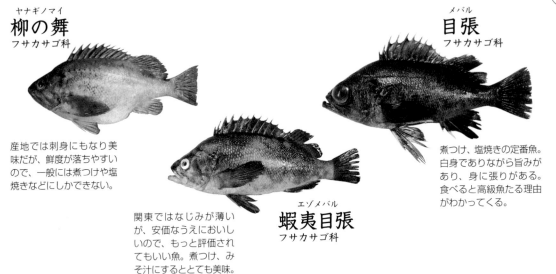

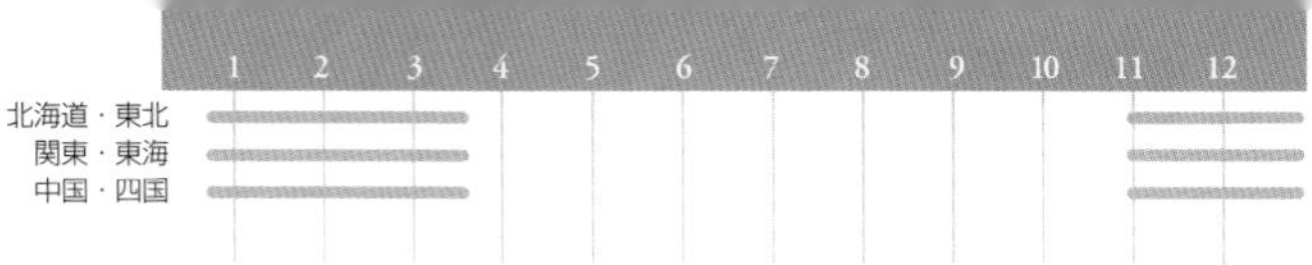

わかさぎ

Pond smelt

公魚

標準和名
ワカサギ（若細魚）
科　キュウリウオ科
生息域
利根川、島根県以北の汽水、湖沼域に生息。
語源
「わか＝幼･清新」＋「さぎ＝細魚･小魚」であり、「清新な小魚」の意。「公魚」と書くのは江戸時代、霞ヶ浦のワカサギを将軍家に献上していたため。あるいは、同じく江戸時代、宍道湖のワカサギが将軍家のご用魚だったためとも。
地方名
島根県出雲地方では「アマサギ」「シラサギ」。ほかには「スズメウオ」（千葉・静岡）、「ソメブリ」（北陸）、「チカ」（東北･北海道）、「サイカチ」（群馬）、「キキンウオ（飢饉魚）」（島根県松江）。

カルシウム量は魚類中トップ

特筆すべきは、魚のなかでもっともカルシウム含有量が高いこと。丸ごと食べられるためカルシウム補給に理想的です。定番の天ぷらのほか、塩焼きにしても美味。

このワカサギに非常によく似た種のチカは、ワカサギと違い淡水に入れないため海にしかいません。

またワカサギに比べ、チカのほうがたくさん獲れるため安価です。

夏以外は多く入荷

産卵期は春で、冬が旬。値段はやや高め。海で成長して河川に上り産卵するものと、湖などに陸封されたものがいる。ワカサギは淡水でも生きられるので、日本各地の山上湖やため池などに移植されている。

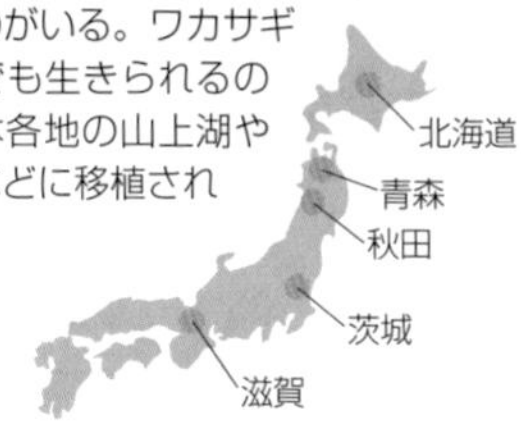

焼き物も楽しめる

素焼きにして、みりん、しょうゆのタレにつけながら焼きあげる。薬味はさんしょうで。

死んでからの傷みが早いので、できるだけ新鮮なものを選ぶ

骨を元気にする

ワカサギ１尾あたりに含まれるカルシウムは約 100mg。成人に必要な１日のカルシウム量を６～８尾でクリアしてしまう計算。しかも低カロリーで鉄分も豊富と、女性にはうれしいことずくめの魚だ。

料理

わかさぎの天ぷら

材料（4 人分）
ワカサギ…300g
天ぷら粉…2/3 カップ
水…120cc
揚げ油…適量
すだち…適宜

作り方
1. ワカサギは塩水でサッと洗い、水気をふき取っておく。
2. ボウルに天ぷら粉を入れ、ワカサギを加えてまぶし、皿などに取り出しておく。
3. 2のボウルに水を加え、衣をつくる。ワカサギを再度ここにくぐらせる。
4. 170℃の揚げ油でカリッと揚げる。

※ しぼったすだちのほか、天つゆ、ソース、マヨネーズをつけてもおいしい

仲間

千魚《チカ》

キュウリウオ科

味はワカサギに似ており、より身がしっかりしてもちもよい。ただ、骨もしっかりしているので、天ぷらにするとやや硬く感じ、フライのほうが向いている。

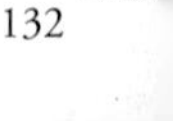

干す

栄養価の面でも優秀な調理法

古くは保存目的でつくられ、塩を添加し干すことで水分を抜いて細菌の増殖を抑え腐敗を防止したものが干物でした。今では塩分濃度が低く生に近くなっています。干物は、水分が抜けたぶん冷凍しても劣化しない性質があります。そのためスーパーなどに並ぶ、ほとんどのものが冷凍流通です。

おいしさの秘密は、水分が抜けることで、たんぱく質やカルシウム、旨み成分が凝縮されることにあります。ビタミン類の含有量も、ほとんど変わりません。

干物には温風や冷風を使った機械干しと天日干しがあります。天日だから栄養や味が抜群にいいとはかぎらず、生産者のこだわりの影響が大。購入は味をみて判断すべきです。

干物は、一般家庭でも簡単につくれます。つくり方は、10％前後の塩水に漬け込む方法と、じかに塩を振って一定期間密閉する方法があります。塩水に漬ける時間は室温によって決まりますが、開き干しは10～20分程度、丸干しで1時間以上を目安としましょう。はじめてなら塩焼きと同様に振り塩をしてビニール袋などに密閉し、冷蔵庫に入れ脱水シートで干す方法がおすすめ。

脱水シートは、旨みや脂はそのままに水分だけを吸収してくれる優れものです。自家製の味に、きっと驚きを覚えることと思います。

ちなみに天日干しは、蝿《はえ》などのいない日中の、気温が15℃以下になる11月から3月までの期間限定と考えてください。

魚の脂

味覚の変化によって生まれた「脂信仰」

日本人の食生活は戦後の経済復興とともに急速に変化し、70年代に世界各国からファストフードなどが流入すると、肉と脂をかなり摂取するようになりました。これによって脂のおいしさが日本中に広まり、エネルギー摂取量が爆発的に増えていったのです。

この肉の脂がもたらした味覚の変化は魚にもおよびました。魚にも脂を強く求めるようになったのです。そして旬の概念も、昔は水揚げ量が多い時期をいいましたが、脂志向が強くなった今では、脂ののる時期をさすようになりました。

この傾向は、養殖魚の増大とともに加速していったようです。養殖魚はかぎられたスペースで飼育されるため運動不足。成長を促すため高脂肪のエサを与えるので、当然、身に脂がつきやすくなります。近年話題の養殖マグロなどは全身の80%がトロといわれていますが、脂自体の質はともあれ脂を好む味覚にはマッチしており、脂の少ない天然ものよりおいしいと評価する人も増えています。

この脂、肥満につながるエネルギーのかたまりではありますが、青魚に多く含まれるＤＨＡという油脂成分は頭の働きを活発にし、アレルギーや心筋梗塞の予防に効果があります。同じく魚に含まれるＥＰＡには血液をサラサラにする効果があり、これは人間の体内ではつくれない物質なので、魚などから摂るしかありません。

とはいえ摂りすぎには注意が必要。身自体のおいしさにも目を見張るものがあるので、脂ばかりにこだわらず、ぜひもっと多種の魚介類を楽しんでみてください。

蝦・蟹・烏賊・蛸

甲殻類のエビ、カニ、
軟体類のイカ、タコについて、
市場に出回るメジャーな種や
人気の種を集めました。

エビとカニの進化の過程

海を漂うエビの祖先

アミの仲間

エビに似た外見の小型甲殻類。まだ泳ぎもあまり上手でなく、頼りなさそうに海中を漂っていた。

産んだら産みっぱなし

クルマエビの仲間

まずクルマエビの仲間が誕生。しかし、卵を産むと海に放出し、保護しない。無責任な親である。

アシアカ
⇨P140

インドエビ
⇨P140

バナメイ
⇨P140

ブラックタイガー
⇨P140

タイショウエビ
⇨P140

アルゼンチンアカエビ
⇨P147

サクラエビ
⇨P143

アカエビ
⇨P142

サルエビ
⇨P142

シバエビ
⇨P142

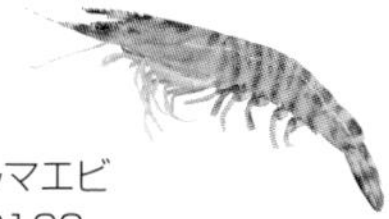
クルマエビ
⇨P138

親がけなげに卵を守る

ボタンエビなどの仲間

卵をちゃんと抱き、保護するように進化。水中を泳ぐことが多く体はひ弱で、油断すると天敵に襲われることも。

ホッコクアカエビ
⇨P145

オニエビ
⇨P144

テナガエビ
⇨P144

スジエビ
⇨P144

シロエビ
⇨P143

スポットエビ
⇨P147

ホッカイシマエビ
⇨P147

シマエビ
⇨P147

ブドウエビ
⇨P147

ボタンエビ（トヤマエビ）
⇨P146

ボタンエビ
⇨P146

泳いで逃げるのは疲れたよ…

イセエビの仲間

泳いでいると天敵に見つかりやすい。徐々に体にまとう殻が硬くなり、基本的に海底をはって暮らすように。

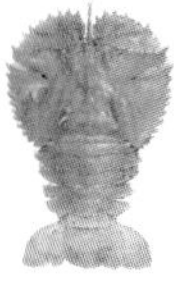
ウチワエビ
⇨P148

アカザエビ
⇨P148

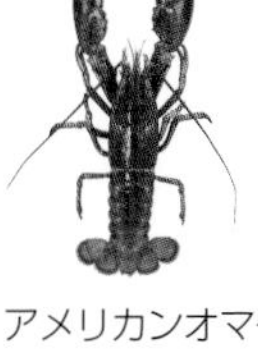
アメリカンオマールエビ⇨P149

アメリカザリガニ
⇨P149

イセエビ
⇨P148

海は怖いよ、家がほしい

ヤドカリの仲間

それでも海は危険なので泥の中や、海底に沈んだ竹や軽石に穴をあけて暮らすように。写真は軽石に入ったカルイシヤドカリ。

やがて、もっと便利で身近にたくさんある貝殻を家にするように。ここで事件発生！螺旋形の貝殻に無理やり潜り込んだので、体がゆがんでしまったのだ。

泳ぐ自由を取ったエビ、鎧をまとったカニ

プリプリとした食感がおいしいエビ、芳醇な香りとやわらかな身質が魅力的なカニ。しかし、じつはカニの先祖はエビで、エビが進化を遂げたものがカニだといったら驚かれるのではないでしょうか。

エビとカニが近親にあたるといえる根拠には、以下が挙げられます。

①10本の脚がある。一見8本に見えるタラバガニもじつは10本で、一対の小さな脚が甲羅の下に隠れている

②ゆでると赤くなる。どちらもアスタキサンチンという同じ色素をもっている

③グリシン、クレアチン、アラニンなど、同じ旨み成分をもっている

④トロポミオシンという同じアレルゲンをもっている

このように、たくさんの共通点があるのです。しかし、エビとカニの形はずいぶん違っています。そこに、彼らの生きるために選んだ道が見えてきます。危険な海のなかで気の遠くなるような長い時間をかけて少しずつ進化していくさまは、なんともいじらしい。こんなことを知るとエビやカニがいっそう愛らしい存在に見えてくるはずです。

もっと自由に走りたい

タラバガニの仲間

貝殻の中は安全だが、食事するのも恋するのも大変。もっと自由になりたいと、食べられやすい尾を畳み込み、体の前半を硬い殻で包んでしまった。しかし、まだ体のゆがみは残っている。

タラバガニ
⇨P150

アブラガニ
⇨P151

タラバガニ科のカニはヤドカリのときの名残があり、体が左右非対称。

ハナサキガニ
⇨P151

泳ぎを捨てて走・攻・守をそろえた

ズワイガニの仲間

体のゆがみもなくなって左右対称になり、正真正銘のカニの誕生。装備も万全、ほしいものはすべて手に入れた。でも、自由に泳ぐエビを見るとちょっとうらやましい気も…？

ズワイガニ
⇨P152

ベニズワイガニ
⇨P152

クリガニ
⇨P153

ケガニ
⇨P153

タイワンガザミ
⇨P154

ガザミ
⇨P154

モクズガニ
⇨P155

シャンハイガニ
⇨P155

サワガニ
⇨P155

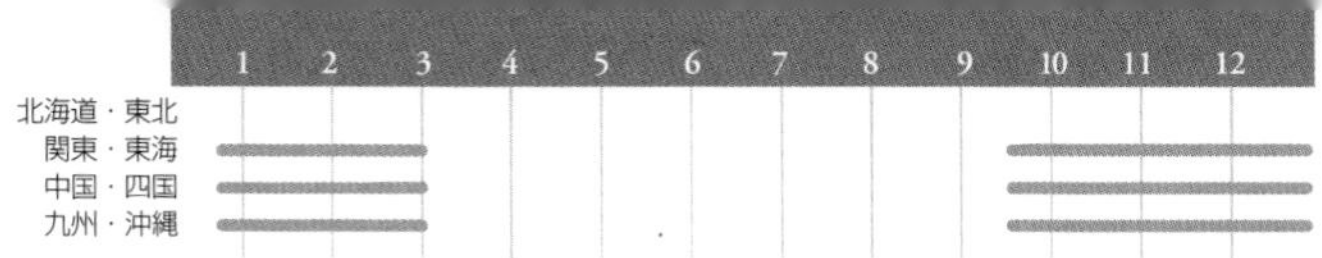

北海道・東北

くるまえび

Kuruma prawn

車蝦

江戸時代からのエビの代名詞

エビの代表的なものがクルマエビです。内湾の浅瀬にいて、古くは帆船で引く「打たせ網」などで獲っていましたが、内湾の汚染や開発でほとんど獲れなくなりました。

それを補っているのが輸入もの、養殖ものです。最初が中国近海で獲れるタイショウエビ。それも足りなくなって登場したのがブラックタイガー、そして新顔のバナメイです。

標準和名
クルマエビ（車海老）
科　クルマエビ科
生息域
北海道南部から韓国、台湾、中国、オーストラリア北部、フィジー、東南アジア、地中海東部。
語源
「エビ」に「海老」と字をあてるのは、腰が曲がりヒゲを生やした老人に似ているため。長寿という意味合いから正月などの飾りにも用いられる。「クルマエビ」とは、体を曲げた状態が丸く車のようだから。
地方名
マダラエビ、ホンエビ（本蝦、本海老）、アエビ。

9割が養殖

天然ものは初夏が旬だが、9割がたが養殖となった現代ではそうともいえない。入荷は、甘みのもとであるグリシンなどの量が最大になり、おいしさが増す秋から冬に増える。

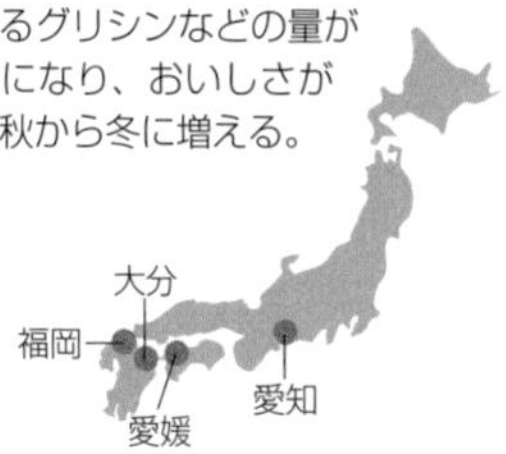

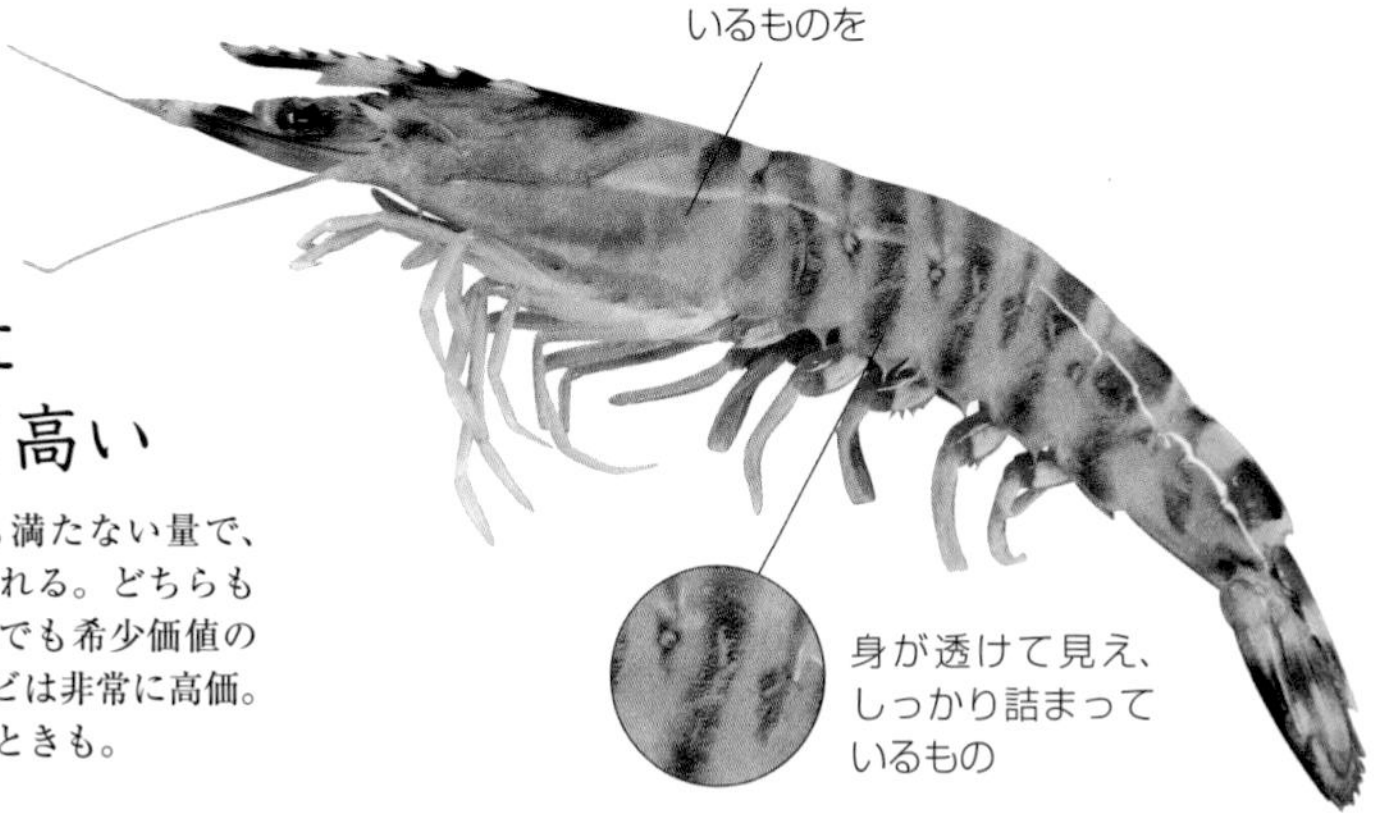
死ぬと鮮度がすぐに落ちるため、原則的に生きているものを
身が透けて見え、しっかり詰まっているもの

天然・養殖にかかわりなく高い

天然は養殖の1割にも満たない量で、ほとんど産地で消費される。どちらもとても高価だが、なかでも希少価値の高い東京湾産クルマエビは非常に高価。1本3000円を下らないときも。

大きさで使い分けよう

クルマエビの味わいは、大きさでは変わらない。天ぷらには小ぶりのもの、寿司には中型、フライには大きなもの、と使い分けるとよい。

美しい赤い色が特徴

エビは、熱を通すと赤くなるアスタキサンチンという色素をもっている。エビのなかでも赤みの強いものと弱いものがあるが、クルマエビはゆでると見事に赤くなり、この鮮やかな赤が特徴のひとつ。熱を通したときの色合いもエビの価値を決める。

生でもゆでても

ゆでたクルマエビは、江戸後期の握り寿司誕生以来の伝統的なネタ。古くからのゆでエビと戦後になって生まれた「踊り（生）」の2種類がある。

活けで造る踊り。寿司飯の上で動き、食感がいい

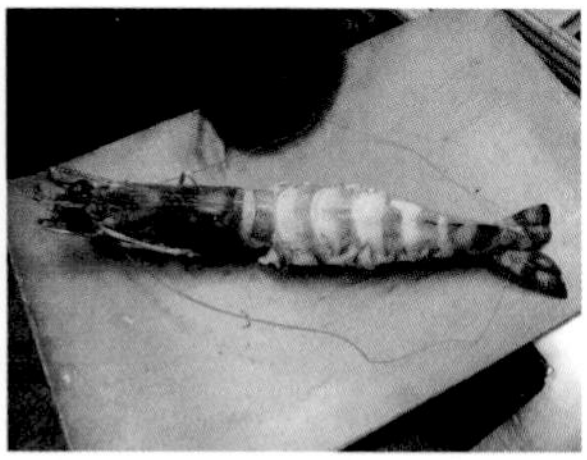

ゆでエビは活けより数段甘みが強く、とてもおいしい

簡単でおいしい えびの天ぷらの揚げ方

材料（4 人分）

エビ…20 尾ほど
天ぷら粉…1 カップ
水…1 カップ
揚げ油…適量
レモン…少々

一

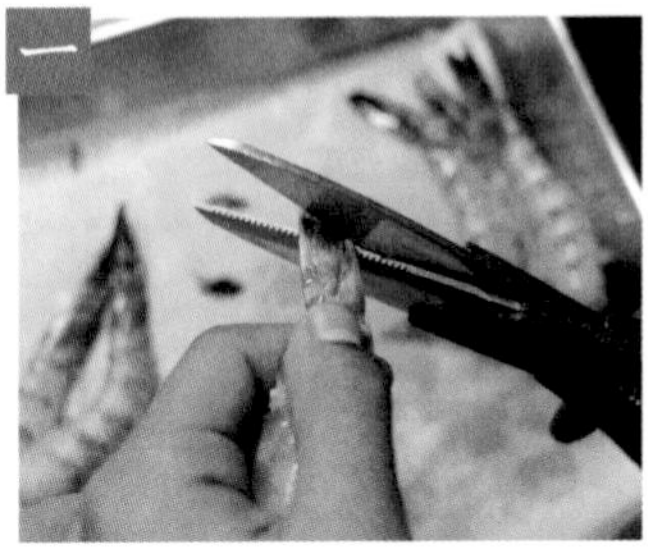

エビは殻をむき、背ワタを取る（下記参照）。しっぽの先には水分が含まれ、油はねの原因になるので、斜めに切り落とす。

二

天ぷら粉だけをエビにまぶす。

三

残った天ぷら粉を同量の水で溶いて、再びエビをくぐらせる。

四

170 ～ 180℃に熱した油に静かに入れる。

五

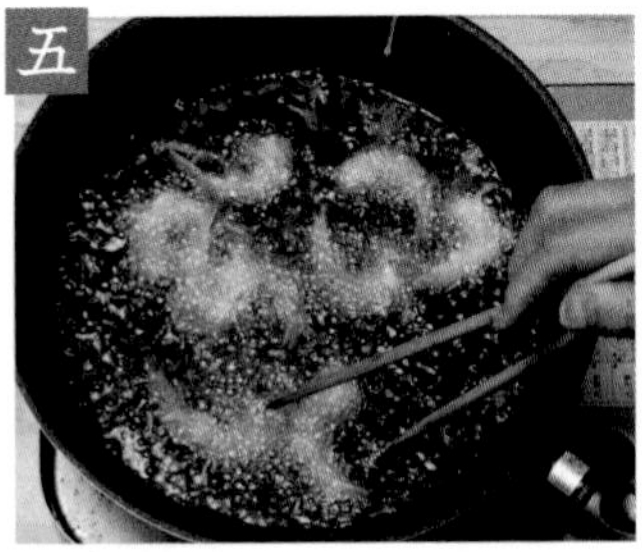

途中、温度が均一になるよう箸でかき回す。揚がる音が高くなってきたら揚げあがりのサイン。

六

皿に盛りつけ、くし形切りにしたレモンを添える。

下処理は？

まっすぐにはしない!?

よく背側に切り込みを入れて形をまっすぐに整えるが、家庭で楽しむなら入れないほうが味も食感も損なわれにくい。

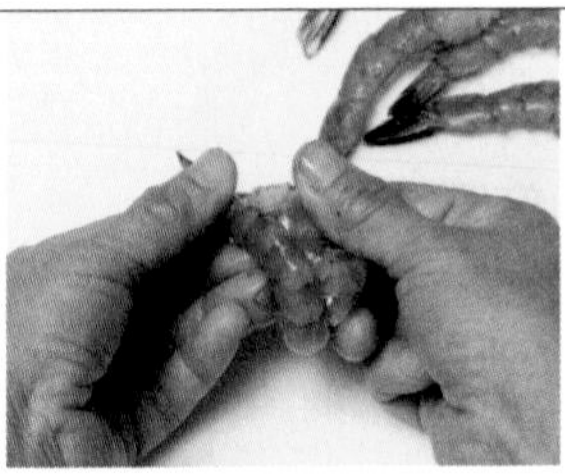

殻をむく

殻をむき、頭を取る。料理によっては頭を残したり、頭だけをだしや飾りに使ったりすることも。

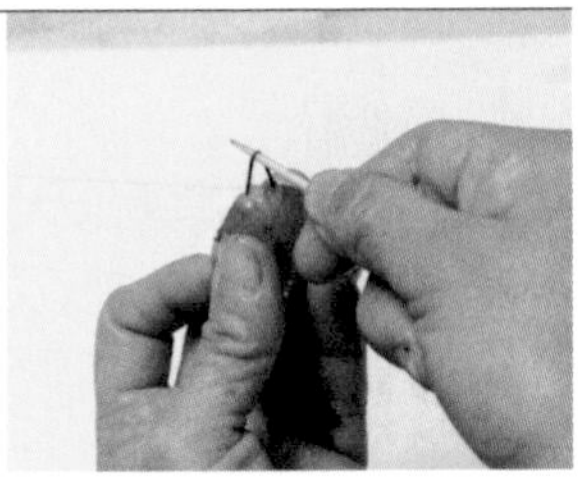

背ワタを取り除く

背ワタとは背中の黒いスジのことで、エビの腸にあたる。ようじなどを浅く刺してすくい出す。

おいしいコツ

冷凍は氷漬けにして

殻つきはそのまま、むきエビはワタを取るなど下処理をして密閉容器に入れ、ひたひたの水を入れて冷凍する。解凍するときは容器を冷蔵庫へ。

ゆでて冷凍するという手も

ゆでてから冷凍すると、生のまま冷凍するより組織の変化が少なく、ダメージが小さい。

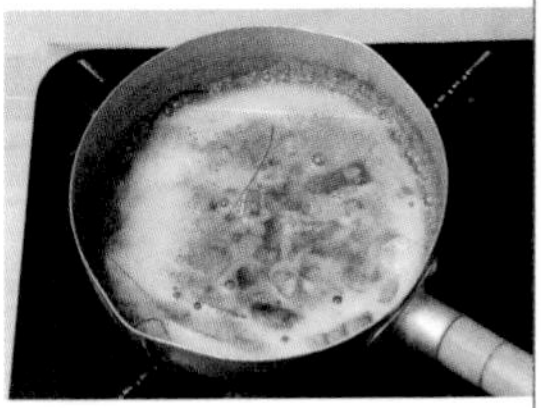

残った頭と殻でだしを

頭と殻だけでも、エビの風味たっぷりのいいだしが取れる。ゆでてこし、塩味だけでスープやみそ汁にしても。

大正えび料理には大正えび以外も？

仲間

タイショウエビの仲間は世界中から輸入されていますが、流通の場では「ホワイトエビ」と呼ばれ、おもに3種類います。

タイショウエビ、インドエビ、クマエビで、スーパーなどにもっとも多いのがインドエビです。これらも料理店では「タイショウエビ」と呼ばれます。

大正蝦《タイショウエビ》 クルマエビ科

ゆでた色の悪さでやや不人気だが味は上々！

寿司ネタのゆでエビにもされるが、赤みが弱いため、おもに天ぷらやエビフライに使われる。色さえ気にしなければ、とてもおいしくいただける。

触って硬いもの。頭が黒ずんでいないもの

足赤《アシアカ》 クルマエビ科

マダガスカル、東南アジア、サウジアラビアなど、世界中から輸入されている。養殖はほとんどされていない。

天竺車蝦《インドエビ》 クルマエビ科

選び方はタイショウエビと同じ

インド洋などで大量に獲れ、すべて冷凍輸入。お店などでよく見る種でおいしいが、熱しても赤くはならない。

バナメイ クルマエビ科

冷凍なので触って硬いもの。黒く変色していないものがよい

青味がかった灰色。脚が白い

クルマエビのよさを引き継いでいる

クルマエビの仲間だけに、甘みと風味があって美味なうえ、ゆでても鮮やかに赤くなる。天ぷらにしても塩焼きにしてもなかなかおいしい。病気に強く同じ池で何度も育てられるうえ、成長が早く、しかも味がよいことから、スーパーなどに多く出回るように。ブラックタイガーを圧倒しそうな勢いだ。

ブラックタイガー クルマエビ科

国民的なエビ

非常に知名度が高く回転寿司や宅配寿司に使われるエビの多くが本種。大きいものは体長30㎝を超え、丼からはみ出す天丼やジャンボフライにも。ほぼすべてが輸入もので冷凍・解凍エビのなかでは高いシェアを誇る。

おいしいコツ

冷凍エビをおいしく食べる

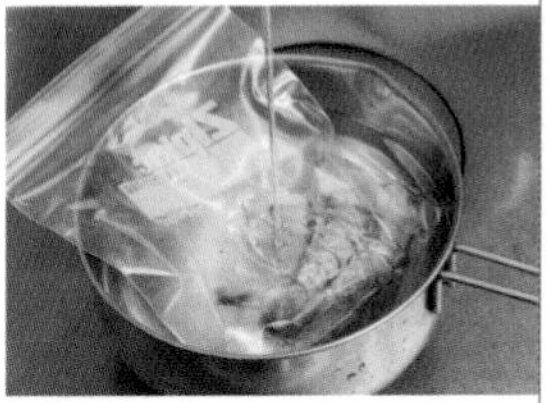

解凍は調理の直前に

密閉袋に入れてボウルに立て、袋に流水をかける。水量はわずかでよい。この解凍法だと生臭みも気にならない。

プリプリにするには

解凍後、片栗粉と塩をまぶし、よくもみ込んでしばらくおく。これを水洗いし、水気を取ってから調理すると、臭みもなくなってプリプリに。

冷凍ものを揚げるコツ

鮮度を気遣って半解凍にしたエビを揚げ物に使うと、揚げ時間が長く必要なため、衣は厚めにつける。

料理

えびチリ

材料（2～3人分）

エビ…中12尾
長ねぎ…10㎝
しょうが…少々
トマトケチャップ…大さじ2
豆板醤…大さじ2（辛さは好みで）
鶏ガラスープ…大さじ4
サラダ油…大さじ1
片栗粉、水…各小さじ1

作り方

1. ねぎとしょうがをみじん切りに、エビは背ワタを取る。塩（分量外）を振り、水で溶いた片栗粉の中で洗う。
2. フライパンに油を熱し、ねぎとしょうがを香りが出るようにゆっくり炒め、エビを加えて炒める。
3. エビを取り出し、フライパンに豆板醤、トマトケチャップ、鶏ガラスープを入れて強火で少し煮詰める。
4. エビを戻し入れて**3**にからめる。

えびグラタン

材料（4人分）

エビ…小20尾
バター…大さじ4
小麦粉…40ｇ
牛乳…3カップ
溶けるチーズ…60g
玉ねぎ…1/2個
パセリ（飾り用）…適量

作り方

1. フライパンにバターを溶かし、小麦粉を炒める。温めた牛乳を少しずつ加えながらホワイトソースをつくる。
2. 玉ねぎをみじん切りにし、透明になるまで炒めて**1**に加える。エビは下ゆでしておく。
3. フライパンを熱し、ホワイトソースをエビのゆで汁で適度にゆるめる。エビを加えてココット皿（または耐熱皿）に移す。
4. 溶けるチーズとパセリをのせて、オーブンで20分前後焼き、加減をみながら仕上げる。

冷凍エビの選び方

「解凍」よりコチコチの冷凍もののほうが新鮮？

解凍ものの多くは、もともと冷凍輸入や冷凍加工されたもの。これらは解凍により急速に鮮度が落ちて生臭くなるため、よほど急いで持ち帰って食べないかぎり、冷凍ものを食べる前に解凍したほうが鮮度的には上。エビなどは使う量だけ解凍することもできるので、冷凍もののほうが便利。

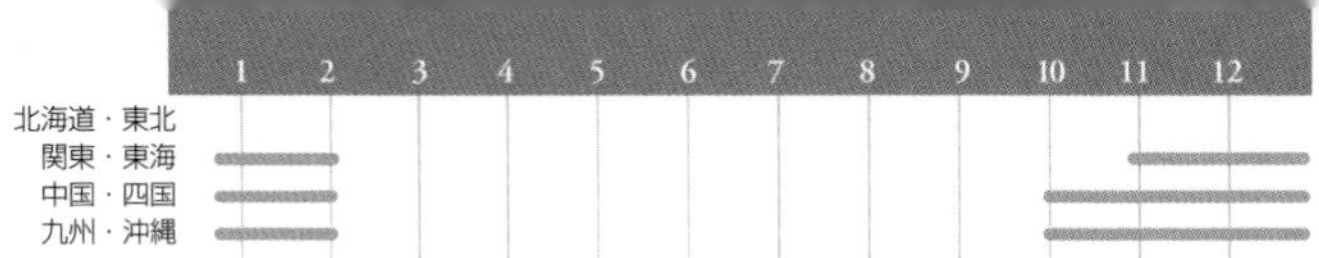

しばえび

Shiba shrimp

芝蝦

標準和名
シバエビ
科　クルマエビ科
生息域
東京湾以南。台湾、黄海内湾。水深10～30mの砂泥地。
語源
東京の芝は古くは海に面した浜であり、打たせ網（底曳き網）などで魚を獲っていた。この浜先でたくさん獲れたエビであったことから、「シバエビ（芝蝦）」となった。
地方名
アカヒゲ、シロエビ。

かっての庶民の味が幻のものに

東京の芝がまだ海だったころに前浜で獲れたシバエビ。瀬戸内海で大量に揚がったアカエビ。三河名物えびせんの材料となったサルエビ。いずれも安くておいしいものでしたが徐々に獲れなくなり、高級品になっています。

　浅い海で獲れる小エビの減少は、海の状態を心配させます。おいしいだけではなく、いろいろ考えさせられるエビたちです。

小エビだが今は高級品

寒い時期に味がいいとされるが、春から秋にたくさん入荷する。古くは庶民的なかき揚げや、おぼろになるほど安かったものが、いまや高級品となっている。

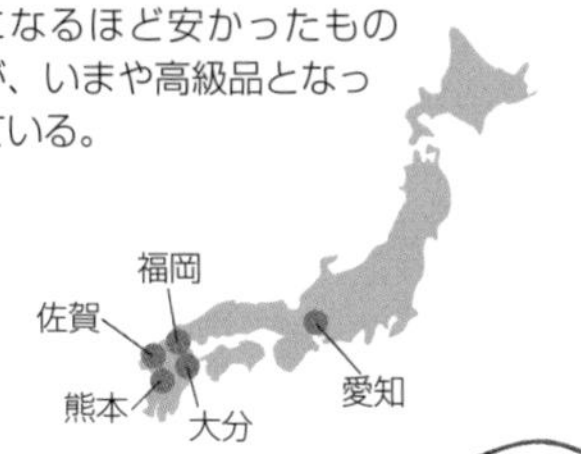

料理

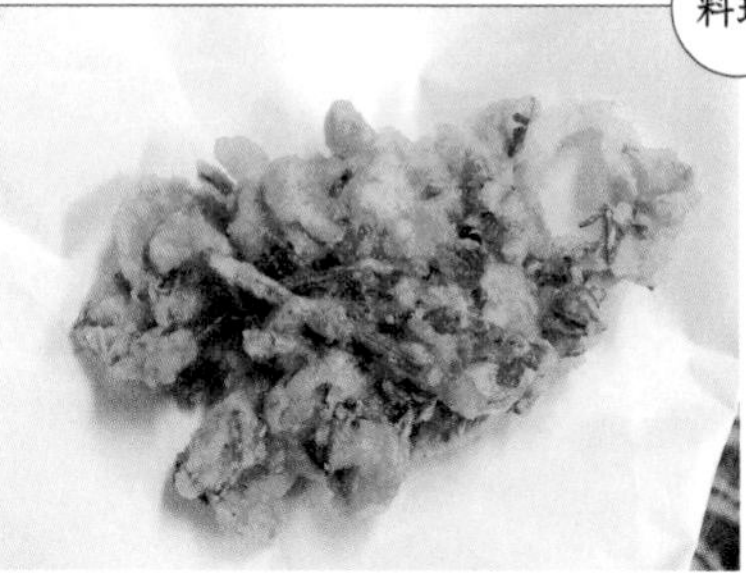

芝えびのかき揚げ

かき揚げには江戸時代以来、原則的にシバエビを使った。これは近年高級となったが、それだけおいしいもの。

材料（4人分）
シバエビ…400g
せり（三つ葉でも）…1/2束
天ぷら粉…1カップ
水…1カップ
塩…適量
揚げ油…適量

作り方
1. シバエビは、殻をむき塩水で洗い、ザルに上げ、水をきっておく。せりは千切りにする。
2. 1をまぜ合わせ、天ぷら粉をまぶしてボウルなどに入れておく。
3. 残った天ぷら粉を水で溶き2に加え、170℃の油で揚げる。

仲間

猿蝦《サルエビ》　クルマエビ科

旨みが強く、やや大型。産地では簡単にゆでて食べるのがおいしいという。愛知県三河では天ぷらやえびせんの材料にも。

赤蝦《アカエビ》　クルマエビ科

代表的な小エビで内湾などで大量に水揚げされる。産地では干しエビに加工したり、天ぷらにしたりする。マダイ釣りなどのエサにもなる。

シバエビは小さいので、ゆでて２枚合わせにして握ることが多い

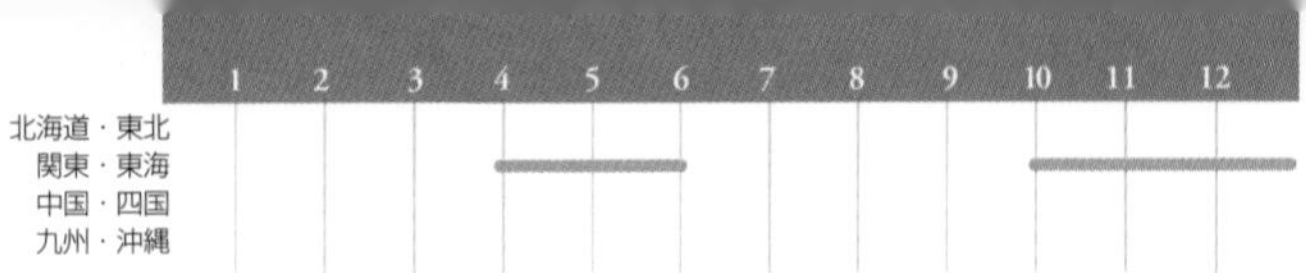

さくらえび 桜蝦

Sakura shrimp

標準和名
サクラエビ
科　サクラエビ科
生息域
千葉県沖、東京湾、相模湾、駿河湾。
語源
桜の花びらのような色合いだから。
地方名
夏に生まれたもので10月くらいまでのものを「シンエビ（新エビ）」、産卵できるほど育ったものを「ヒネエビ」という。「ヒカリエビ」とも。

小さいながら旨みはたっぷり

サクラエビなどの浮きエビは、古くは干しエビとして出回っていましたが、生での流通が可能になり刺身でも食べられるように。ますます魅力を増しています。

漁獲高の多いものに、富山県のシロエビ、静岡県のサクラエビなどがあります。瀬戸内海や有明海で獲れるアキアミは塩辛が有名で、韓国料理、とくにキムチの味つけになくてはならないものです。

名のとおり桜のころが旬

サクラエビは春と秋の２回漁獲されているが、旬は一般的に名前のとおり桜の時期。国内の水揚げ量の100%が駿河湾。乾物としての入荷が多いが、生での入荷も年々増加している。

赤いものを。鮮度が落ちると白っぽくなり、赤みが落ちる

駿河湾で夏を除いて春と秋に漁が行われているもの。秋に獲れるのは比較的小さなもので、春のもののほうが大きい。

「富士にエビ」は観光スポット

干したサクラエビを赤いじゅうたんに見立てた富士山の絶景は、駿河湾沿岸でも最高の観光スポットになっている。

料理

桜えびのかき揚げ

材料（４人分）

サクラエビ（生）…400ｇ
小麦粉（衣用）…１カップ
水…１カップ
揚げ油…適量
好みの野菜（三つ葉、玉ねぎなど）…適量

作り方

1. サクラエビは塩水（分量外）で洗い、水をきっておく。野菜はきざんでおく。
2. ボウルに小麦粉を入れ、**1**を入れてまぶし、別のボウルに移す。
3. 小麦粉のボウルに水を入れ衣をつくる。**2**に適宜加える。
4. 170℃前後の油で揚げる。入れてからは絶対に箸などで触らない。徐々に温度を上げ、浮き上がったらひっくり返す。

仲間

白蝦《シロエビ》　オキエビ科

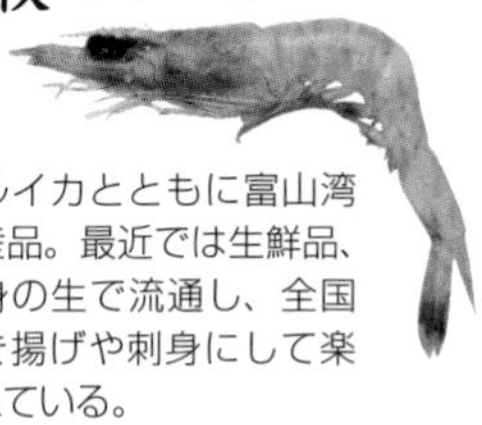

ホタルイカとともに富山湾の特産品。最近では生鮮品、むき身の生で流通し、全国でかき揚げや刺身にして楽しまれている。

アミ　サクラエビ科

韓国料理にも欠かせない

秋に旬を迎える。韓国にはキムチづくりのための休暇があるが、そのキムチ漬けの必需品がアミの塩辛。国内でも岡山県や有明海など、アキアミの特産地は少なくない。

生サクラエビを軍艦巻きに。エビの甘さが最高

かわえび 川蝦

Freshwater shrimp

標準和名
スジエビ
科　テナガエビ科
生息域
北海道から九州、屋久島、種子島。韓国、国後、択捉（エトロフ）、サハリン。

素朴な味わいが高級に変身

　国内の河川や湖には、スジエビとテナガエビがいます。古くは、湖沼や川べりで細々と食べられていたものですが、開発が進んで獲れなくなると、とたんに高級なものに。今では世界中から同じ科のエビが輸入されています。

　この2種は、食べ方も味も変わりません。エビの香ばしさと旨みを丸ごと味わうために揚げることが多く、これは非常においしいものです。

市場では単に「川エビ」

スジエビは秋から冬、テナガエビは夏が旬。テナガエビは、霞ヶ浦からのものはとくに元気で高値。スジエビは首都圏の川にも非常に多く、テナガエビよりも安価。

小麦粉などをつけずに素揚げに。これがいちばんおいしい。

選び方はスジエビと共通

手長蝦《テナガエビ》
テナガエビ科

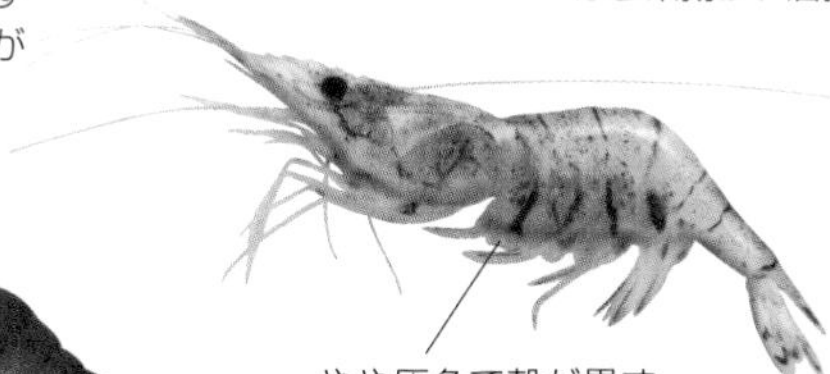

ややや灰色で殻が黒ずんでいないものを

佃煮のほか、だしとしても使われる。生なら関東ではもっぱら素揚げ、唐揚げにされる。

おにえび 鬼海老

Oni shrimp

標準和名
イバラモエビ
科　モエビ科
生息域
島根以北の日本海。

あまり獲れない最高に美味なエビ

　あまり食用にならないモエビの仲間で唯一大型になり、水揚げがあるのが、このオニエビです。漁師さんなどが「船に揚げると宝石が動いているようだ」と評すほど、美しい姿をしています。

　また、甘エビ類とは違い、生だけではなく焼いても非常においしいものです。しかも大型になるため、見た目にも華があります。

　産地では、ほかのどんなエビよりもおいしいとされ、実際にとても高価なものです。

　その迫力ある姿から、北海道ではなんと「ゴジラエビ」と呼ばれています。かなりのおいしさが少しずつ知られ始め、都市部でも人気急上昇中のエビです。

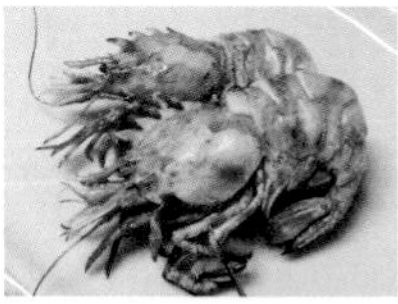

殻がトゲだらけで硬く、むきにくいのが難点だが、生の味は最高級。焼くとより甘みが強くなり、旨みが増す。みそ汁の具にしたら、このうえなくぜいたく

モエビ科ではめずらしく20㎝を超える。全身に鋭いトゲがあり、触ると痛い

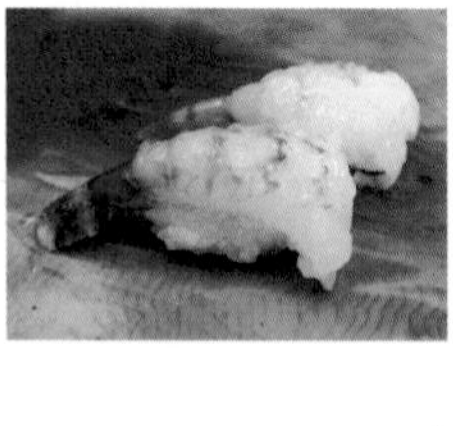

生で握って美しく、しかも最高においしい

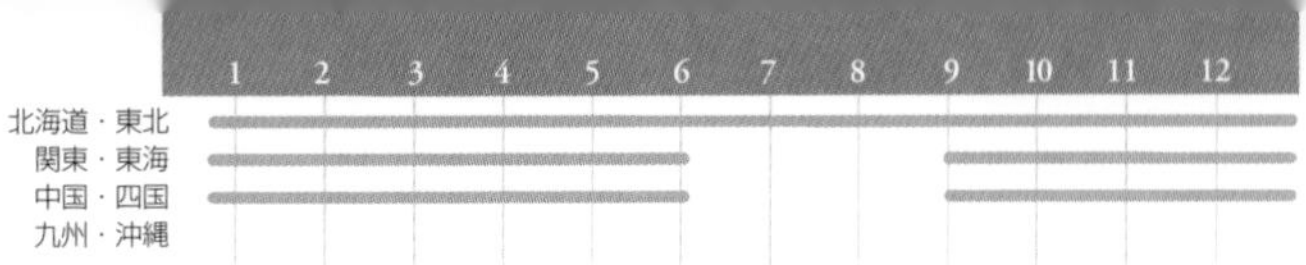

あまえび 甘蝦

Deepwater shrimp

70年代から売れ筋に

なじみ深い甘エビは、昔から親しまれてきたと思いきや意外に新しいものです。それまでエビはゆでたり焼いたりされていましたが、甘エビだけはほとんどが生食されます。

甘エビは、流通が発達した60年代後半、デパートなどの催事に新潟からのものが登場。その後、国内外を問わずさまざまな仲間が加わり、広く一般家庭の食卓に上るようになりました。

つねに美味な優れもの

長い産卵期間をもつため旬は明確ではないが、いつでもおいしい。時期よりも、獲り方や流通が生か冷凍かのほうが重要。

標準和名
ホッコクアカエビ
科　タラバエビ科
生息域
日本海から北海道、ベーリング海、アラスカ、カナダ西岸。
語源
食べたときに甘みを感じるから。
地方名
一般的に「アマエビ（甘エビ）」。流通の世界では「アカエビ（赤エビ）」ともいう。もっとも初期に甘エビ人気をつくり上げた新潟では「ナンバンエビ」。「ナンバン」は「南蛮」で唐辛子のこと。また「コショウエビ」ともいうが、こちらも唐辛子の古い呼び名。「トンガラシ」「トウガラシ」という呼び名が築地などに残っている。ほかにはあまりにもたくさん獲れていたので「トンエビ」。この「トン」は重さの単位の「t」。

いいだしが出る

水分が多いので熱を通すと著しく身がやせてしまうが、おいしいだしが出る。甘エビと焼いた魚、野菜を煮てみそを入れると、おいしい汁になる。冷凍ものを使っても充分美味。

全体にほっそりしていて赤く、文様がない

味は性転換前のオスが最高!?

寿命は11年ほどで、エビとしてはとても長い。甘エビは、最初はすべてがオスで途中でメスに性転換する。つまり大型の甘エビはすべてメス。しかし、新潟の甘エビ漁の漁師さんに尋ねると、この性転換前のオスの味がいちばんだという。

おいしい食べ方

生がいちばん。ほかには天ぷらや唐揚げなどにも向いている。揚げると殻ごと食べられて香ばしく、まったく別の味わいに。

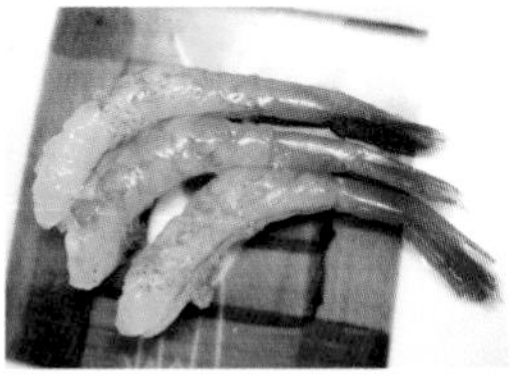

輸入の冷凍ものもおいしくなってきている

甘エビには国産の生のものと、ロシアなどから輸入された冷凍ものがある。生は高いが冷凍ものは安い。明らかに生のほうがおいしいが、近年は冷凍技術の改革から冷凍ものの味もよくなっており、甘みも非常に強い。

ずばり、甘さが旨さ。今では定番の寿司ネタ

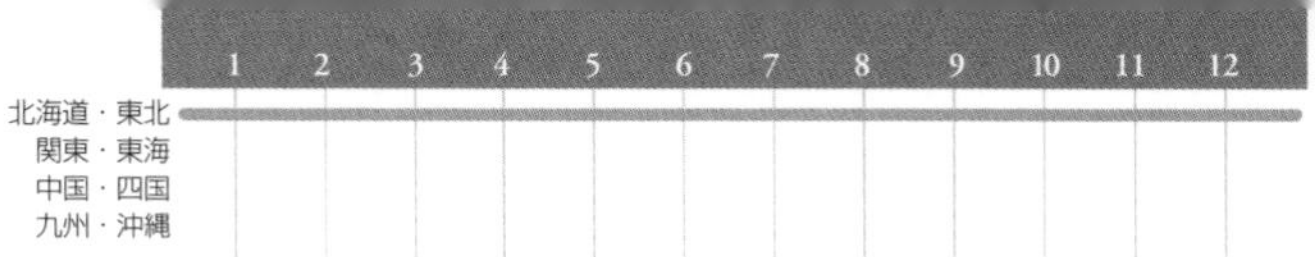

北海道・東北

ぼたんえび

Humpback shrimp

釦蝦

標準和名
トヤマエビ（富山蝦）
科　タラバエビ科
生息域
島根県以北の日本海、北海道は道東沖の太平洋からオホーツク海の水深 100 ～ 400 m。甘エビ類のなかでは比較的浅い場所に生息。
語源
和名の「トヤマ」は、最初に研究採取されたのが富山湾だったため。
地方名
一般には「ボタンエビ」。これは北海道での呼び名で、いちばんたくさん獲れる産地での呼称が都市部に広がったもの。ほかにはトラエビ、シロエビ、オオエビ、ダイエビ。

本家はなぜかトヤマエビ

やや奇妙な話ですが、高級寿司店で「ボタンエビ」というとトヤマエビをさします。この標準和名はまったく知られていません。太平洋側にいる、標準和名がボタンエビのものに比べ流通量も多く、おそらく最初に寿司店などでボタンエビとして扱われたのもこちらだと思われます。

味は最上級で、名店と呼ばれる老舗寿司店にあっても恥ずかしくないネタです。

旬は春と秋の２回

２月末から４月ごろまではオスがおいしい。また、メスは「子持ち」となる秋が美味。日本海に多く北海道が産地で、その約 20 ～ 30％を噴火湾産が占める。

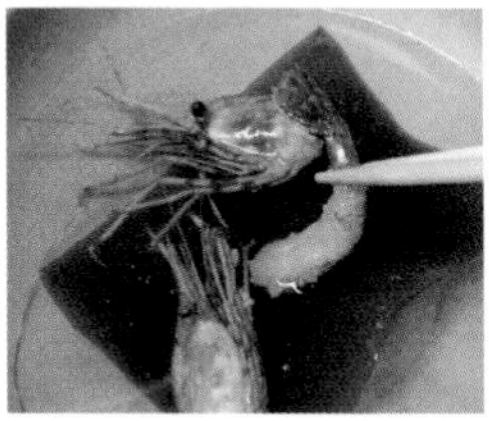

しゃぶしゃぶに

意外に知られていないが、しゃぶしゃぶにしても最高に美味。エビは完全な生よりも少し火を通すと甘みや旨みが増し、食感もよくなる。こんぶとエビの頭をだしにして、半生ぐらいでポン酢かしょうゆでいただく。

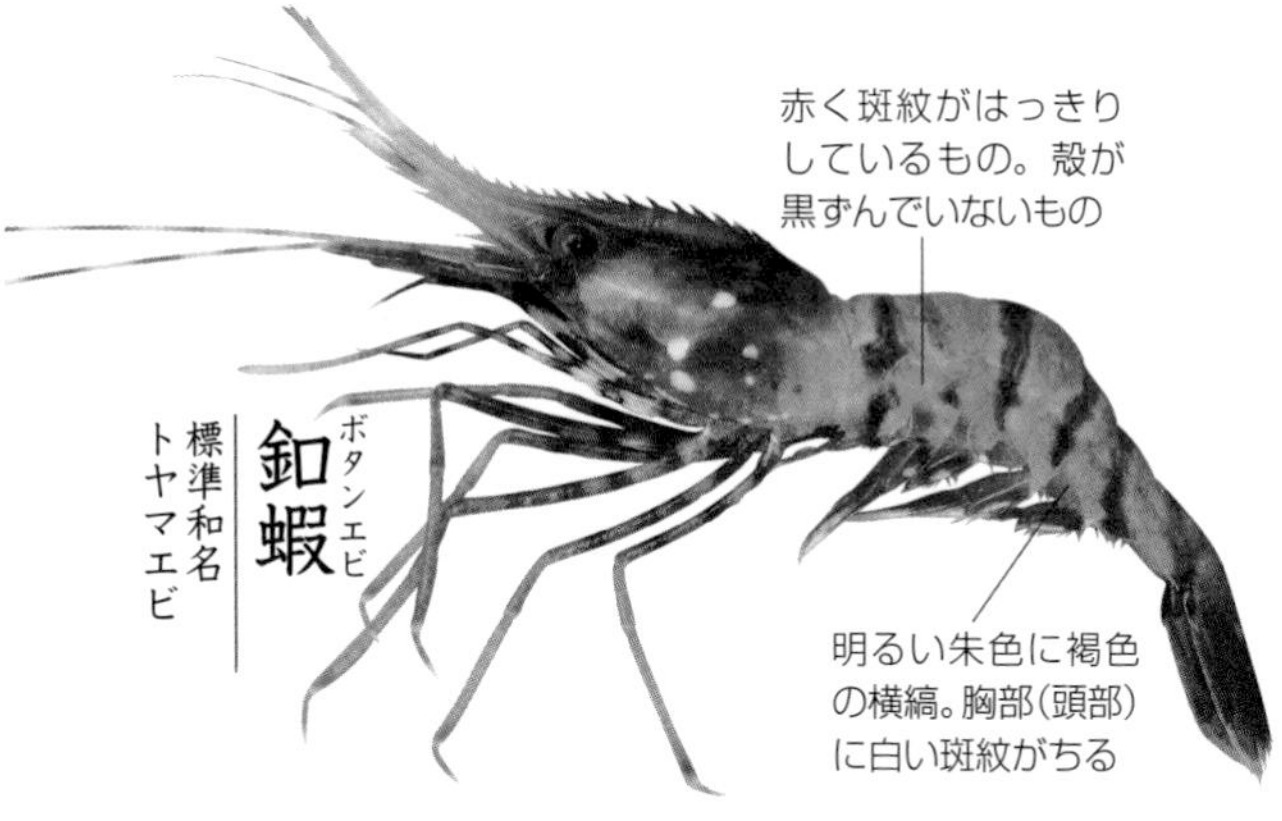

明るい朱色に褐色の横縞。胸部（頭部）に白い斑紋がちる

釦蝦《ボタンエビ》
標準和名
トヤマエビ

生食用エビの王者

国産の生は最高に美味。超高級寿司店でしか食べられない。

オレンジ色が鮮やかで、赤い斑紋のくっきりしたもの

釦蝦《ボタンエビ》
タラバエビ科
標準和名
ボタンエビ

こちらが標準和名のボタンエビ。トヤマエビと違い太平洋側にしかいない。身はやわらかすぎず、かむとプリッとして、まず甘みが広がる。その後ねっとりと濃厚な旨みが舌に長く残る。できれば頭のミソも味わってほしい。さっぱりした上品な身に、濃厚な旨みのあるミソが絶妙にからみ合う。

甘みはもちろん、プルンとした食感も楽しめる。寿司ネタの特上品

甘えびの仲間
おいしさランキング

エビは出回るものの種類が多く、味の違いがわかりにくいもののひとつ。そこで寿司店で活躍する甘エビの仲間を、おいしさで勝手にランキング！　表にしてみると、順位を替えたくなるほど迷います。

1. シマエビ（モロトゲアカエビ）
2. ブドウエビ（ヒゴロモエビ）
3. ボタンエビ（トヤマエビ）
4. ボタンエビ（ボタンエビ）
5. 甘エビ（ホッコクアカエビ）
6. ホッカイシマエビ（ホッカイエビ）

（　）内は標準和名

1位

縞海老《シマエビ》

タラバエビ科
標準和名
モロトゲアカエビ

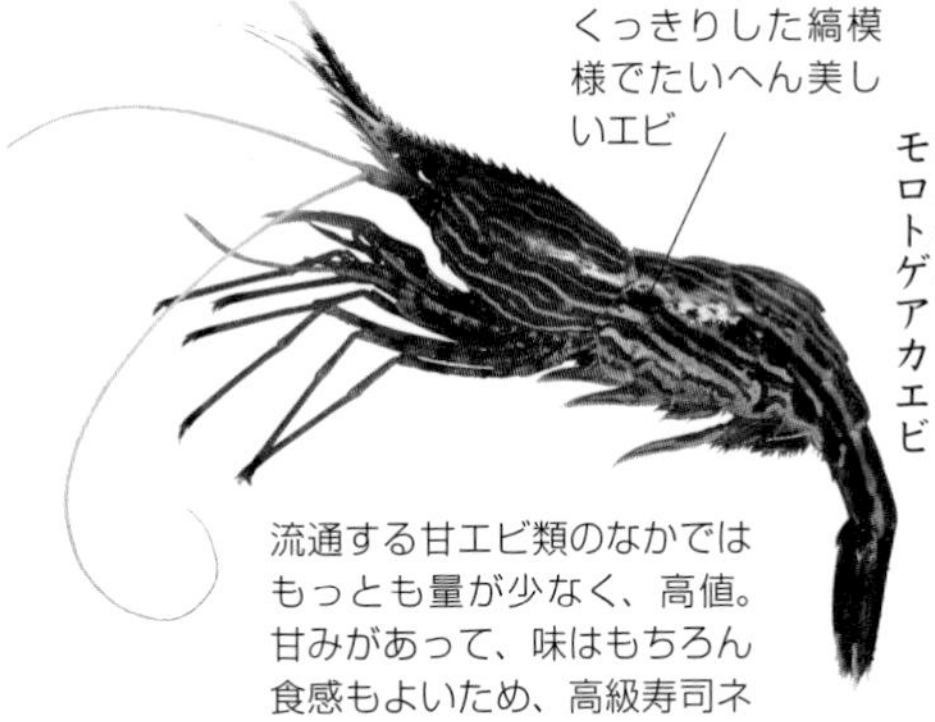

くっきりした縞模様でたいへん美しいエビ

流通する甘エビ類のなかではもっとも量が少なく、高値。甘みがあって、味はもちろん食感もよいため、高級寿司ネタとして珍重される。北海道西岸などで水揚げされる。

葡萄蝦《ブドウエビ》

タラバエビ科
標準和名
ヒゴロモエビ

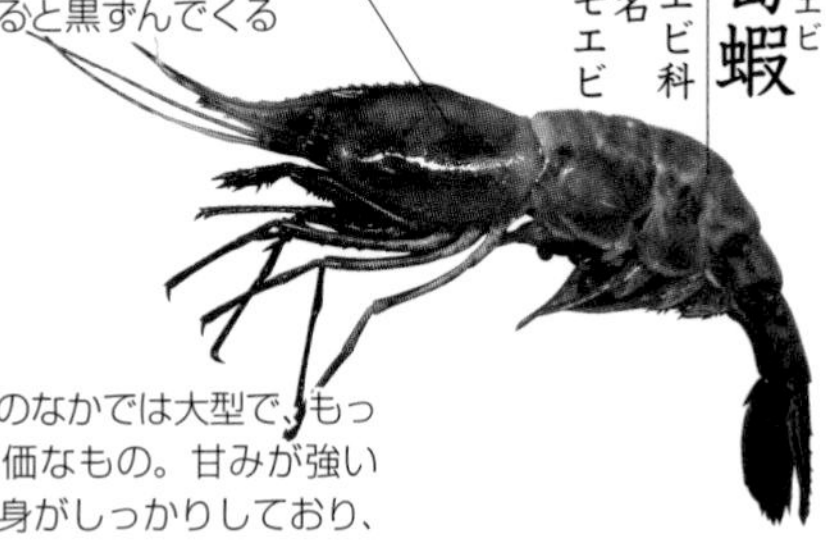

鮮度がいいと、ぶどう色のなかに赤みがある。古くなると黒ずんでくる

甘エビのなかでは大型で、もっとも高価なもの。甘みが強いうえに身がしっかりしており、プチッとした大粒の卵と独特の食感を楽しめる。

北海縞海老《ホッカイシマエビ》

タラバエビ科
標準和名
ホッカイエビ

北海道野付湾の打瀬網漁は夏の風物詩で、観光の面でも重要。浅いアマモ場で帆を張ってエビを獲る。生よりもゆでて食べるとおいしい小型のエビである。

幅を利かす「にせもの」たち

「ボタンエビ」には、にせものがじつにたくさんいます。それだけ人気があり、その名前に価値があるということです。そう名のってもまずまず許されるというものから、科も違うまったくのにせものまで、いろいろな種がいます。

味の点で許容できるのがスポットエビ。種も味もまるで違うのに「ボタンエビ」と偽称しているのが、アルゼンチンアカエビです。

商品名として「ボタン」とつけているのは「紅ボタン（パナマミノエビ）」「桜ボタン（マルゴシミノエビ）」など多数あります。

アルゼンチンアカエビ

クダヒゲエビ科

アルゼンチンから冷凍輸入したもので、科が違い、甘みも旨みもボタンエビより弱いが、「ボタンエビ」として売られていたことが。

スポットエビ

タラバエビ科

回転寿司、宅配寿司などではちょっと高価で「ボタンエビ」となっていることが多い。

いせえび 伊勢蝦

Spiny lobster,
Spring lobster

標準和名
イセエビ

科　イセエビ科

生息域
茨城以南の太平洋側、韓国、台湾などにも生息している。

語源
「イセエビ」とは現在の三重県伊勢地方の岩礁域でたくさん獲れていたため。同県南部は今でもイセエビがたくさん獲れる。

地方名
関東では鎌倉でたくさん獲れたので、「カマクラエビ（鎌倉海老）」、鎧を着けた武士のような外見から「グソクエビ（具足海老）」ともいわれている。戦に出る武士を思わせるため、古くから祝儀にも使われている。

古来珍重された本来の「エビ」

「エビ」は、そもそもイセエビをさす言葉でした。そして古代から現代に至るまでの儀式や祝いの場、正月などの年中行事に欠かせないものとなりました。

その味とともに、腰が曲がり、ヒゲの長い姿が不老長寿を表すとされ、珍重されたのです。

さまざまなエビが食べられる今日においてなお、エビの代表格といえます。

100％天然もの

国内水揚げ量は1200ｔ。南半球、東南アジア、アフリカなどからの輸入ものが2万ｔもある。クルマエビと違って養殖できない。海岸線の自然破壊と乱獲で、国内では貴重なものとなっている。

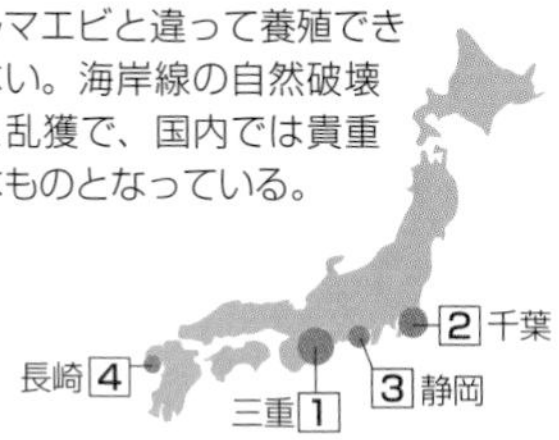

天然ものしかいない

国内の水揚げ量はわずか1200ｔほどで、披露宴の料理などに使われるのはほぼアフリカミナミイセエビという種。乱開発で数は減り、養殖法が研究されるもまだ成功していない。

料理

伊勢えびのみそ汁

イセエビはあまり手をかけないほうがおいしくいただける。いちばんのおすすめはみそ汁。短時間でできて、しかもイセエビの味をもっとも堪能できる。

材料（2人分）
イセエビ…中１尾
水…１ℓ
みそ…30g
長ねぎ…10㎝分

作り方

1. イセエビは頭を半分に割る。
2. 水に **1** を入れて火にかけ、アクをすくいながら沸騰させる。
3. 数分煮たらみそを溶き入れ、火を止めて斜めに切ったねぎを散らす。

仲間

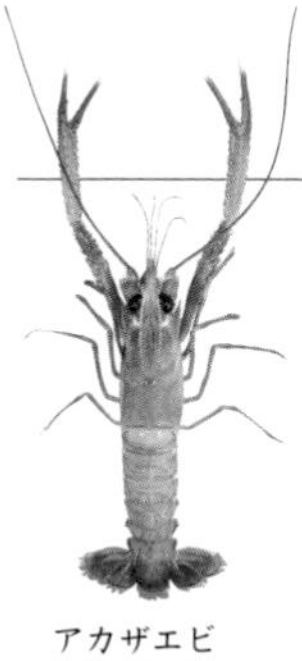

藜蝦《アカザエビ》
アカザエビ科

団扇蝦《ウチワエビ》
セミエビ科

完全な生より軽く湯引きしたもののほうが旨みが引き出され美味

アメリカザリガニ

蝲蛄

Red swamp crayfish, Crayfish

釣り遊び用？じつは美味なる高級エビ

大正時代にアメリカから来て以来、とても身近な存在となっています。汚染にも強く、首都圏でもザリガニ釣りをする子どもたちを見かけるほど。「まさかこれが高級食材⁉」と首をかしげたくなりますが、築地などでは高い値がついています。

フレンチではエクルビスと呼ばれ、ゆでてオランデーズソースをかける、あるいはスープなどにします。きれいな水の中で育ったものは、ゆでてそのまま食べてもとても美味。アボカドなどと合わせてサラダにしてもおいしくいただけます。

夏にたくさん獲れ、おいしいのは冬。関東でも都心部の市場でしか見かけません。

濃い赤い色合いの地に明るい赤の斑紋がある。この姿から一般に食用とは思われていない

海外では食用

アメリカ、ヨーロッパでは古くから高級な食材。日本では田のあぜなどを壊す害のある生き物とされているが、もっと食べられてもいい。

標準和名
アメリカザリガニ

科　ザリガニ科

生息域
原産地はメキシコ湾沿岸の5州。日本、ハワイ諸島、アフリカ東南部に移植され、繁殖している。昭和初期にアメリカのニューオリンズから、神奈川県鎌倉に移植された。慢性的な食料不足に悩まされてきた日本に食用ガエル（ウシガエル）を導入するため、そのエサとして移したもの。汚染にも強いのか、関東では住宅地の溝などでも見られる。

語源
アメリカから来たザリガニという意味。

地方名
エビガニ、カニエビ。

仲間

アメリカン オマールエビ

タラバエビ科

原則的に生きているものだけが食用に

意外に安いのでご家庭でも

フレンチ素材の代表的なものです。なんだか手の届かない存在に思えますが、じつは国産のイセエビなどに比べ格安。生きているものや冷凍ものなど、かなり多く輸入されています。

フレンチの店のように手間をかけずとも、簡単な料理法で本来の味が楽しめます。ミソにはクセがなく、身に甘みがあります。

ゆでて単純に食べたい

いちばんおいしいのは単純にゆでるだけ。ボリュームのある身には甘みがあり、ミソには濃厚な旨みが。このミソに身を合わせよう。

アボカドと相性がいい。タルタルソースを添えて軍艦巻きに

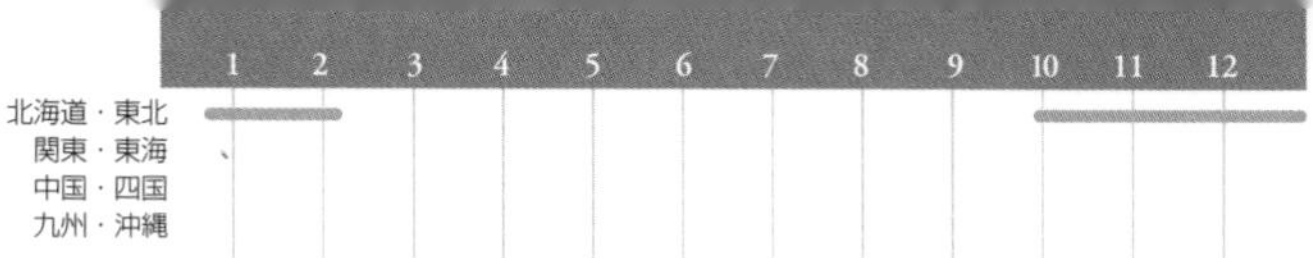

たらばがに

鱈場蟹

King crab

エビとカニの中間的存在

カニという言葉は古代からありますが、今日では真性のカニの仲間とタラバガニに使われています。タラバガニは「キングクラブ」とも呼ばれるものの、じつは厳密にはカニの仲間ではなく、海辺の磯などにいるヤドカリに近い種で、エビからカニへと進化する途中の種なのです。

ミソが少ないため、カニとは料理法が少々異なりますが、味は真のカニ以上です。

年間を通して美味

旬は秋から冬。春から夏にかけては産卵期で、脱皮するため水っぽくなる。国産ものは少なく、ロシアやアメリカからの輸入ものが多い。

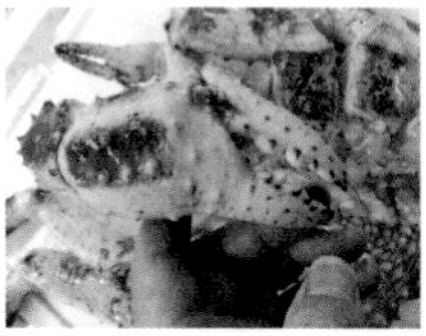

全体に大きいものは充分成長している。しっかり身が詰まっている

殻を押してみてやわらかいものは、脱皮後まもない証拠で、水っぽく身が詰まっていないので避ける

味の点では段違いにオスに軍配が上がる

タラバガニには脚の裏側にも色素があり、アブラガニにはない。買うときはここで見分けよう

標準和名
タラバガニ
科　タラバガニ科
生息域
朝鮮沿岸、日本海、オホーツク海、カムチャッカ、ベーリング海、アラスカ沿岸の北極海。
語源
昔、鱈（マダラ）の延縄（はえなわ）漁によくかかってきたもので、鱈の生息する深海にいるカニという意味。
地方名
小林多喜二の『蟹工船』のカニはタラバガニ。北海道でカニといえば本種かケガニのこと。アブラガニなどと区別するために「本タラバ」などともいわれている。また、北海道の釧路では未成体を「アンコ」、さらに小さいものを「クラッカ」と呼ぶ。

料理

蒸しがに

タラバガニにはミソがほとんどない。そのため甲羅をはずして蒸すのがいちばん。

材料（2 人分）

タラバガニ…2 はい

作り方

1. カニが家庭用の鍋や蒸し器に入らない場合は甲羅をはずし、脚を左右に割る。
2. カニを蒸し器に入れ、中火で 20 ～ 30 分蒸す。

ボリュームのある脚の身は豪華。甘みが強くほどよくほぐれる

おいしいコツ

ゆでガニの選び方

市販のカニには、生きているもの、生のまま冷凍したもの、ゆでて冷凍したものの３つがある。いちばん多いのがゆでガニ。できれば凍ったものがよく、重みのあるものを選ぶ。解凍したものなら、体液の出ているものは避ける。

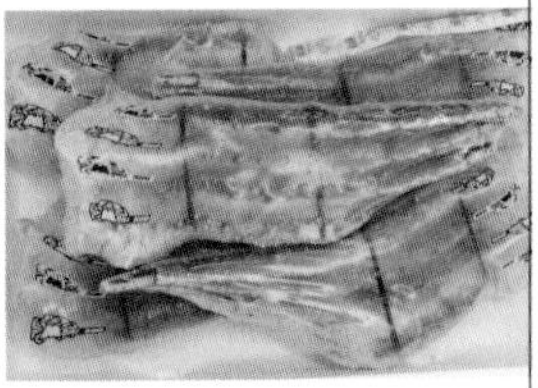

冷凍ガニの選び方

きちんと低温で冷凍されているかをチェック。とくに、ゆでたものではなく生を冷凍したものの場合は、乾燥防止に吹きつけた氷が溶け出していないかを見る。

缶詰を食べよう

タラバガニやズワイガニが原料のものは王者級の味わい。ちらし寿司のほか、ぜいたくにパスタやピザなどに使っても、料理をグッと豪華にしてくれる。

「脚だけ」がお得！

カニには生きているもの、ゆでて冷凍したものなどいろいろあるが、品質は意外に冷凍の脚だけのものが安定している。

刺身よりしゃぶしゃぶで

刺身は生のまま包丁で殻をむき、軽く氷水の中で振る。これも一興ではあるが、むしろしゃぶしゃぶにして熱を通したほうが美味。甘みと旨みが増す。

ぜいたくに味わいたいなら焼きガニ

ちょっとぜいたくな気分を味わえるのが焼きガニ。できれば炭火をおこして焼きながら食べたい。

保存法

カニなどの甲殻類は、家庭では生での保存は避ける。ゆでて密閉容器などに入れるか、ラップなどに包んで冷凍保存する。いちばん優れた保存法は、ゆでて身をほぐしフリーザーパックなどに入れて冷凍する方法。

仲間

油蟹《アブラガニ》
タラバガニ科

すべてロシアなどからの輸入もの。タラバガニそっくりなので、偽装事件が起こったことも。安くておいしいカニ。

花咲蟹《ハナサキガニ》
タラバガニ科

ゆでて食べられることも多いが、独特のクセがある。みそ仕立ての「鉄砲汁」にするとクセが気にならず、とてもおいしい。

ちょっと脚が短く、タラバガニよりもトゲが長く鋭い

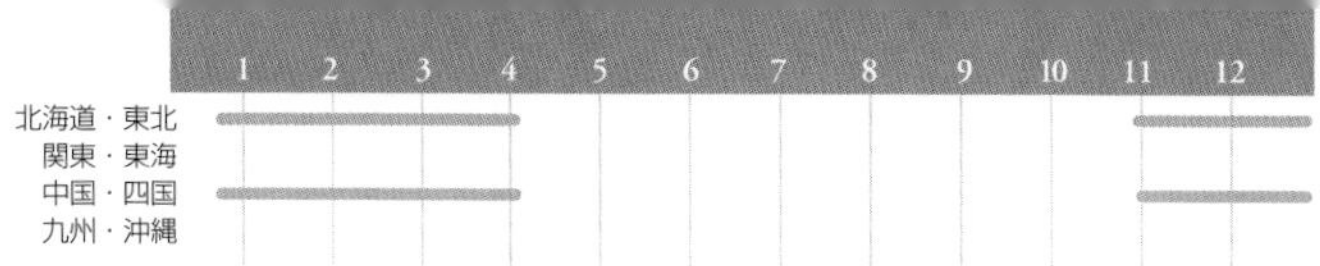

北海道・東北

ずわいがに 頭矮蟹

Queen crab,Snow crab

標準和名
ズワイガニ
科 クモガニ科
生息域
北極海のアラスカ沖、グリーンランド西岸、北米の大西洋、太平洋沿岸からベーリング海、南米のチリ沿岸。オホーツク海から日本海、太平洋側では犬吠埼以北。
語源
「矮」は小さいの意。頭（甲羅の部分）が脚に対して小さいため。
地方名
島根、鳥取、兵庫などで「マツバ（松葉）ガニ」。福井では「エチゼン（越前）ガニ」。また60年代など日本海側などで「タラバガニ」と呼ばれたこともある。オスとメスはまったく別扱い。メスは山陰で「セイコガニ」、丹後で「コッペガニ」、北陸で「コウバコガニ」。

オスとメスでは別のカニ

ズワイガニは「松葉ガニ」「越前ガニ」として有名です。ただしこれはオスの呼称。メスは「香箱ガニ」「セイコガニ」などと呼ばれ、値段の面からもじつはとても庶民的なものです。

オスは海外から大量輸入されますがメスは国産もので、内子のおいしさから貴重です。

国内では日本海と太平洋側で獲れ、ロシア、アラスカ、カナダでも大量に獲れます。

輸入ものが増大

ひと昔前は日本海の冬の風物詩で非常に高価だったが、近年ロシアなどからの輸入ものが増え、いつのまにか手の届きやすいものに。日本海のものに比べれば味は劣るが充分美味。

おいしいゆでガニの見分け方

甲羅が赤く、お腹が白いものを選ぶ。

原則的に生きて元気なもの。持ってみて重いもの
脚などを押してくぼまないものがよい。殻が黒ずんでいるものは古い

仲間

紅頭矮蟹《ベニズワイガニ》

クモガニ科

ズワイガニより深い水深1000mに生息。ゆでる前から赤いのでこの名に。比べると多少水っぽいがおいしい。

生きていても輸入もの？

国内水揚げ量は6000 t 前後、輸入量は3万～6万 t で、圧倒的に輸入ものが多い。右の写真上は日本海で獲れたタグつきの国産。下は生きたままロシアから輸入されたもの。

国産

輸入

料理

ゆでがに

一般的にはゆでる。必ず、生きているものをゆでること。

材料（2人分）
ズワイガニ…2はい
水…大型の鍋にたっぷりの量
塩…水に対し約4％
（5ℓなら約1カップ）

作り方

1. 鍋に湯を沸かし、約4％前後の塩を溶かす。味をみるとかなり塩辛く感じる程度。
2. 甲羅を下にしてカニを入れ、20分前後ゆでる。仰向けならミソがくずれず、おいしくいただける。
3. ゆであがったら甲羅を上にしてザルに取り出す。

いまや定番の寿司ネタに。甘さが酢飯に合う

けがに 毛蟹

Horsehair crab

ミソがおいしいカニの代表格

脚が短く身が少ない代わりにミソがおいしいのが、このケガニ。このミソのおいしさから、北海道ではもっとも好まれているカニです。

煮ガニ、活けガニの出荷が始まり、北海道でしか食べられなかったものが日本全国で楽しめるようになったのは60年代半ばのこと。

今ではあたりまえのように通販などで手に入りますが、歴史は意外に浅いのです。

標準和名
ケガニ
科　クリガニ科
生息域
島根県以北日本海、茨城県以北太平洋、北海道。サハリン、オホーツク海、千島列島、カムチャッカ、アラスカ沿岸。
語源
毛が生えているカニという意味。
地方名
オオクリガニ。

国内ものの旬は秋冬

輸入ものもあるが、ズワイガニなどよりも流通量が少なく、値段は高値で安定。一年を通じておいしく、あえて旬はといえば本来の国内ものは浅場にいる秋から冬。

持って重いもの。裏返して外子（外側に出ている成熟した卵）の多いものは避ける。メスは身の味もよいが、脚が細く食べ応えがない。しかし内子（卵巣）が身以上においしく、これがメスガニの価値を高めている

少々値が高くてもずっしりして、しかも大きなものを

とにかくミソを

身は甘みもあって非常に美味だが物足りない量しか取れない。高価なわりに食べ応えがないのを、補って余りあるのがこのミソなのである。

おいしいゆで方

タラバガニは蒸したほうがよいが、ケガニはゆでたほうがよい。ゆで方はズワイガニと同様。

オスはやきもち焼き!?

ケガニのオスはメスよりも大きく、なぜかやきもち焼き。メスをつかまえてやさしくだっこして脱皮を促し、交尾する。しかも、あとでほかのオスと仲よくならないよう、生殖孔に栓までする。

仲間

栗蟹《クリガニ》

クリガニ科

青森などでは春から初夏の風物詩となっている。ミソのおいしさも身の甘さもケガニそっくりでおいしいのに、値段は半額以下なので、じつはお買い得。

北海道限定の寿司ネタだったが、いまや全国区に

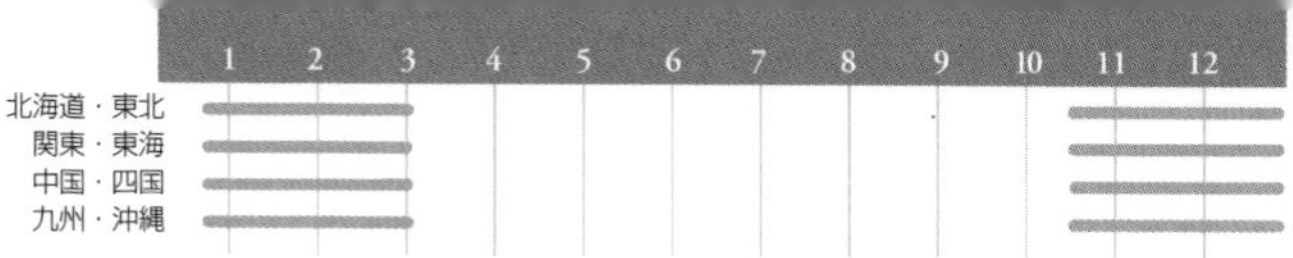

がざみ

Gazami crab

蝤蛑

標準和名
ガザミ
科　ガザミ科
生息域
北海道南部から九州。韓国、中国、台湾。内湾を好む。
語源
「ガザミ」とは「カニハサミ」の意味。
地方名
「ワタリガニ」と呼ばれることが多い。これはいちばん後ろの脚が櫂（かい）のようになっていて泳ぐことができるため。甲羅の形から「ヒシガニ（菱ガニ）」ともいわれる。また佐賀県太良の名物となっており「太良ガニ」「竹崎ガニ」などとも。ほかにはガンチン、カゼガニ、オドリガニなど。

往年のカニの主役

ガサミとは、一般に「ワタリガニ」として親しまれている種です。かつて関東でカニといえばガザミのことで、タラバガニやズワイガニが食卓をにぎわすようになったのは最近のこと。ゆでて香り高く、甘みのある身を楽しめます。ミソや内子《うちこ》（卵巣）も、超弩《ど》級のおいしさです。

以前は国内のどこでも獲れましたが、近年激減し、いまや高級なものとなってしまいました。

ギュッと身の詰まる晩秋から春が旬です。有明海のものは有名ですが、青森や山形など寒い地域からの入荷が目立ちます。

国産はとても高価で、安いもののほとんどが輸入の冷凍ものと思われます。

ケガニやズワイガニにも勝る味

ケガニやズワイガニにはない、絹のようななめらかな身質と、上品な甘みをもっている。ミソや内子も、たまらないおいしさ。

ひっくり返して、口の周辺が黒ずんでいるものは古いので避ける

料理

わたりがにのみそ汁

材料（4人分）
水…1ℓ
ワタリガニ…2はい
こんぶ…10㎝角
みそ…80g
三つ葉…適量

作り方
1. 鍋に水を入れ、こんぶを浸したら15～30分おく。
2. 鍋を火にかけ、沸騰したらこんぶを取り出しワタリガニを入れ、アクをすくう。カニに火が通ったら火を止め、みそを入れる。カニに塩気があるので、みその量は加減する。
3. 器に盛り、きざんだ三つ葉を飾る。

仲間

タイワンガザミ

ガザミ科

山陰名物、青手が本種。ガザミより多く獲れ、味が抜群にいい。とくに、夏から秋の浜ゆでの味は絶品。

身、真子、ミソ。味のドリームランドに驚きを隠せない

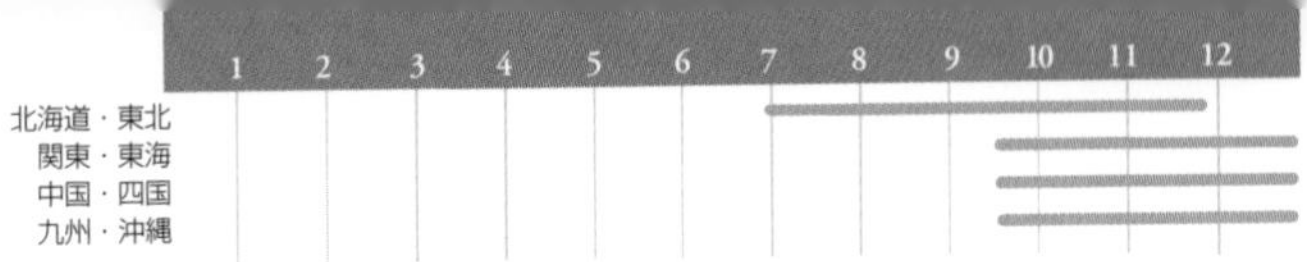

川と淡水のカニ

おいしいカニは海以外にも

海で生まれて川で成長するのがシャンハイガニとモクズガニ。産地の国には違いがありますが非常に近い種です。秋になると江《こう》蘇《そ》省《しょう》陽《よう》澄《ちょう》湖《こ》などから入荷してくるシャンハイガニは、今では養殖がさかんで、中国の一大産業ともいえます。

また国内で唯一、淡水で一生を過ごすのがサワガニです。水辺から出て悠々と散歩する姿が愛らしく、たびたび昔話の主人公にもなっています。

内子が価値を決める

中国から築地に大量入荷する光景は秋の風物詩に。内子をもつメスは、オスの3倍以上の値。国産の近縁種モクズガニの入荷もこのころ最盛期を迎える。

内子が絶品

身もおいしいが量が少ないので、主役はなんといっても内子。かすかに酸味をともなった濃厚な旨みがあり、甘い。

全体に黒っぽい褐色。近縁種のモクズガニよりも脚などが細い

上海蟹《シャンハイガニ》
イワガニ科

注意

ウェステルマン肺吸虫の中間宿主となる。終宿主は人なので注意が必要。酔っぱらいガニ（老酒漬け）などは寄生虫の危険があるとも。蒸すかゆでるかがいちばん安全でおいしい食べ方。

沢蟹《サワガニ》
サワガニ科

九州などで養殖もされていて、値段はやや高い。寄生虫がいるため生では食べられず、おもに素揚げにされる。これが香ばしく、とてもおいしい。童話『さるかに合戦』のカニは本種だと思われ、古くから非常になじみ深いもの。

藻屑蟹《モクズガニ》
イワガニ科

漁獲量は少ないが、全国の河川で獲れている。シャンハイガニ同様、内子が重要で、オスはメスの半値以下。ぜいたくにカニ汁にしてもおいしい。

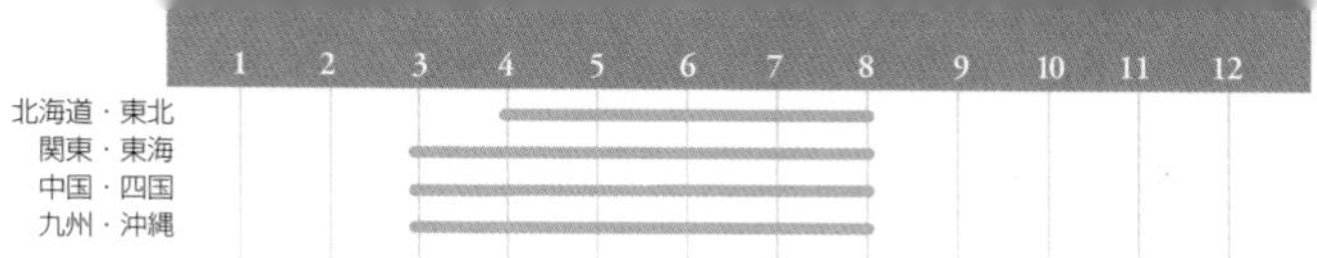

しゃこ
蝦蛄
Mantis shrimp

標準和名
シャコ
科　シャコ科
生息域
北海道以南の日本各地の内湾。
語源
「石花蝦」を「シャククヮエビ」と読ませる。「石花」は石楠花（シャクナゲ）の意味。ゆでるとシャクナゲのような色になるため。漢字「蝦蛄」を唐音読みにしたものとの説もある。
地方名
寿司屋の隠語でガレージ。すなわち「シャコ(車庫)」のシャレだが、いまやめったに聞かれなくなった。ほかにはシャコエビ、ガザエビ。

外見とは裏腹に美味ぞろい

外見からは、生き物とは思えないかもしれませんが、れっきとしたエビやカニの仲間なのが、ここに紹介する3種です。

シャコは江戸前寿司に不可欠のネタで、まだエビに近い生き物に見えます。しかし、とても生き物に見えないフジツボや、さらに奇妙な姿のカメノテを食べる気になれる人は少なそう。これがいまや超高級品になっています。

卵をもつ時期が旬

シャコは春から夏が旬。近年獲れる量が減ってきている。ミネフジツボの旬は６～８月で非常に高価。カメノテの旬は春から夏。当初はめずらしいため非常に高価で取引され、今でも高価なもの。

丸ごとゆでるのがいちばん

生きているものをゆでたほうが格段においしい。ゆでたら、すぐにハサミで頭や脚のついている縁を切り、甲羅を開けてかじりつく。旨みはカニやエビよりも一段上である。

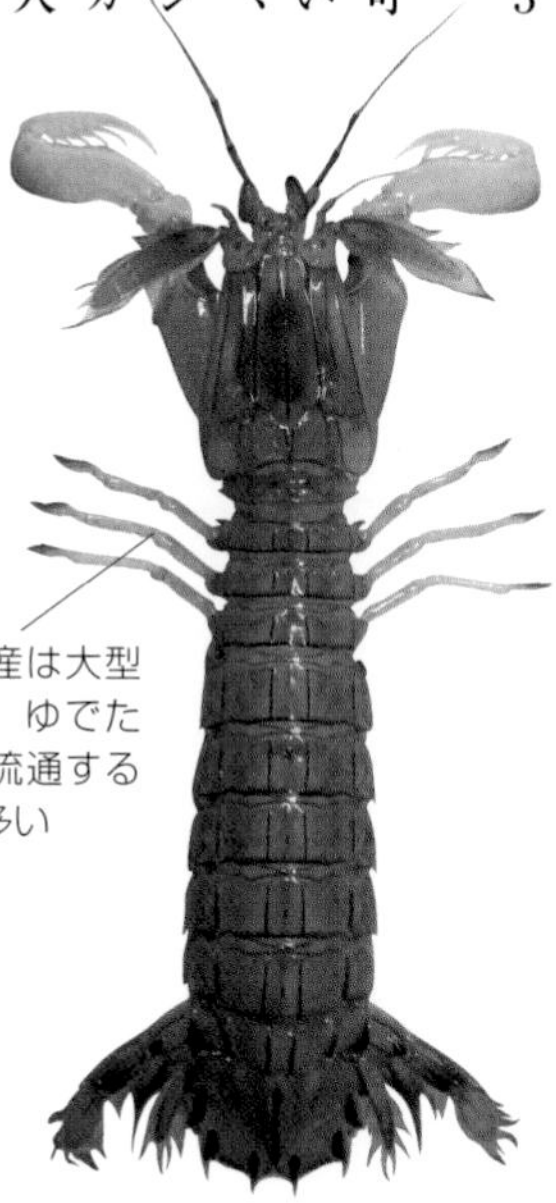
北海道産は大型が多く、ゆでたものが流通することが多い

卵が絶品

春から夏の盛りごろまでが旬で、4月になるとだんだん脂がのってくる。この時期のメスは「かつぶし」と呼ばれる卵をもち、オスより格段に高価。

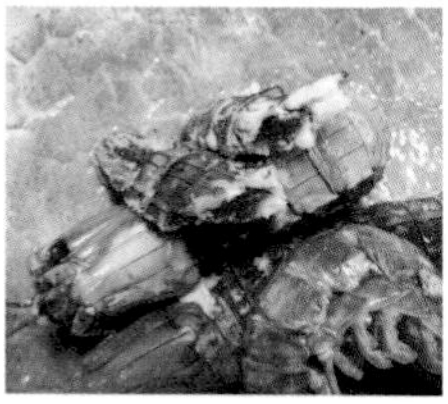

峰富士壺《ミネフジツボ》
フジツボ科

標準和名　ミネフジツボ
科　フジツボ科
外国名　Rock barnacle
生息域　対馬以北の日本海側、相模湾以北の太平洋側。三河湾、浜名湖。関門海峡から北の瀬戸内海。

おそらく可食部は重量の 10%にも満たない

もともと青森県だけで食べられていたが、最近では養殖され、東京でも高級珍味素材として人気。口に含んだとたん、濃厚な海の香りと味わいが鋭角的に舌を刺激する。

亀の手《カメノテ》
ミョウガガイ科

標準和名　カメノテ
科　ミョウガガイ科
外国名　Percebes
生息域　本州以南。

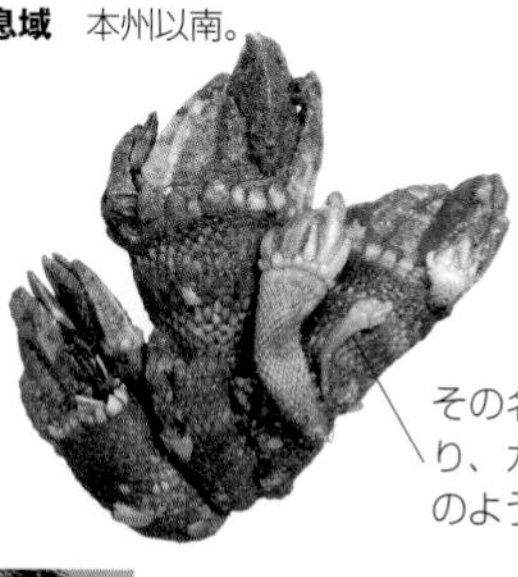
その名のとおり、カメの手のような外観

国内の海辺ならどこにでもいる生き物。おもにみそ汁、酒蒸し、すまし汁にする。カメノテを珍重するスペインではワインで蒸して食べる。

真子の渋みが甲殻類の風味を増し、味に深みを添える

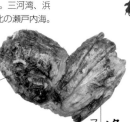

ゆでる 蒸す

やわらかく仕上がり 失敗がない

この調理法は、白身や赤身の魚、エビやカニなど、さまざまな素材のおいしさを引き出してくれます。「蒸す」には白身魚が、蒸し煮（少量の液体で素材に熱を通す方法）には白身や貝類などが向きます。

一般に「焼く」と素材の水分が抜け、いぶした香りが強く出て味わいが濃厚になります。これに対し「蒸す」「ゆでる」は、水分を供給しながら調理するため、しっとりさせつつ身の旨みは閉じ込めていく作用があるのです。

調理の基本は、ごく単純。「蒸す」ときは下味をつけ、「ゆでる」ときは液体に塩味をつけるだけです。

白身魚は蒸すのに向いている。塩と酒で下味をつけてにおいを消し、強火で蒸し上げる。ポン酢やしょうがじょうゆ、また汁につけて食べると美味。

余ったカツオは、ゆでると抜群においしい逸品に。おいしさの秘密は、濃厚なコクと後味のよさ。ねぎや青じそを添え、ポン酢や市販のドレッシングで和えよう。

酒蒸しならアサリなどの魚介類もおいしい。日本酒のほかワインでもよい。冷めると身が硬くなるので熱いうちにいただく。

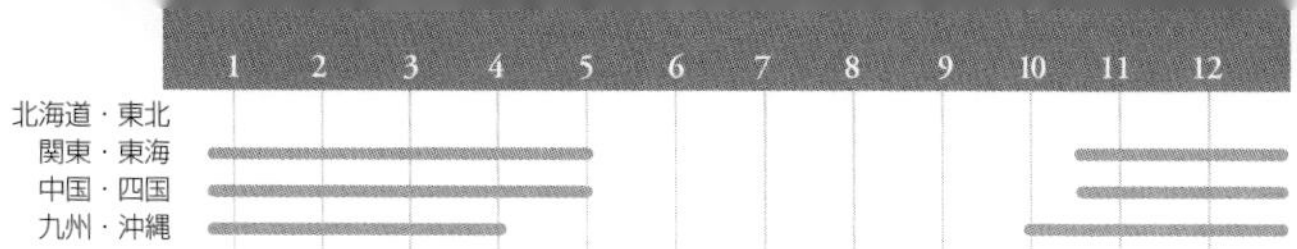

こういか

Cuttlefish

甲烏賊

標準和名
コウイカ
科　コウイカ科
生息域
関東以西、東シナ海、南シナ海。
語源
体内に甲をもっているイカという意味。甲はイカが貝の仲間である証拠で、貝殻の名残。浮きの役割も担っている。イカは釣り上げた際につかもうとすると逆に襲いかかってくる。その様が怒っているようなので「怒り（いかり）」からくるとも。漢字の「烏賊」はイカが死んだふりをして水面に浮かび、烏（カラス）がついばもうとすると逆に巻きついて餌食にすることから。「烏を賊する生き物」の意味。
地方名
関東では大量に墨を吐くので「スミイカ」。西日本ではたくさん獲れるので「マ（真）イカ」。また甲の先に突起があり針のようなので「ハリイカ」。

ずんぐり体形で甘くて肉厚

イカは大きく、甲（貝殻）をもっている甲イカ類と、筒イカ類に分けられます。甲イカ類はずんぐりした団子状のイカで、筒イカ類は細長い形状です。

甲イカ類は身が厚くて甘みがあります。筒イカ類は、ややさっぱりした味です。ほどよい甘さが魅力。

甲イカ類で有名なのは、寿司ネタのイカになるコウイカと、カミナリイカです。

寒い時期が美味

旬は9月から2月ごろ。もとは秋の味わいだが、今では鹿児島などのものが夏に多く入る。入荷量は年間を通して多く、高値安定。ちなみに関東では墨まみれで、関西ではきれいに洗って流通する。

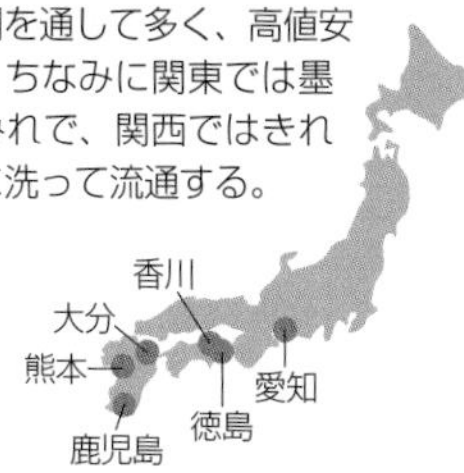

料理

いかの天ぷら

材料（2人分）

コウイカ（冷凍）…1/2 ぱい
天ぷら粉…1/2 カップ
水…1/2 カップ
揚げ油…適量

作り方

1. コウイカは解凍して内側の薄皮を取り除き、ひと口大に切り天ぷら粉（分量外）をまぶす。
2. 天ぷら粉と水を合わせ、サクッとまぜてイカを入れる。170℃くらいの油で揚げる。

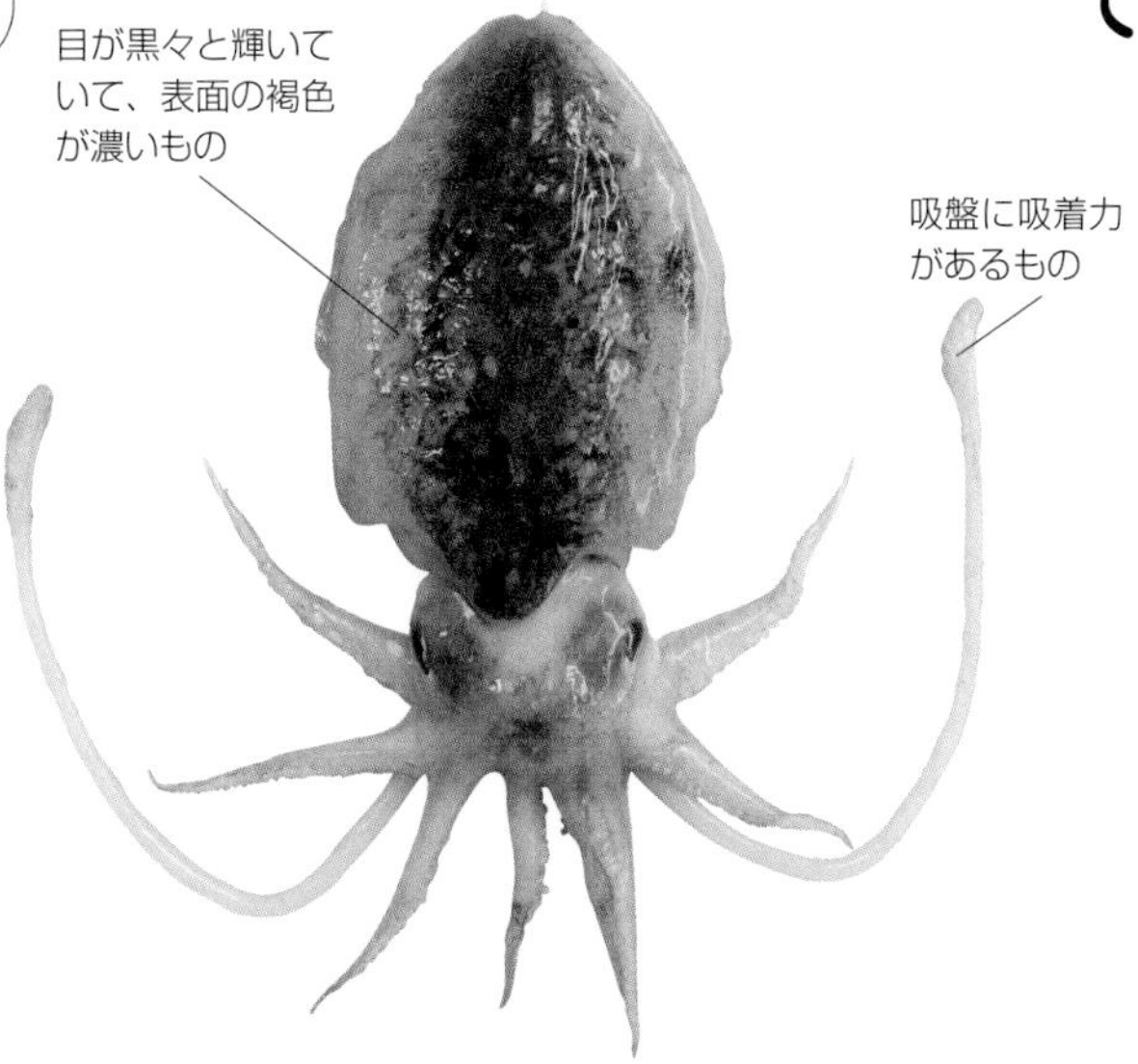

寿司通が待ち望む「新イカ」

春に生まれて夏に甲の長さ5㎝前後に育った「新イカ」。1ぱいでせいぜい1貫程度にしかならず、東京では珍重される。旬のはじめの「走り」は超高級品。

仲間

雷烏賊《カミナリイカ》

コウイカ科

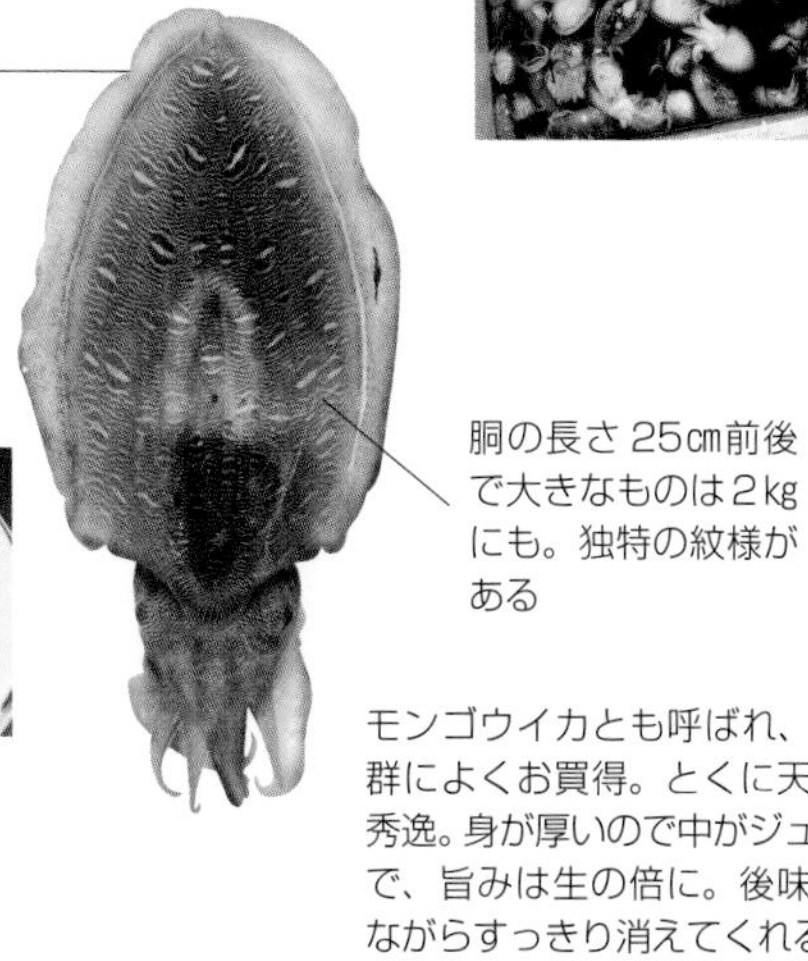

フッ素加工のフライパンでしょうゆ焼き。から焼きしてタレをかける

モンゴウイカとも呼ばれ、味が抜群によくお買得。とくに天ぷらは秀逸。身が厚いので中がジューシーで、旨みは生の倍に。後味は甘いながらすっきり消えてくれる。

身が厚くて甘く、寿司飯と調和してのどを通りすぎる

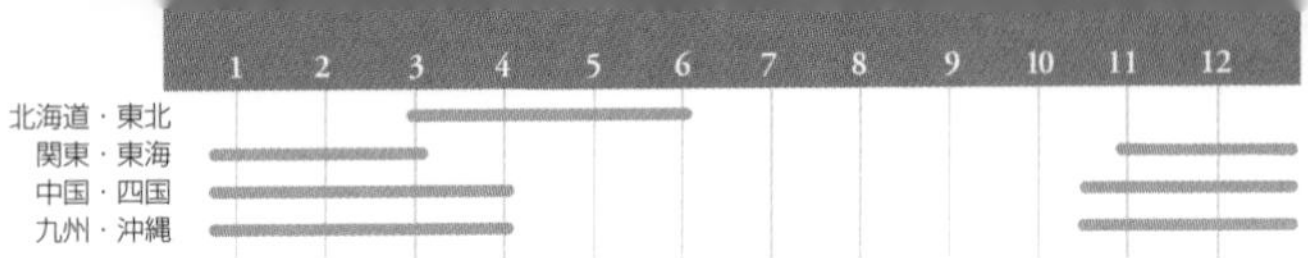

やりいか

Spear squid

槍烏賊

上品で淡泊。刺身を楽しみたい

甲イカがモチッとして甘いのに対し、ヤリイカ、スルメイカなど、筒イカ類は上品で淡泊な味わいです。

なかでも、寿司店でしか出てこないような高級な筒イカがアオリイカ、ヤリイカ、ケンサキイカの3種。

アオリイカは夏が旬で、イカのなかでもっとも高価です。一方ヤリイカは冬の漁獲量が多く、同時期に旬であるコウイカと競合します。

ヤリイカは国内でも人気が高く、しかもあまり獲れません。これを補っているのが東南アジアやアフリカ産のものです。

国産ものの一般流通はほとんどなく、しかも高値なので、まずは輸入もので味を知るのも手でしょう。

標準和名
ヤリイカ（鎗柔魚）

科　ヤリイカ科

生息域
北海道南部以南、九州沖から黄海、東シナ海沿岸・近海域。沖縄を除く日本列島をぐるりと取り巻くように生息している。

語源
全体に細長く先（じつは後部）がとがっていて槍（やり）の穂先に見えることから。また一説にはひれ（体の水平を保つためのひらひらした部分。ヤリイカなどの筒イカ類は「耳」、甲イカ類は「えんぺら」とも）の部分が槍の刃にあたり、胴が柄であるとも。形からくるので同じように見えるケンサキイカの「剣先」とまぎらわしい。

地方名
スルメイカを「夏イカ」というのに対して「冬イカ」とされる。透明感があるので「ミズイカ」、形から「ササイカ」なども。

子持ちイカ

真子（卵巣）の味わいも最高。寒い時期にぜひとも味わっておきたい。

料理

小やりいかのトマト煮

ヤリイカの寿命は1年で、春に生まれて秋には小イカに。このやわらかな小イカをトマトで煮込む。

材料（4人分）
小ヤリイカ…10ぱい(400g)
トマトジュース…1カップ半
ホールトマト缶詰…1缶
にんにく…1かけ
玉ねぎ…1/2個
白ワイン…大さじ1
ローリエ…1枚
塩・こしょう…少々
パセリ…適量
オリーブオイル…適量

作り方

1. 鍋にオリーブオイルをたっぷり入れて火にかけ、にんにくを炒めて香りを出す。みじん切りにした玉ねぎを炒め、イカを丸ごと加え軽く炒める。
2. トマトジュース、ホールトマト、白ワイン、ローリエを加えて弱火で15分ほど煮込む。塩、こしょうで味を調える。
3. 耐熱皿に盛り、4～5分オーブンに入れて表面の煮汁を焼き、パセリをちらす。

獲れてまもなくは透明で、時間がたつと茶色になり、もっと鮮度が落ちると白くなる

仲間

障泥烏賊《アオリイカ》

ヤリイカ科

旬は晩春から秋にかけて。暑い時期においしくなる。非常に高価。

剣先烏賊《ケンサキイカ》

ヤリイカ科

アミノ酸、旨み成分はイカのなかで1、2を争う。刺身がおいしいが、焼いても甘みが残り、やわらかい。

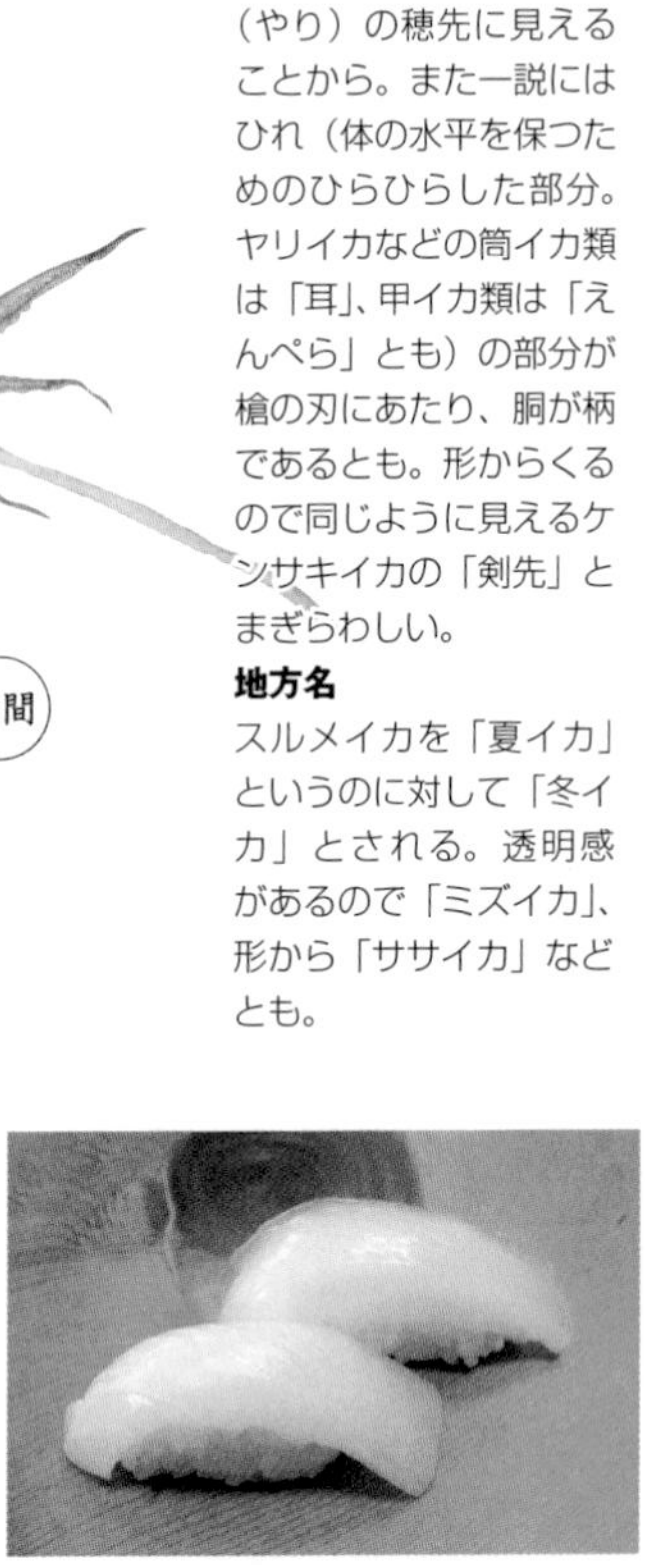

あっさりした中にも甘みがあり、上品な味。寿司飯と好相性

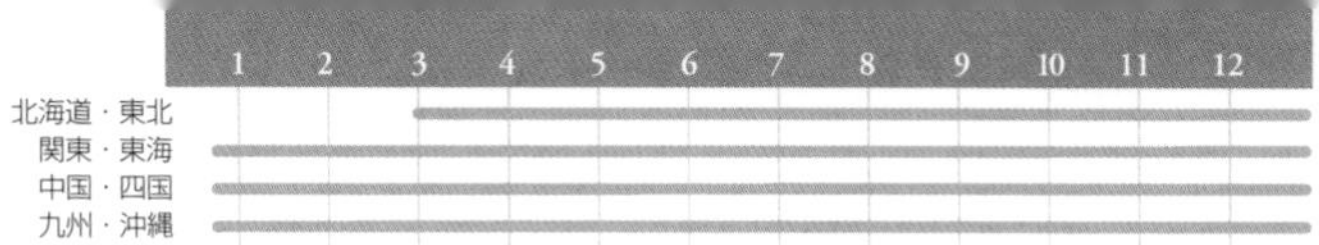

するめいか

Japanese common squid

鯣烏賊

日本の総漁獲量中ナンバーワン

「スルメ」というのは本来イカの干物のことをいいましたが、本種がこれにもっとも適しているところから「スルメイカ」の名がつきました。

スルメイカは、日本の総漁獲量の5%を占めるほど全国各地で親しまれています。

国内での漁獲量が100万tを超えるものは、本種とサンマくらい。生、冷凍、加工品と、大活躍です。

日本海の夏の味覚

旬は5月から9月ごろ。生、冷凍ともに毎日のように入荷しており、量も多い。価格は安値安定。加工品、刺身ともにもっとも重要な水産物。国内で漁獲するイカの半分以上が本種。日本海全域が主産地。

標準和名 スルメイカ（須留女、寿留女）

科 アカイカ科

生息域

日本周辺からオホーツク海、東シナ海。

語源

冠婚葬祭などに重要とされ、日本人になじみ深い乾物、鯣（するめ）にいちばん多く加工されているため「鯣烏賊」と呼ばれるようになった。別の説では「するめ」は「墨群（すみむれ）」で、墨を吐くイカ・タコはこう呼ばれ、それが転訛したもの。

地方名

いちばん多く獲れるイカなので「マ（真）イカ」と呼ぶ地域が非常に多い。また小さめのものを市場では「バライカ」、関東では麦の収穫期に獲れるので「ムギイカ」。ほかにはマツイカ、チンチロ、ジルマイカ。

海に大都市出現!? いえ、イカ釣り漁です

大量に漁獲されるスルメイカ。その莫大な数の漁船の漁り火は、人工衛星からの映像でも確認でき、まるで日本海に大都市が出現したかと見まごうほどだという。

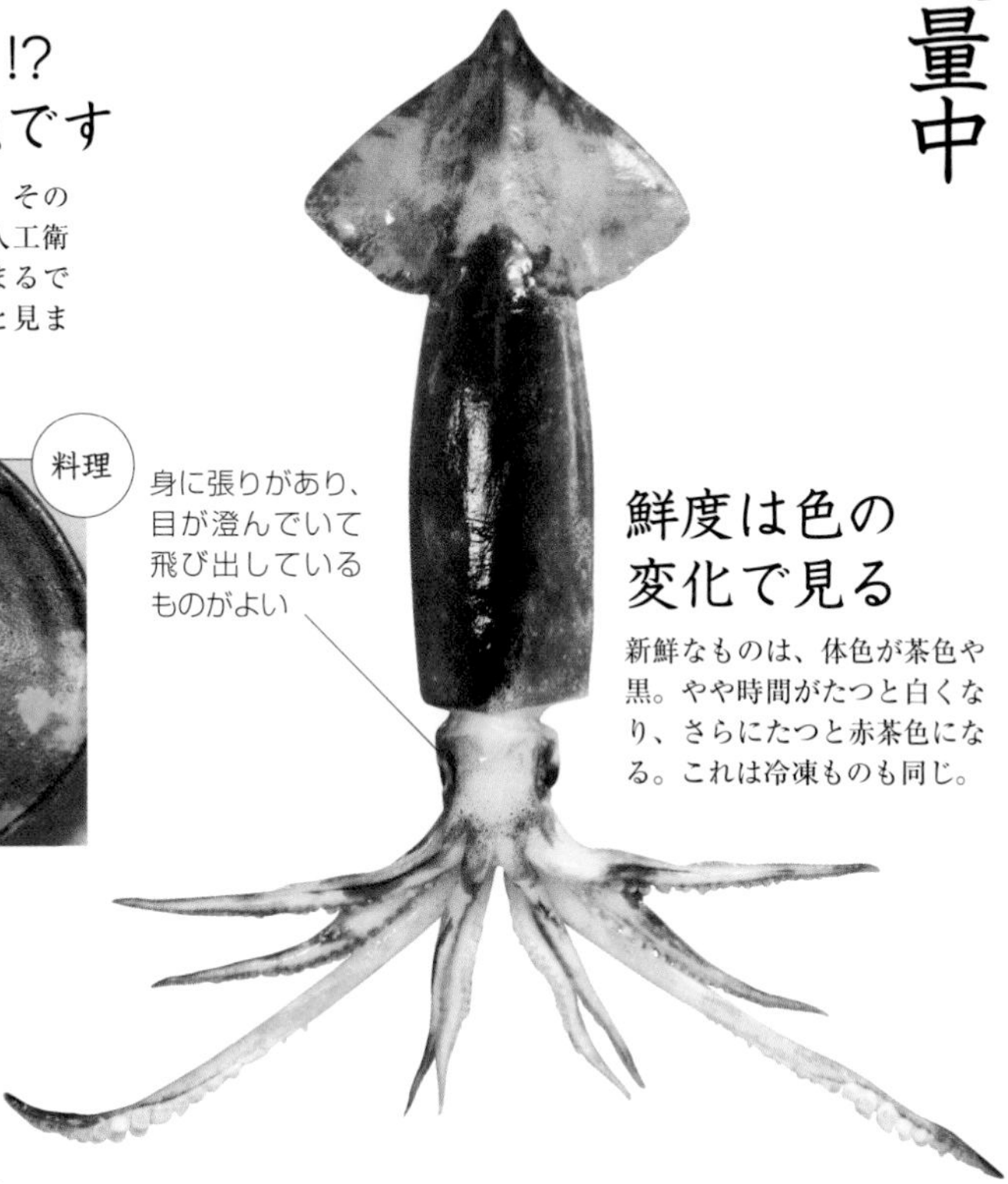

鮮度は色の変化で見る

新鮮なものは、体色が茶色や黒。やや時間がたつと白くなり、さらにたつと赤茶色になる。これは冷凍ものも同じ。

肝のルイベ

材料（4人分）

イカの肝…1ぱい分
しょうゆ…適量
わさび…適量

作り方

1. イカをさばいて肝を取り出す。
2. 肝をラップでくるみ冷凍庫に。
3. 2が凍ったらそのまま切り、わさびじょうゆでいただく。

「いかそうめん」はスルメイカで

肉厚な身を薄く2枚に切って細いそうめんにし、だしじょうゆや単にしょうゆですすり込む。「いかそうめん」にかぎっては、やはりスルメイカがベスト。

甘みもあり寿司飯と好バランス。初夏らしい味

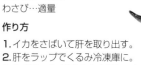

簡単にできるイカの開き方

一

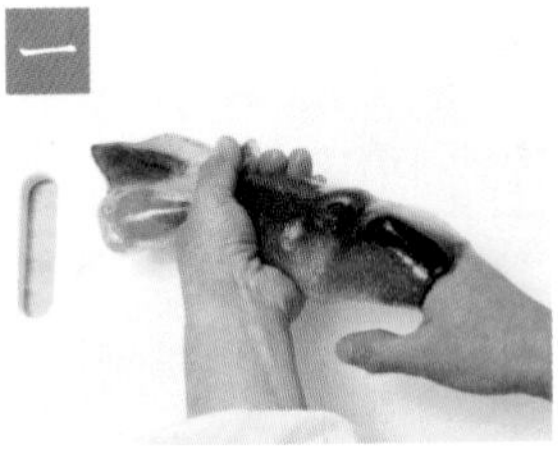

胴と脚のつながっているところに指を入れ、はがして引く。

二

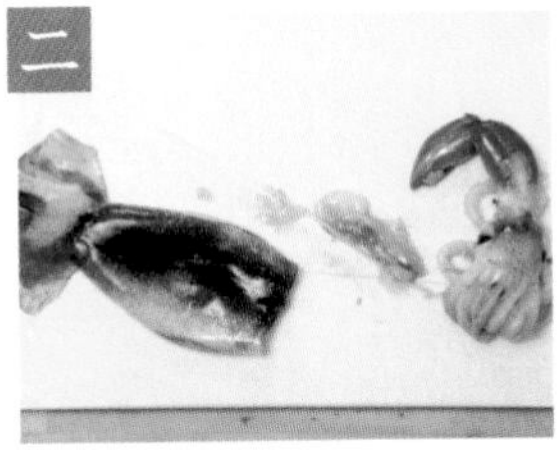

胴の内側にある軟骨を取り出す。

三

目の上に包丁を入れる。

四

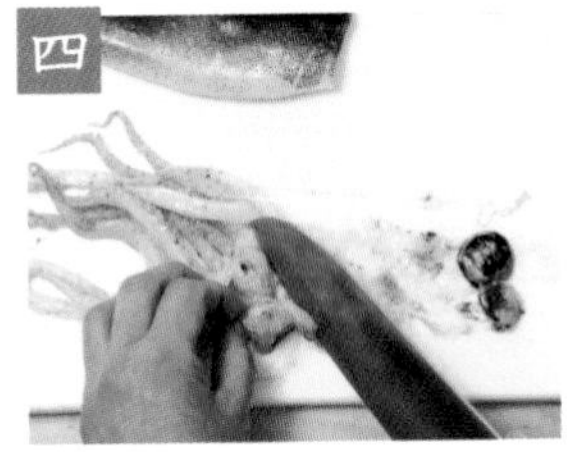

目玉を取り出す。

五

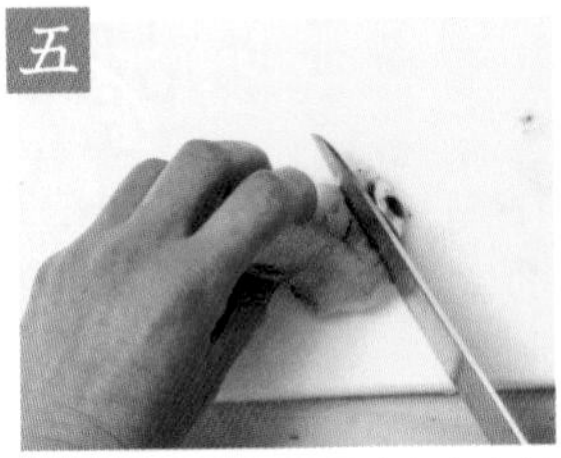

くちばし（コリコリとした丸い部分）を切る。

六

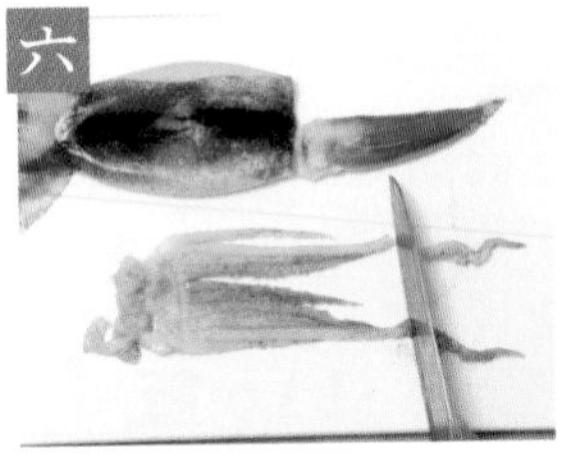

長い脚２本（生殖器）の長い部分を切り落とす。吸盤も食感を損なうので、こそげ落とす。

七

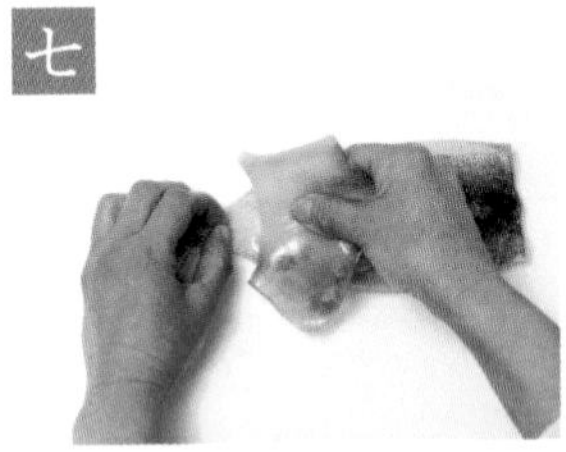

えんぺら（耳の上部）を持ち皮ごと引きはがす。

八

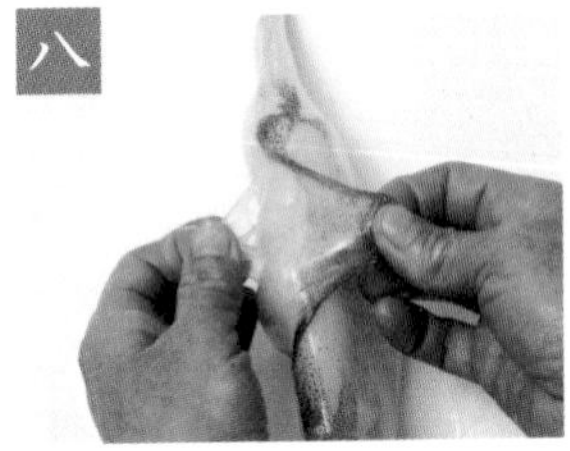

指でこすって２枚の皮（表皮とその下の薄皮）を同時にむく。

九

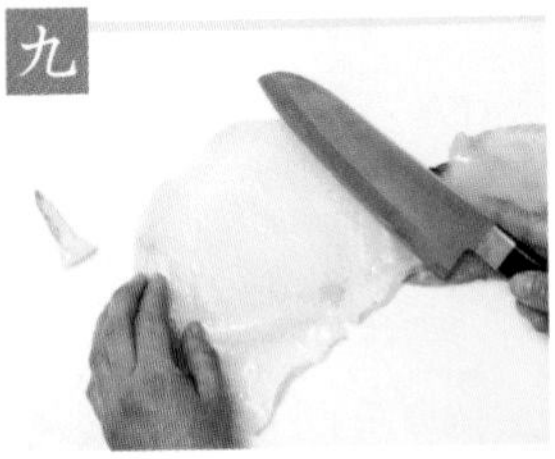

胴を、縦に切れ目を入れて開き、汚れをふき取る。

十

内側の皮を包丁でそぎ、残った皮はふきんなどでこそげ取る。

十一

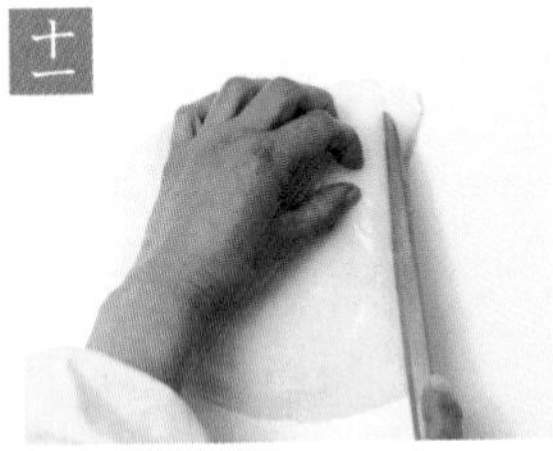

端を切る。

十二

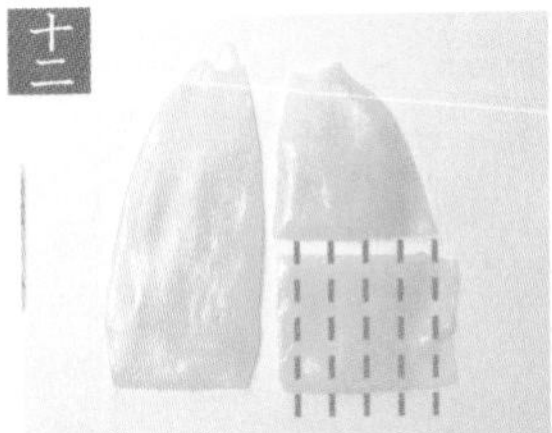

細造りは、胴のまわりに水平に繊維が走っているので縦に切る。

いかの塩辛

スルメイカならではの加工品に、家庭でも意外と簡単につくれる塩辛がある。まず、ワタ（肝膵臓）と身を塩漬けし、水分を取り去る。これを軽く水洗いして水をよくきり、まぜ合わせる。１日に３～４回かきまぜながら４～５日間寝かせると、おいしく仕上がる。

おいしいコツ

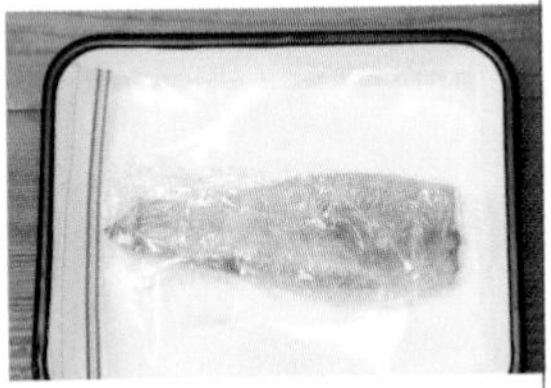

冷凍

胴と脚を切り離しワタを除いてラップでくるみ、密閉袋に入れて冷凍庫へ。１か月くらいはもつ。

解凍は？

密閉袋のまま、氷を入れたボウルに立てかけて流水解凍する。冷蔵庫で半日かけて解凍してもよい。

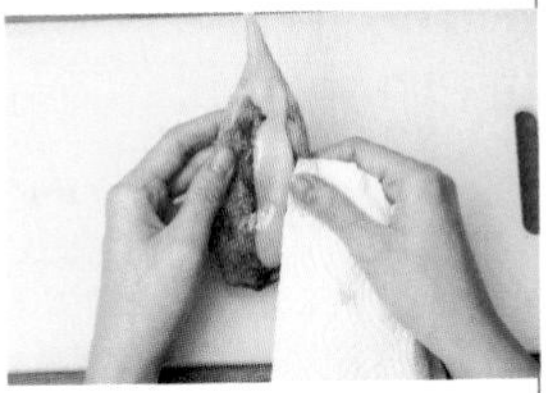

皮のむき方

右の「開き方」の八で薄皮をむくときは、水の中でむいたりペーパータオルやガーゼでこすったりするとラク。

皮をむいたら洗わない

イカは水洗いすると味が落ちる。洗うとしても、おろすとき、胴から脚をはずした際にザッと中を洗う程度に。

1ぱいあれば2品はできる

スルメイカは大きく、食べられる部分も多いので、1ぱいあれば2品はつくれます。

野菜と煮ても、フライにしても、ご飯を詰めたイカ飯にしてもおいしいもの。和洋中、いずれにも応用が利き、調理法を選ばない優れものです。

また、ワタも旨みが濃く絶品なので、ぜひ積極的に活用を。しょうゆと酒などで溶き、身をその中で煮てもよいし、焼いた身に塗ってもよいでしょう。

いかリング

材料（4人分）

イカ…2はい
卵…2個
塩・こしょう…少々
小麦粉…適量
パン粉…適量
揚げ油…適量

作り方

1. イカは胴の部分を切り開かず5㎜幅に切り、皮を内側にクルッと返す。
2. 水分をよくふき取り、塩、こしょうを振って少しおく。
3. 水分をもう一度ふき取り、小麦粉をまぶして溶き卵にくぐらせ、パン粉をまぶす。
4. 180℃くらいの油で揚げる。

いか飯

もち米を詰めて、甘辛く煮れば「いか飯」になる。

「バライカ」はお買い得

小型のものは発泡スチロールに無造作に投げ込んで出荷されるが、ばらばらに入れられることから「バライカ」と呼ばれる。安いのに、身質がやわらかく美味。冬から初夏までの季節の味わいである。

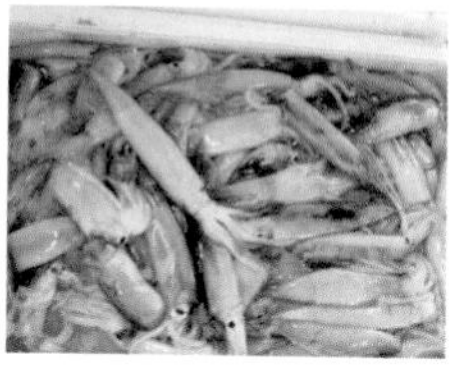

いかとじゃがいもの煮物

東京の八王子や多摩地区の祭りでのごちそうのひとつがこちら。じゃがいも、さといも、にんじんなどの野菜とスルメイカを煮つけた芳醇な香りが、ずば抜けて食欲をそそる。煮上げてすぐはこの香りを、冷めてからは旨みを楽しめる。

いかのお造り

イカの胴には体と水平に繊維が入っているため、刺身にするときなどは、この繊維を切るよう垂直方向に細切りにしていくと、食感がよくなる。

冷凍に強く再冷凍もOK

イカは冷凍しても味、栄養ともに劣化せず、刺身にもできる。そのため回転寿司以外でも、冷凍イカを使う寿司店、天ぷら店は多い。しかも脂肪が少ないため酸化に強く、再冷凍しても味が落ちない。

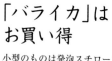

生でもおいしいが煮たほうがより美味

スルメイカは、アオリイカなどと比べると旨み成分はあまり多くありません。とはいえ新鮮なものは歯ごたえがよく、刺身にすればなかなかおいしいもの。

少し気になるのは寄生虫のアニサキスですが、おもに内臓にいるので身は比較的安全です。万全を期すならマイナス20度以下で冷凍したイカを刺身にしましょう。これならアニサキスは死滅します。

ちなみに生ではやや薄い旨みも、熱を通すとがぜん濃厚に感じられ、皮目の風味が強く立ちます。加熱調理したほうが、おいしくなるイカといえるでしょう。

干物スルメのかしこい使い方

乾物のスルメは米のとぎ汁で戻して煮物、とくにこんにゃくを煮るだしとして使うとよい。スルメを単にそのまま煮物やおでんなどに使うと、苦みが出る場合がある。

その名のとおり発光する。旬は1月から5月で、沖漬け（しょうゆ漬け）などで親しまれる。また、浜ゆでしたものも安くて美味。ただし現在では、寄生虫の心配から生食できるのは脚と胴のみに。

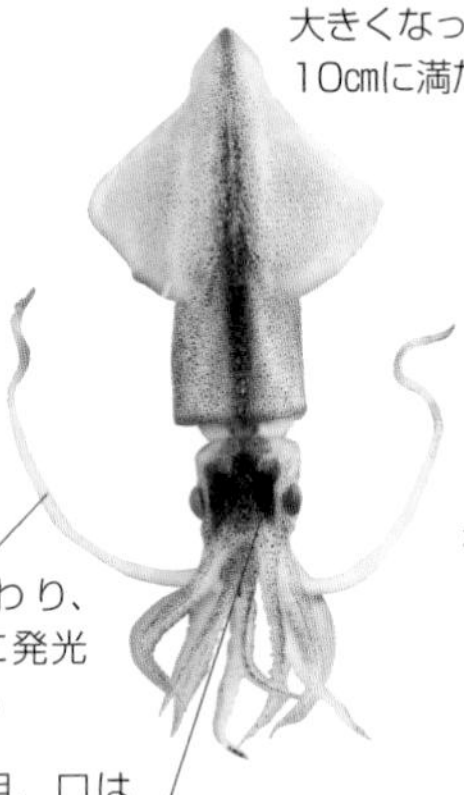

蛍烏賊《ホタルイカ》

ホタルイカモドキ科

大きくなっても10cmに満たない

目のまわり、脚などに発光器がある

内臓や目、口は鮮度が落ちてくると色が濁り、黒ずんでくる

身投げする？

春は産卵のため岸に接近しようと浮上してくるが、明るい新月の夜は水面の高さがわからず、波にさらわれ打ち上げられてしまう。これが「身投げ」と呼ばれ、富山の春の風物詩として親しまれるように。

赤烏賊《アカイカ》

アカイカ科

おもに加工に回される

内臓が透けて見える透明感のあるものを選ぶ

開いて干したものが、やわらかくて美味。冷凍ものはやや廉価な刺身となり、中華やフライなどにもできる。一般に冷凍したものが出回る。

おいしいコツ

干すとおいしい

一般に見かけるスルメは乾燥の度合いが高いもので、「一夜干し」はやわらかくて食べやすいもの。通に好まれるのが、獲ってそのまま干した「丸干し」。ワタの濃厚な旨みがたまらない。

炒めるときは８分目

イカは熱を通しすぎると硬くなる。８割がた火を通して、「ちょっと生っぽいかな」くらいで切り上げるのがコツ。

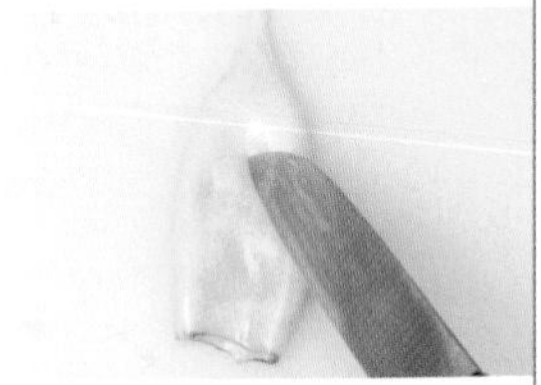

揚げるときに油はねを避けるには

水分をよくきることが大事だが、イカの場合皮の内側にも水分が残る。下処理で表皮をむいたら、表面を包丁の先で突いて穴をあけておこう。一度冷凍したものは皮が破れるため、はねにくくなる。

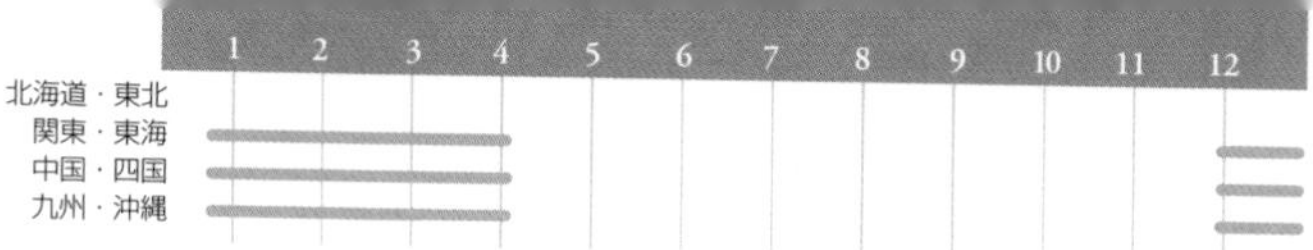

たこ

Octopus

蛸

標準和名
マダコ（真蛸、真章魚）
科 マダコ科
生息域
常磐と能登半島以南、日本各地。日本海は少ない。
語源
イイダコなどに対して「真ダコ」の意。「タコ」の音の由来には諸説あり、〈た〉は手、〈こ〉はたくさん、で手がたくさんの意。「てなが（手長）」「てこぶ（手瘤）」の意でこれが転訛したものとも。グニョグニョしてとらえどころがなく、古くはナマコの仲間だと思われていて、〈た〉は手、〈こ〉はナマコの意。うろこがないため「膚魚」の意など。また昭和になって口のある絵柄が一般的になったが、あれは口ではなく水管という部位。これを口としたのが戦前戦後に活躍した漫画家の田河水泡。彼が創り出した〝蛸の八ちゃん〟により定着。このようにタコは食べ物にとどまらず親しまれる生き物。
地方名
地方名はほぼなく、市場では単に「タコ」。ほかには「イシダコ」とも。

日本は世界一の消費国

日本で食べられているおもなタコは比較的南方にいるマダコと、北方にいるミズダコです。また、韓流ブームから人気となったテナガダコや、地方の風物詩としてイイダコも有名です。

日本人は、世界でもっとも多くタコを食べています。スペイン、イタリアでも食べますが、フランス、イギリス、アメリカなど、食べない国が大半です。

漁獲量減少で高値に

入荷が多いのは6月から8月。産卵期は瀬戸内海では6月から9月前後で、ピークは6月と9月の2回。漁獲量は年々減少しており、高値安定。市場には、おもにゆでた状態で入る。

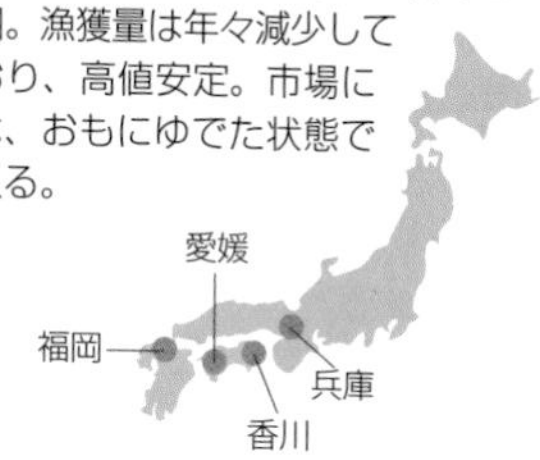

タコは８本、イカも８本!?

俗に「タコは８本、イカは10本」というが、じつは両方とも脚は８本。イカには餌を獲るために発達した２本の生殖器がある。

脚が命！

国産マダコは非常に高い。１匹で4000～5000円、キロあたり3500円くらい。ただし頭（実際は胴）だけなら安い。つまりタコは頭もわりとおいしいのに価値がなく、脚が命なのだ。

国産ものと輸入ものの見分け方

アフリカやスペインからも大量に入ってきているが、簡単に見分けられる。タコはゆでた状態で流通し、ゆでると国産は小豆色になり、モーリタニアなどアフリカ産はきれいなピンク色になる。外国産のタコは冷凍されて香りがなく、国産のマダコは小豆をゆでたような香りがあり、味わい深い。

国産のゆでダコ

アフリカ産などの輸入もの

タコ自体は美味だが、硬くて寿司飯にはなじまない気も

おいしいコツ

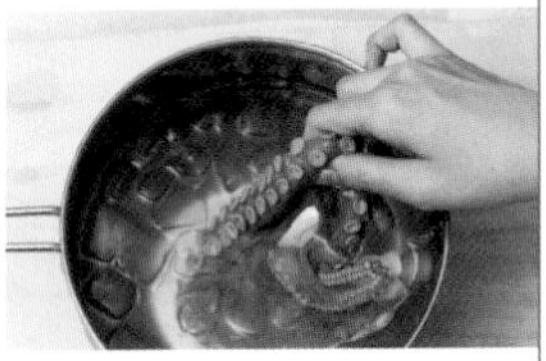

保存法

熱湯をかけて冷水に取り、水気をしっかりふいてラップでくるむ。これを、冷蔵ならポリ袋に入れて冷蔵庫へ。冷凍なら密閉袋に入れて冷凍庫へ。冷蔵で2～3日、冷凍で1か月くらいもつ。

いいゆでダコの選び方

吸盤が小さく、粒がそろっているもの、また表面が茶色でつやがあり、切り口が乾いていないものを選ぶ。

刺身のおいしい切り方

タコはそぎ切りにする。まな板の上にのせて、タコの左端から包丁を大きく右に倒し、薄く切る。ひと切れの厚さは3～4㎜を目安に。

日本人になじみ深い魚介類のひとつ

タコは玩具や日本画などでも主役となっており、古来日本人に身近な生き物だったことがうかがわれる。宮内庁三の丸尚蔵館蔵「郡魚図」(「動植綵絵」より)。

たこ焼きと明石焼き

たこ焼きの源流には、小麦粉にこんにゃくやすじ肉を入れて焼いた、大正時代の「ラジオ焼き」がある。兵庫県明石ではタコがよく獲れたためタコを入れた明石焼きがあり、2つが融合してたこ焼きに。

料理

たこのトマトマリネ

市販のタコの刺身をひと工夫。本格的に造るなら、がんばって生ダコを用意しよう。

材料(4人分)

刺身用ゆでダコ(ミズダコでも)…200g
トマト…2個
塩・こしょう、
乾燥バジル…各適量
エキストラバージン
オリーブオイル…適量
レタス…4枚
ケッパー(飾り用)
…適量

作り方

1. タコは薄い刺身に造る。生なら1分ほどゆで、できるだけ薄く切る。
2. トマトを薄切りにしてバットなどに並べる。塩、こしょう、バジルを振り、タコをのせ、さらに塩、こしょう、バジルを振る。そこにまたトマトを重ねる。ラップをかけ半日寝かせる。
3. レタスを皿に敷いて**2**を並べ、オリーブオイルをかけてケッパーを飾る。

たこのガーリックソテー

材料(2人分)

タコ(脚、ゆでたもの)
…2～3本
にんにく…2かけ
(みじん切り)
パセリ
…少々(みじん切り)
オリーブオイル
…大さじ2
しょうゆ…小さじ1/3
塩…少々

作り方

1. タコはぶつ切りにする。
2. フライパンにオリーブオイルを入れ、弱火でにんにくを炒める。
3. にんにくの香りが立ってきたらタコを加える。
4. タコの水分が飛んだら、しょうゆと塩で味を調え器に盛りつけ、パセリを散らす。

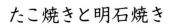

水蛸《ミズダコ》

マダコ科

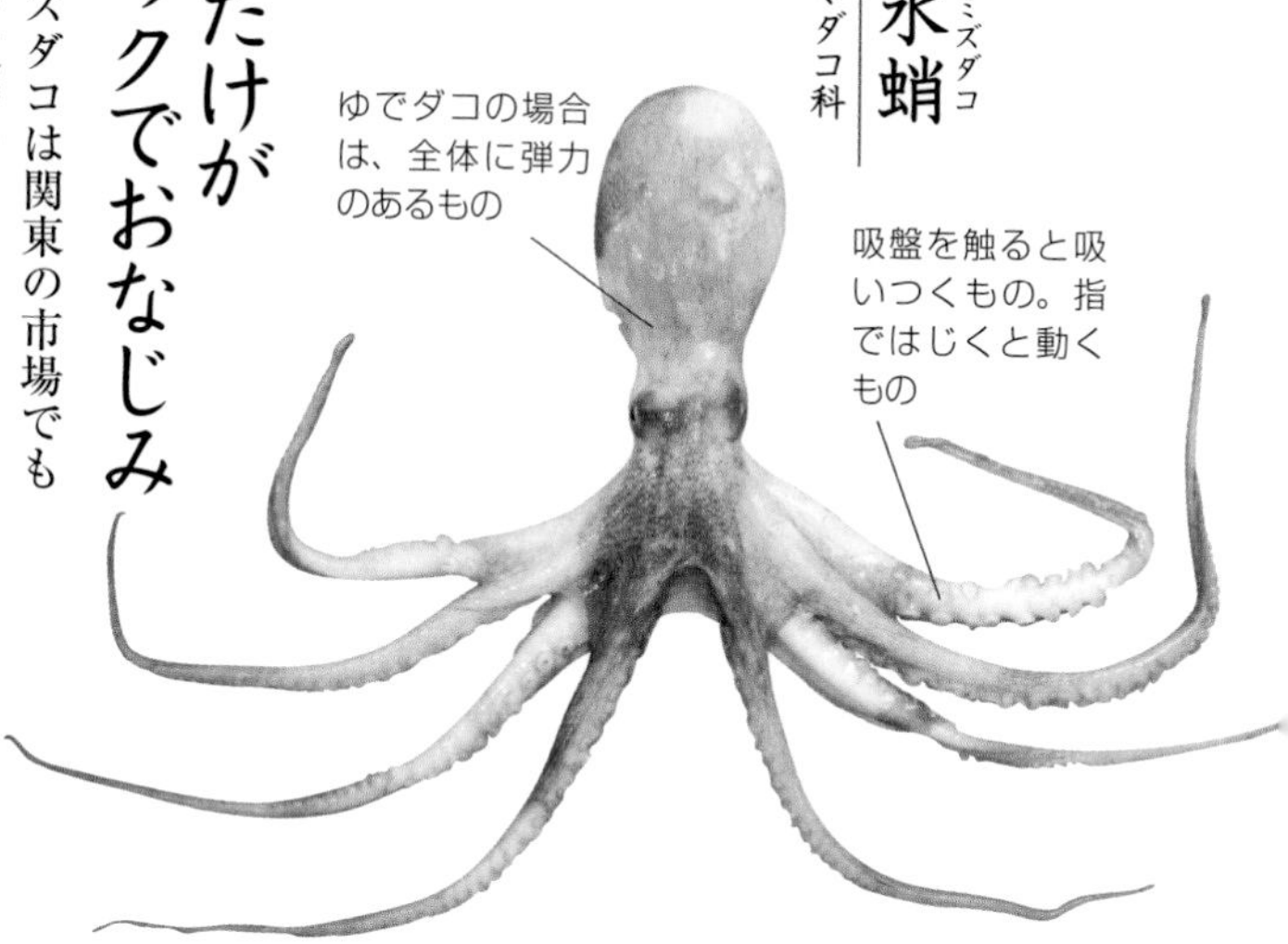

ゆでダコの場合は、全体に弾力のあるもの
吸盤を触ると吸いつくもの。指ではじくと動くもの

脚だけがパックでおなじみ

ミズダコは関東の市場でもいまや定番のもの。おもに脚だけで流通し、最近の市場ではマダコよりも幅を利かせています。

生きて市場にくるものもあり、大きなものは優に10kgを超え体長3mに達するといわれるほど巨大で、その姿は迫力満点です。

マダコのような旨みはないものの適度なやわらかさと食感があり、人気です。

ゆで時間は２分

ミズダコの脚は、2ℓの水に対し塩大さじ4程度を入れ、軽くゆでて食べるのがおすすめ。ゆで時間は沸騰させた湯に入れて2分。熱々でも冷やして食べてもおいしい。シャリシャリの半冷凍にしてごく薄く切ったものを、こんぶだしでしゃぶしゃぶにしても絶品。

卵(飯)をもつ春が旬

産卵期は春なので、冬から春にかけて卵をもちますが、これをゆでると「飯《いい》」のようになるため、この名がつきました。よって旬も春です。イイダコは春の風物詩といえます。

卵（飯）はホクホクして甘みがあり、おいしいもの。したがって、メスが高価でオスは安いのが特徴です。

飯蛸《イイダコ》

マダコ科

全身、さめ肌のように凸凹がある。肩の部分に金色の輪がある

しょうゆで煮て「飯」のコクを楽しむ桜煮

しょうゆ味で煮たものは「飯」にコクがあって非常に美味。

手長蛸《テナガダコ》

マダコ科

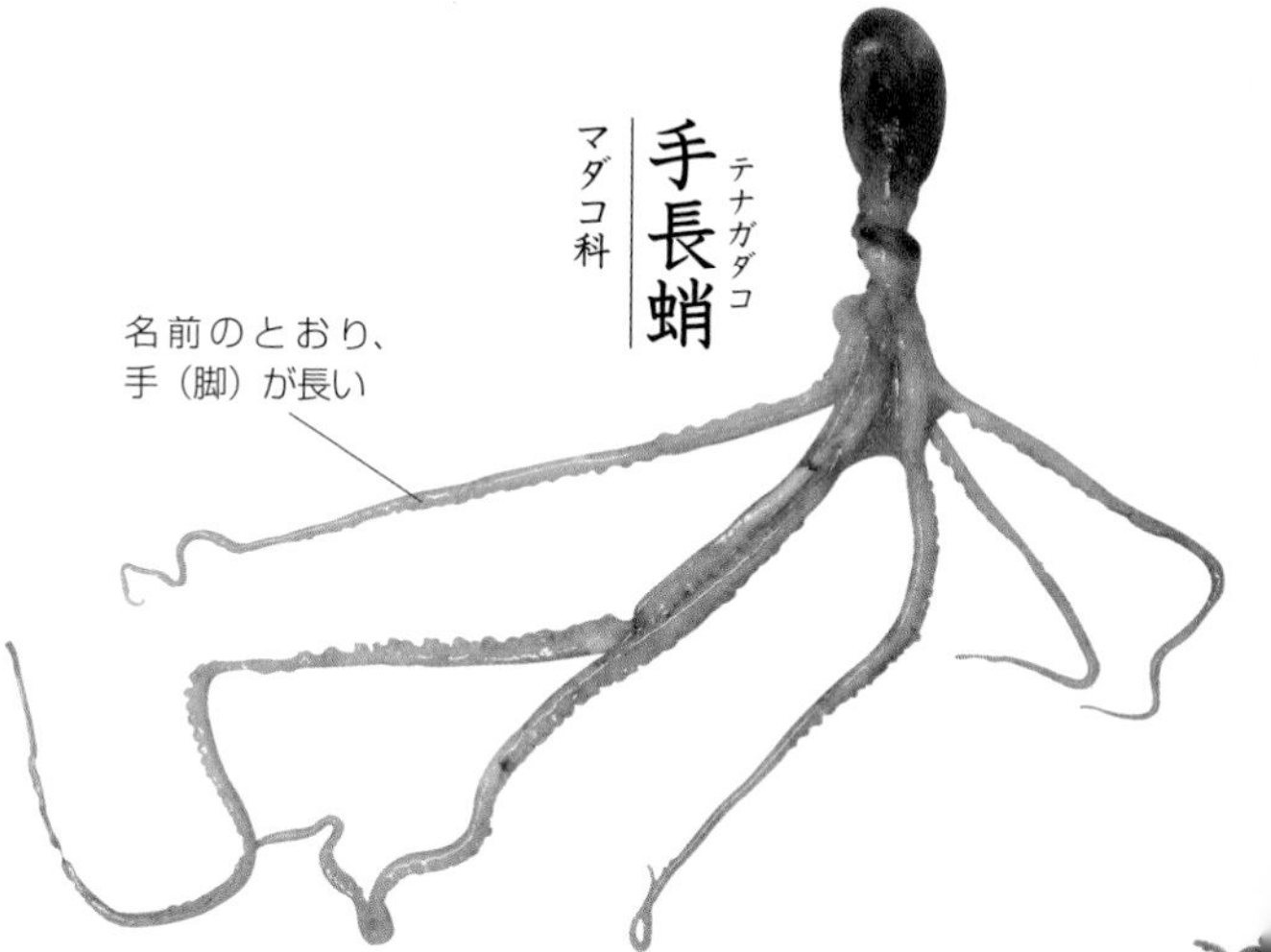

名前のとおり、手（脚）が長い

韓流ブームで一躍有名に

市場での評価は低く安価なものでしたが、近年の韓国料理ブームで生食が主流となり、値段が上がってきました。

その食べ方とは、活けのものの脚をトントンと切り、ムニュムニュ動いているものにコチュジャンをまぶして食べるというもの。

これも一興ではありますが、味わいは生よりゆでたほうが勝るかもしれません。

日本の旬、早わかり

春と夏は淡泊でさわやかな味わい

「貝春」といわれ、ほとんどの貝は春に旬を迎えます。ひな祭りにハマグリの取り合わせは、旬の影響も大きいしょう。魚は南から旬を迎えます。梅の花が咲くとトビウオが出はじめ、桜が咲くとマダイの季節。たけのこが穫れはじめるとウスメバル、麦の刈り入れどきにはイサキが旬を迎えます。地上と海の季節が連動するのも、この時期です。

　夏めいてくるとマアジが旬を迎え、脂がのってきたマコガレイが市場をにぎわせます。

　春と夏の魚介類はどこか淡泊で、さわやかな味わいです。

春～夏

3月〈青森県〉
ウスメバル
春からたけのこの穫れる時期までが旬
6月〈北海道〉
ホッカイシマエビ
夏の風物詩が本種を獲る打たせ網漁。浜ゆでして出荷される
3月～4月〈富山県〉
ホタルイカ
富山湾を代表する春の味覚。獲ったホタルイカはすぐに浜ゆでし、出荷される
3月～4月〈石川県〉
サヨリ
上品な白身のなかに脂がのって、より美味に
7月～8月〈茨城県〉
マコガレイ
味に定評のある常磐ものの味がもっともよくなる
4月～8月〈島根県〉
マアジ
山陰のマアジはこの時期もっとも脂がのっている
4月〈千葉県内房〉
マダイ
産卵のために深場にいたマダイが浅場に入ってくる
3月〈千葉県富津市〉
バカガイ
江戸前の代表的な貝の最盛期
3月～4月〈愛知県〉
トリガイ
真っ黒な足がふっくらとして、甘みが強くなる
3月〈兵庫県明石〉
イカナゴ
その年に生まれたイカナゴの漁が始まる
3月〈熊本県など有明海〉
タイラギ
30㎝を超える大型の貝。食べるのはこの時期にもっとも大きくなる貝柱
4月～8月〈三重県〉
イサキ
麦の収穫期を迎えると脂がのってくる
2月～4月〈鹿児島県〉
トビウオ
早春、ハマトビウオが入荷してくる

脂がのる時期。濃厚な旨みの秋と冬

北上していたカツオが南下し、脂ののった戻りの時期に。マイワシの刺身も大トロのようです。北海道ではサケ漁が最盛期を迎え、サンマ漁が活況を呈します。

秋から冬にはマガキが旨みを増し、温かい食べ物が恋しくなるとマダラ、アンコウが登場。甘みの増す野菜と合わせた鍋が絶品です。

寒い時期には深場の魚介類も美味に。アカムツ（ノドグロ）、キンキも丸々と太ります。日本海を南下する10kg超のブリや、卵を「ぶりこ」と呼ぶハタハタも冬の雷の下で大量に獲れます。

冬の魚介類は濃厚で、旨みと脂に満ちあふれているのです。

秋〜冬

11月〈北海道〉
キンキ（キチジ）
深場にすむ超高級魚のもっとも身が充実した時期
12月〜1月〈北海道〉
マダラ
産卵期を迎え大きくなった白子や、締まった身がおいしい
9月〈北海道〉
サンマ
道東沖のサンマがもっとも脂を蓄える時期
9月〈北海道〉
サケ
産卵のために接岸したサケの最盛期
1月〈富山県〉
ブリ
名物氷見ブリの揚がるころ。脂が強く、しょうゆをはじくほど
12月〜1月〈秋田県〉
ハタハタ
産卵のために押し寄せたハタハタは脂ものっている
12月〈広島県〉
マガキ
日本一のマガキの産地。出荷の最盛期は秋から冬
11月〈長崎県〉
クエ
大相撲九州場所の時期に食べるちゃんこ鍋の主役。超高級魚
9月〈宮城県〉
カツオ
北上していたカツオが南下を始める。脂ののった「戻り」の時期
12月〜1月〈茨城県〉
キアンコウ
鍋の季節にもっとも味がよくなり、肝も大きくなる
1月〈長崎県〉
アカムツ
五島列島などの釣りものの最盛期
12月〜1月〈静岡県〉
アカザエビ
深海底曳き網の最盛期。港はアカザエビで満ちる
9月〈千葉県銚子〉
マイワシ
この時期のマイワシの刺身は口の中でとろける
11月〈大分県〉
カワハギ
深場に移動する、肝が大きくなり味のいい時期

貝・海藻

日常使いの貝から
高級寿司ネタとなるもの、
健康食材の海藻類まで
主要なものを集めました。

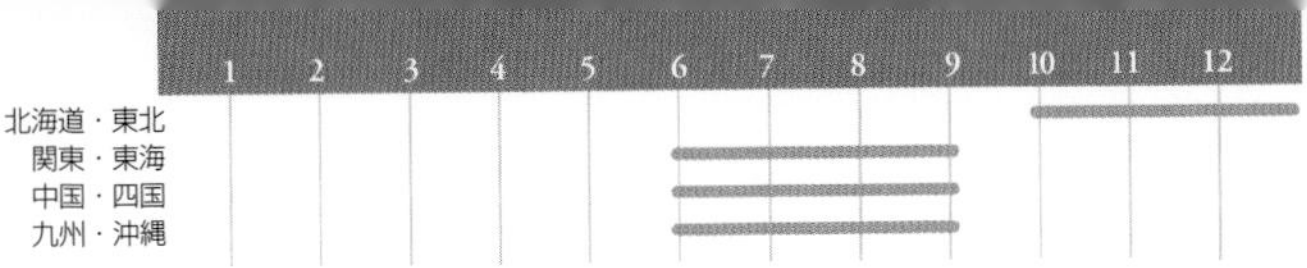

あわび

鮑

Japanese abalone

標準和名
クロアワビ（黒鮑）
科　ミミガイ科
生息域
茨城県以南から九州沿岸。
語源
「アワビ」の言葉は古く、伊勢神宮の神饌でもある。語源は「いはふ（岩触）」や「いははひみ（岩這身）」で、岩をはっていることを意味する音が転訛したもの。また「磯のアワビの片想い」などともいわれ、じつはアワビは巻き貝の仲間なのだが、二枚あるはずの貝殻が片方しかないと思われており、貝殻と身が合わないの意で「あわぬみ（不合肉）」からアワビに。逆に「あはすみ（合肉）」の意で、貝殻と身がぴたりと合うためなど、貝殻と身の形をいったものとも。
地方名
単に「アワビ」といわれることが多い。流通の世界では「ナマガイ（生貝）」。またクロアワビをオスの貝だとして「オンガイ（雄貝）」、メガイアワビをメスの貝として「メンガイ（雌貝）」とも。

養殖頼みの高級貝

日本で食べられるのはクロアワビ、エゾアワビ、メガイアワビ、マダカアワビの4種類です。生で食べてもっともおいしいのはクロアワビですが、獲れなくなり、エゾアワビが各地で養殖されるようになりました。

マダカアワビは1kgを超える巨大な貝で、蒸し煮にすると驚くほどおいしいものですが、これもいまや幻の貝となっています。

需要過多の超高級貝

旬は関東では8月から10月。値が年々うなぎ登りになり、輸入ものですら手が出せなくなりつつある。生産増量の努力がなされているが、つねに高値で、需要過多が続いている。

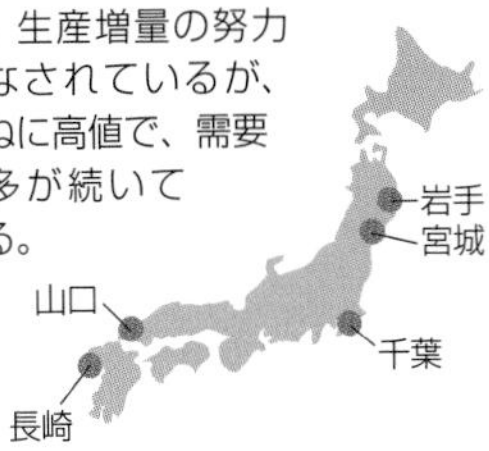

刺身はとても簡単

ステーキナイフなどで身を取り出してやや薄く切るだけ。肝は別にゆでて添える。肝はしょうゆに溶かしても、そのまま食べても非常に美味。

殻が深く、身が太ったもの。肉が殻から盛り上がっているもの

仲間

「寿司ネタにはこれ」と有名寿司店「すきやばし次郎」店主が太鼓判を押したもの。以来、人気が殺到し、入手困難な幻のアワビに。ほどよい硬さと甘みを備え、蒸し煮にして寿司に合う。

蝦夷鮑《エゾアワビ》　ミミガイ科

クロアワビより細長く、貝殻の凹凸が激しい。味は同様においしく、しっかりと身が硬く締まっている。

眼高鮑《マダカアワビ》　ミミガイ科

ひだがよく動きつやがよいもの。殻に対して身が大きく、ひだが小さめのものを選ぶ

アワビの真骨頂は寿司飯をけちらすほどの食感にある

おいしいコツ

下処理の方法

1. たっぷり塩を振り、たわしでぬめりや汚れを取る。殻の薄いほうからナイフを入れて貝柱を切り、身を殻から離す。

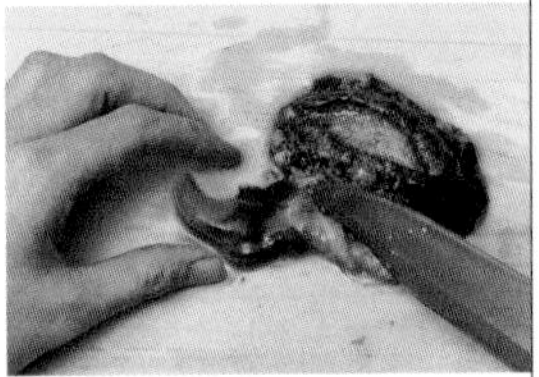

2. 身の裏側にある肝を除く。肝もおいしいので捨てない。殻のとがったほうにある口（赤い部分）を切り、塩を洗い流して水気をふく。

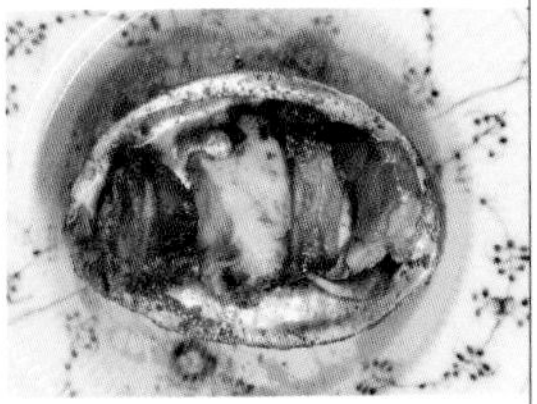

ソテーも簡単

下処理したら、好みの厚さに切って刺身にしたりバターでソテーしたりしても美味。姿焼きは、下処理の塩を振って洗うところまで行い、酒少々を振って網で焼く。

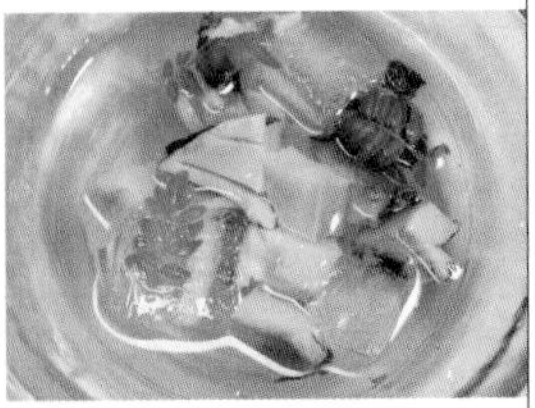

夏らしい水貝

冷酒と塩で味つけしたこんぶだしにアワビの身を。夏に食べたい涼やかな味わい。

鮑擬《アワビモドキ》 アッキガイ科

市場やスーパーなどでは、煮たり蒸したりしたものが売られている

回転寿司のアワビ

回転寿司のアワビは、このアワビモドキで、じつはロコガイとも呼ばれるまったく別の種。味はアワビには似ておらずサザエに近い。

煮貝のつくり方

アワビを殻つきのままサッと濃い塩水でゆでて水洗いし、しょうゆ、酒、みりんを合わせた煮汁にそのまま漬け込んで味をなじませる。

蒸すにかぎる！

クロアワビよりやわらかい。生で食べてもいいが、蒸す、煮るなどが美味。蒸すときは酒と水を同量合わせ、1時間煮てそのまま冷ます。

雌貝鮑《メガイアワビ》 ミミガイ科

飲食店主のあいだではクロアワビよりワンランク評価が低いが、食感さえ望まなければ生でも火を通してもおいしい貝。値段の安さを考えるととても魅力的。

常節《トコブシ》 ミミガイ科

旬は冬から春。国産だけでは足りず、台湾から輸入。市場で販売されるほとんどは台湾産のフクトコブシ。小型なので、一般的には酒蒸しか煮物にする。単純に小麦粉をつけて焼いてもおいしい。

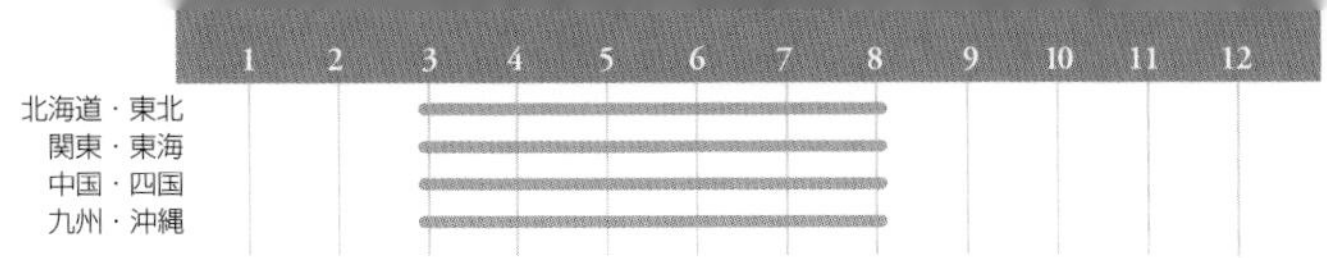

さざえ 栄螺

Spiny top-shell

標準和名
サザエ
科 サザエ科
生息域
琉球列島・小笠原を除く北海道南部から九州。朝鮮半島、黄海。
語源
古くは「ササイ」「サダエ」。漢字「栄螺」は「栄（さかえ）」がサザエに近い音なのでつけられた。「栄螺」を音読みして「エイラ」とも。サザエは「ささえ（小家）」のこと。小さな柄のようなもの「ささえ」を多くつけた貝という意味とも。
地方名
古くはアマサザイ、サザイ、サゼ、サジャ、サデ、サンザエ、サンデ、シャージャー。ほかにはサザインナ、サダエ、ツボウガイ、ツボッカイ、テンゲス、トッポゲー、ニガノコ。

豊漁すぎて価格が暴落

刺身もおいしいのですが、なんといってもつぼ焼きがいちばん。ちょっとした高級料理として、また浜の風物詩的なものとして、これまで定番的な位置を占めてきました。

しかし高級だったはずが、不況のせいか需要が減り、お手軽な値段に。ときにアサリと変わらないこともあるほどです。その意味では、もっと家庭でも日常的に楽しめるものかもしれません。

味は大きさに関係なし

産卵期は夏で、旬は春から夏にかけて。年間を通して入荷してくる。大小での味の違いはなく、用途によって使い分ける。貝殻の角の有無より、活きのよさで選ぼう。

「ヒメサザエ」はサザエの子ども

ようじを刺して懐石料理などに添えられるものは、ヒメサザエと呼ばれるサザエの子ども。

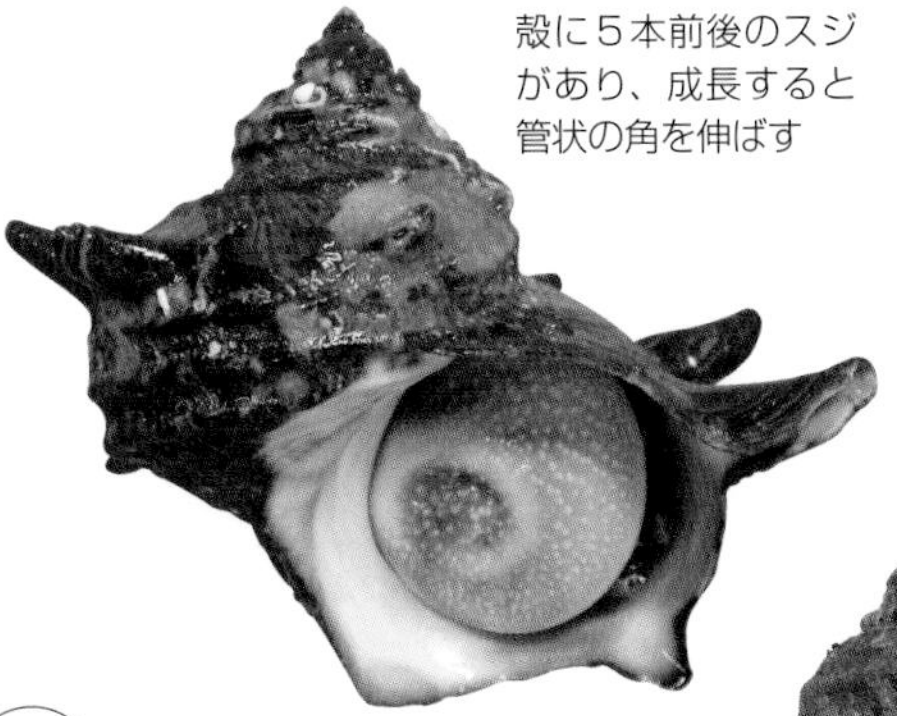

殻に５本前後のスジがあり、成長すると管状の角を伸ばす

生きているものを。活きのいいものはフタがやや口の手前にあり、さわるとギュッと引っ込む

料理

さざえのつぼ焼き

もっとも簡単で、サザエのもち味をちゃんと引き出してくれるのがつぼ焼き。ワタのほろ苦さと磯の香りが最高。

材料（１人分）

サザエ…１個（小さければ２個）
しょうゆ、酒…各1/4カップ

作り方

1. サザエは表面の汚れなどを軽く洗う。
2. 網に口を上にしてサザエを置き、直火に近い強火で焼く。
3. サザエのフタから水分が吹き上げてきたら、ひと息待ち、酒、しょうゆを口から注ぎ入れる。もう一度吹き上がってきたら、できあがり。

おいしい食べ方

エスカルゴバターをのせてオーブンで焼いてもおいしい。刺身にするときは、ワタの部分をゆでて添えよう。ほかには酒蒸し、小さなものは煮ても美味。

安いときはかき揚げに

こまかい角切りにし、青のりなどとかき揚げにするのもおすすめ。

食感がよく磯の風味が強くて美味だが、寿司飯との相性は悪い

赤螺《アカニシ》

アッキガイ科

肉食の貝で、カキやアサリの天敵

巻き貝は多彩ながら食べられていない

大都市は大きな湾に隣接してできるものですが、その内湾の干潟などに多いのがアカニシです。

これが船のバラスト水とともにトルコに移出して大発生。今では逆輸入されて加工品などになっています。

古くはサザエの代用品となったほどおいしく、国産もあるのでぜひ食べたい貝のひとつです。

刺身はコリコリした甘みがあり、とてもおいしい

酢みそ和えはおつまみにも

ゆであげて酢みそ和えなどにしても、おかずやつまみなどにしてもいいもの。貝殻ごとゆでて身を取り出し、汚れなどを洗い流してから使う。

尻高《シッタカ》

磯遊びで獲れる定番

おひな様の時期、海辺では磯遊びをする風習があります。沖縄では浜《はま》下《お》りといい、磯に女性たちが集まって磯の貝を獲って食べます。

獲るものを磯玉といい、その仲間がバテイラ、クボガイなどのシッタカ類です。

バテイラ

ニシキウズガイ科

旬は春だが、海水や産地によって多少異なる。塩ゆでや煮貝に。煮貝は、ワタの苦みがしょうゆの甘みに調和しておいしい。

しったかのしょうゆ煮

材料（4人分）

シッタカ
…20個
酒…大さじ2
しょうゆ
…大さじ1
水…大さじ4

作り方

1. シッタカはボウルに入れて水洗いする。
2. 1を鍋に入れ、水、酒、しょうゆを入れて火にかける。
3. 中火で5分ほど煮る。煮すぎないように注意。

縦長の円すい形で段差がない。裏側はこまかい縞模様があるがへそのまわりは白く、へそは開いている

おいしいコツ

巻き貝の身をラクに取り出す

巻き貝は身（足）に甘みがあり、コリコリしてとても美味。刺身に造るのも、さほど難しくない。

1. 貝殻は割って出すのがいちばん簡単。また貝殻の一部に穴を開けると、意外に簡単に出てくる。

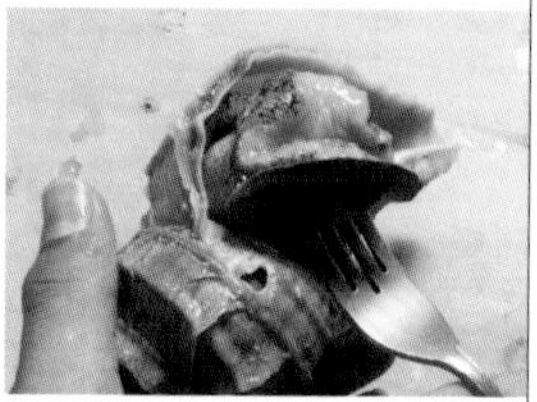

2. 内臓をはずして足の部分を割り、フォークなどで引っ張り出す。

3. エゾボラなどの場合テトラミンという毒（写真の白い部分）があるので、必ず取り除く。もんでぬめりを出し、さらに塩でもんで完全にぬめりを取り去り、刺身に造る。

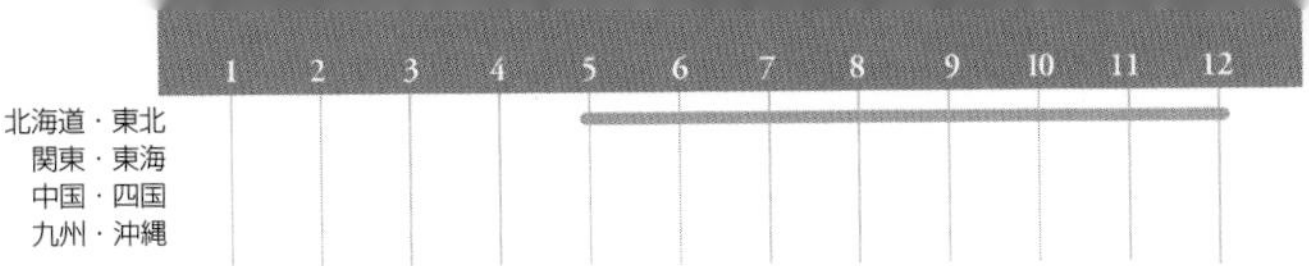

えぞぼら 蝦夷螺

Middendorffs whelk

いちばん食べられている巻き貝

巻き貝のうち、もっとも他種類でたくさん食べられているのがエゾバイ類です。煮て、焼いて、生で、と食べ方も多種多様。最近では、刺身で食べることがとくに人気になりました。

なかでもエゾボラは「真ツブ」と呼ばれ、生きている新鮮なものを刺身にすると非常においしいくいただけます。料理店などでもよく「ツブ」の名で出ているものです。

旬は秋から冬

旬は秋から冬にかけて。エゾボラは関東などの市場で入荷量が多く、いまや定番化している貝。大きいと高いが、小さいものは値段が落ちる。

標準和名
エゾボラ（蝦夷法螺）
科　エゾバイ科
生息域
北海道以北。
語源
蝦夷地（北海道）に多い巻き貝の意味。「ぼら」は巻き貝自体を表す「法螺」のこと。代表的なものは修験者が吹いているホラガイ。貝殻の中が洞（ほら）、すなわち空洞であったことから。
地方名
単に「ツブ」と呼ばれることが多い。北海道では「マ（真）ツブ」。エゾボラ属は「Aツブ」「Bツブ」などと呼ばれるが、「Aツブ」はエゾボラ、「Bツブ」は一段値の下がるエゾボラモドキを中心にエゾボラ以外と考えてよさそうである。ほかにはオキツンブ、センキバイ、バイ。

刺身にするなら生きているものを。死んでいると、塩でもんでも身が締まらない

むき身の場合は、身から汁が出ておらず、ヌルヌルしていないもの

殻つきのものは、フタがきちんと閉まっているものが新鮮

料理

越中貝の煮つけ

材料（2人分）
エッチュウバイ…小20個前後
水…1カップ
酒…1/2カップ
しょうゆ…1/4カップ

作り方

1. 鍋に水と酒、しょうゆを合わせ、水洗いした貝を入れる。
2. 火にかけて7～8分煮る。

仲間

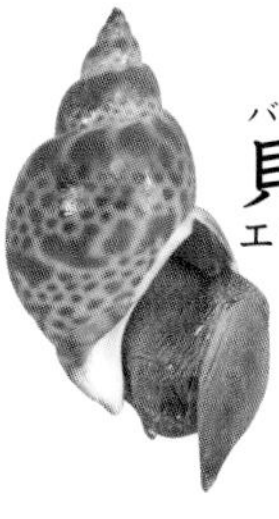

貝《バイ》
エゾバイ科

一時は有機すずの影響で激減したが、回復傾向に。煮ておいしい。

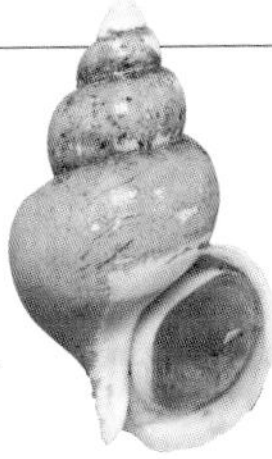

越中貝《エッチュウバイ》
エゾバイ科

おもに煮て食べるが、じつは刺身でもおいしい。日本海を代表する貝。

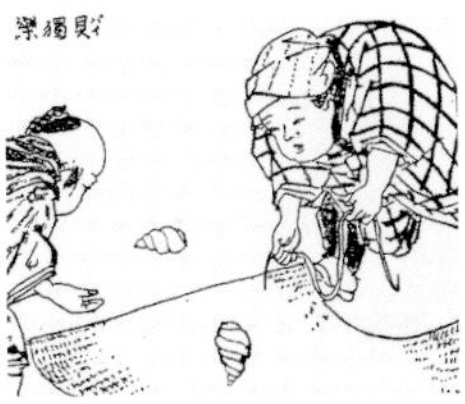

べいごまの起源

バイなどの巻き貝の殻でつくったこまを「ばいごま（貝独楽）」といったが、これがなまって「べいごま」となった。

貝の風味と苦みをともなった甘みがあり、ふくよか

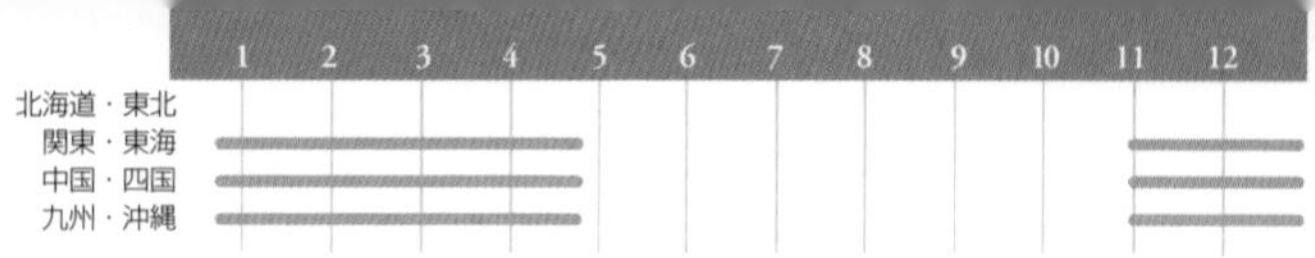

あかがい 赤貝

Bloody clam

高級寿司に必須。最高の二枚貝

アカガイは赤いほど高値。この赤さは人間の血液と同じヘモグロビンによるものです。色合いも味も宮城県閖上《ゆりあげ》のものが国内随一とされ、もっとも高価。高級寿司店などだけで食べられるものです。

ただし、ひと昔前までは江戸前でたくさん獲れ、東京湾のものが最高級であったことも忘れてはなりません。栄養価が高く、ビタミン、鉄分、カルシウムなども豊富です。

旬は冬から春。初夏に卵をもちはじめ、夏には身がやせてまずくなります。

もっとも重要な貝のひとつで、関東の市場では本種を見かけない日はありません。輸入ものが多く、あまり流通しない国産は、仕入れ値で１個５００円もします。

標準和名
アカガイ
科 フネガイ科
生息域
北海道南部から九州。沿海州から東シナ海。内湾の砂泥地。
語源
血液中の色素に人間と同じヘモグロビンをもっており、身の色合いが赤いため。
地方名
市場では単にタマ（玉）。外洋性のサトウガイと区別するために「ホンダマ（本玉）」「ホンアカ（本赤）」などとも。東京などで「検見川（ケミガワ）」と呼ばれるのは、千葉県検見川周辺が産地で、集積地でもあったため。開くと赤い血が流れ出るので「チゲー（血貝）」「チガイ（血貝）」。ほかにはアカゲ、アッカイ、シシンギャ、シマガイ、スミガイ、ミロクガイ、モガイ。

開いている口に触れるとすぐに閉じるもので、貝と貝をたたき合わせると硬そうな音のするものが新鮮

ちょうつがいから伸びるスジは42本

酢との相性抜群

なんといっても刺身がおいしい。貝特有の香りがあり、旨みが強い。酢との相性も抜群によく、酢の物は定番料理。

むき身は鮮やかな朱色で、触れるとキュッと縮むぐらい活きのいいもの。身がふっくらと厚いもの

アカガイにそっくりな２種

サトウガイ
フネガイ科

「バチ（場違い）」などといわれるが、味のほうは最上級なので、そのおいしさを堪能したい。とくに刺身は非常に美味。

猿頬貝《サルボウ》
フネガイ科

アカガイの缶詰の中身はサルボウ。刺身はアカガイにも、さほど引けをとらない。

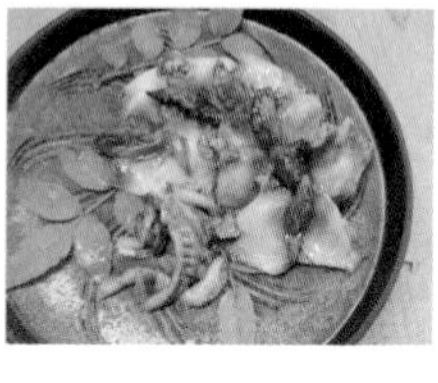

サトウさんが見つけた!? サトウガイ

サトウガイは、明治維新の立役者の一人、イギリスの外交官アーネスト・サトウが本国に持ち帰ったことからその名がついた。サトウというセカンドネームは、日本人に帰化する際に「佐藤」姓にしたとの逸話が残る。

江戸前を代表するネタ。旨みと甘み、貝の風味が強く通好み

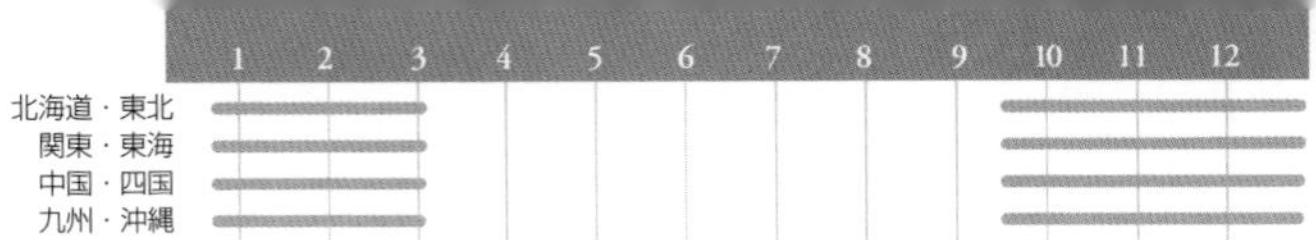

ムール貝

Blue mussell

紫胎貝

標準和名
ムラサキイガイ
科　イガイ科
生息域
全世界の温帯域。北海道から九州の潮間帯から水深10mに付着。
語源
国内にいるイガイに似ていて、貝殻表面の黒地がうっすら紫がかっているため。
地方名
フランス料理によく使われ、流通の世界ではもっぱらフランス名の「ムールガイ（Moule）」が使われている。「ムラサキイガイ」という標準和名はほとんど知られておらず、一般的にも「ムールガイ」のほうが通りやすい。日本に入った当初は「フランスアサリ」とも。またシシリー島の海域から「チレニアガイ」とも呼ばれていた。日本中に生息していて、各地で黒い色合いから「カラスガイ」などとも呼ばれている。

日本古来のものにも注目を

フレンチで有名なムール貝。これがすべて国内で獲れることは意外に知られていないかもしれません。大正時代に移入し、いまや東京湾などにあふれんばかりです。

味がいいのはフランス人が証明済み。もっと日常的に食べたい貝です。

この貝の仲間は日本にもいて、代表的なものがイガイです。山口名物「イガイ飯」は旨みたっぷりで最高です。

旬は春、意外に安価

産卵期は冬から春で、旬は貝が肥える春から夏にかけて。市場にはほとんど毎日入荷しており、安価。原産地は地中海周辺、ヨーロッパ。国内の産地は岩手、宮城、愛知。

毒性に注意

ムール貝は二枚貝のうちでも長期にわたって毒性を保ちやすく、麻痺や下痢などの食中毒を起こすことが多い。食べるなら必ず店で売られているものを。

小ぶりで厚みのあるもの

持って重く、殻が硬く閉じているもの。活きのいいもの

おいしい食べ方

だしを楽しむために、トマトスープ、ブイヤベース、鍋物、みそ汁など、汁物がおすすめ。また、旨みがあるので身を取り出してグラタンや炊き込みご飯にしても美味。

料理

ムール貝のワイン蒸し

ジュ（魚や貝から出るエキス）がおいしいので、ワイン蒸しがおすすめ。

材料（2人分）

ムール貝…750g
にんにく…3かけ
オリーブオイル…適量
ワイン…1カップ

作り方

1. ムール貝は手でこすって水洗いする。貝の片側にひげがあるので、ていねいに取る。
2. にんにくはみじん切りにする。
3. フライパンを中火で熱し、オリーブオイルを入れ、にんにくのみじん切りを入れて香りを出す。
4. ムール貝を入れ、木べらで軽く炒める。ワインを入れ、フタをして蒸す。
5. ムール貝の口が開いたら、できあがり。

仲間

胎貝《イガイ》

イガイ科

20㎝くらいになる大型の貝。産卵期は7月から9月で旬は夏。とても味がよく酒蒸しなどにするほか、山陰山陽地方では「イガイ飯」という炊き込みご飯が郷土料理となっている

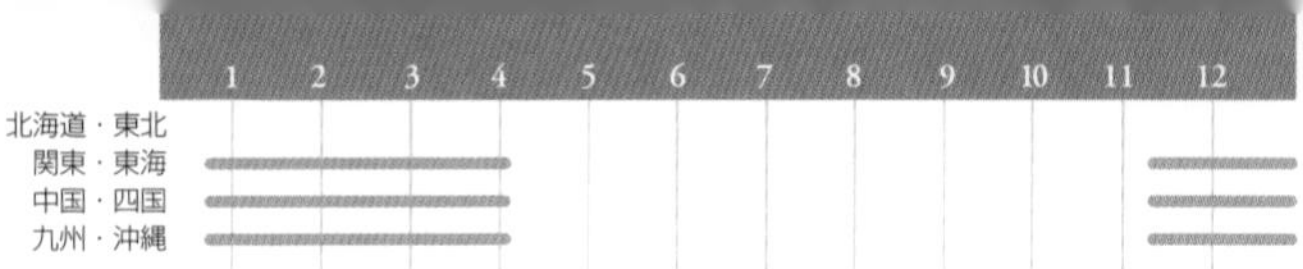

とりがい 鳥貝

Egg-cockle

標準和名
トリガイ
科　ザルガイ科
生息域
北海道を除く各地。陸奥湾から九州、朝鮮半島、中国沿岸。
語源
食用とする足の部分が紫がかった黒で、鳥のくちばしのように見えるためとの説が有力。実際に貝殻を開けてみると、足がくちばし状に見える。また味が鶏肉と似ているためともいわれるが、実際は似ても似つかない。東京湾内房上総の海で千鳥が海に入って貝に変身したとの伝説に由来するともいわれる。
地方名
愛知県三河地方、千葉県内房などでは小さくて刺身にならないものを、そのままゆでたり煮たりして食べており、これを「トンボ」と呼ぶ。

高級寿司の人気ネタ

トリガイといえば、寿司ネタに欠かせない高級貝。本場東京湾でも少ないながら獲れています。

　食用にされる部分である足は、別名「オハグロ」ともいわれ、黒いほうが高値。ただ、この色素は取れやすいため、寿司職人などはガラス板の上で開くなど工夫しています。

　この足の部分が鳥のくちばしのように見えることが、名前の由来だといわれています。

寒くなると美味に

旬は秋から春。貝殻のまま、活けでの流通量はあまり多くない。値段は二枚貝としてはやや高価で、寿司ネタとしての需要が高い。韓国、中国などからの輸入ものもある。

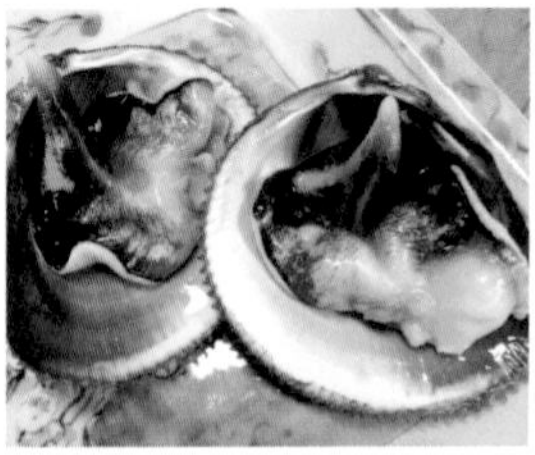

ゆがいた足が刺身に

刺身がいちばんおいしい。刺身といっても生ではなく、足の部分を開いて軽くゆがいたものをいう。

冷凍もあなどれない

湯引きしたものは、冷凍しても味が落ちない。冷凍ものでも、よいものは利用したい。酢の物やバター焼きなどにするとおいしい。

佃煮

内房などでは、甘辛く煮つけたり佃煮にしたりするが、これも美味。家庭でも意外と簡単につくれる。

濁った汁が出ていたり、におったりするものは避ける

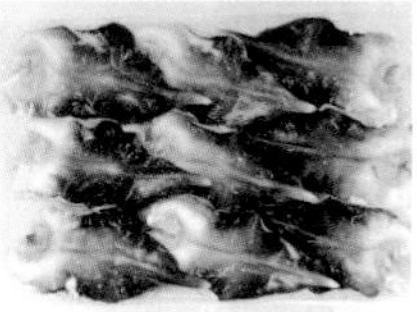

おもに開いた状態で、トレイなどに入れられて周年出回っている。つやと張りがあり、肉厚のものを選ぶ

仲間

蝦夷石蔭貝《エゾイシカゲガイ》

ザルガイ科

トリガイ同様に使えて味もよく、安いため、知る人ぞ知るといわれる貝だった。しかし味のよさが一般に浸透し、近年では乱獲のためか値段が高くなってきている。

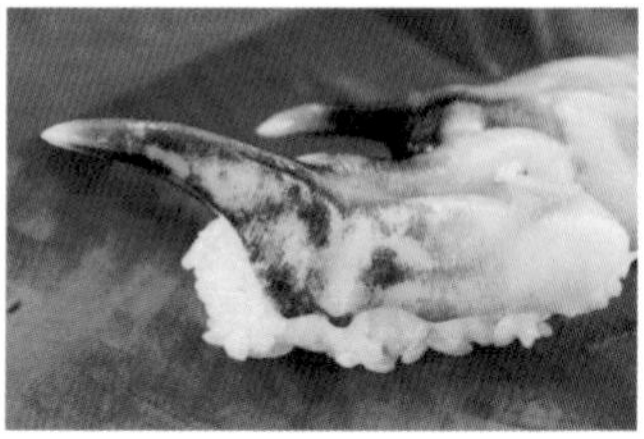

ほどよい食感のなかに強い甘みと旨みがある

かき 牡蠣

Oyster

標準和名

マガキ（真牡蠣）

科　イタボガキ科

生息域

北海道を除く各地。陸奥湾から九州、朝鮮半島、中国沿岸。フランスやアメリカ原産のカキが大量に死滅したことがあり、マガキの稚貝を輸出し危機を救った。このため最近ではフランス、アメリカ、オーストラリアなどでも養殖されている。とくにフランスなどでの生食用カキの多くはマガキ。

語源

カキの代表的なものであることから。漢字で「牡蠣」と書くのは、古くはすべて「牡（オス）」だと思われていたため。実際は交代的雌雄同体で、オスとメスの役割をする。また「カキ」の音は「石から〈掻き〉落とす」「殻を砕いて〈欠いて〉取る」「貝殻が〈欠け〉やすい」「〈掻き〉出して食べる」からとされている。

地方名

一般には単に「カキ」。ほかにはイソガキ、ウチガキ、オチガイ、カキボウ、ヒラガキ。

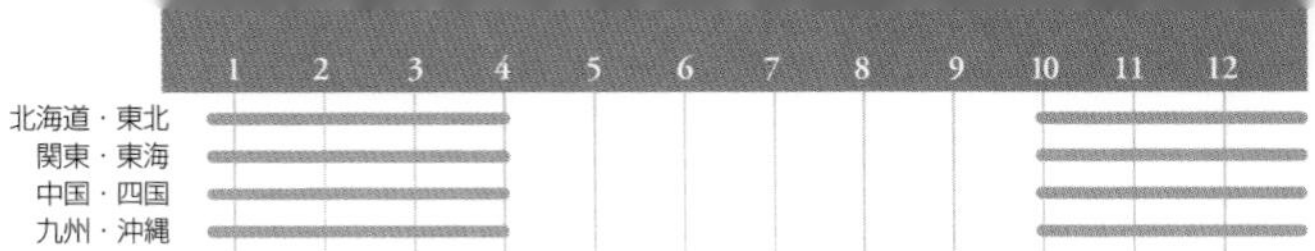

世界の愛好家を救った日本の養殖

日本で食べられているおもなカキは、マガキとイワガキです。また流通しているものは大半が養殖で、天然ものはほとんどありません。

かつて、ヨーロッパやアメリカにいたマガキの仲間が一気に死滅し、日本のマガキを提供することで世界の養殖ガキの滅亡を救いました。これにより日本のマガキは世界中で養殖されるようになっています。

養殖の５割超が広島産

旬は冬。通年手に入るが、とくに10月から3月までの入荷が多い。国産のほか韓国などからの輸入もある。入荷するもののほとんどが養殖で、養殖もの全体の５割以上を広島県が占め、１位。

むき身を選ぶなら、身に傷がなく、ふっくらとして光沢があり、粒がそろっているものがいい

かきおこ

岡山県日生はマガキの産地で、名物はマガキでつくる「かきおこ」というお好み焼き。家庭でも簡単にできる。

材料（直径15㎝１枚）

カキのむき身（加熱用）
　…５～６個（多いほうがおいしい）
卵…１個
キャベツ、長ねぎ、小麦粉、水…各適量
お好み焼きソース、青のりなど…各適量
サラダ油…適量

作り方

1. ボウルに小麦粉を入れ、おたまからトロトロと垂れるくらいの固さに水で溶く。卵を割り入れ、細かくきざんだキャベツ、長ねぎを入れる。
2. １を焼く直前に軽くまぜ合わせる。一方向からまぜ、まぜすぎないこと。フライパンなどに油を熱し、流し入れたらカキを並べる。
3. 両面を焼きソースをかけ、好みで青のりなどを振る。

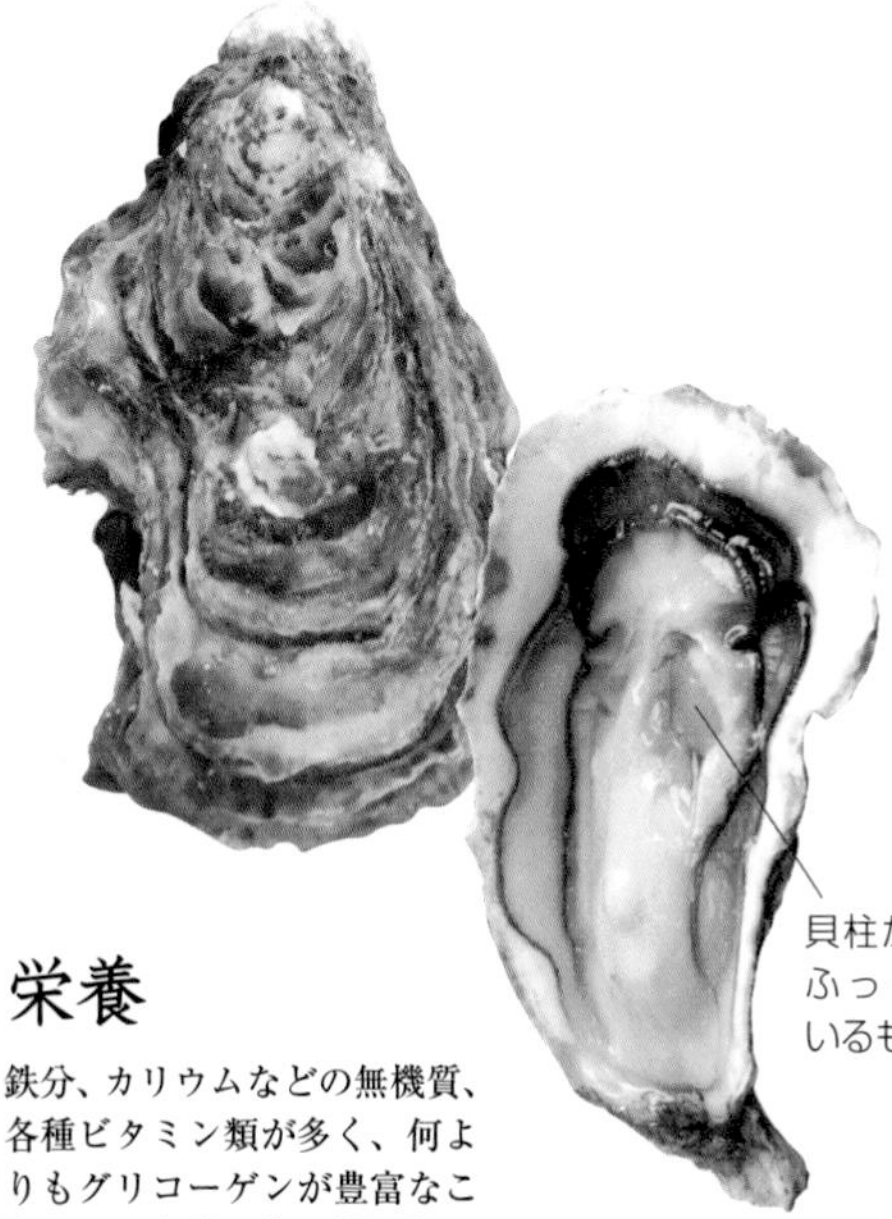

貝柱が大きく、ふっくらしているもの

栄養

鉄分、カリウムなどの無機質、各種ビタミン類が多く、何よりもグリコーゲンが豊富なことから、疲労回復に効果的。

「加熱用」と「生食用」の違い

きれいな海から揚げて、一定時間紫外線殺菌した海水で殺菌したものが「生食用」。殺菌時に少し旨みを失う。殺菌せず、水揚げしてすぐに出荷したものが「加熱用」。決して加熱用のものの鮮度が悪いということはなく、むしろ栄養も旨みも多い。加熱するときは加熱用を選ぼう。

むき身加熱用

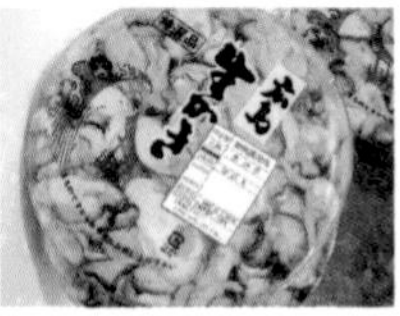

むき身生食用

軽くゆでたものは生より味が濃くなり、酢飯を忘れる勢い

簡単かきフライのつくり方

材料（4人分）

カキのむき身（加熱用）…300g
塩・こしょう…少々
小麦粉、卵、パン粉、揚げ油…各適量

作り方

1. カキは薄い食塩水（分量外）で振り洗いして、水気をふき取る。
2. 1に塩、こしょうを振り、小麦粉、卵、パン粉の順につけて、やや高めの温度（180℃）で揚げる。

おいしいのはじつは3月

カキがおいしいのは「September」「October」「November」「December」など英語で最後に「R」のつく月といわれているが、10月ごろはまだ早く、11月ごろにやっと身が詰まりはじめ、香りもよくなってくるのは12月。そしていちばんおいしいのは、じつは3月（March）である。

料理法を選ばない

むき身のカキの料理法としてはフライがいちばんだが、ほかにも佃煮、さわ煮、チャウダーなど、適した料理法は無数。

佃煮

チャウダー

おいしいコツ

調理のポイント

生食の場合も加熱調理する場合でも、調理直前にしっかり洗って汚れを落とす。大根おろしでもみ洗いするとよく取れるが、なければ塩水で洗ってもよい。

豚肉といっしょに鍋物に

豚肉にはビタミンB_1がとても豊富。カキにはグリコーゲンが豊富に含まれ、鉄分、カルシウムもたっぷりなので、合わせて食べると疲労回復にとてもよい。ここにビタミン、繊維質の豊富な野菜、きのこなどを合わせればベスト。

簡単でおいしい蒸しがき

殻つきを買って、むけなかったら蒸そう。ずんどう鍋にできるだけぎっちり詰め込み、10分前後加熱するだけ。カキから出る水分でおいしく蒸しあげられる。少量のときは水を少し加えよう。

貝殻の開け方

1. ちょうつがいを手前にして、貝殻の斜め右から貝むきなどを差し入れる。そしてフタ（平たいほうの貝殻）の貝柱を切る。

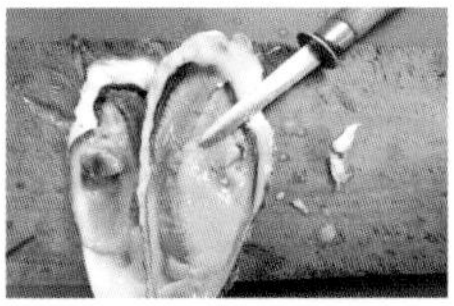

2. 右の貝殻をはずすと、このような状態になる。

3. フタの部分の貝柱とヒモを、軟体を深く収めるようになっている左の貝殻に移して、流水で軽く洗い流す。

仲間

岩牡蠣《イワガキ》

イタボガキ科

幅広のもの。口の開いていないもの

非常に大きくなる。産卵期が長く味が落ちないイワガキは、春から秋口まで入荷してくるが、とくに夏が旬である。

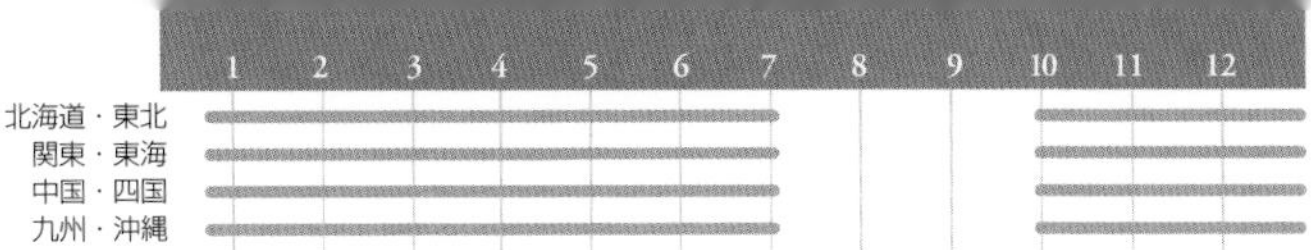

ほたてがい 帆立貝

Giant ezo-scallop

お買い得度ナンバーワン

昭和40～50年あたりまでは非常に高い貝でしたが、養殖されるようになり、価格が暴落してしまいました。「今、こんなにおいしくて安い貝はない」というほど、値段と味のバランスから見ても非常にお買い得なものです。また、養殖ものの味も天然ものと大差はありません。

スーパーなどでも定番なので、ぜひ積極的に活用を。

高級貝がお手ごろに

産卵期前の冬から春にかけて、3月ごろがもっとも美味。身が厚くなってたんぱく質が増え、旨みも増している。養殖もの、天然もの、活けもの、加工ものなど、市場には常時あり入荷量も多い。

標準和名

ホタテガイ（海扇）

科 イタヤガイ科

生息域

東北以北、オホーツク海。

語源

寺島良安著『和漢三才図会』（1712年）に「口を開きて一の殻は舟のごとく、一の殻は帆のごとくにし、風にのって走る。故に帆立貝と名づく」とある。貝殻が、船の帆が風をはらんだような形であることからついたと思われる。漢字で「海扇」とも書くが、これも形から。実際、ホタテガイは貝殻を急速に開閉する動作で、すばやく移動できる。

地方名

流通の世界では単に「ホタテ」。ほかには、中華食材では「カイセン（海扇）」。アキタガイ（秋田貝）、ボホガイ。

殻がしっかり閉じている、もしくは触れるとすぐ閉じるもの。生きているもの

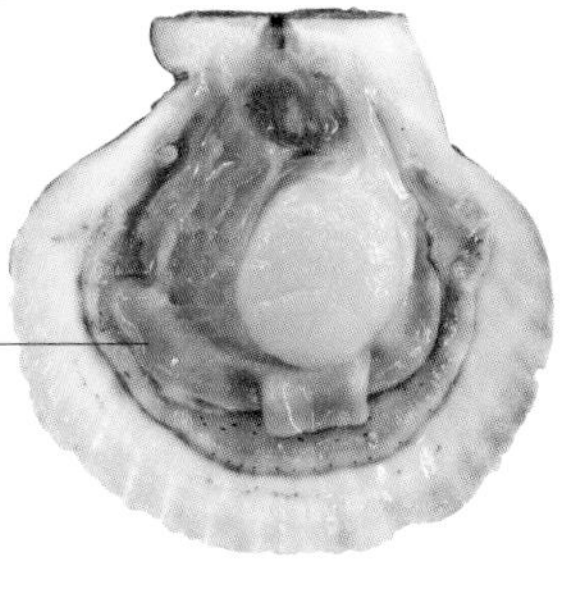

貝柱に光沢があり、ふっくら盛りあがったもの

刺身は簡単

活けは刺身がいちばん。下ごしらえも簡単で、貝柱の硬い部分をはがし取り、切るだけ。

冷凍は便利でお得

貝柱は冷凍しても劣化しない。もちろん生と食べ比べると味は落ちるが、冷凍といわれなければわからないほど。冷凍ものなら自宅で保存でき、解凍も簡単なのでねらい目。

美容にも

細胞や組織の代謝を活発にし、抜け毛や肌荒れを防ぐ効果もある亜鉛が豊富。

料理

ほたてのバターしょうゆ焼き

材料（2人分）

ホタテガイ…4個
バター、しょうゆ…各適量

作り方

1. ホタテガイは片側の殻をはずし、網にのせる。
2. 火にかけ、焼けてきたらバターを入れしょうゆをたらす。バターが溶けたら、できあがり。

ベビーホタテは安くておいしい

スーパーなどにも並んでいる、貝殻が5㎝前後の小さいもの。アサリより安いし、みそ汁などにしてもとてもおいしい。

やわらかく貝臭さもない。甘みが際立って絶品

おいしい食べ方いろいろ

おいしいコツ

下処理の方法

殻つきホタテ

1. 貝の裏側（白いほう）を上にして持ち、殻と身のあいだにテーブルナイフなどを入れ、貝柱をはずす。裏側も同様に。殻を開いてちょうつがいの部分を割る。

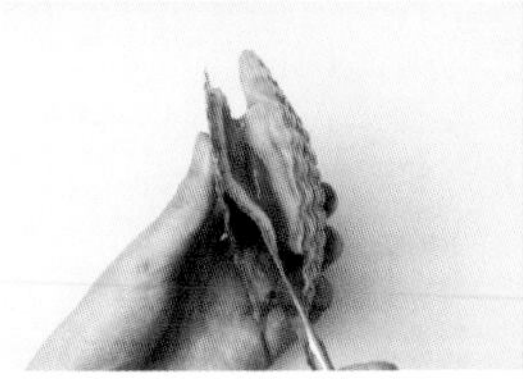

2. 貝柱をはずす。

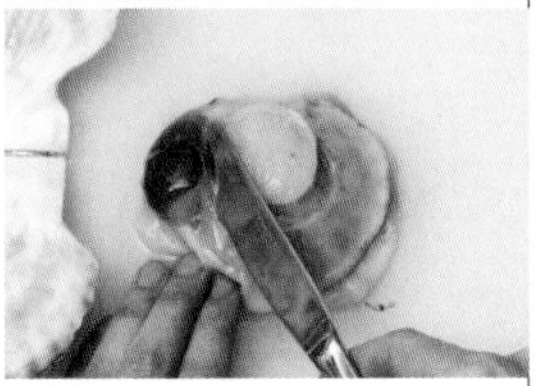

3. 黒い部分は中腸腺で、一般にウロと呼ばれている。カドミウムなどの重金属を濃縮する部位なので、必ず取り除く。また、えらもおいしくないので取り去る。

冷凍ホタテ

キッチンペーパーを敷いた皿に並べ、ラップをかけて冷蔵庫で自然解凍。密閉袋に入れてボウルに立てかけ、袋に流水をかけて解凍してもよい。解凍できたら水で洗う。

ほたてのグラタン

ホワイトソースは市販品やシチューのルウでもOK。ホタテの身と玉ねぎを炒めて貝殻などにのせ、ソースを加え、チーズをのせてオーブンで焼く。

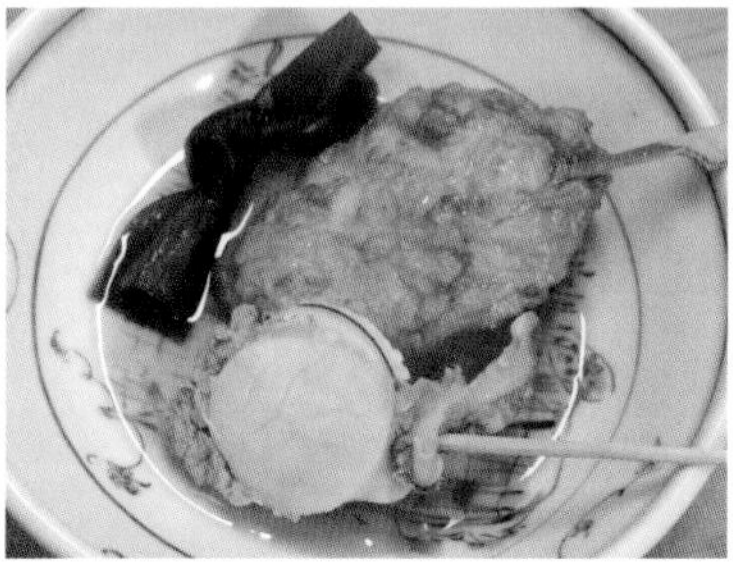

ほたて入りおでん

冬の定番料理おでん。ここにボイルホタテを入れると、だしが出てつゆもとてもおいしくなる。ホタテ自体も練り製品にはないおいしさをもっている。

ハーブバター焼き

塩、こしょうを振ってこんがりソテーした貝柱を取り出し、バターを加えてミックスハーブで香りづけ。身をこそげてバターを皿に移し、貝柱をのせる。

ほたての貝焼き

貝焼きは「かやき」と読み、青森の家庭料理。水にみそを溶かし、貝殻に張ってひもやねぎを加え煮立てて溶き卵を加える。ご飯にのせると非常に美味。

ひもの刺身

ひもは汁物や煮物に使われることが多いが、じつは刺身もとても美味。すり鉢などに入れ塩を加えて箸でかき回し、ぬめりを取って水洗いすると、おいしい刺身に。

仲間

檜扇貝《ヒオウギガイ》 イタヤガイ科

オレンジ、黄、紫など、色とりどりで美しい

西日本で養殖されたものが、関東にもときどき入荷する。値段はホタテなどよりも割高。見た目が美しいうえに食べても美味で、バター焼きなどがおすすめ。

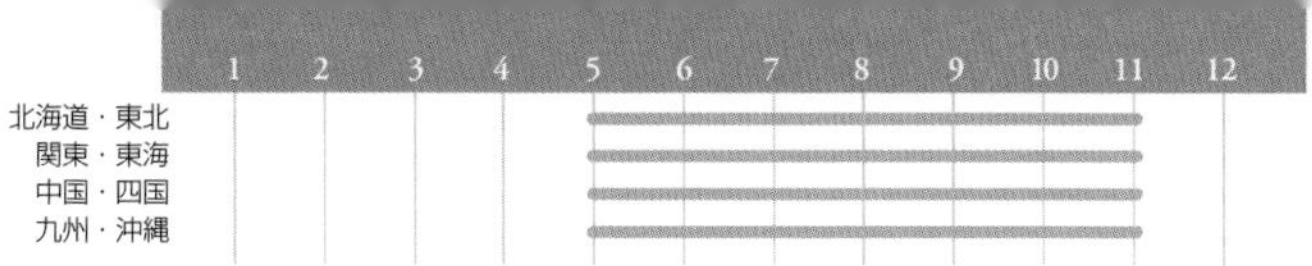

しじみ 蜆

Japanese corbicula

標準和名
ヤマトシジミ（大和蜆）
科　シジミ科
生息域
北海道から四国、九州までの汽水域。サハリン、朝鮮半島。
語源
「ヤマト（大和）」は国内でもっとも一般的なシジミであるため。「シジミ」は貝殻の表面に横じわが多数あることから、もしくは煮ると身が縮むことから「縮貝（ちぢみがい）」と呼ばれていたためとも。また一説には、たくさん集まって生息していることから、「繁群れている貝」を由来とするなど諸説ある。
地方名
中国大陸にいるタイリクシジミに対して「ニホンシジミ」、また河口に多いので「カワ（河）シジミ」。ほかにはカワガイ、キイシジミ、シジメ、スズメガイ、ヒジメ。

輸入シジミがかなりを占める

日本で食用流通しているおもなシジミはヤマトシジミ、セタシジミです。淡水で獲れる地域的産物としてマシジミもあります。流通はヤマトシジミが圧倒的に多く、一般にシジミと思われているのはヤマトシジミです。

近年では、台湾、中国、韓国、ロシアなどからの輸入ものも増え、市場で見ない日はないほど流通しています。

輸入ものが次々進出

旬は夏。8月ごろの「土用シジミ」と1月から2月の厳寒期の「寒シジミ」もおいしいといわれている。通年入荷し、ヤマトシジミが国産の大部分を占める。値段は比較的安定している。

栄養価に優れ肝臓にいい

カルシウムや鉄分、ビタミンAやB群、ミネラルが非常に豊富。そのうえ、必須アミノ酸も理想的なバランスで含まれている。また、シジミに多いタウリン、オルニチンは肝機能の低下を回復させ、肝細胞の再生を助けてくれる。

殻の模様が鮮明で殻にぬめりのあるもの
殻が固く閉じていて水に入れると水管を出すもの

しじみのみそ汁

材料（4人分）
シジミ…500g
水…1ℓ
みそ…大さじ2（加減する）
万能ねぎ（好みで）…適宜

作り方

1. シジミはよく洗っておく。
2. 鍋に水とともにシジミを入れ、火にかける。水から煮たほうがよいだしが取れる。沸騰した湯に入れると身はおいしいが、汁は旨みに欠ける。
3. 煮立ったら火を弱めアクを取る。
4. みそを溶かして煮立つ前に火を止める。万能ねぎの小口切りをかけても。

江戸時代にも注目された薬効

江戸時代の健康書『本草綱目』にも、「シジミは、甘鹹（かんかん）、寒、無毒、暴熱を去り、目を明らかにし、小便を利し、熱気、脚気、湿毒を下し、酒毒、目黄を解す」とあり、薬効の高さが知られていた。

シジミラーメン

青森県にはシジミを使った塩味のラーメンも。さっぱりとした味わいでおいしい。シジミの旨みがたっぷりで、十三湖近辺ではかなり昔からつくられていたという。

おいしいコツ

砂抜きの方法

砂抜きは約1%の食塩水（水1ℓに塩小さじ2程度）で行う。アサリと違い汽水域に生息しているため真水でも可能だが、旨みが逃げてしまう。1%の食塩水なら、コハク酸などの旨み成分が約2倍になるといわれている。

冷蔵保存は…

冷蔵庫にひと晩おくくらいなら、冷凍しよう。砂抜き後、1回に使用する分量ずつに小分けにして密閉容器や密閉袋に入れておくと便利。

冷凍しよう！

冷凍すると1か月はもち、ダイエット効果のあるオルニチンの量も増え旨みも増す。ただし、あまり長く凍らせておくと殻が開かなくなることもあるので、要注意。

解凍調理は熱湯で

シジミは冷凍すると泥臭さが出ることも。それを防ぐには、臭みの成分が出やすい70～80℃を早く通過させるのがポイント。冷凍シジミでみそ汁をつくるときは、熱湯に入れよう。身離れもよくなる。

料理

しじみご飯

材料（4人分）

米…3合
シジミ…600g
水…3カップ半
A
- しょうゆ…大さじ2
- みりん、酒…各大さじ1
- しょうが…2かけ
- 塩…少々

きざみのり…適量

作り方

1. 塩抜きしたシジミは水からゆでて、殻が開いたら火を止め、殻から身を取り出す。
2. 1のゆで汁をこし、冷ましておく。
3. 炊飯器にといだ米を入れ、2を2カップ入れて1を加え、Aを入れる。残りの2を、3合炊きの水分量となるように注ぎ入れて、炊く。
4. 器に盛り、きざみのりをふる。

仲間

瀬田蜆《セタシジミ》 シジミ科

琵琶湖特産。瀬田川で多産したため「瀬田シジミ」というが、いまや瀬田川ではほとんど獲れない。味はやや淡いので、汁などは塩だけで仕立てたほうがよい。

真蜆《マシジミ》 シジミ科

今はほとんど流通していない。ヤマトシジミが汽水域にいるのに対し、本種は完全な淡水域にいるもの。みそ汁がいちばんだが、ヤマトシジミより旨みが薄く、熱を通すと殻から身がはずれてしまう。

輸入シジミ

タイリクシジミやバチガタシジミは、それとは知らず、多くの人が食べているものです。シジミも、いまや国産ものばかりではありません。

大陸蜆《タイリクシジミ》 シジミ科

ユーラシア大陸、ロシア、中国、韓国などから大量輸入されている。ヤマトシジミに似ていて見分けがつかないが、とてもおいしい。

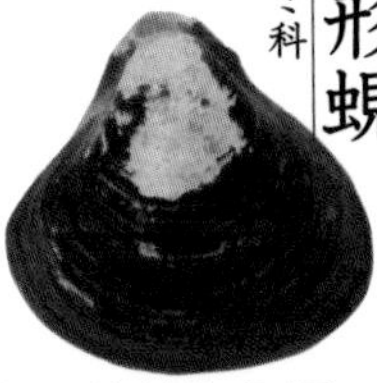

撥形蜆《バチガタシジミ》 シジミ科

中国の淡水域からくる。かつては比較的大型であることから高値がついていたが、旨みが薄く味わいはヤマトシジミに劣るため、値が落ちた。

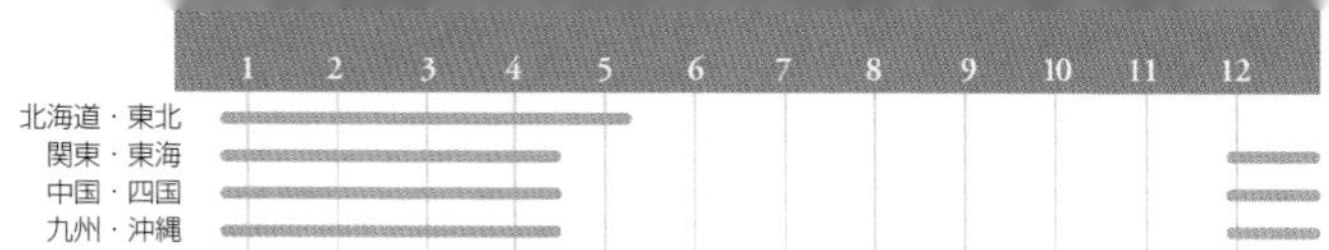

あさり 浅利

Japanese short-neck clam

標準和名

アサリ（浅蜊、蛤仔）

科　マルスダレガイ科

生息域

千葉以南、西太平洋の熱帯域まで。北海道から九州、朝鮮半島、中国大陸沿岸インドシナ半島。最近ではマガキの稚貝にまじってハワイ、ヨーロッパ、北アメリカにもいる。

語源

「アサリ」とは浅い場所にいるため。「浅貝」の意。「あ」は浅い、「さり」は砂利で砂地にいることから。また海辺で手軽に獲れるので「漁る」から「アサリ」に転訛したとも。

地方名

模様、色合いからアカゲ、カノコ、ナミガイ、ヌノメ、ベニアサリ。大きさからコガイ、ゴミハマグリと呼ばれる。ほかにはアサイ、アサジガイ、アシャラ、アズマウタ、イシガイ、オナゴガイ、キジビ、キシメガイ、クスジ、ケー、ゴゼ、シオフキ。

産地にかかわらず美味

日本人の食卓にもっともなじみ深い貝ともいえるアサリですが、国内の浅瀬、干潟の減少で激減しました。東京湾ではウミグモの寄生が深刻に。

88年ごろまではほとんど国産でまかなっていました。以降、輸入されるようになり93年を境に中国、韓国からの輸入ものが国産を上回るようになりました。

ただし、味は産地によって大差はないようです。

おいしいのは春

旬は3月から5月。通年市場にある。生鮮品のほか、冷凍流通にも殻つき、むき身ともにあり、冷凍ものは高価。値段は味や産地ではなく、大きさによって決まる。

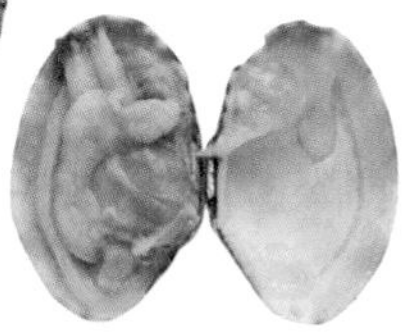

産地にこだわる必要はなく、大きいものを選ぶ

貧血に効果的

アサリには低カロリーながら、鉄分や亜鉛などのミネラルが豊富なので、貧血の解消などにも効果的。

産地別 アサリの見分け方

千葉県木更津産。色が多彩で鮮やか。なかでも青色に特徴がある

北海道産。貝殻が厚く、白やベージュがかった灰色で地味

中国産。貝殻は薄い。文様が一様に沈んでいて鮮やかではない

仲間

本美之主貝《ホンビノス》

マルスダレガイ科

アメリカ原産で、東京湾で大発生。本家クラムチャウダーは本種でつくる。身は火を通すと硬くなりやすい。小ぶりのもののほうがやわらかく、酒蒸しなどにすると美味。

料理

あさりの酒蒸し

コツはアサリをたっぷり使うことだけ。白ワインを使ってフレンチにしても、とてもおいしい。

材料（4人分）

アサリ…300g

酒…大さじ4

バター…20g

しょうゆ…小さじ1

作り方

1. アサリは水洗いし、ザルに上げておく。
2. フライパンにアサリを入れて酒を加え、ふたをして強火にかける。アサリの口が開いたら、フライパンから取り出す。
3. 蒸し汁を網でこし半量になるまで煮詰め、バター、しょうゆを加える。
4. バターが溶けたらアサリを器に盛り、蒸し汁をかける。

じつにバランスがよくおいしいが、少々地味なのが残念

おいしいコツ

砂抜きの方法

海水濃度と同じ3%のひたひたの食塩水（水5カップに対して、塩大さじ1）に浸けて2時間以上冷暗所に置いておく。ただし、近年では砂抜きされているものも多い。

冷蔵保存

2～3日なら冷蔵保存できる。砂抜きしてから大きめのボウルなどに入れ、きちんとラップをかける。

冷凍保存

殻つきは砂抜きして水で洗い、密閉容器に入れてひたひたの水を注ぎ冷凍庫へ。むき身は洗って水気をきり、ゆでたり酒蒸しにしたりなど調理してから冷凍する。いずれも1か月ほどは保存可能。

水から入れた場合

沸騰してから入れた場合

みそ汁のつくり方

みそ汁は、貝殻をよく洗い、鍋に水とともに入れて、火にかける。沸きあがってきて貝殻が開いたらできあがり。また、沸騰してからアサリを入れると、だしはあまり出ないものの身はふっくらとやわらかく仕上がる。

地味だが味は王様級

アサリはじつにおいしい貝で、味わいでは貝の王様と思われるほど。見た目ではアワビやミルクイに劣るが、そんな地味で骨太なところが魅力でもある。

干物も美味

千葉の木更津、船橋など内房でつくられるアサリの干物。木更津では「串アサリ」「アサリの干物」「目刺し」と呼ばれている。軽くあぶると、びっくりするほどおいしい。

料理

深川飯

材料（4人分）

米…3カップ
アサリ（むき身）…200g
ささがきごぼう…20cm分
にんじん…1/2本
（太めの千切り）
油揚げ…1/2枚
A ［酒…大さじ4
塩…小さじ1
しょうゆ…少々］
水…2カップ

作り方

1. 米は洗ってザルなどに上げる。アサリは分量外のしょうゆで洗っておく。
2. 炊飯器に米、水を入れる。水加減を見てアサリ、A、野菜、油を抜いた油揚げを入れて炊く。
3. 炊きあがったら、15分以上蒸らしてできあがり。

クラムチャウダー

厳寒のニューヨークでつくられるボリュームたっぷりのスープ。

材料（4人分）

アサリ…1kg前後
ホワイトソース
…1カップ
（クリームシチューやクラムチャウダーのルウでもOK）
牛乳…2カップ半
玉ねぎ…1/2個
セロリ…15cm分
にんじん…15cm分
サラダ油…少々
塩・こしょう…少々

作り方

1. アサリを水からゆでる。ゆであがったら貝の身を取り出し、ゆで汁をこして2カップ半ほど残しておく。
2. 鍋に油を熱し、玉ねぎ、セロリ、にんじんを炒める。
3. 火が通ったら1のゆで汁を注ぎ、牛乳を加える。
4. 煮立ってきたらやや弱火にしてホワイトソースを加え、野菜の旨みを煮出す。ここに1のアサリを入れ、塩、こしょうで味を調える。

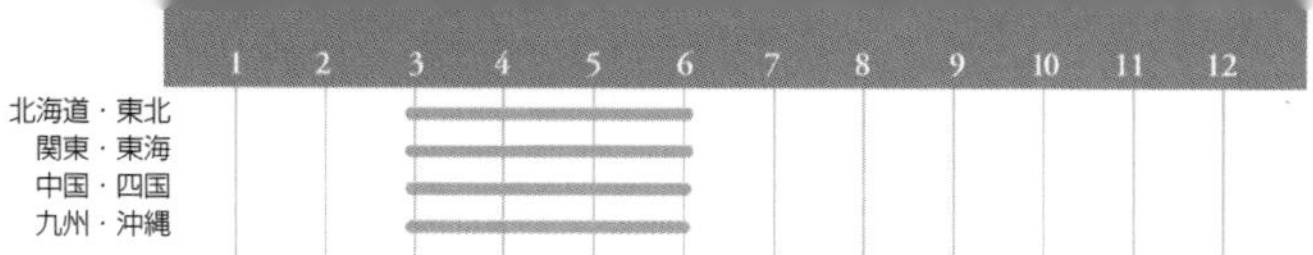

はまぐり

Japanese hard clam

蛤

標準和名 ハマグリ
科 マルスダレガイ科

生息域
北海道南部から九州。内湾性で淡水の流入する干潟から水深12m前後まで。

語源
浜にあって「栗」に似ていることから「浜栗」。「はま」は「浜」、「ぐり」は「石」の意で、石が地中にあるのに似ていることから。また非行に走ることを「ぐれる」というが、これは「グレハマ」すなわちハマグリの貝殻を逆さにしても合わないことから。

地方名
市場では外海にいるチョウセンハマグリと区別するため「ホン（本）ハマ」。色や模様で貝殻の白いのが「ミミシロガイ（耳白貝）」、栗色のものを「アブラガイ（油貝）」、いろいろ文様の出るものを「アヤハマグリ（文蛤）」。

国産が消え代役が続々登場

ひな祭りや結婚式に欠かせないハマグリ。日本文化の象徴的な貝のようにも思えますが、じつは国産のものはほとんどありません。

国産が獲れなくなり、その代用とされてきたチョウセンハマグリもいなくなり、現在市場を占拠しているのは、中国産のシナハマグリです。ただし、味は決して遜色《そんしょく》なく、いずれもおいしくいただけます。

春が旬だが冬も美味

産卵期は夏なので、身が太る春が旬。水温の下がる冬には成長が止まるが、栄養分が蓄えられるため旨みは増す。古くは、旧暦3月のひな祭りがハマグリの食べ納めとされた。

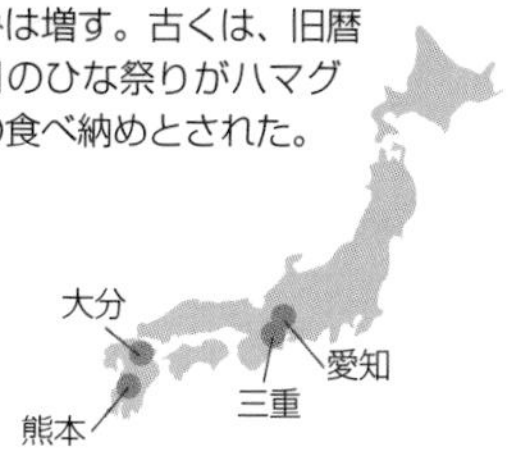

おいしい食べ方

酒蒸しや煮貝にしてもおいしい。小ぶりのものは、ぜいたくにみそ汁でも。

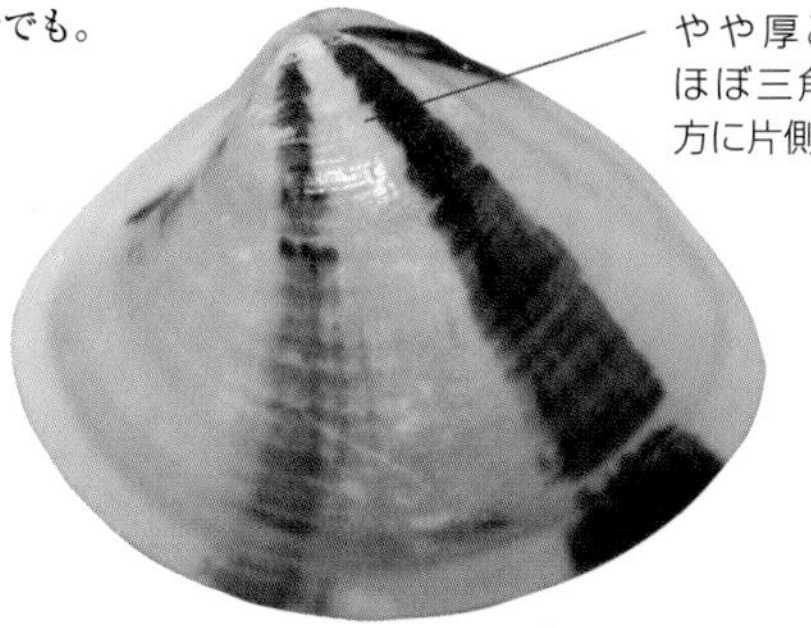
貝殻に光沢があり、やや厚みがある。ほぼ三角形で、前方に片側が長い

三重県桑名名物

三重県桑名では、「焼きハマグリ」や、伊勢名物のたまりじょうゆでハマグリを煮たしぐれ煮が名物。はやし文句でも「その手は桑名の焼きハマグリ」「桑名の殿さん時雨で茶々漬け」などといわれる。ただし現在の材料が地もののハマグリだとは思えない。

なぜ慶事にはハマグリを使う？

ハマグリの潮汁はひな祭りにはほしい一品。そもそもこれは、この貝の殻のかみ合わせが、対のもの以外は合わないことから夫婦和合の象徴とされたため。結婚の祝い事に使われるが、その発案者は八代将軍徳川吉宗。

さまざまなハマグリ伝説

〈一夜に三里走る〉
夏に環境が悪くなるとゼラチン状の粘液を出し、海流に漂わせてその浮力で移動する。そのスピードたるや最大分速1mに達するといわれ、ここから「ハマグリは一夜に三里走る」との伝説が生まれた。

〈蛤蜃気楼を吐く〉
夏にハマグリが出す粘液を見たためか、これにより海上に楼閣が現れると信じられていた。これが蜃気楼である。

貝合わせ

殻のかみ合わせは、対になっているもの以外は合わないので左右の貝を合わせて当てる遊技「貝覆（かいおおい）」「貝合（かいあわせ）」が生まれた。対を当てる神経衰弱のようなゲームで、平安時代から伝わる。

貝の濃厚な旨みと甘みがたっぷりと堪能できる

おいしいコツ

焼きはまぐりをおいしくつくる

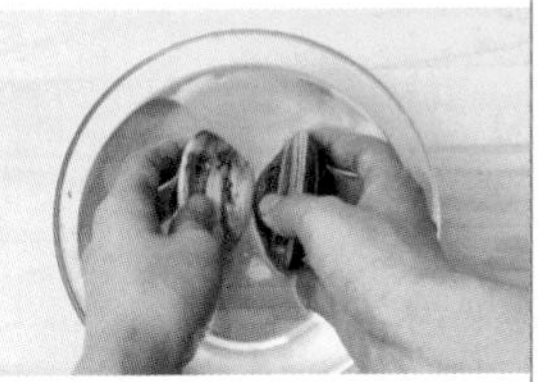

下準備

ハマグリは大型のものを選ぶ。アサリと同じ方法で砂抜き（P185参照）し、貝殻をこすり合わせて洗い、ぬめりを取る。

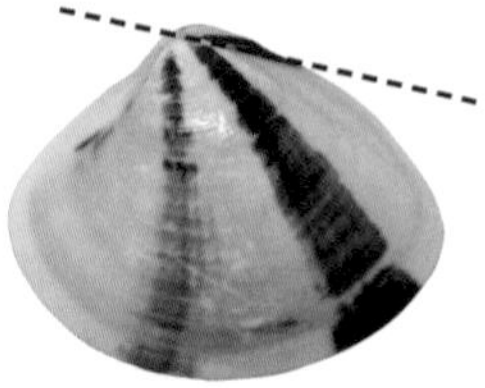

汁が命

汁は旨みと栄養の宝庫なのでこぼれないよう注意。加熱前に靭帯（ちょうつがいの外側の黒い突起）を包丁で落としておくと口は開かず、ふたの役目も果たす。

焼きすぎない

網にのせて中火の直火で焼く。ガスコンロを使ってもよい。靭帯を切ってあると口が開かないので、焼きあがりに要注意。身が硬くならないよう3～4分を目安に焼こう。

器に塩を敷いておき、焼きあがったら、その上にのせる。

料理

はまぐりの潮汁

ひな祭りの定番ともいえる一品。ぜいたくに使ったハマグリによって美しい潮汁になる。目からも楽しみたい。

材料（2人分）

ハマグリ…8～10個
こんぶ…5cm角
水…1カップ半
酒…大さじ1
しょうゆ…大さじ1/2
塩…少々
三つ葉…適量

作り方

1. ハマグリは砂抜きして水で洗う。
2. 鍋に1、こんぶ、水を入れて中火にかけ、殻が開いたらアクをすくう。
3. 酒、しょうゆ、塩を加え、火を止めて3cm長さに切った三つ葉を加える。

はまぐりと鯛の炊き込みご飯

材料（4人分）

米…3合
ハマグリ…12個
タイ（切り身）…200g
酒…1/2カップ
だし汁…3カップ
塩・こしょう…適量
青じそ…3枚

作り方

1. ハマグリは砂抜きして水で洗い、酒で蒸して取り出す。蒸し汁はこして残しておく。
2. 炊飯器にといだ米、食べやすい大きさに切ったタイ、だし汁、1の蒸し汁（適量）を入れ、塩、こしょうで調味して炊く。
3. 炊きあがったら1のハマグリを2に加え、きざんだ青じそをかける。

仲間

注意

変わったところでは刺身がおいしいが、貝毒にも注意を払いたい。

汀線蛤《チョウセンハマグリ》

マルスダレガイ科

汀（みぎわ：波打ち際）にいることから「汀線ハマグリ」という。ハマグリが内湾性なのに対し、本種は外洋性。昔は場違いなものとして「バチ」とも呼ばれた。焼いたものは非常に美味。

支那蛤《シナハマグリ》

マルスダレガイ科

いまやスーパーなどで売られるほとんどのハマグリが本種。アサリと同じく100g100～120円くらいから入手でき安価だが、大きなものは高値。輸入ものだが、味はよい。

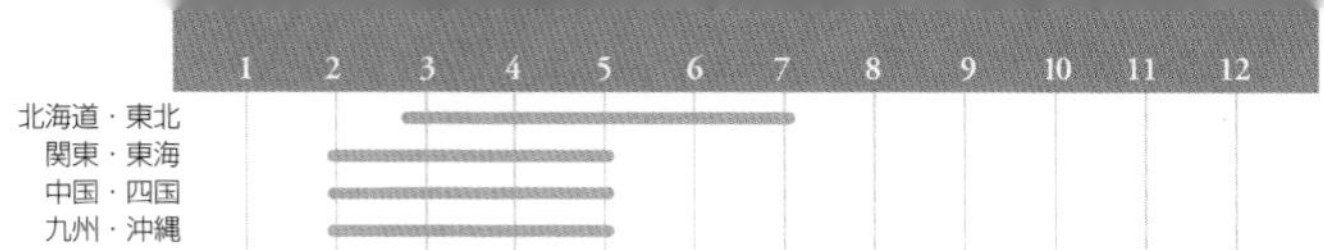

あおやぎ

Rediated trough-shell

青柳

標準和名
バカガイ（馬鹿貝）
科　バカガイ科
生息域
サハリン、オホーツク海から九州まで。中国大陸沿岸。
語源
「バカガイ」は千葉県内房などでの呼び名からで「場替え」の意。潮の満ち引き、砂地の変化に敏感で一夜にしてすむ場所を替えるため「場替」。これが転訛したもの。水揚げしたとき叺（かます）などに入れておくとだらしなく足（舌）を伸ばしており、「ばかのようである」ためとも。
地方名
築地などでは「アオヤギ」。青柳は千葉県市原の地名で、その昔バカガイの集積地だったため。「キヌガイ（絹貝）」「ヒメガイ（姫貝）」という地域が多い。古くはクツワガイ、ミナトガイ。そのほかサクラガイ、シオフキ、シタゲ、バガイ、ホガイなど。

江戸前に必須。今なお国産が健在

一般的には「バカガイ」より「アオヤギ」として知られ、足（身）は寿司ネタに、貝柱は天ぷらにと、江戸前には欠かせない貝です。
東京湾の埋め立てや汚染が進み、多くの貝や魚が獲れなくなってきているなか、アオヤギは今でもたくさん獲れ、千葉県の船橋、木更津、富津などから江戸前が入荷してきています。

厳寒期から春が旬

旬は2月から4月。北海道では春から初夏。通年、むき身などで入荷してくる。むき身は大きさもそろっていて高価だが、殻つき（活け）は二枚貝の仲間では比較的安い。

注意

旬は冬で、春はあたる心配があり、ちょっと危険。

目刺し、生干し

千葉県内房、上総などでは殻をむき、水管に竹串を刺して干す。これを目刺しという。また身を開いて干したものは生干しといい、ともにあぶって食べると非常に美味。旨みが強く独特の風味があるが、つくる人が少数になっているのが残念。

鉄、カルシウムが豊富

たんぱく質、脂質は少なく、ビタミン類、鉄分、カルシウムなどを多く含む。EPA も豊富。

貝柱の呼び方

貝柱は「小柱（こばしら）」という。1個の貝に大小の貝柱があり、大きいほうを「大星」、小さいほうを「小星」と呼ぶ。

刺身

刺身といっても軽くゆがいたもの。独特の風味があって非常においしい。

料理

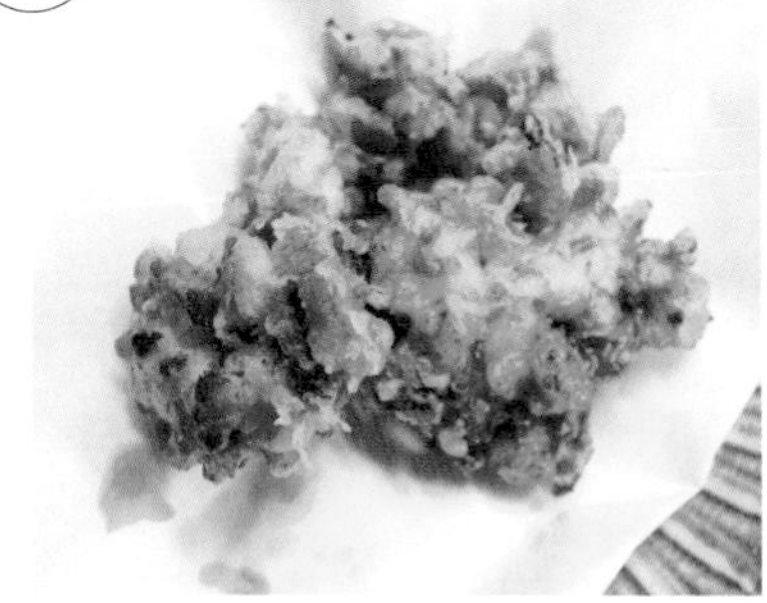

小柱の天ぷら

材料（2人分）
小柱（アオヤギの貝柱）…40g
三つ葉…1/2束
天ぷら粉…1/2カップ
水…1/2カップ
揚げ油…適量

作り方

1. ボウルに天ぷら粉と水を入れてまぜる。
2. 小柱と、3㎝長さに切った三つ葉を合わせ、天ぷら粉（分量外）をまぶす。1に入れてさっくりとまぜ、おたまですくって170℃の揚げ油に落とす。

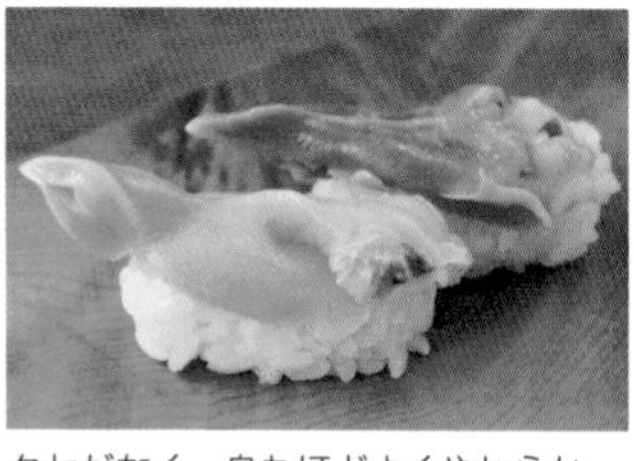

クセがなく、身もほどよくやわらかいので寿司に向く

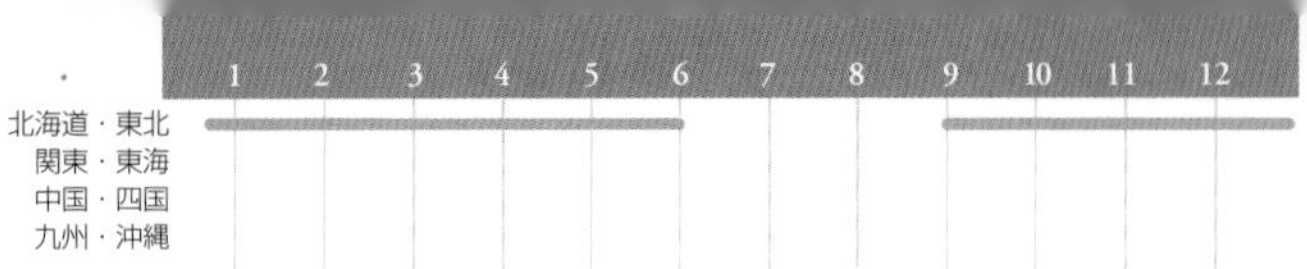

ほっきがい 北寄貝

Hen-clam

熱を通すほうが美味

正式名称は「ウバガイ」です。しかし、一般的には「ホッキガイ」の名で知られています。

寿司ネタや刺身の盛り合わせの定番で、ゆでるときれいなピンク色になることからも、非常に人気の貝です。

もちろん生でも食べられますが、熱を通すと甘みと旨みグッとが増します。みそ汁に入れるなど、加熱調理がおすすめです。

6月ごろが美味

産卵は南ほど早く、春に産卵したものは6月ごろに身が太り、いちばんおいしい時期となる。市場には年中入荷が絶えず、量も多い。北海道産は殻が厚く、重くて高値だが、福島や常磐のものは安く庶民的。

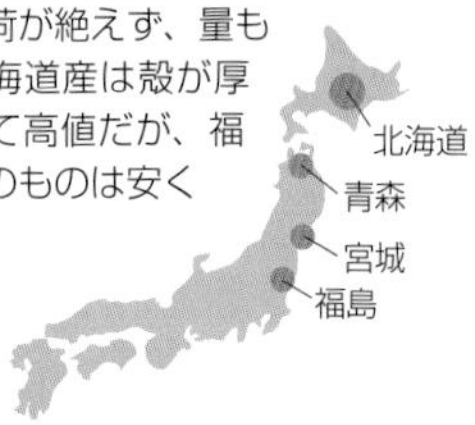

ひもと貝柱はかき揚げに

ひも、貝柱は、ほどよく熱が通るかき揚げにすると、かなりおいしい。

標準和名
ウバガイ（姥貝、雨波貝）
科　マルスダレガイ科
生息域
鹿島灘以北、日本海北部から沿海州、オホーツク海の浅い砂地に生息。潮間帯下から水深50 mの砂泥地。
語源
「うば」は「姥」で老女のこと。貝殻が薄汚れて見えるためだと思われる。
地方名
一般には圧倒的に北海道などでの呼び名である「ホッキガイ」。アイヌ語で「ツウツウレップ」「ニシホッケ」。そのほか、ウバッカイ、ドンブリガイ。

料理

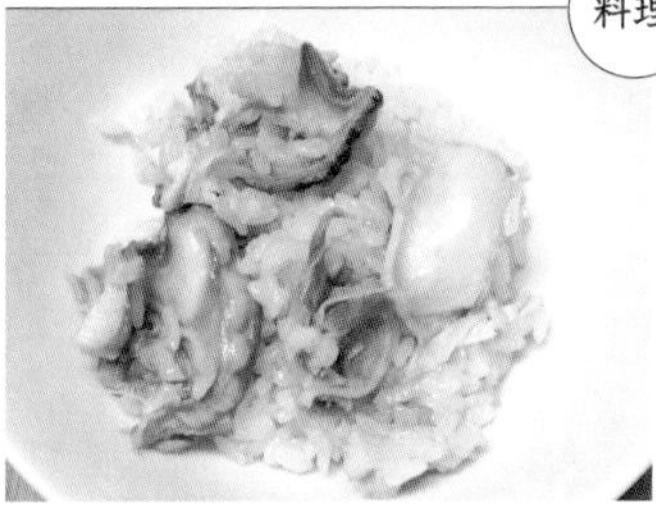

ほっき貝の炊き込みご飯

材料（4人分）

ホッキガイ…4個
しめじ…1株
油揚げ…1/2本
にんじん…1/2本
三つ葉…1/2束
だし汁…1/2カップ
酢…80cc
砂糖…大さじ4
酒…1/4カップ
ご飯…3合

作り方

1. ホッキガイはむき身にして、えら、ワタなどを除く。しめじはほぐし、にんじんは拍子木切り、油揚げは細切りに。
2. 鍋にだし汁、酢、砂糖、酒を入れ、沸騰したらにんじん、しめじ、油揚げを加えて煮る。
3. 野菜がやわらかくなったらホッキガイを入れ、三つ葉をのせて火を止める。
4. 3をバットなどで冷まし、炊きあがったご飯にまぜる。これなら1人前ずつできるので残りご飯でもOK。

生だとおいしそうではないが、ゆでるときれいな色に

仲間

海松食《ミルクイ》

ザルガイ科

本種とナミガイだけが水管を食用にする貝。水管は刺身にして絶品。水管以外のひもやワタなどもバター焼き、煮つけ、みそ汁などにするとなかなか美味。

ほんのり桜色に色づいた美しい身は豊かに甘い

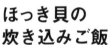

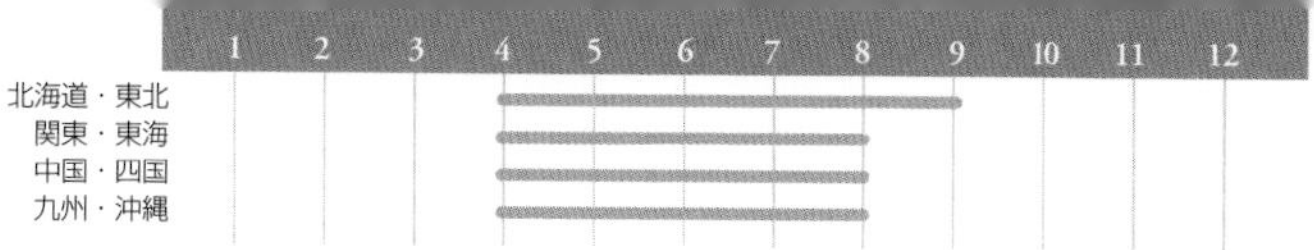

うに 海胆

Short-spined sea urchin

標準和名
エゾバフンウニ
（蝦夷馬糞海胆）
科　オオバフンウニ科
生息域
太平洋側では福島以北、日本海側では山形以北、北海道。朝鮮半島、中国東北部、サハリン、千島列島など。
語源
バフンウニの「バフン」はその姿から。「エゾ」は、近縁種「バフンウニ」に似ており、北海道など北に多く生息することから。また「ウニ」は漢字で「海胆」「雲丹」「海栗」などと書く。「海胆」の「胆」は肝のこと。古くはウニの食べられる部分を肝だと思われていたことによる。「雲丹」の雲は集まること、「丹」は赤いもので、ウニの食べられる部分をさす。「海栗」はそのトゲだらけの姿から。英名の「Sea urchin」というのも海のハリネズミの意。
地方名
流通の世界では食べられる部分（生殖巣）の色から「赤」。北海道ではガゼ、ガンゼ。

北方系の2種が全体の9割を占める

日本で食べられるウニは、エゾバフンウニとキタムラサキウニで、この2種が全体の90%以上を占めます。

一般に「バフンウニ」と呼ばれるのがエゾバフンウニで、オレンジ色の鮮やかな身をもち、市場では「赤」と、「ムラサキウニ」とよばれるのがキタムラサキウニで、やや白っぽい身から市場では「白」と、それぞれ呼ばれます。

北海道が国内産の半分

旬は夏。食用のウニでは、エゾバフンウニとキタムラサキウニの2種類が国産の大半を占める。ほかのウニはどこかローカルな存在。国産は非常に値が高く、市場での評価も高い。

むき身の選び方

ウニは水分含有率が高く、身を締めないとすぐに溶けてしまうため、むいたものはミョウバンなどで処理される。最近は塩水に漬けたものもあり、こちらのほうが苦みが弱い。

表面がやや黒く酸化したものでも、腐敗臭がなければ食べてOK

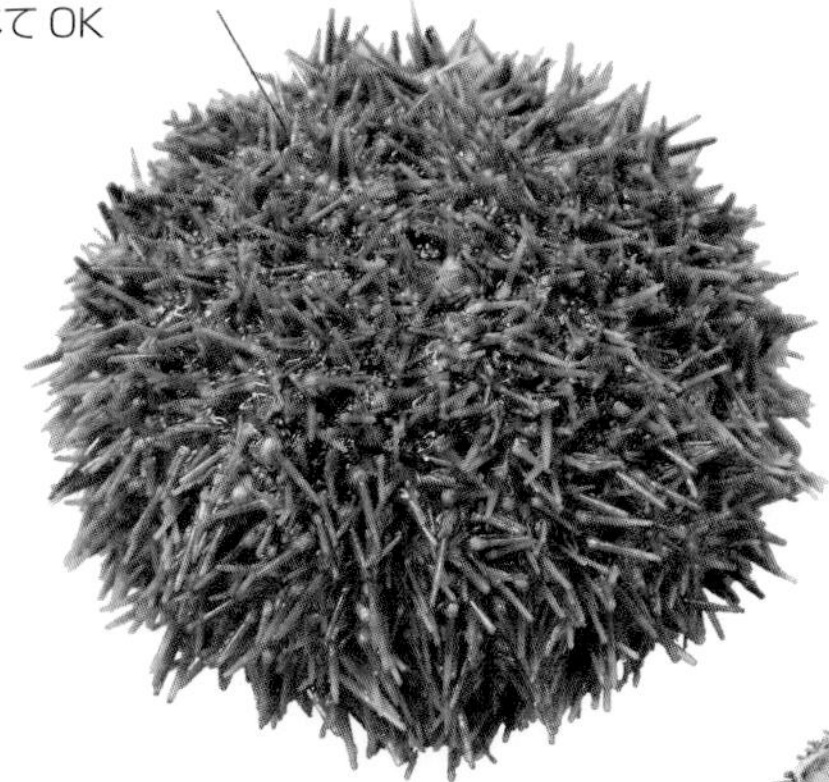

旨みが濃厚で甘く、後味が強い。生で食べるよりも蒸したほうがおいしい。産地には蒸したものがまれに入荷するが、生を上回る味なので一度お試しを。

生ウニは身（生殖巣）がしっかりしていて、色つやのよいもの

色は濃いオレンジ色

明るい黄色。エゾバフンウニに比べ全体に白っぽい

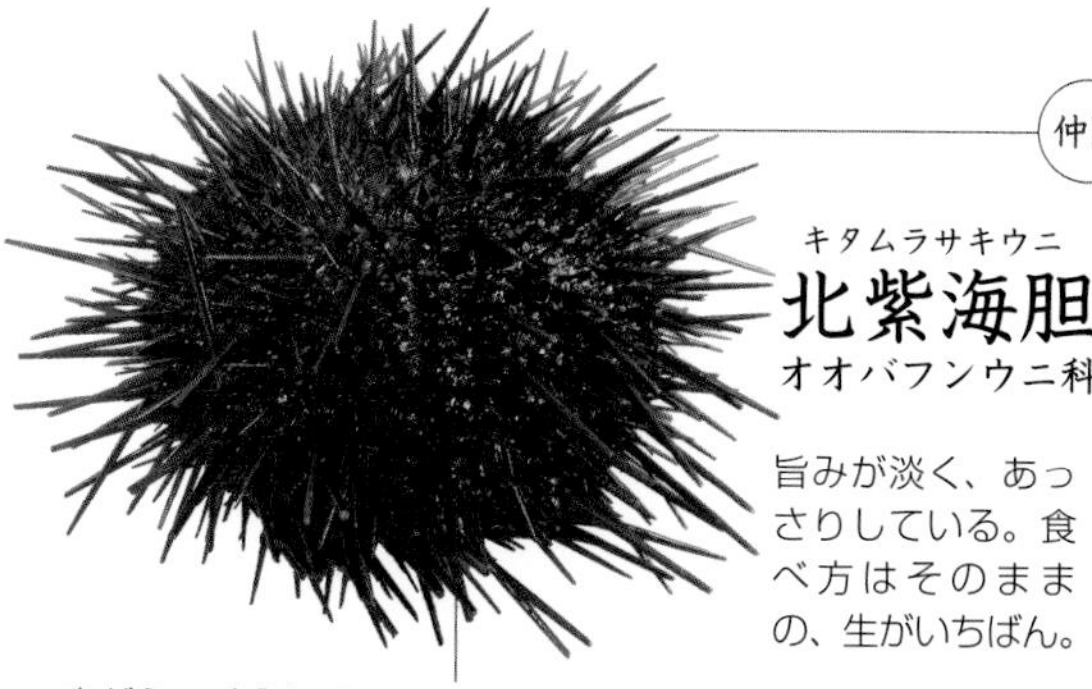

仲間

北紫海胆《キタムラサキウニ》

オオバフンウニ科

旨みが淡く、あっさりしている。食べ方はそのままの、生がいちばん。

身がふっくらして溶けていないもの、身がしっかりしているもの

生ウニは鮮度が落ちると表面に油が浮いたようなテカリが出る

濃厚な旨みと甘みの身が寿司飯と溶け合い、余韻を残す

缶詰味くらべ

おいしくて手軽。ぜひもっと活用を

魚を食べようと思ったとき、選択肢に缶詰を入れたことはありますか。缶詰だって、立派な食材です。それに、じつはかなりの優れもの。新鮮なうちに加熱殺菌してから密封するため栄養価が高く、添加物や保存料が入っていないのもうれしいかぎりです。

昔は高級だった缶詰が、最近ではとても安くなってきているので、もっともっと家庭料理に活用を。ここでは常備しておくと便利なものや、ちょっと高級なものまで、おもしろいものをいくつかご紹介します。

ツナ缶

マグロのものとカツオのものがある。日本で販売されているツナ缶の原材料はおもに、ビンナガマグロ、キハダマグロ、カツオ。ひと缶あると重宝する。

サケ缶

そのままでもおいしいが、パスタにグラタンにみそ汁に、と和洋を問わずアレンジしやすいのもいいところ。のりで巻いておつまみにしても。

アカガイ缶

アカガイと銘打つが、中身はすべてアカガイそっくりの「サルボウ」。だが味はとてもよいので、つまみにも、まぜご飯にと重宝する。

サバ缶

脂ののりなど、缶詰であることを忘れるほど。みそ煮風などもあり、そのまま夕食の一品にも。パスタなどに入れてもいい。

缶詰があれば10秒で一品

レタス、きゅうりなど冷蔵庫の残り野菜にツナ缶やサケ缶を加え、市販のフレンチドレッシングで和えるだけ。

カニ缶

値段も中身もピンキリ。最高級品は非常に値が張るが、そのまま食べて絶品。食べる手間を考えると生や冷凍よりいい。安いものは料理法でアレンジしよう。

ホタテ缶

古くは輸出用につくられ国内では超高級品だったが、最近ではスーパーにも普通にある。そうめん汁に入れてもそのまま食べても美味。

こんぶ

Kelp

昆布

科　コンブ科

生息域

北海道に多く東北にも分布する。

語源

奈良時代から『続日本紀』などの文献に登場し、古くは「広布」。これを音読みして「コンブ」になった。またアイヌ語で「コムブ」といい、それが「コンブ」となった。平安時代から「こふ」「こんふ」の呼称が登場する。

地方名

ミツイシコンブは一般的な呼称が「日高コンブ」、オニコンブは「羅臼コンブ」。

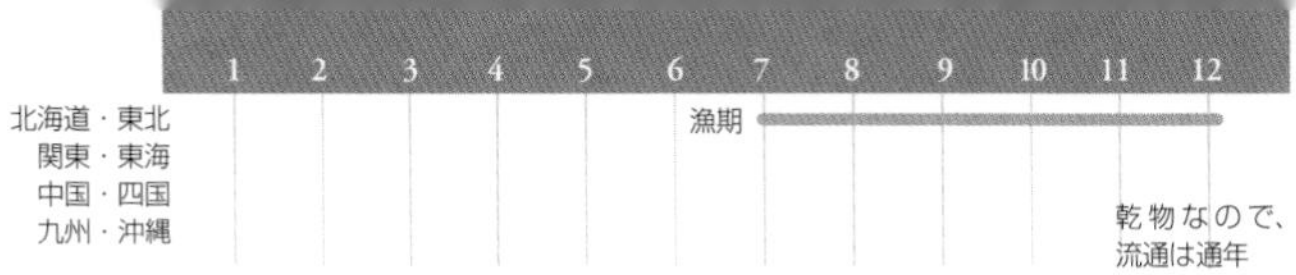

美と健康の救世主

コンブはビタミンやミネラルが非常に豊富です。低カロリーで食物繊維を多く含み、ダイエット食として優れているだけでなく、肌を美しく整え、新陳代謝も促進してくれます。

また腸の働きを活発にし、高血圧、糖尿病予防にも効果があるアルギン酸や、ガン予防効果があるフコイダンも豊富に含んでいるなど、まさに天然の薬といえます。

日本各地で海を浄化

夏から秋に収穫され、乾燥させて出荷される。数年寝かせたほうが味がよいとされており、旬は周年。ただし三陸、東京湾をはじめ、生で出荷するところもある。東京湾などでは海の浄化に役立っている。

羅臼昆布《ラウスコンブ》

標準和名

オニコンブ

科　コンブ科

黒いもの。赤いものや色の薄いものは避ける

濃厚な色の濃いだしが取れる。食べることもできるが、だし専用の感がある。コンブ類ではリシリコンブとともに高価なもの。

日高昆布《ヒダカコンブ》

標準和名

ミツイシコンブ

科　コンブ科

乾燥して、黒いもの。悪くなると色が薄くなり、赤く変色する

値段の安さからもっとも庶民的なもの。クセのない、いいだしが取れるうえ、コンブ自体もやわらかく、煮てもおいしい。

長昆布《ナガコンブ》

標準和名

ナガコンブ

科　コンブ科

しっかり乾燥していて黒か茶褐色のもの

ナガコンブをよく食べるのが長寿を誇る沖縄。炒めたり、煮たり、だしを取ったりと広く活用される。やコンブ自体もわらかく、よく食用にされる。

籠城用食料にもなったアラメ

アラメはコンブ科の海藻で、コンブよりやや食感が硬い。油揚げやちくわとともに煮つけるのが一般的。カルシウムや食物繊維が多く、栄養面でじつに優れている。戦国時代の猛将加藤清正が築いた熊本城では、壁の内部に籠城用の食料としてアラメがぎっしり詰め込まれていたという。

東京湾のコンブ養殖

神奈川県横須賀の東京湾で営まれているマコンブの養殖は、食用のほか水質改善にも貢献している。

おいしいコツ

こんぶだしの取り方

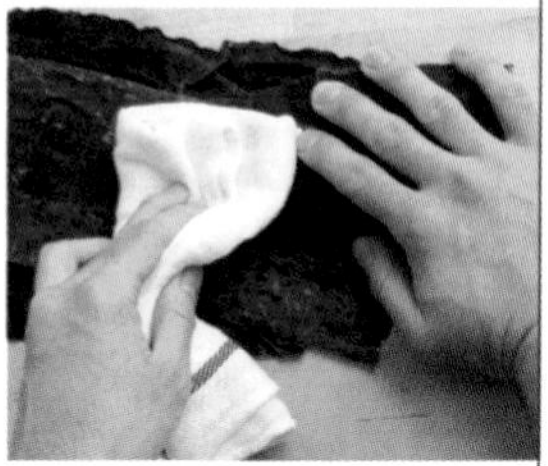

旨み成分であるグルタミン酸は水に溶けやすいので、洗わない。固くしぼったぬれぶきんなどで表面の汚れを落とす程度にふく。

水から煮出し、沸騰する直前に取り出す。これで充分旨みが出る。煮すぎると、ぬめりや苦みのもとに。

だしがらの利用法

だしを取ったコンブは捨てずに利用を。千切りにして、酢、しょうゆ、みりん、酒と煮て佃煮にしても、素揚げして塩を振ってもおいしい。

真昆布《マコンブ》

標準和名
マコンブ
科　コンブ科

高級コンブのひとつ。だしにも使え、佃煮、こぶ巻き、おぼろこんぶなどにもなる。結納や正月飾りにも使われる。

黒く肉厚なもの。幅が広く、中央を走る帯状の部分が広いもの

利尻昆布《リシリコンブ》

標準和名
リシリコンブ
科　コンブ科

もっとも高級なコンブで値の張るもの。澄んでいて、非常に強い旨みと甘みのあるだしが取れ、ぜいたくな味わいだが、食べるには硬い。

料理

くんぶいりちー

日本一の量を食べている沖縄の代表的な家庭料理。

材料（4人分）

切りこんぶ…300ｇ
（ナガコンブを戻してもよい）
かまぼこ…大1/2本
豚バラ肉…100ｇ
砂糖…大さじ2
しょうゆ、酒…各大さじ1
サラダ油…少々

作り方

1. 鍋に油を熱し、豚バラ肉を弱火で炒める。
2. 脂がほどよく出たらこんぶ、かまぼこを入れて軽く炒め、砂糖、酒、しょうゆを少量ずつ加え、味をなじませる。
3. 汁気がなくなるまでじっくり炒め煮にする。

結びこんぶの煮物

材料（4人分）

こんぶ（20㎝）…1本
水…3カップ
A［砂糖、みりん…各大さじ2
塩…小さじ1/2
しょうゆ…大さじ1と1/2］

作り方

1. こんぶは表面を固くしぼったぬれぶきんでふいて汚れを落とし、ひたひたの水に浸けて戻す。
2. 1を5㎝幅に切り、結ぶ。
3. 鍋に水と1の戻し汁を加えて2を15分ほど煮る。
4. やわらかくなったらAを加え、汁気が少なくなるまで煮詰める。

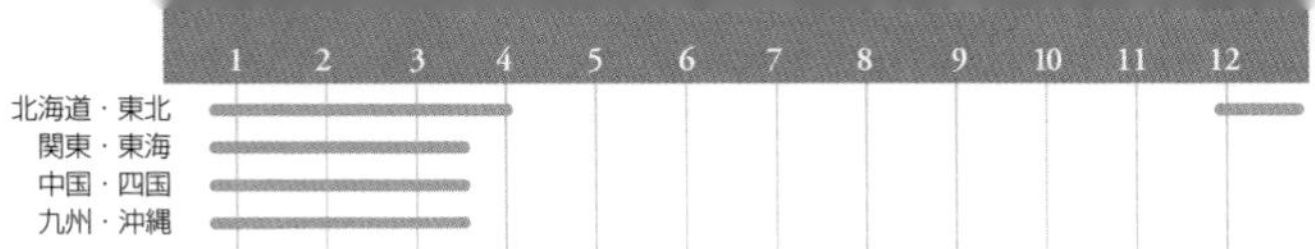

わかめ 若布

Wakame seaweed

毎日食べてほしいもの

古くから食用にされ、平安時代編さんの『延喜式』にも登場します。全国各地で獲れてさまざまに加工され、いまや日常生活に欠かせないものとなっています。

現代病ともいわれる肥満や高血圧を抑制し、欠乏しがちなミネラル分も補え、まるでおいしいサプリメントともいえそう。

みそ汁以外にも、いろいろ活用してほしいものです。

標準和名

ワカメ

科　チガイソ科

生息域

日本海。太平洋側では北海道室蘭以南、九州までの各地。

語源

古くは「和海藻（にぎめ）」、もしくは「布（め）」。『古事記』の「海布」も「め」と読むとされている。「海布」は海藻をいう言葉だったが、その代表的なもの。ワカメは秋に生長を始め、冬になると収穫期となる。この収穫を始めた若い時期においしいので、とくに「若い布」で「若布」となった。

地方名

ニキメ、メノハ。

生は寒い時期だけの味

水温20℃を超えると枯れる東北・北海道を除くと一年藻。水温が下がる秋から成長しはじめ、冬になると若いものが収穫される。この冬の生ワカメがいちばんおいしい。

三浦半島早春の風物詩がワカメ干し

肉厚で黒いもの。色の薄いものは避ける

わかめのしゃぶしゃぶ

冬から春には生の新ワカメがスーパーなどにも出回る。これはかつおだしの中でしゃぶしゃぶしながら食べるのがもっともおいしいが、市販の顆粒だしでもOK。好みのやわらかさに煮て、ポン酢かしょうゆ、あるいはかんきつ類をしぼってかける。

めかぶ

根に近い部分にある生長点で、ここから新しい葉が生まれる。きざんだものを湯通しして食べるとトロトロしてとてもおいしい。最近は湯通ししたものも売られている。

料理

春の共演、若竹煮

材料（4人分）

たけのこ…小2本（約800g、大なら1本。水煮を使うなら400g前後）
米ぬか…1つかみ
唐辛子…1本
ワカメ（戻した状態）…300g
だし汁…1ℓ
みりん、酒、薄口しょうゆ…各1/4カップ
かつお節…30g
塩…小さじ1

作り方

1. たけのこは先の部分を斜めに切り、皮に切り込みを入れて唐辛子を入れ、米ぬかを溶かし込んだたっぷりの水で1時間ゆでる。
2. 1を鍋のまま冷ます。たけのこは皮をむき、先の部分は4等分、根元は横方向に厚さ1㎝に切る。
3. 鍋にだし汁を張って火にかけ、温まったらたけのこ、みりん、酒を加えてコトコト煮る。塩を振り、しょうゆを数回に分けて加える。
4. ペーパータオルにかつお節を包み、鍋に入れる。たけのこに味がついたら、別の鍋にだしを取りワカメをサッと煮る。
5. 器にたけのこを盛ってワカメを添え、だしをすくい入れる。

島根県産板ワカメをあぶって巻き物に。ワカメが香り立つ

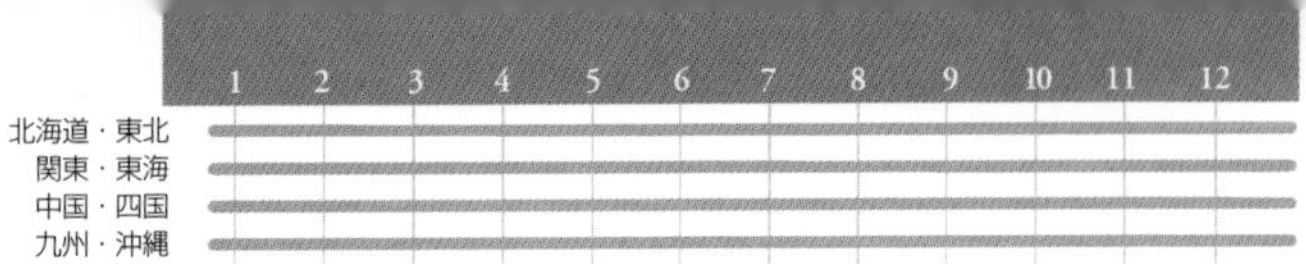

ひじき

Hiziki

鹿尾菜

標準和名
ヒジキ

科　ホンダワラ科

生息域
北海道沿岸日高以南、太平洋沿岸、瀬戸内海、九州。まれに日本海南部。

語源
「隙透藻（ひますきも）」と呼ばれていたのが変化した。

地方名
アラメノイモウト（荒布の妹）、ヒズキモ、ミチヒジキ。

美容と健康両面で女性の味方

縄文時代から食べられ、ワカメ同様『延喜式』に朝廷への貢納品として選ばれたとの記述も見られる、日本人になじみ深い海藻のひとつです。

ヒジキはとにかく栄養価が非常に高いのが特徴。その効能は女性にうれしいものばかりです。不足しがちなカルシウム、鉄分が豊富なうえ、食物繊維、美肌効果のあるビタミンAもたっぷり。ぜひ日常的に摂りたいものです。

生では食べられない

春に刈り取り、浜辺で数時間ゆでて干してから出荷される。生ではとても食べられない。韓国産、中国産も多く、国産は1～2割程度。国産はすべてが天然もの。

ヒジキ刈りは春の風物詩

黒くよく乾燥したもの。生ヒジキ（乾燥品を戻したもの）も黒いものがよい

乾物の戻し方

必ず水に15～20分程度浸けて戻す。急ぐときは湯を使ってもよいが、栄養分が流出してしまうため50℃以上の湯は避ける。

貧血に効く

ヒジキ料理は惣菜店でも売れ行きがつねにトップクラス。干しヒジキ5ｇ（約1食分）で、1日の鉄分摂取推奨量の4分の1はカバーできる頼もしい存在。

芽ヒジキ、長ヒジキ

葉の部分は「芽ヒジキ」、茎の部分は「長ヒジキ」などと呼ばれる。芽ヒジキはやわらかいが旨みは少なく、長ヒジキは海藻らしい味わいが楽しめる。

なぜ「鹿尾菜」と書くのか

江戸時代に著された『本朝食鑑』によれば、見た目が、鹿の黒くて短いしっぽに似ていることに由来するそう。

料理

ひじきの炒め煮

スーパーなどに売られている便利な生ヒジキを使ってもよい。

材料（4人分）
乾燥ヒジキ（戻した状態）…200g
白天（ちくわ、かまぼこなどでも）…1枚
いんげん…6本
にんじん…1/3本
しいたけ…3枚
砂糖…大さじ2（好みで加減）
酒…大さじ2
しょうゆ…大さじ1（好みで加減）
ごま油…小さじ1

作り方
1. フッ素加工のフライパンにごま油を熱しヒジキを炒め、細切りにしたにんじん、白天、しいたけ、いんげんを加える。
2. 砂糖、酒を加え、味をなじませる。しょうゆを少しずつ加えて、ときどき味をみる。
3. 汁気がほどよくなくなるまで炒め煮にする。

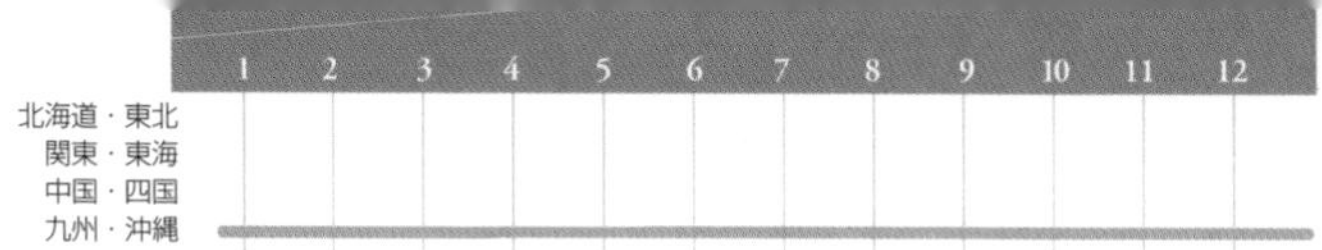

緑藻・褐藻

低カロリーなうえ栄養の宝庫

緑藻《りょくそう》、褐藻《かっそう》の仲間でもっとも食べられているのがモズクやウミブドウです。ウミブドウは緑藻、モズクは褐藻に分類されます。

ウミブドウは海藻にはめずらしく生で消費されますが、塩漬けもあります。

モズクは食物繊維が豊富なうえ、ガンやアレルギーを抑える効果もあるフコイダンもたっぷり。積極的に摂りたい海藻です。

旬は春から夏

ウミブドウの旬は初夏。天然ものは収穫が難しく、今では養殖ものも多く出回る。モズクの旬は春から初夏。ウミブドウ、オキナワモズクの国内一の産地は沖縄で、ともに同地でさかんに養殖されている。

スーパーにも並んでいる

熱帯の海で養殖されているもので、ほとんどが沖縄産。そのまま食べてもあっさりした塩味でおいしい。保存は室温で。冷蔵庫に入れるとすぐに悪くなってしまう。

海葡萄《ウミブドウ》
イワヅタ科

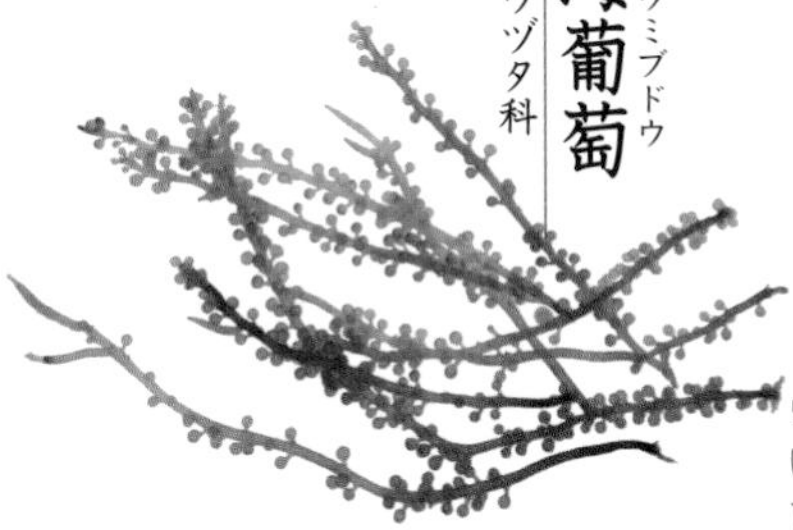

ウミブドウとはその姿からついた名だが、キャビアにも似ているため「グリーンキャビア」とも呼ばれる。標準和名は「クビレズタ」。

食物繊維は腸まで届く

モズクに含まれる食物繊維は胃や十二指腸内では完全に消化・分解されず、小腸・大腸までに達することがわかっている。これが腸を刺激して働きを活性化するため、便秘解消にも非常に効果的。

水雲《モズク》
イワヅタ科

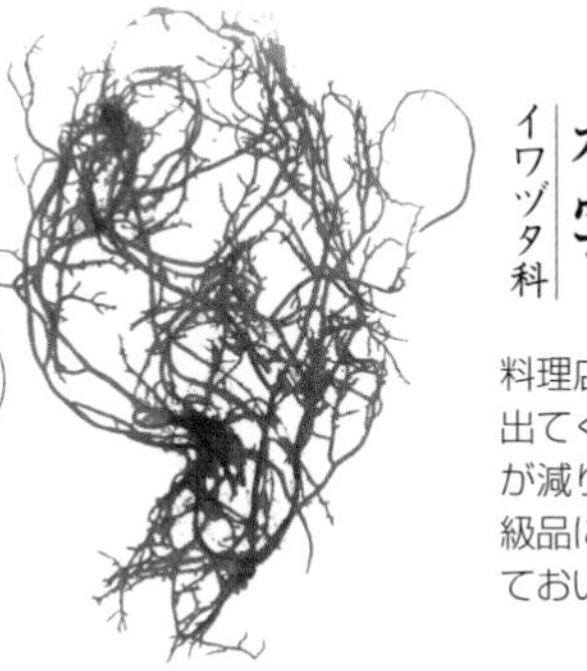

料理店などで酢の物として普通に出てくるものだったが近年、藻場が減り、あまり穫れなくなって高級品に。非常に細長く、甘みがあっておいしい。

料理

もずくのおじや

材料（1人分）

モズク…200g
油揚げ…1/2枚
ご飯…1膳分
だし汁…2カップ半
みりん…大さじ2
しょうゆ…小さじ2
長ねぎ…1/3本

作り方

1. だし汁に、みりん、しょうゆを加えて煮立てる。
2. 1に、油揚げ、ご飯を入れ、最後にモズク、きざんだ長ねぎを加える。

沖縄水雲《オキナワモズク》
ナガマツモ科

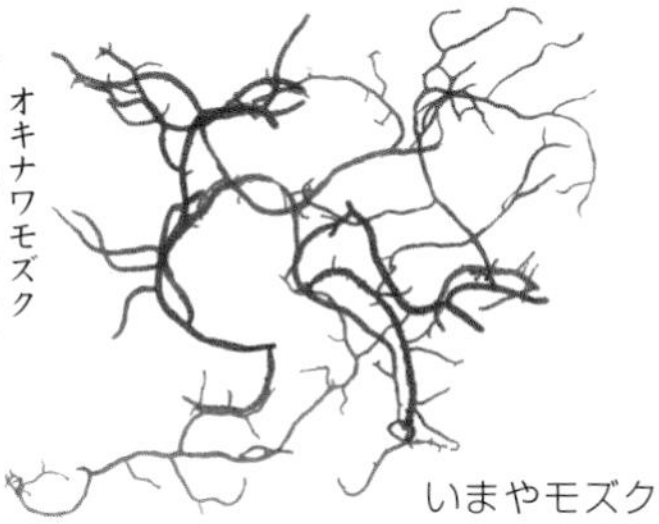

いまやモズクといえば本種のこと。スーパーにも加工品が大量に並んでいる。本州などで穫れるモズクより太く、やわらかい。沖縄では大量に養殖されている。

紅藻

ダイエットに最適

紅藻《こうそう》はよく刺身などのつまや海藻サラダの具として目にするもので、代表的なものにえんじがかった色のトサカノリ、濃い緑のオゴノリなどがあります。オゴノリやテングサは、寒天の材料としても重要なものです。

いずれも非常に低カロリーで食物繊維が豊富なため、ダイエットにもってこいの食材です。

旬はトサカノリが冬から春、オゴノリは春、テングサは春から夏。いずれも日本各地の磯や、一日のうちに陸になったり海中になったりする潮間帯などに生息します。

これらは奈良時代から特産品として貢納され、江戸時代から乾物での流通が確立されていました。

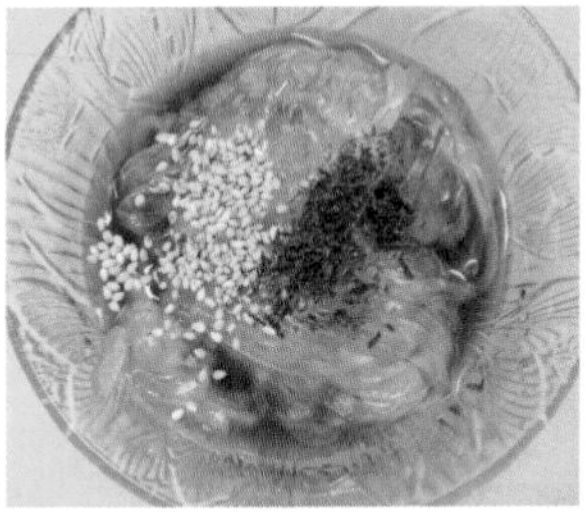

ところてんで食べている

テングサは寒天材料としてもっとも良質なもの。寒天は乾燥粉末や棒状のものがあり、さまざまな食べ物に使われる。テングサでつくったところてんは非常においしい。

鶏冠海苔《トサカノリ》
ミリン科

海藻サラダの彩りに

刺身のつまや海藻サラダに入っているもの。とくに彩りを添える赤いトサカノリは市販の海藻サラダになくてはならない存在。国内産が減り、輸入ものも多くなっている。

天草《テングサ》
テングサ科

料理

牛乳寒天

材料（4人分）
棒寒天…1/2本
（粉寒天の場合は2g）
牛乳…150cc
砂糖…大さじ3
水…100cc

作り方
1. 棒寒天は水（分量外）で戻して固くしぼり、水を入れた鍋にちぎって入れ、火にかけて煮溶かす。
2. 牛乳と砂糖を加えてまぜ、溶けたらこす。
3. 水でぬらした容器に注ぎ、冷やして固める。

生食は避ける

オゴノリは刺身のつまとしてもひんぱんに登場する。本来は褐色だが鮮やかな緑に染められていて、生で食べると危険。死亡例もあるので、ご注意を。

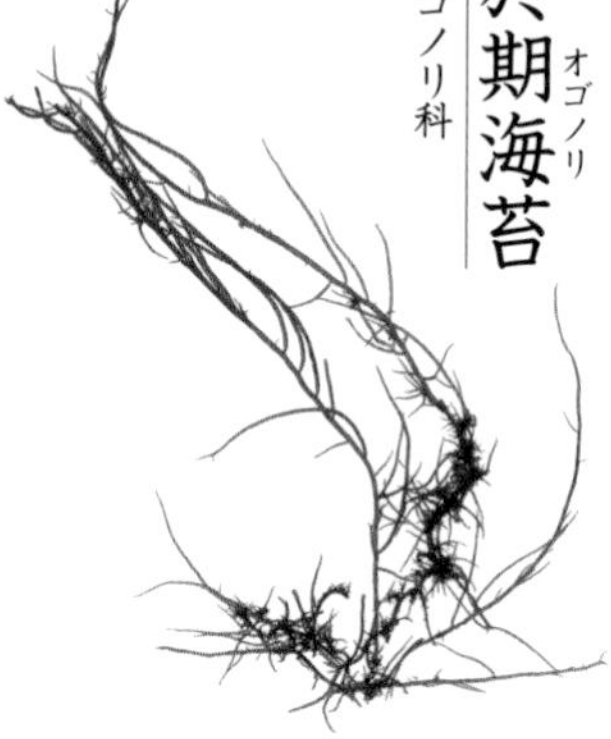

於期海苔《オゴノリ》
オゴノリ科

のり 海苔

Nori

標準和名
スサビノリ
科　ウシケノリ科
生息域
日本海。太平洋側では北海道室蘭以南、九州までの各地。
語源
古く奈良時代には「紫菜（しさい）」。漢字は「水苔（すいたい）」「海菜（かいさい）」「石衣（せきい）」「苔哺（たいほ）」「石髪（せきはつ）」などと書く。「ぬるぬる（粘滑）」するので「ぬる」が「ノリ」となった。また、煮ると「糊」のようになることから。潮にのって流れ着くから、「のる」が「ノリ」になった。古名の「なのりそも（莫告藻）」から。
地方名
全国的に「ノリ」。岩についたアマノリの仲間をとくに「イワノリ（岩海苔）」という。

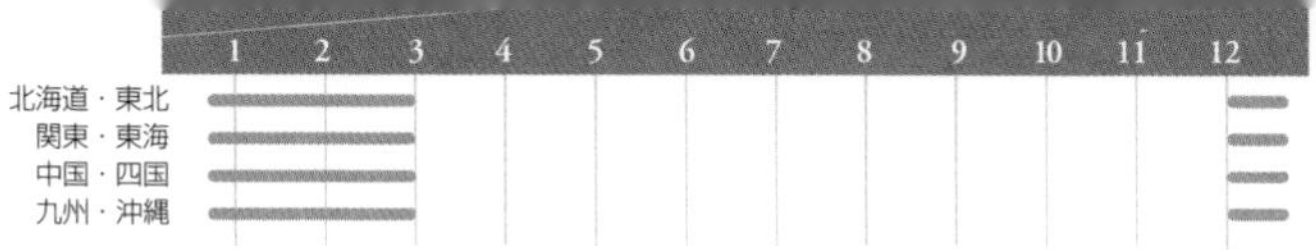

都市に隣接する海で育つ

黒い板状のノリは、もはや日々の食卓に欠かせないものとなっています。

板状にするようになったのは江戸時代初期のころ。

東京の浅草は紙の産地でしたが、その前に広がる荒川河口はノリの産地であり、もともと摘んではバラバラに干していたノリを、いつしか紙のようにすくようになったのです。同じころに養殖も始まり、現代に至ります。

水温が下がると育つ

ほとんどが養殖されたもの。年間国内生産量が板のりで100億枚近くになっている。都心からほんの1時間足らずで行ける木更津はノリの産地として有名。収穫は冬。

初摘みの「走り」と寒い時期が美味

夏に網につけられたノリの胞子は、寒くなると生長を始める。このもっとも早い時期の初摘みが、おいしいとされる「走り」。また、寒い時期も旨みが強い。摘んだだけの生のりが出荷され、冬の風物詩とされる。

栄養価

1枚で、イワシ1尾分のビタミンB_1、牛レバー10g分の鉄分を含むなど、栄養面でも優れている。

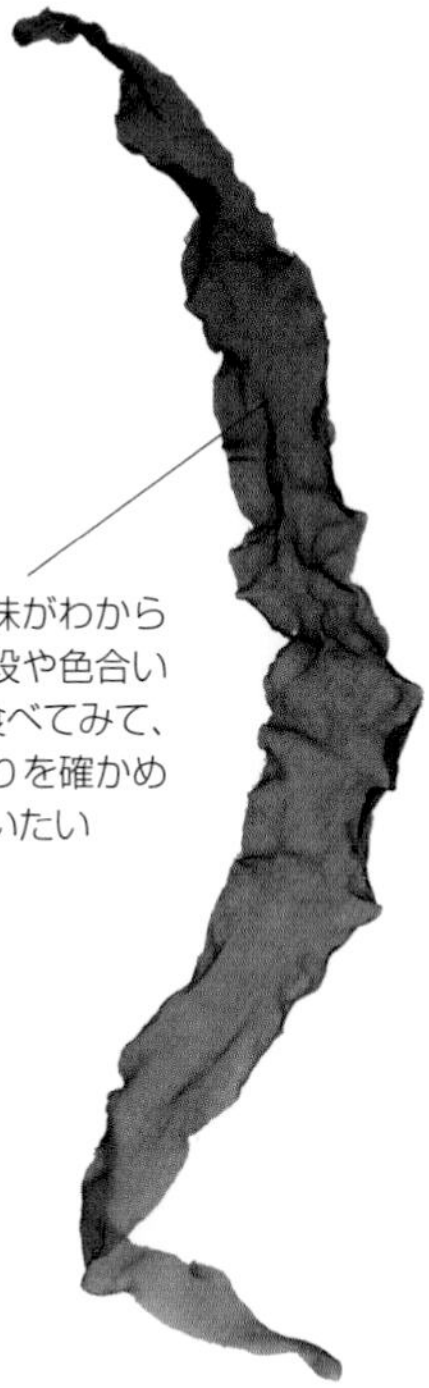

外見では味がわからない。値段や色合いよりも、食べてみて、甘みや香りを確かめてから買いたい

規格は？

すべすべしたほうが表、ザラザラしたほうが裏。そして1枚は横19㎝、縦21㎝。これが10枚で1帖になる。

寒くなると生のりが入荷

冬になると生のりが入荷する。まっ黒でどろどろしており天ぷらや佃煮になる。

料理

湿気た板のりでつくる佃煮

材料（4人分）
のり（湿気たもの）…1帖（10枚）
A［水…180cc
しょうゆ…50cc
みりん…30cc］
砂糖（好みで）…適宜

作り方

1. のりはできるだけ細かくちぎる。
2. Aを合わせ、鍋で温めて味をみる。好みで砂糖を加える。
3. 1を入れ、焦げつかないようにかきまぜながらドロドロになるまで煮る。

飛鳥時代には租税のひとつだった

西暦701年に制定された『大宝律令』には、すでに29種類の海産物が租税として記載され、アマノリ（当時のノリの仲間の総称）の名がその中に見られる。平安時代中期成立の法典『延喜式』にも、同様に租税の対象として登場している。延喜式には料理も記されているが、ムラサキノリ（現在のアサクサノリ）はみそ汁などに使われていたようだ。

かっぱ巻きは、のりの味が非常によくわかる

おいしいコツ

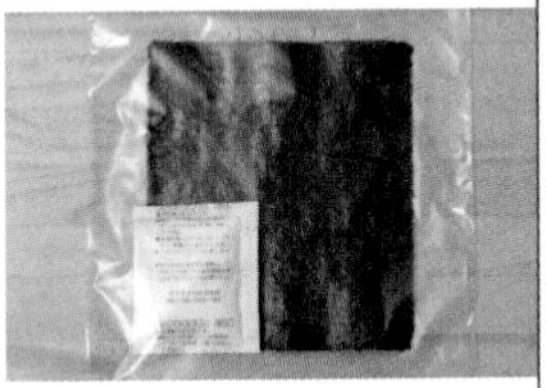

保存法

湿気ると赤紫色になり香りが失われ、旨みもなくなる。密閉袋には、市販品の袋に入っている乾燥剤も必ずいっしょに入れておく。

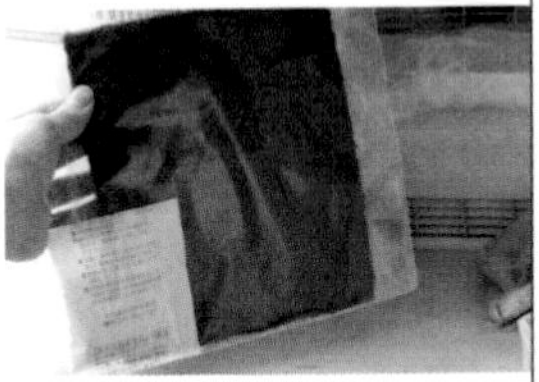

冷蔵、冷凍

冷蔵庫や冷凍庫でも保存できる。その場合も必ず密閉袋に乾燥剤を入れておく。使うときは30分くらい前に庫内から取り出し、袋のまま常温に戻して使う。

乾のりの扱い方

近年はほとんどが「焼きのり」になっているが、乾のりの風味は格別。食べる直前にオーブントースターで10秒くらい加熱するとおいしい。直火であぶると苦くなるので、ご注意を。

仲間

浅草海苔《アサクサノリ》

ウシケノリ科

60年代までのノリは本種。板のりを「アサクサノリ」というが、これが植物の名前だということは、あまり知られていない。

一重草《ヒトエグサ》

ヒトエグサ科

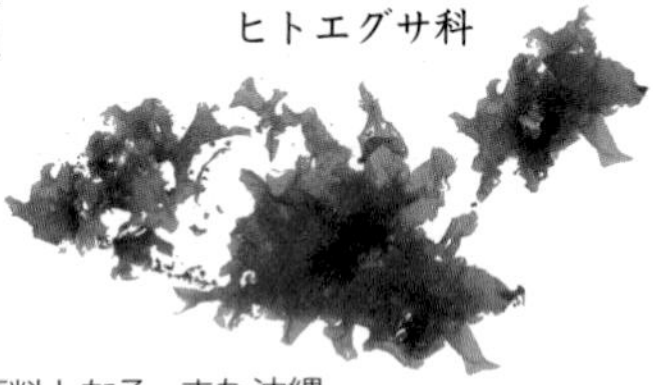

佃煮の原料となる。また沖縄、長崎などでは摘んだものを板状に干して、汁やふりかけなどに使う。非常に香りがよく、色が緑で美しい。

料理

のりご飯

板のりが湿気たら、ぜひともつくりたい、おいしい一品。そのまま食べても、お茶漬けにしても美味。1人前ずつお好みの味でどうぞ。

材料（1人分）

焼きのり…1枚
ご飯…1膳分
長ねぎ…1/2本
かつお節…1パック
かつお節しょうゆ（市販のだししょうゆで可）…1カップ
みりん…1/3カップ
わさび…適量

作り方

1. 鍋にしょうゆ、みりんを合わせ、かつお節を加えて火にかける。沸騰したら火を止めてこす。
2. のりは手でちぎっておき、ねぎはきざむ。
3. のり、ねぎ、かつお節を合わせて **1** を加える。軽くまぜ合わせて、わさびを加える。
4. ご飯にのせていただく。好みでお茶漬けにしても。

のりの天ぷら

生のりが出る冬から春に。湿気た板のりをそのまま天ぷらにしても、とてもおいしく揚がる。

材料（4人分）

生のり…200g
小麦粉（市販の天ぷら粉で可）…100g
揚げ油…適宜

作り方

1. のりの水分を軽くしぼり、平たく5㎝の楕円状にする。
2. のりの裏表に小麦粉をまぶし、170℃前後の油で揚げる。

市場

産地から消費地へ。市場流通が基本的な流れ

魚介類は国産・輸入とも、基本的に、漁業者↓（競り）↓産地仲買↓（運送）↓消費地大卸し↓（競り、話合い）↓仲卸し↓小売店↓消費者　の流れをたどります。こんなに多くの段階を経るおもな理由は、以下の3つです。

①産地と消費地の評価の違いを是正して一定の評価をつくり出し、価格の安定を図る

②売れる時間の短い生鮮品を扱うリスクを分散させる

③消費地のニーズに合わせ売買できるようにする

こんなに複雑なら、無駄や小

水揚げ

漁業者が魚を水揚げする。選別はこのとき行われる。地域によってはその方法や、取り扱いのよし悪しがある。

競り

産地で行われる。産地仲買人が、水揚げされた魚介類を評価し買い取る。魚の種類、値段などによって出荷する地域を決めるのも、この産地仲買人の役目。

トラックで運ばれる

消費地への運送。輸送手段のほとんどはトラックだが、高級なものは飛行機で。また生きているものは、活魚車を使ったり船で輸送したりする。

売価格の高騰など、デメリットが少なくないだろうと思われがちですが、そうともいいきれません。たとえば近年、大型小売店と漁業者、現地業者がじかに取引する市場外流通が話題ですが、ここでは魚介類を評価する機能が弱まっている部分も。いいと判断したものがダメだったり売れなかったり、生鮮品はつねにリスクと隣り合わせです。

リスク回避重視なら扱う種類を減らし、価格を上乗せせざるを得ないことも。市場外流通は大量の安定供給を満たす一方、こうしたデメリットもあります。これらのリスクを少なくするのが魚介類を評価するプロの力。

日本の魚市場の代表格ともいえる築地市場は近年観光地としても人気ですが、そんなことをふまえて訪れてみると、また違った魅力も見えてきます。

大卸しで受け取る

消費地に到着し、大卸し（荷受け）が受け取る。大卸しと産地仲買とで値段の予測や打ち合わせができているものと、競りで価格が変化するものとに分かれる。

競り

あらかじめ値段の決められているものは、それをもとに、消費地に対して仲卸しと大卸しが売買のやりとりを行う。マグロなどの特殊なものは競りにかけられる。

仲卸し

競り落としたり買ったりした魚介類を、仕入れにきた料理店などに自分が評価した価格で売る。買った人は店舗に持ち帰り、顧客に届ける。

名称のさくいん

あ

アイ(アユ)…26
アイナメ…19
アエビ(クルマエビ)…138
アオサバ(サバ)…70
アオダイ…94
アオナ(ハタ)…106
アオハモ(ハモ)…109
アオブリ(ブリ)…115
青ベラ(ベラ)…116
アオボッケ(ホッケ)…117
アオメエソ(メヒカリ)…131
アオヤギ…188
アオリイカ…159
赤(ウニ)…190
アカアマダイ(アマダイ)…25
アカイカ…163
アカウオ(ノドグロ)…101
アカエイ…37
アカエエ(エイ)…37
アカエビ…142
アカエビ(アマエビ)…145
アカガイ…175
アカガサ(メバル)…130
アカガシラ(カサゴ)…40
アカカマス…47
アカガレイ…51
アカギ(キンメダイ)…56
アカギギ(キンメダイ)…56
アカクチ(コイ)…59
アカグチ(グチ)…58
アカクツゾコ(シタビラメ)…83
アカゲ(アカガイ)…175
アカゲ(アサリ)…184
アカザエビ…148
アカジ(キンキ)…55
アカシタビラメ…83
アカニシ…173
アカバ(カンパチ)…53
アカハダ(タラ)…96
アカバリ(カンパチ)…53
アカヒゲ(シバエビ)…142
アカヒラ(カンパチ)…53
アカビラ(カンパチ)…53
アカベタ(シタビラメ)…83
アカマンタ(エイ)…37
赤ベラ(ベラ)…116
アカムツ…101
アカメバル(メバル)…130
アカヨ(エイ)…37
アキタガイ(ホタテガイ)…180
アコウ…41
アコウダイ(キンメダイ)…56
アゴナシ(イボダイ)…29
アサイ(アサリ)…184
アサクサノリ…199
アサジガイ(アサリ)…184
アサリ…184
アジ…20
アシアカ…140
アシナカコゴモリ(カワハギ)…52
アシャラ(アサリ)…184
アズキエエ(エイ)…37
アズマウタ(アサリ)…184
アッカイ(アカガイ)…175
アトランティックサーモン…66
アナゴ…24
アフミコイ(コイ)…59
アブラガイ(ハマグリ)…186
アブラガニ…151
アブライシモチ(グチ)…58
アブラウオ(アイナメ)…19
アブラカマジ(シマアジ)…84
アブラガレイ…50
アブラコ(カジカ)…42
アブラツノザメ…74
アフリカミナミイセエビ…148
アマエビ…145
アマガレイ(カレイ)…48
アマサギ(ワカサギ)…132
アマサザイ(サザエ)…172
アマダイ…25
アマノリ…198
アミ…143
アメリカザリガニ…149
アメリカナマズ…99
アメリカンオマールエビ…149
アヤハマグリ(ハマグリ)…186
アユ…26
アユカケ(カジカ)…42
アラ…107
アラ(タラ)…96
アラ(ハタ)…106
アラカブ(カサゴ)…40
アラスカキチジ…55
アラスカメヌケ…41
アラハダ(カマス)…47
アラハダカマス(カマス)…47
アラメノイモウト(ヒジキ)…195
アルゼンチンアカエビ…147
アワビ…170
アワビモドキ…171
アンコ(タラバガニ)…150
アンコウ…27
アンザシ(スズキ)…87
アンポンタン(カサゴ)…40
イイダコ…166
イーブー(ハゼ)…105
イエタン(エイ)…37
イオ(サケ)…64
イガイ…176
イガフグ(フグ)…112
イギス(ハタ)…106
イサキ…28
イシガイ(アサリ)…184
イシガキダイ…93
イシダイ…93
イシダコ(タコ)…164
イシムチ(グチ)…58
イシモチ(グチ)…58
イズカサゴ…41
イセエビ…148
イソガキ(カキ)…178
イトヨリ…28
イナ(ボラ)…118
イナダ(ブリ)…115
イナラ(ブリ)…115
イノミーバイ(ハタ)…106
イバラモエビ(オニエビ)…144
イボダイ…29
イボダラ(タラ)…96
イラコアナゴ…24
イワガキ…179
イワシ…30
イワノリ(ノリ)…198
インドエビ…140
ウオジマノタイ(タイ)…90
ウサギアイナメ…19
ウシノシタ(シタビラメ)…83
ウシノベロ(シタビラメ)…83
宇治丸(ウナギ)…36
ウスバハギ…52
ウスメバル(メバル)…130
ウタゴ(シマアジ)…84
ウチガキ(カキ)…178
ウチワエビ…148
ウド(ハモ)…109
ウナギ…36
ウニ…190
ウニハモ(ハモ)…109
ウバガイ(ホッキガイ)…189
ウバッカイ(ホッキガイ)…189
ウマヅラハギ…52
ウミウナギ(ハモ)…109
ウミブドウ…196
ウメイロ…94
ウルメイワシ…35
ウロハゼ…105
エイ…37
エイガ(エイ)…37
エイガンチョウ(エイ)…37
エイラ(サザエ)…172
エウ(エイ)…37
エエタン(エイ)…37
エエノウオ(エイ)…37
エエチャンチャン(エイ)…37
Aツブ(エゾボラ)…174
エゾアワビ…170
エゾイシカゲガイ…177
エゾバフンウニ…190
エゾボラ…174
エゾメバル…131
エチゼンガニ(ズワイガニ)…152
エッチュウバイ…174
エノハ(ヒイラギ)…110
エビガニ(アメリカザリガニ)…149
エブナ(ボラ)…118
エボダイ(イボダイ)…29
エンピツ(サヨリ)…75
オイザサ(イワシ)…30
オイワシ(イワシ)…30
大アジ(アジ)…20
オオイオ(ハタ)…106
オオイオ(ブリ)…115

大ウナギ(ウナギ)…36
オオエビ(ボタンエビ)…146
オーガシ(シマアジ)…84
オオガレイ(ヒラメ)…111
オオカミ(シマアジ)…84
オオグチガレイ(ヒラメ)…111
オオクリガニ(ケガニ)…153
オオサガ…41
オーシオ(カンパチ)…53
大ソゲ(ヒラメ)…111
オオフグ(フグ)…112
オオブク(フグ)…112
オオマタ(スズキ)…87
オオミゴイ(コイ)…59
オオメハタ…128
オカンバ(ハゼ)…105
オキアジ…85
オキウルメ(メヒカリ)…131
オキカマス(カマス)…47
オキツダイ(アマダイ)…25
オキツンブ(エゾボラ)…174
オキナワモズク…196
オキヒイラギ…110
オキムツ(ムツ)…128
沖メバル(メバル)…130
オゴノリ…197
オタイヤ(カレイ)…48
オチガイ(カキ)…178
オチョボ(カレイ)…48
オドリガニ(ガザミ)…154
オナゴガイ(アサリ)…184
オニオコゼ…41
オニエビ…144
オニコンブ(コンブ)…192
オヒョウ…51
オハグロ(トリガイ)…177
オボコ(ボラ)…118
親不孝(ムツ)…128
オヤマフグ(フグ)…112
オラシャ(イワシ)…30
オンガイ(アワビ)…170
オンシラズ(ムツ)…128

か

カイセン(ホタテガイ)…180
カイワリ…85
ガガナ(カサゴ)…40
カキ…178
カキノタネ(マグロ)…122
カキボウ(カキ)…178
角トビ(トビウオ)…98
ガクガク(グチ)…58
カゲキヨ(キンメダイ)…56
ガザエビ(シャコ)…156
カサゴ…40
ガザミ…154
カジカ(ハゼ)…105
カジカギス(ハゼ)…105
カジカ…42
カジキ…43
ガシラ(カサゴ)…40
カセブタ(エイ)…37
ガゼ(ウニ)…190
カゼガニ(ガザミ)…154
カタクチイワシ…34
カタジラア(キンメダイ)…56
カタナ(タチウオ)…95
カツ(カツオ)…44
カツウ(カツオ)…44
カツオ…44
カツオアジ(シマアジ)…84
カツチャムツ(ムツ)…128
カツラダイ(タイ)…90
カツン(シマアジ)…84
カド(サンマ)…78
カド(ニシン)…100
カドイワシ(ニシン)…100
カナムツ(ムツ)…128
カニエビ(アメリカザリガニ)…149
カノコ(アサリ)…184
カノコザメ(サメ)…74
カブダカ(イワシ)…30
カペリン…82
カマクラエビ(イセエビ)…148
カマジ(シマアジ)…84
ガマジャコ(グチ)…58
カマス…47
カマチ(サワラ)…76
カミナリイカ…158
カミナリウオ(ハタハタ)…108
カメノテ…156
カラコ(カサゴ)…40
カラス(ムツ)…128
カラスガイ(ムールガイ)…176
カラスガレイ…50
カラフトシシャモ…82
カラフトマス…65
カリフォルニアマイワシ…30
カレイ…48
ガレージ(シャコ)…156
カワエビ…144
カワガイ(シジミ)…182
カワシジミ(シジミ)…182
カワスジ(コイ)…59
カワハギ…52
ガンゼ(ウニ)…190
ガンゾウビラメ(ヒラメ)…111
ガンチン(ガザミ)…154
ガンド(ブリ)…115
カンヌキ(サヨリ)…75
カンノウオ(サヨリ)…75
ガンバ(フグ)…112
カンパチ…53
キアジ…20
キアンコウ(アンコウ)…27
ギイギイ(ハモ)…109
キイシジミ(シジミ)…182
キキンウオ(ワカサギ)…132
ギギ(ヒイラギ)…110
キグチ…58
キグチ(グチ)…58
キザミ(ベラ)…116
ギザミ(ベラ)…116
キジハタ…107
キジビ(アサリ)…184
キシメガイ(アサリ)…184
キス…54
キス(ハゼ)…105
キスゴ(キス)…54
キダイ…92
キタノホッケ…117
キタマクラ(フグ)…112
キタムラサキウニ…190
キチジ(キンキ)…55
キツゴ(キス)…54
キツネガレイ(カレイ)…48
キヌガイ(アオヤギ)…188
キヌヒメサーモン…68
キハダマグロ…127
キビレ…92
ギュウギュウ(シマアジ)…84
キュウセン(ベラ)…116
キュウリウオ…26
ギョウスン(ノドグロ)…101
キョウモドリ(ハタ)…106
ギンガメアジ…85
ギンガレイ(カレイ)…50
キンギョ(キンキ)…55
キンギョ(ノドグロ)…101
キンギョウオ(ノドグロ)…101
キングサーモン…67
キングチ(グチ)…58
ギンザケ…66
キンタル(イワシ)…30
ギンタナゴ(ヒイラギ)…110
ギンムシ(イワシ)…30
キンメ(キンメダイ)…56
キンメ(ノドグロ)…101
キンメダイ…56
クイユ(コイ)…59
クエ(ハタ)…106
クエマス(ハタ)…106
クサヤムロ…23
クジ(グチ)…58
グジ(アマダイ)…25
クジラトオシ(ムツ)…128
クシロ(メジナ)…129
クズ(アマダイ)…25
グズ(ハゼ)…105
クスジ(アサリ)…184
グソクエビ(イセエビ)…148
クソハゼ(ハゼ)…105
クチ(グチ)…58
グチ…58
クチグロカマヂ(シマアジ)…84
クチトガヤー(シマアジ)…84
クチボソ(カレイ)…48
クチメ(ボラ)…118
クツアンコウ(アンコウ)…27
クツ(グチ)…58
クツワガイ(アオヤギ)…188
クボガイ…173
クマサカ(フグ)…112
クマダイ(メジナ)…129
クラゲウオ(イボダイ)…29
クラッカ(タラバガニ)…150
クリガニ…153
クルマエビ…138

グレ(メジナ)…129
クロ(メジナ)…129
クロアイ(メジナ)…129
クロアジ…20
クロアワビ…170
クロウシノシタ…83
黒愚痴…58
クロダイ…92
クロダイ(メジナ)…129
クロハゼ(ハゼ)…105
クロバン(メジナ)…129
クロマグロ…122
クロマツ(ムツ)…128
黒目(ウナギ)…36
クロメジナ…129
クロモンフグ(フグ)…112
クロヤ(メジナ)…129
グンジ(ハゼ)…105
ケー(アサリ)…184
ケガニ…153
ゲバ(カワハギ)…52
ケミガワ(アカガイ)…175
ゲンカイフグ(フグ)…112
ケンサキイカ…159
コー(コイ)…59
コイ…59
コイチ(グチ)…58
コウイカ…158
コウバコガニ(ズワイガニ)…152
コオモリ(カワハギ)…52
コガイ(アサリ)…184
コシビ(マグロ)…122
コショウエビ…145
コショウダイ(イサキ)…28
ゴジラエビ(オニエビ)…144
ゴズ(ハゼ)…105
コズクラ(ブリ)…115
コセ(シマアジ)…84
ゴゼ(アサリ)…184
コセアジ(シマアジ)…84
コタ(イボダイ)…29
コチウ(マグロ)…122
コチ…60
コッパ(スズキ)…87
コッペガニ(ズワイガニ)…152
コノシロ…35
コビラ(イワシ)…30
コビン(マグロ)…122
コブダイ…116
コボダラ(タラ)…96
コマイ…97
ゴマサバ…73
ゴミハマグリ(アサリ)…184
コメジ(マグロ)…122
ゴリ(カジカ)…42
コロダイ(イサキ)…28
ゴロマイ(ヒイラギ)…110
コワ(サメ)…74
ゴンギリ(ハモ)…109
コンブ…192

さ

サアベラ(タチウオ)…95
サーベラ(サンマ)…78
サーモントラウト…68
サイカチ(ワカサギ)…132
サイチ(サヨリ)…75
サイラ(サヨリ)…75
サイラ(サンマ)…78
サイリ(サンマ)…78
サイリイ(サンマ)…78
サイレンボウ(サヨリ)…75
サイロ(サンマ)…78
サエリ(サヨリ)…75
サカズキイボ(メジナ)…129
サクラエビ…143
サクラガイ(アオヤギ)…188
サクラダイ(タイ)…90
サケ…64
サケノイオノッカエダイ(メジナ)…129
サゴシ(サワラ)…76
サゴチ(サワラ)…76
サザイ(サザエ)…172
サザイオ(サンマ)…78
ササイカ(ヤリイカ)…159
サザインナ(サザエ)…172
サザエ…172
ササガレイ(シタビラメ)…83
サシサガ(サメ)…74
サジャ(サザエ)…172
サゼ(サザエ)…172
サダエ(サザエ)…172
サタケウオ(ハタハタ)…108
サデ(サザエ)…172
サトウガイ…175
サバ…70
サビアユ(アユ)…26
サメ…74
サヨリ…75
サヨリ(サンマ)…78
サラサ(コイ)…59
サルエビ…142
サルボウ…175
サワガニ…155
サワラ…76
サンザエ(サザエ)…172
サンゼンボン(カツオ)…44
サンデ(サザエ)…172
サンマ…78
シイラ…76
シオ(カンパチ)…53
シオッコ(カンパチ)…53
シオフキ(アオヤギ)…188
シオフキ(アサリ)…184
シクラ(ボラ)…118
ジコイ(コイ)…59
シシビ(メジナ)…129
シジミ…182
シジメ(シジミ)…182
シシャモ…82
シジュウ(アイナメ)…19
シシンギャ(アカガイ)…175
シズ(イボダイ)…29
シタゲ(アオヤギ)…188
シタビラメ…83
シッタカ…173
シナハマグリ…187
シバエビ…142
シビコ(マグロ)…122
シマアジ…84
シマイオ(シマアジ)…84
シマイサギ(シマアジ)…84
シマイッサキ(シマアジ)…84
シマエビ…147
シマガイ(アカガイ)…175
シマス(イボダイ)…29
シマホッケ…117
清水サバ…73
シモフリ(サメ)…74
シャージャー(サザエ)…172
シャクハチ(カマス)…47
シャケ(サケ)…64
シャコ…156
シャコエビ(シャコ)…156
ジャハム(ハモ)…109
ジャミキン(キンキ)…55
シャンハイガニ…155
シュシュ・ハモ(シシャモ)…82
シュス(イボダイ)…29
城下ガレイ(カレイ)…48
ショウキン(キンキ)…55
ショウジンゴ(ブリ)…115
ショウバン(カツオ)…44
ショウブ(サヨリ)…75
ショゴ(カンパチ)…53
ショブ(サヨリ)…75
シラウオ…86
シラギス(キス)…54
シラクチ(グチ)…58
シラグチ(グチ)…58
シラサギ(ワカサギ)…132
シラシヨウジ(シマアジ)…84
シラスアユ(アユ)…26
シラスウナギ(ウナギ)…36
シラハタ(ハタハタ)…108
シラブ(グチ)…58
ジルマイカ(スルメイカ)…160
シロ(フグ)…112
シロアマダイ…25
シロウオ…86
シロエビ…143
シロエビ(シバエビ)…142
シロエビ(ボタンエビ)…146
シロギス…54
シログチ…58
シロサバフグ…113
シロハゼ(ハゼ)…105
シロブカ(サメ)…74
シロメ(ボラ)…118
シンエビ(サクラエビ)…143
シンシュウサーモン…68
シンジョ(アイナメ)…19
ジンタ(アジ)…20
シンフタ(ヒイラギ)…110
シンマエ(マグロ)…122
スイボオ(タラ)…96
スクビ(サヨリ)…75
スグメ(サヨリ)…75

スケトウダラ…97
スサビノリ…198
スサム(シシャモ)…82
スサモ(シシャモ)…82
スジエビ(カワエビ)…144
スジガツオ(カツオ)…44
スシャモ(シシャモ)…82
スス(サヨリ)…75
スズ(サヨリ)…75
スズ(サンマ)…78
スズウオ(サヨリ)…75
スズキ…87
スズノメバチメ(メバル)…130
スス・ハム(シシャモ)…82
スズメウオ(ワカサギ)…132
スズメガイ(シジミ)…182
スズメダイ…94
スバシリ(ボラ)…118
スポットエビ…147
スマ…46
スミイカ(コウイカ)…158
スミガイ(アカガイ)…175
スルメイカ…160
ズワイガニ…152
セイカイ(メバル)…130
セイゴ(スズキ)…87
セイコガニ…152
関あじ…23
セザメ(サメ)…74
セタシジミ…183
セトヌメリ…60
センキバイ(エゾボラ)…174
センバ(カワハギ)…52
ゼンメ(ヒイラギ)…110
ソイ(シマアジ)…84
ソウジ(シマアジ)…84
ソウボウシロザメ(サメ)…74
ソゲ(ヒラメ)…111
ソコフグ(フグ)…112
ソジ(シマアジ)…84
ソメブリ(ワカサギ)…132

た

タイ…90
ダイエビ(ボタンエビ)…146
タイザメ(サメ)…74
タイショウエビ…140
タイセイヨウサバ…72
ダイバン(カツオ)…44
ダイマル(フグ)…112
タイリクシジミ…183
タイワンガザミ…154
タカイオ(メジナ)…129
竹崎ガニ(ガザミ)…154
タコ…164
タコ(メジナ)…129
タチ(タラ)…96
タチウオ…95
タツバモ(ハモ)…109
タテマダラ(カツオ)…44
タヌキメバル…41
タマ(アカガイ)…175
タラ…96
太良ガニ(ガザミ)…154
タラバガニ…150
タラバホッケ(ホッケ)…117
ダンジュウロ(ノドグロ)…101
チカ…132
チガイ(アカガイ)…175
チギ(カンパチ)…53
チギザメ(サメ)…74
チゲー(アカガイ)…175
チコウハン(スズキ)…87
チダイ…92
チャー(ナマズ)…99
チュウチュウ(カワハギ)…52
チュウハン(スズキ)…87
チュウバン(カツオ)…44
チュウボッケ(ホッケ)…117
チョウセンハマグリ…187
チレニアガイ(ムールガイ)…176
チンチロ(スルメイカ)…160
ツウツウレップ(ホッキガイ)…189
ツクシトビウオ…98
ツクラ(ボラ)…118
ツチカマス(カマス)…47
ツノギ(カワハギ)…52
ツノクチ(ムツ)…128
ツノジ(サメ)…74
ツバイソ(ブリ)…115
ツバス(ブリ)…115
ツボウガイ(サザエ)…172
ツボッカイ(サザエ)…172
ツマグロブカ(サメ)…74
ツラアラワズ(カサゴ)…40
デキ(スズキ)…87
デキハゼ(ハゼ)…105
テチョウ(イボダイ)…29
テッポウ(サメ)…74
テッポウ(フグ)…112
テナガエビ…144
テナガダコ…166
テングサ…197
テンゲス(サザエ)…172
テンジクタチ…95
テンスリボウ(サメ)…74
トウガラシ(アマエビ)…145
トウヘイ(ハモ)…109
トオサアラ(サワラ)…76
トギラ(サメ)…74
ドクサバフグ…113
トゲカジカ…42
ドコ(イワシ)…30
トコブシ…171
トサカノリ…197
ドジラフグフクト(フグ)…112
トッポゲー(サザエ)…172
トド(ボラ)…118
トビウオ…98
トビダイ(カツオ)…44
トマリアユ(アユ)…26
トミ(フグ)…112
ドモンジョウ(ホッケ)…117
トヤマエビ(ボタンエビ)…146
トラエビ(ボタンエビ)…146
トラフグ…112
トリガイ…177
トレンゴオ(イワシ)…30
ドロカマス(カマス)…47
トロボッチ(メヒカリ)…131
トンエビ(アマエビ)…145
トンガラシ(アマエビ)…145
どんちっちあじ…23
ドンブリガイ(ホッキガイ)…189
トンボ(トリガイ)…177
ドンボ(カジカ)…42

な

ナイラギ(カジカ)…42
ナガコンブ…192
長ハゲ(カワハギ)…52
灘あじ…23
ナダカマス(カマス)…47
ナタギス(キス)…54
夏とび(トビウオ)…98
七つ星(イワシ)…30
ナマガイ(アワビ)…170
ナマズ…99
ナミガイ(アサリ)…184
ナメ(コイ)…59
ナメイ(コイ)…59
ナメリ(コイ)…59
ナンバンエビ(アマエビ)…145
ナンヨウキンメ…57
ニイラギ(ヒイラギ)…110
ニイリ(カンパチ)…53
ニガノコ(サザエ)…172
ニギス…54
ニキメ(ワカメ)…194
ニゴロブナ…59
ニシホッケ(ホッキガイ)…189
ニシマアジ…21
ニジマス(サーモントラウト)…68
ニシン…100
ニベ…58
ニホンシジミ(シジミ)…182
ニュウドウ(スズキ)…87
ニロギ(ヒイラギ)…110
ヌノメ(アサリ)…184
ヌベ(グチ)…58
ヌリ(スズキ)…87
ネイリ(カンパチ)…53
ネイリコ(カンパチ)…53
ネウ(カンパチ)…53
ネウオ(アイナメ)…19
ネコクワズ(ヒイラギ)…110
ネコゴロシ(ヒイラギ)…110
ネコナカセ(ヒイラギ)…110
ネズミゴチ…60
ネズミザメ…74
ネバイ(カサゴ)…40
ネボッケ(ホッケ)…117
ノウサバ(サメ)…74
ノウソクリ(サメ)…74
ノウソブカ(サメ)…74
ノウマキ(サメ)…74
ノオクリ(サメ)…74

ノゴイ(コイ)…59
ノソ(サメ)…74
ノドグロ…101
ノリ…198
ノリクシロ(メジナ)…129
ノレソレ(アナゴ)…24

は

バイ…174
バイ(エゾボラ)…174
ハウト(カジカ)…42
バガイ(アオヤギ)…188
バカガイ(アオヤギ)…188
ハガツオ…46
ハカリザメ(サメ)…74
ハカリメ(アナゴ)…24
ハカリメ(サメ)…74
ハク(ボラ)…118
ハクウオ(タチウオ)…95
バクチウチ(カワハギ)…52
ハクラ(スズキ)…87
ハゲ(カワハギ)…52
ハゲコウベ(カワハギ)…52
ハコフグ…113
ハゼ…105
ハゼ(カジカ)…42
ハタ…106
バターフィッシュ(イボダイ)…29
ハダカイシモチ(グチ)…58
ハタジロ(カツオ)…44
ハタハタ…108
ハチ(カサゴ)…40
ハチカサゴ(カサゴ)…40
バチガタシジミ…183
ハチマキ(カンパチ)…53
バッタモ(ハモ)…109
ハツメ…130
バテイラ…173
ハナサキガニ…151
ハナジロ(ブリ)…115
バナメイ…140
ババガレイ…51
ハブ(ハモ)…109
バフンウニ…190
ハマグリ…186
ハマダイ…94
ハマチ(ブリ)…115
ハマトビウオ…98
ハマフエフキ…94
ハム(アナゴ)…24
ハム(ハモ)…109
ハモ…109
バライカ(スルメイカ)…160
ハリイカ(コウイカ)…158
春トビ(トビウオ)…98
バンジョウ(サンマ)…78
Bツブ(エゾボラ)…174
ヒイラギ…110
ヒオウギガイ…181
ヒカリエビ(サクラエビ)…143
ヒシガニ(ガザミ)…154
ヒジキ…195
ヒジタタキ(キス)…54
ヒジメ(シジミ)…182
ヒズキモ(ヒジキ)…195
ビタ(アマダイ)…25
ヒダカコンブ…192
ヒダリガレイ(ヒラメ)…111
ヒトエグサ…199
ヒネエビ(サクラエビ)…143
ヒメガイ(アオヤギ)…188
ヒメダイ…94
ヒメヒカリ(メヒカリ)…131
ヒラ(イワシ)…30
平アジ(アジ)…20
ヒラアジ(シマアジ)…84
ヒラガキ(カキ)…178
ヒラガタナ(タチウオ)…95
平キン…57
ヒラクチ(グチ)…58
平子鰯(イワシ)…30
ヒラサバ(サバ)…70
ヒラソウダガツオ…46
ヒラマサ…53
ヒラメ…111
ヒラレ(イワシ)…30
ビンガ(カジカ)…42
ピンギス(キス)…54
ビンチョウマグロ…127
フウセンキンメ…57
フカ(サメ)…74
フク(フグ)…112
フグ…112
フグ(カジカ)…42
フクラギ(ブリ)…115
フクラゲ(ブリ)…115
ブダイ…94
フッコ(スズキ)…87
ブドウエビ…147
冬イカ(ヤリイカ)…159
プラー・サワイ(ナマズ)…99
ブラックタイガー…140
フランスアサリ(ムールガイ)…176
ブリ…114
フルセ(アユ)…26
フルセン(トビウオ)…98
ブンシロー(コイ)…59
ヘダイ…92
ベタ(シタビラメ)…83
ベニアサリ(アサリ)…184
ベニザケ…67
ベニズワイガニ…152
ベラ…116
ベラタ(アナゴ)…24
ベロ(シタビラメ)…83
ボウゼ(イボダイ)…29
ホオリュウ(コイ)…59
ホガイ(アオヤギ)…188
ホゴ(カサゴ)…40
ホゴ(メバル)…130
ホシ(サメ)…74
ホシザメ…74
ホシブカ(サメ)…74
ホシモダマ(サメ)…74
ホシワニ(サメ)…74
ホソクチウオ(サヨリ)…75
ホソトビウオ…98
ホタテ(ホタテガイ)…180
ホタテガイ…180
ホタルイカ…163
ボタンエビ…146
ボッカ(カサゴ)…40
ホッカイシマエビ…147
ホッキ(ホッケ)…117
ホッキガイ…189
ホッケ…117
ボッケア(ホッケ)…117
ホッコクアカエビ(アマエビ)…145
ボホガイ(ホタテガイ)…180
ボラ…118
ポン(タラ)…96
ポン(メジナ)…129
ホンアカ(アカガイ)…175
本アジ(アジ)…20
ホンアナゴ(アナゴ)…24
ホンエビ(クルマエビ)…138
ホンカマス(カマス)…47
本ガツオ…44
ホンギス(キス)…54
ホングエ(ハタ)…106
ホンサバ(サバ)…70
本サワラ(サワラ)…76
本シシャモ(シシャモ)…82
ホンダマ(アカガイ)…175
ポンダラ(タラ)…96
本ダラ…96
本タラバ(タラバガニ)…150
ホンハマ(ハマグリ)…186
ホンハモ(ハモ)…109
ホンビノス…184
本ビラメ(ヒラメ)…111
ホンフグ(フグ)…112
ホンマグロ(マグロ)…122

ま

マアジ(アジ)…20
マアナゴ(アナゴ)…24
マイカ(コウイカ)…158
マイダラ(タラ)…96
マイワシ(イワシ)…30
マガキ(カキ)…178
マカジキ…43
マガツオ(カツオ)…44
マガマス(カマス)…47
マガレ(カレイ)…48
マガレイ…51
マギス(キス)…54
マギリメ(メジナ)…129
マキン(キンメダイ)…56
マキンメ(キンメダイ)…56
マグエ(ハタ)…106
マグロ…122
マグロ(フグ)…112
マゴイ(コイ)…59
マコガレイ…48
マゴチ…60
マゴリ(カジカ)…42
マコンブ…193

マサバ…70
マシジミ…183
マス(ハタ)…106
マスノスケ…67
マダイ…90
マダカ(スズキ)…87
マダカアワビ…170
マダコ…164
マダラ…96
マダラエビ(クルマエビ)…138
マツイカ(スルメイカ)…160
マツカワガレイ…51
マツバガニ(ズワイガニ)…152
マツブ(エゾボラ)…174
マトウダイ…93
マナガツオ…29
マナゾ(サメ)…74
マノウソ(サメ)…74
マハゼ…105
マハタ…107
マブカ(サメ)…74
マフグ(フグ)…112
マフグ…113
豆アジ(アジ)…20
マメジ(マグロ)…122
マルアオメエソ(メヒカリ)…131
マルアジ…21
マルカド(サンマ)…78
マルゴ(ブリ)…115
マルソウダガツオ…46
丸ハゲ(カワハギ)…52
ミズイカ(ヤリイカ)…159
ミズガマス(カマス)…47
ミズダコ…166
ミチヒジキ(ヒジキ)…195
ミツイシコンブ(コンブ)…192
ミツハーイオ(サヨリ)…75
ミナトガイ(アオヤギ)…188
ミナミマグロ…127
ミネフジツボ…156
ミミシロガイ(ハマグリ)…186
ミヤマゴリ(カジカ)…42
ミルクイ…189
ミロクガイ(アカガイ)…175
ムール貝…176
ムギイカ(スルメイカ)…160
ムツ…128
ムツゴロウ(ムツ)…128
ムツメ(ムツ)…128
ムラサキイガイ(ムールガイ)…176
ムロアジ…23
メアカサゴ(シマアジ)…84
メアジ…85
メイタガレイ…51
メイチダイ…94
メイメイセン(キンキ)…55
メガイアワビ…171
メカジキ…43
メガラ(メバル)…130
メキン(ノドグロ)…101
メゴチ…60
メジ(ブリ)…115
メジカ(カレイ)…48
メジカアサバ(カレイ)…48
メジナ…129
メジマグロ…124
メジマグロ(マグロ)…122
メジロ(ブリ)…115
メジロ(アナゴ)…24
メダイ…29
メダカ(ムツ)…128
メッキン(ノドグロ)…101
メナダ…118
メノハ(ワカメ)…194
メバチマグロ…126
メバリ(ムツ)…128
メバル…130
メバル(カサゴ)…40
メヒカリ…131
メブト(ノドグロ)…101
メメセン(キンキ)…55
メンガイ(アワビ)…170
メンメ(キンキ)…55
モガイ(アカガイ)…175
モサヨリ(サヨリ)…75
モクズガニ…155
モジャコ(ブリ)…115
モジャッコ(ブリ)…115
モズク…196
モスズ(ハタ)…106
モチウオ(グチ)…58
モチノウオ(カワハギ)…52
モチノウオ(イボダイ)…29
モツ(ムツ)…128
モミダネウシナイ(アイナメ)…19
モミハゼ(ハゼ)…105
モロクチ(イワシ)…30
モロコ(ハタ)…106
モンゴウイカ…158
モンジロ(サヨリ)…75
モンツキ(フグ)…112

や

ヤエガマス(カマス)…47
ヤキモチコゴモリ(カワハギ)…52
屋久サバ…73
ヤズ(ブリ)…115
ヤナギ(サワラ)…76
ヤナギサワラ(サワラ)…76
ヤナギノマイ…131
ヤナギムシガレイ…51
ヤマト(コイ)…59
ヤマトカマス…47
ヤマトゴイ(コイ)…59
ヤマトシジミ…182
ヤマノカミ(カジカ)…42
ヤマブシガレイ(カレイ)…48
ヤリイカ…159
ユウドウ(スズキ)…87
ユメカサゴ…40
ヨウオ(イボダイ)…29
ヨコワ(マグロ)…122
ヨシ(イボダイ)…29
ヨシノボリ…105
ヨダレ(ヒイラギ)…110
ヨド(サヨリ)…75
ヨドロ(サヨリ)…75
ヨロズ(サヨリ)…75

ら

ラウスコンブ…192
ラケット(カワハギ)…52
ラス(サヨリ)…75
リシリコンブ…193
ろうそく(サバ)…70
ロウソクボッケ(ホッケ)…117
ロク(ムツ)…128

わ

ワカサギ…132
若狭グジ(アマダイ)…25
ワカナゴ(ブリ)…115
ワカメ…194
ワタリガニ(ガザミ)…154
ワニ(サメ)…74
ワラサ(ブリ)…115

(おことわり)

掲載の名称は本編の本文、「地方名」「仲間」から索引に必要として抜粋したもので、省いた名称もあります。あらかじめご了承ください。

S0-BHT-215

●著者

藤原昌高（ふじわら まさたか）

徳島県生まれ。ウェブサイト『ぼうずコンニャクの市場魚貝類図鑑』主宰。島根県水産アドバイザー。四季折々の魚介類をおいしく味わえる国に生まれたことに感謝し、魚貝類の情報を集め始める。以来、三十余年にわたり日本全国で収集した情報を、1日のアクセス数が5万件を超えるサイトにアップし続けている。同サイトには魚貝類のみならず多彩な生物を掲載し、2000種以上の一般的な食用水産生物を網羅。また、寿司の掲載数は1000貫を超える。テレビ番組や雑誌、書籍の監修は多数あり、画像や情報の提供も行っている。

[ぼうずコンニャクの市場魚貝類図鑑]
http://www.zukan-bouz.com/

お問い合わせ
zkan@zukan-bouz

からだにおいしい 魚の便利帳

著　者　藤原昌高
発行者　高橋秀雄
編集者　小元慎吾
発行所　高橋書店
〒112-0013　東京都文京区音羽1-26-1
編集 TEL 03-3943-4529 / FAX 03-3943-4047
販売 TEL 03-3943-4525 / FAX 03-3943-6591
振替 00110-0-350650
http://www.takahashishoten.co.jp

ISBN978-4-471-03387-3
© FUJIWARA Masataka Printed in Japan
本書の内容を許可なく転載することを禁じます。
定価はカバーに表示してあります。
造本には細心の注意を払っておりますが万一、本書にページの順序間違い・抜けなど物理的欠陥があった場合は、不良事実を確認後お取り替えいたします。下記までご連絡のうえ、小社へご返送ください。
ただし、古書店等で購入・入手された商品の交換には一切応じられません。

※本書についての問合せ　土日・祝日・年末年始を除く平日9:00～17:30にお願いいたします。
内容・不良品／☎03-3943-4529（編集部）
在庫・ご注文／☎03-3943-4525（販売部）